Dr. Oetker
BACKEN
von A–Z

Dr. Oetker
BACKEN
von A-Z

Vorwort

Abkürzungen

EL = Esslöffel
TL = Teelöffel
Msp. = Messerspitze
Pck. = Packung/Päckchen
g = Gramm
kg = Kilogramm
ml = Milliliter
l = Liter
evtl. = eventuell
geh. = gehäuft
gestr. = gestrichen
TK = Tiefkühlprodukt
°C = Grad Celcius
Ø = Durchmesser

Kalorien-/Nährwertangaben

E = Eiweiß
F = Fett
Kh = Kohlenhydrate
kcal = Kilokalorie
kJ = Kilojoule

Symbole

= einfach

= mittel

= schwer

❄ = gefriergeeignet

🍶 = mit Alkohol

Hinweise zu den Rezepten

Lesen Sie bitte vor der Zubereitung – besser noch vor dem Einkaufen –
das Rezept einmal vollständig durch. Oft werden Arbeitsabläufe oder
-zusammenhänge dann klarer.

Zutatenliste

Die Zutaten sind in der Reihenfolge ihrer Bearbeitung aufgeführt.

Arbeitsschritte

Die Arbeitsschritte sind einzeln hervorgehoben, in der Reihenfolge, in der
sie von uns ausprobiert wurden.

Backofeneinstellung

Die in den Rezepten angegebenen Backtemperaturen und -zeiten sind
Richtwerte, die je nach individueller Hitzeleistung des Backofens über-
oder unterschritten werden können.
Bitte beachten Sie deshalb bei der Einstellung des Backofens die
Gebrauchsanweisung des Herstellers und machen Sie nach Beendigung
der angegebenen Backzeit eine Garprobe.

Zubereitungszeiten

Die Zubereitungszeit beinhaltet nur die Zeit für die eigentliche Zubereitung,
die Backzeiten sind gesondert ausgewiesen. Längere Wartezeiten wie
z.B. Kühlzeiten sind ebenfalls nicht mit einbezogen.

Vorwort

Backen von A-Z, das ist das Standardwerk für Ihre Backstube. In diesem Backlexikon finden Sie die wichtigsten und bekanntesten Backrezepte, sortiert von A-Z. Wenn Freunde, Verwandte oder der/die Liebste kommen – hier sind Sie richtig, wenn es ums zeitgemäße Backen geht. Auch wenn Sie sich selbst verwöhnen wollen, hier finden Sie Klassiker ebenso wie die modernen Rezepte, die handgeschrieben von Hobbybäcker zu Hobbybäcker weitergegeben werden. Sie finden die ganze Bandbreite des Backens von Plätzchen bis Torte, von Deutschland bis Amerika, von pikant bis süß. Und wenn Sie alles nachgebacken haben, dann beginnen Sie ruhig noch einmal von vorn.

Eine Buchstabenleiste zeigt Ihnen, wo Sie sich im Alphabet befinden. Gehen Sie mit uns auf Entdeckungsreise, egal ob Sie Ihre Familie oder Ihre Gäste mit leckerem Backwerk verwöhnen möchten. Wir zeigen Ihnen von A-Z, was Sie Köstliches mit und ohne Backofen zaubern können.

Alle Rezepte sind am Ende des Buches noch einmal thematisch sortiert nach: Brot und Brötchen, Für Kinder, Grundrezepte, Kleingebäck, Konfekt, Kuchen aus der Form, Kuchen vom Blech, Mit Alkohol, Pikantes Gebäck, Plätzchen, Schnell, Torten, Vollwert-Gebäck und Weihnachtsgebäck.

Aachener Printen |

Klassisch

Für den Belag:
etwa 100 g Haselnusskerne

Für den Teig:
125 g Zuckerrübensirup (Rübenkraut)
50 g Zucker, 1 Prise Salz
50 g Butter oder Margarine
2 EL Milch oder Wasser
50 g Grümmel (gestoßener brauner Kandis), 3 Tropfen Zitronen-Aroma
$\frac{1}{2}$ gestr. TL gemahlener Anis
$\frac{1}{2}$ gestr. TL gemahlene Nelken
$\frac{1}{2}$ gestr. TL gemahlener Zimt
250 g Weizenmehl, 3 gestr. TL Backpulver

Zubereitungszeit: 45 Minuten, ohne Kühlzeit

Insgesamt: E: 75 g, F: 194 g, Kh: 820 g, kJ: 22934, kcal: 5476

1 Für den Belag Haselnusskerne auf ein Backblech geben, in den Backofen schieben und leicht anrösten lassen.

Ober-/Unterhitze: 200 – 220 °C (vorgeheizt)
Heißluft: 180 – 200 °C (vorgeheizt)
Gas: etwa Stufe 4 (vorgeheizt)
Röstzeit: 8 – 12 Minuten

2 Die Haselnusskerne in ein Sieb geben, die Häutchen mit den Händen abreiben, Haselnusskerne halbieren.

3 Für den Teig Sirup mit Zucker, Salz, Fett und Milch oder Wasser langsam erwärmen und zerlassen. Masse in eine Schüssel geben und kalt stellen.

4 Unter die fast erkaltete Masse mit Handrührgerät mit Rührbesen auf höchster Stufe Grümmel, Aroma und Gewürze rühren. Mehl mit Backpulver mischen, sieben und $\frac{2}{3}$ davon portionsweise auf mittlerer Stufe unterrühren.

5 Die Teigmasse mit dem restlichen Mehl auf der Arbeitsfläche zu einem glatten Teig verkneten. Sollte der Teig kleben, ihn eine Zeit lang kalt stellen. Den Teig etwa $\frac{1}{2}$ cm dick ausrollen, Rechtecke (etwa 2 $\frac{1}{2}$ x 7 cm)

daraus schneiden und auf ein Backblech (gefettet) legen.

6 Die Haselnusshälften auf die Teigstücke legen und das Backblech in den Backofen schieben.

Ober-/Unterhitze: 180 – 200 °C (vorgeheizt)
Heißluft: 160 – 180 °C (vorgeheizt)
Gas: etwa Stufe 3 (vorgeheizt)
Backzeit: etwa 10 Minuten

7 Die Printen auf einem Kuchenrost erkalten lassen.

Tipp: Für den Guss 150 – 200 g dunkle Kuvertüre mit etwas Kokosfett in einem kleinen Topf im Wasserbad bei schwacher Hitze geschmeidig rühren und die Printen damit überziehen. Die Gewürzprinten sind etwa 4 Wochen haltbar.

Adventszahlen |

Schnell – preiswert

Für den Teig:
2 Eiweiß (Größe M)
2 EL (30 g) flüssiger Honig
80 g Weizenvollkornmehl

Zubereitungszeit: 15 Minuten, ohne Trockenzeit

Insgesamt: E: 17 g, F: 2 g, Kh: 73 g, kJ: 1652, kcal: 394

1 Für den Teig Eiweiß steif schlagen. Honig mit Mehl verrühren und Eischnee unterheben.

2 Den Teig in einen Spritzbeutel mit glatter Tülle füllen. Zahlen auf ein Backblech

Adventszahlen

(gefettet, mit Backpapier belegt) spritzen.

3 Die Zahlen bei Zimmertemperatur etwa 2 Stunden trocknen lassen und im Backofen hellgelb backen.

Ober-/Unterhitze: etwa 180 °C (vorgeheizt)
Heißluft: etwa 160 °C (vorgeheizt)
Gas: Stufe 2 – 3 (vorgeheizt)
Backzeit: 25 – 30 Minuten

Albertkekse | 🥛

Preiswert

Für den Knetteig:
175 g Weizenmehl
125 g Speisestärke
½ Pck. Backpulver
70 g Butter, 100 g Zucker
1 Ei (Größe M)
1 Pck. Vanillin–Zucker
2–3 EL Milch
1 Prise Salz

Zubereitungszeit: 30 Minuten, ohne Kühlzeit

Insgesamt: E: 29 g, F: 68 g, Kh: 350 g, kJ: 9209, kcal: 2200

1 Für den Teig Mehl, Speisestärke und Backpulver mischen, in eine Rührschüssel sieben. Restliche Zutaten hinzugeben und mit Handrührgerät mit Knethaken auf höchster Stufe gut durcharbeiten.

2 Anschließend auf einer bemehlten Arbeitsfläche zu einem glatten Teig verkneten. Teig zu einer Rolle formen, 30 Minuten kalt stellen.

3 Den Teig etwa 3 mm dick ausrollen, rechteckige Kekse ausschneiden. Mit einer Gabel Löcher in die Kekse stechen. Kekse auf ein Backblech (gefettet, mit Backpapier belegt) legen. Backblech in den Backofen schieben.

Ober-/Unterhitze: etwa 180 °C (vorgeheizt)
Heißluft: etwa 160 °C (vorgeheizt)
Gas: Stufe 2–3 (vorgeheizt)
Backzeit: etwa 15 Minuten

Albertkekse

Amaretti | 🥛 🍶

Gut vorzubereiten

Für den Teig:
300 g abgezogene, gemahlene Mandeln
6 Tropfen Bittermandel-Aroma
300 g Zucker
3 Eiweiß (Größe M)

Zum Bestäuben:
100 g Puderzucker

Zubereitungszeit: 15 Minuten, ohne Abkühlzeit

Insgesamt: E: 71 g, F: 160 g, Kh: 417 g, kJ: 14955, kcal: 3570

1 Mandeln mit Aroma und Zucker mischen. Eiweiß mit Handrührgerät mit Rührbesen sehr steif schlagen.

Amaretti

2 Eiweiß nach und nach unter die Mandelmasse mischen.

3 Aus dem Teig kleine Kugeln formen, die Amaretti in größerem Abstand auf ein Backblech (gefettet, mit Backpapier belegt) legen. Das Backblech in den Backofen schieben. Die Amaretti mehr trocknen als backen.

Ober-/Unterhitze: 140–160 °C (vorgeheizt)
Heißluft: 120–140 °C (vorgeheizt)
Gas: etwa Stufe 1 (vorgeheizt)
Backzeit: etwa 30 Minuten

4 Die Amaretti aus dem Backofen nehmen, noch warm mit Puderzucker bestäuben, etwas abkühlen lassen, dann vom Backpapier lösen.

Amerikaner |

Für Kinder

Für den Rührteig:
100 g Butter oder Margarine
100 g Zucker
1 Pck. Vanillin-Zucker
1 Prise Salz
2 Eier (Größe M)
1 Pck. Pudding-Pulver
Vanille-Geschmack
3 EL Milch
250 g Weizenmehl
3 gestr. TL Backpulver

Für den hellen Guss:
100 g gesiebter Puderzucker
etwa 1 EL heißes Wasser

Für den dunklen Guss:
100 g gesiebter Puderzucker
15 g Kakaopulver
knapp 2 EL heißes Wasser

Zubereitungszeit: 45 Minuten

Insgesamt: E: 48 g, F: 101 g, Kh: 546 g,
kJ: 14061, kcal: 3359

1 Für den Teig Butter oder Margarine mit Handrührgerät mit Rührbesen auf höchster Stufe geschmeidig rühren.

2 Nach und nach Zucker, Vanillin-Zucker und Salz unterrühren, so lange rühren, bis eine gebundene Masse entstanden ist. Eier nach und nach unterrühren (jedes Ei etwa ½ Minute). Pudding-Pulver mit Milch hinzufügen. Mehl mit Backpulver mischen, sieben, portionsweise auf mittlerer Stufe unterrühren.

3 Mit 2 Esslöffeln nicht zu große Teighäufchen auf ein Backblech (30 x 40 cm, gefettet, mit Backpapier belegt) setzen, mit einem feuchten Messer etwas nachformen. Backblech in den Backofen schieben.

Ober-/Unterhitze: 180 – 200 °C (vorgeheizt)
Heißluft: 160 – 180 °C (vorgeheizt)
Gas: etwa Stufe 3 (vorgeheizt)
Backzeit: etwa 20 Minuten

4 Für den hellen Guss Puderzucker mit heißem Wasser glatt rühren, so dass eine dickflüssige Masse entsteht, die Hälfte der Amerikaner auf der Unterseite mit dem Guss bestreichen.

5 Für den dunklen Guss Puderzucker mit Kakao mischen, sieben, mit heißem Wasser glatt rühren, so dass eine dickflüssige Masse entsteht, die restlichen Amerikaner auf der Unterseite mit dem Guss bestreichen. Die Amerikaner nach Belieben garnieren und verzieren.

Amerikaner

Amerikanischer
Käsekuchen

Amerikanischer Käsekuchen | 🥤 🥤

Für Gäste

Für den Knetteig:
200 g Weizenmehl
1 gestr. TL Backpulver
75 g Zucker, 1 Ei (Größe M)
100 g Butter oder Margarine

Für den Belag:
3 Eiweiß (Größe M)
400 g Frischkäse
300 g saure Sahne
125 g Zucker
50 g Speisestärke
3 Eigelb (Größe M)
1 Pck. Finesse Geriebene
Zitronenschale
125 ml (⅛ l) Milch

Zum Bestäuben:
Puderzucker
evtl. Silberperlen

Zubereitungszeit. 40 Minuten, ohne
Abkühlzeit

Insgesamt: E: 104 g, F: 185 g, Kh: 432 g,
kJ: 16550, kcal: 3955

1 Für den Teig Mehl mit Backpulver mischen,
in eine Rührschüssel sieben. Zucker, Ei und
Butter oder Margarine in Stückchen hinzufügen. Die Zutaten mit Handrührgerät mit Knethaken zunächst auf niedrigster, dann auf
höchster Stufe gut durcharbeiten, anschließend auf der Arbeitsfläche zu einem glatten
Teig verkneten. Sollte er kleben, ihn eine Zeit
lang kalt stellen.

2 Zwei Drittel des Teiges auf dem Boden
einer Springform (Ø 26 cm, Boden gefettet)
ausrollen, mehrmals mit einer Gabel einstechen. Springformrand darumstellen, die
Form auf dem Rost in den Backofen schieben.

Ober-/Unterhitze: 180 °C (vorgeheizt)
Heißluft: 160 °C (vorgeheizt)
Gas: Stufe 2 – 3 (vorgeheizt)
Backzeit: etwa 10 Minuten

3 Die Form auf einen Kuchenrost stellen,
etwas abkühlen lassen.

4 Den Rest des Teiges zu einer Rolle formen,
sie als Rand auf den Teigboden legen, so an
die Form drücken, dass ein etwa 3 cm hoher
Rand entsteht.

5 Für den Belag Eiweiß mit Handrührgerät
mit Rührbesen steif schlagen. Die übrigen
Zutaten in eine Rührschüssel geben, mit
Handrührgerät mit Rührbesen verrühren, das
steif geschlagene Eiweiß unterheben.

6 Die Masse auf dem vorgebackenen Boden
verteilen und glatt streichen. Die Springform
wieder in den Backofen schieben und den
Kuchen fertig backen

Ober-/Unterhitze: 180 °C (vorgeheizt)
Heißluft: 160 °C (vorgeheizt)
Gas: Stufe 2 – 3 (vorgeheizt)
Backzeit: etwa 30 Minuten

7 Dann den Backofen herunterschalten auf
160 °C oder 140 °C und weitere 40 Minuten
backen.

8 Anschließend den Kuchen 10 Minuten im
ausgeschalteten, leicht geöffneten Backofen
stehen lassen.

9 Erkalteten Kuchen mit Puderzucker – mit
Hilfe einer Schablone – bestäuben und eventuell mit Silberperlen garnieren.

Ananasbissen |  ❄

Für die Weihnachtsbäckerei

4 Eiweiß (Größe M)
125 g feinkörniger Zucker
200 g abgezogene, gemahlene Mandeln
100 g abgetropfte, geraspelte
Ananasstücke (aus der Dose)
etwa 55 Backoblaten (Ø 5 cm)

Zubereitungszeit: 20 Minuten

Insgesamt: E: 52 g, F: 109 g, Kh: 171 g,
kJ: 7834, kcal: 1870

1 Eiweiß mit Handrührgerät mit Rührbesen
auf höchster Stufe steif schlagen, Zucker
nach und nach unterrühren. Mandeln und
Ananasstücke unterheben.

2 Von dem Teig mit 2 Teelöffeln jeweils
Häufchen auf Backoblaten geben. Die Oblaten
auf ein Backblech (gefettet, mit Backpapier
belegt) setzen, in den Backofen schieben.

Ober-/Unterhitze: 140–160 °C (vorgeheizt)
Heißluft: 120–140 °C (vorgeheizt)
Gas: etwa Stufe 1 (vorgeheizt)
Backzeit: etwa 30 Minuten

Ananasbissen

Ananas-Mascarpone-Torte | 🍮 🍮 🍮

Raffiniert – für Gäste

Für den Streuselteig:
350 g Weizenmehl
1 gestr. TL Backpulver
150 g Zucker
2 Pck. Vanillin-Zucker
1 Ei (Größe M)
200 g Butter oder Margarine

1 Dose Ananasraspel
(Abtropfgewicht 250 g)

Für die Mascarponecreme:
250 g Mascarpone
150 g Magerjoghurt
4 EL Zitronensaft
500 ml (½ l) Schlagsahne
2 Pck. Sahnesteif
50 g Zucker
3 EL gehackte
Zitronenmelisseblättchen

Zum Garnieren:
Ananasstückchen
Zitronenmelisseblättchen

Zubereitungszeit: 45 Minuten

Insgesamt: E: 75 g, F: 437 g, Kh: 564 g,
kJ: 28037, kcal: 6702

1 Für den Streuselteig Mehl mit Backpulver
in eine Rührschüssel sieben, mit Zucker und
Vanillin-Zucker mischen, Ei und Butter oder
Margarine hinzufügen. Alle Zutaten mit Handrührgerät mit Knethaken zu feinen Streuseln
verarbeiten.

2 Aus dem Teig 3 Böden backen. Dazu jeweils ⅓ der Streusel auf einem Springformboden (Ø 26 cm, gefettet) verteilen und zu
einem Boden leicht andrücken (darauf achten,
dass der Boden am Rand nicht zu dünn ist).

3 Ananasraspel auf einem Sieb gut abtropfen lassen. Jeweils ⅓ davon auf jedem Boden
verteilen. Die Böden ohne Springformrand
nacheinander (bei Heißluft zusammen) auf
dem Rost in den Backofen schieben.

Ober-/Unterhitze: etwa 200 °C (vorgeheizt)
Heißluft: etwa 180 °C (vorgeheizt)
Gas: Stufe 3–4 (vorgeheizt)
Backzeit: etwa 15 Minuten pro Boden

4 Die Böden sofort nach dem Backen mit
Hilfe eines Messers lösen, aber auf dem
Springformboden erkalten lassen. Einen der
Böden in 12 Stücke schneiden.

5 Für die Creme Mascarpone, Joghurt und
Zitronensaft verrühren. Sahne mit Sahnesteif
und Zucker steif schlagen, mit den gehackten
Melisseblättchen unter die Masse heben.

6 Jeweils die Hälfte der Creme auf die nicht
geschnittenen Böden streichen und zusammensetzen. Den geschnittenen Boden darauf
legen, etwas andrücken. Mit Ananas und Melisseblättchen garnieren.

Tipp: Anstelle von Mascarpone können Sie
auch Magerquark verwenden.

Ananas-Mascarpone-Torte

Anisplätzchen | 🗑

Für die Weihnachtsbäckerei

Für den Biskuitteig:
3 Eier (Größe M)
200 g Zucker
1 Pck. Vanillin-Zucker
125 g Welzenmehl
125 g Speisestärke
15 g gemahlene Anissamen

Zubereitungszeit: 30 Minuten, ohne
Trockenzeit

Insgesamt: E: 40 g, F: 24 g, Kh: 412 g,
kJ: 8723, kcal: 2083

1 Für den Teig Eier mit Handrührgerät mit
Rührbesen auf höchster Stufe schaumig
schlagen, nach und nach Zucker und Vanillin-
Zucker unterrühren. So lange rühren, bis eine
cremeartige Masse entstanden ist. Mehl mit

Speisestärke mischen, sieben und portionsweise auf mittlerer Stufe mit Anissamen unter
die Masse rühren.

2 Von dem Teig mit 2 Teelöffeln Häufchen auf
gefettete, gemehlte Backbleche setzen (genügend Zwischenraum lassen!), die Bleche mit
den Teighäufchen über Nacht nebeneinander
in einem warmen Raum trocknen lassen und
am anderen Tag nacheinander (bei Heißluft
zusammen) in den Backofen schieben.

Ober-/ Unterhitze: 140 – 160 °C (vorgeheizt)
Heißluft: 120 – 140 °C (nicht vorgeheizt)
Gas: etwa Stufe 1 (nicht vorgeheizt)
Backzeit: etwa 35 Minuten pro Backblech

Tipp: Die so genannten „Füßchen" bekommen die Plätzchen nur, wenn sie vor dem
Backen über Nacht in einem trockenen Raum
getrocknet werden.

Anisplätzchen

Apfel-Butterkuchen | 🍮 🍮 🍮

Für Gäste

Für den Quark-Öl-Teig:
300 g Weizenmehl
1 Pck. Backpulver
150 g Magerquark
100 ml Milch
100 ml Speiseöl
80 g Zucker
1 Pck. Vanillin-Zucker
1 Prise Salz

1 kg vorbereitete, in Scheiben geschnittene Äpfel

Für die Aprikosenbutter:
4 EL Aprikosenkonfitüre
125 g weiche Butter
3 Eigelb (Größe M)
3 Eiweiß (Größe M)
75 g Zucker

Zubereitungszeit: 40 Minuten

Insgesamt: E: 78 g, F: 230 g, Kh: 546 g, kJ: 19873, kcal: 4744

1 Für den Teig Mehl mit Backpulver mischen und in eine Rührschüssel sieben. Quark, Milch, Öl, Zucker, Vanillin-Zucker und Salz hinzufügen. Die Zutaten mit Handrührgerät mit Knethaken auf höchster Stufe in etwa 1 Minute zu einem Teig verarbeiten (nicht zu lange, Teig klebt sonst). Den Teig auf der bemehlten Arbeitsfläche zu einer Rolle formen.

2 Den Teig auf einem Backblech (30 x 40 cm, gefettet) ausrollen und mit den vorbereiteten Apfelscheiben belegen.

3 Für die Aprikosenbutter Aprikosenkonfitüre, Butter und Eigelb gut verrühren. Eiweiß steif schlagen und den Zucker unterrühren. Die

Eiweißmasse unter die Aprikosenbutter heben und auf die Äpfel streichen. Das Backblech in den Backofen schieben.

Ober-/Unterhitze: 180–200 °C (vorgeheizt)
Heißluft: 160–180 °C (vorgeheizt)
Gas: etwa Stufe 3 (vorgeheizt)
Backzeit: 20–30 Minuten

4 Das Backblech auf einen Kuchenrost stellen und den Kuchen erkalten lassen.

Abwandlung: Statt der Aprikosenbutter können auch Mandelstreusel auf die Äpfel gegeben werden. Dafür aus 250 g Weizenmehl, 200 g Zucker, 200 g Butterflöckchen Streusel von gewünschter Größe zubereiten, 100 g abgezogene, gehobelte Mandeln unterheben. Die Streusel über die Äpfel streuen und bei der oben angegebenen Herdeinstellung etwa 40 Minuten backen.

Apfel im Schlafrock | 🍮 🍮 🍶

Klassisch – mit Alkohol

Zum Einweichen:
2 EL Rosinen
3 EL Rum

1 Pck. (300 g) TK-Blätterteig
4 mürbe Äpfel (je 100 g)
50 g Zucker
75 g abgezogene, gehackte Mandeln
1 Ei (Größe M)
1 EL Wasser

etwas Puderzucker

Zubereitungszeit: 25 Minuten, ohne Einweich- und Auftauzeit

Insgesamt: E: 39 g, F: 132 g, Kh: 227 g, kJ: 10154, kcal: 2425

1 Rosinen in Rum 1 Stunde einweichen.

2 Blätterteig zugedeckt bei Zimmertemperatur auftauen lassen. Platten zu je einem Quadrat (16 x 16 cm) ausrollen. Aus der letzten Platte 4 gleich große Kreise ausstechen.

Apfel im Schlafrock

3 Äpfel schälen und mit einem Apfelausstecher Kerngehäuse entfernen. Die Rum-Rosinen mit Zucker und Mandeln mischen. Die Äpfel mit der Mischung füllen.

4 Ei mit Wasser verquirlen. Jeden Apfel in die Mitte eines Blätterteigquadrates setzen. Blätterteig um den Apfel herum hochschlagen und festdrücken. Blätterteigkreise mit etwas Wasser bepinseln, auf die Äpfel legen und mit verquirltem Ei bestreichen.

5 Äpfel auf ein mit kaltem Wasser abgespültes Backblech setzen und in den Backofen schieben.

Ober-/Unterhitze: 200–220 °C (vorgeheizt)
Heißluft: 180–200 °C (vorgeheizt)
Gas: etwa Stufe 4 (vorgeheizt)
Backzeit: 20–25 Minuten

6 Die Äpfel mit etwas Puderzucker bestäubt heiß servieren.

Beigabe: Schlagsahne oder Vanillesauce.

Apfelkuchen mit Rahmguss |

Klassisch – mit Alkohol

Für den Belag:
2 kg Äpfel
75 g Rum-Rosinen
40 g Butter
50 g Zucker
1 gestr. TL gemahlener Zimt

Für den Quark-Öl-Teig:
300 g Weizenmehl
1 Pck. Backpulver
150 g Magerquark
100 ml Milch
100 ml Speiseöl
80 g Zucker, 1 Pck. Vanillin-Zucker
1 Fläschchen Butter-Vanille-Aroma
etwas Salz

Für den Guss:
3 Eigelb (Größe M), 50 g Zucker
1 Becher (200 g) Schmand
oder Crème fraîche
3 Eiweiß (Größe M)

Zubereitungszeit: 50 Minuten, ohne Kühlzeit

Insgesamt: E: 82 g, F: 240 g, Kh: 651 g, kJ: 22310, kcal: 5320

1 Für den Belag Äpfel schälen, vierteln, entkernen, in Stücke schneiden. Mit Rum-Rosinen, Butter, Zucker und Zimt unter Rühren leicht dünsten. Abkühlen lassen.

2 Für den Teig Mehl mit Backpulver mischen, in eine Rührschüssel sieben. Quark, Milch, Öl, Zucker, Vanillin-Zucker, Aroma und Salz hinzufügen. Die Zutaten mit Handrührgerät mit Knethaken auf höchster Stufe in etwa 1 Minute zu einem Teig verarbeiten (nicht zu lange, Teig klebt sonst). Anschließend auf der bemehlten Arbeitsfläche zu einer Rolle formen.

3 Den Teig auf einem Backblech (30 x 40 cm, gefettet) ausrollen. Vor den Teig einen mehrfach umgeknickten Streifen Alufolie legen oder einen Backrahmen herumstellen.

4 Den erkalteten Belag gleichmäßig auf dem Teig verteilen. Backblech in den Backofen schieben.

Ober-/Unterhitze: etwa 200 °C (vorgeheizt)
Heißluft: etwa 180 °C (nicht vorgeheizt)
Gas: Stufe 3 – 4 (nicht vorgeheizt)
Backzeit: 30 – 35 Minuten

5 Für den Guss Eigelb und Zucker mit Handrührgerät mit Rührbesen auf höchster Stufe schaumig schlagen. Schmand oder Crème fraîche unterrühren. Eiweiß steif schlagen, unterziehen. Den Guss 10 Minuten vor Beendigung der Backzeit auf die Äpfel streichen und bräunen lassen.

Tipp: Den Kuchen statt auf einem Backblech in einer Fettfangschale backen. Die Äpfel, damit sie nicht braun werden, mit etwas Zitronensaft beträufeln.

Apfelkuchen mit Rahmguss

Apfelkuchen, sehr fein | 🗑 🗑 ❄

Schnell

Für den Rührteig:
125 g Butter oder Margarine
125 g Zucker, 1 Pck. Vanillin-Zucker
1 Prise Salz
¹/₂ Fläschchen Zitronen-Aroma
3 Eier (Größe M)
200 g Weizenmehl
2 gestr. TL Backpulver
1 – 2 EL Milch

Für den Belag:
750 g Äpfel

Zum Aprikotieren:
2 EL Aprikosenkonfitüre
1 EL Wasser

Zubereitungszeit: 30 Minuten

Insgesamt: E: 48 g, F: 128 g, Kh: 379 g,
kJ: 12460, kcal: 2973

1 Für den Teig Butter oder Margarine mit
Handrührgerät mit Rührbesen auf höchster
Stufe geschmeidig rühren. Nach und nach

Apfelkuchen, sehr fein

Zucker, Vanillin-Zucker, Salz und Aroma
unterrühren, so lange rühren, bis eine gebundene Masse entstanden ist.

2 Eier nach und nach unterrühren (jedes Ei
etwa ¹/₂ Minute). Mehl mit Backpulver mischen, sieben, abwechselnd portionsweise
mit Milch auf mittlerer Stufe unterrühren
(nur so viel Milch verwenden, dass der Teig
schwer reißend von einem Löffel fällt). Teig in
einer Springform (Ø 28 cm, Boden gefettet)
verstreichen.

3 Für den Belag die Äpfel schälen, vierteln,
entkernen, mehrmals der Länge nach einritzen, kranzförmig auf den Teig legen. Die Form
auf dem Rost in den Backofen schieben.

Ober-/Unterhitze: 180 – 200 °C (vorgeheizt)
Heißluft: 160 – 180 °C (nicht vorgeheizt)
Gas: etwa Stufe 3 (nicht vorgeheizt)
Backzeit: 40 – 50 Minuten

4 Zum Aprikotieren Aprikosenkonfitüre durch
ein Sieb streichen, mit Wasser unter Rühren
aufkochen lassen, den Kuchen sofort nach
dem Backen damit bestreichen.

Apfel-Müsli-Kuchen | 🗑 🗑

Für Kinder

Für die Karamell-Milch:
100 ml Milch
50 g Zucker

Zum Vorbereiten:
500 g Äpfel (z. B. Boskop)
2 EL Zitronensaft

Für den Rührteig:
125 g Butter oder Margarine
75 g Zucker
1 Pck. Vanillin-Zucker
1 Prise Salz
3 Eier (Größe M)
250 g Weizenmehl

¹/₂ Pck. Backpulver
100 g Vitalis-Müsli Plus

Für den Belag:
75 g Butter oder Margarine
100 g Zucker
100 g Vitalis-Müsli Plus
2 EL Milch

Zubereitungszeit: 45 Minuten, ohne
Abkühlzeit

Insgesamt: E: 81 g, F: 216 g, Kh: 582 g,
kJ: 19973, kcal: 4769

1 Für die Karamell-Milch Milch erwärmen.
Zucker in einem Topf goldbraun karamellisie-

ren, warme Milch zugeben, unter Rühren aufkochen, bis sich der Karamell in der Milch
gelöst hat. Karamell-Milch abkühlen lassen.

2 Zum Vorbereiten Äpfel schälen, vierteln,
entkernen. Apfelviertel in Spalten schneiden,
mit Zitronensaft beträufeln, beiseite stellen.

3 Für den Teig Fett mit Handrührgerät mit
Rührbesen auf höchster Stufe geschmeidig
rühren. Nach und nach Zucker, Vanillin-Zucker und Salz unterrühren. So lange rühren,
bis eine gebundene Masse entstanden ist.

4 Eier nach und nach unterrühren (jedes
Ei etwa ¹/₂ Minute). Mehl mit Backpulver mischen, sieben und portionsweise auf mittlerer

Stufe unter den Teig rühren. Zum Schluss Müsli unter den Teig heben.

5 Teig in eine Springform (Ø 26 cm, Boden gefettet, mit Mehl bestäubt) füllen und glatt streichen. Apfelspalten darauf verteilen.

6 Für den Belag Butter oder Margarine und Zucker in einem Topf aufkochen und so lange erhitzen, bis sich der Zucker gelöst hat. Müsli und 2 Esslöffel Milch hinzufügen, unterrühren und die Müslimasse auf den Äpfeln verteilen. Form auf dem Rost in den Backofen schieben.

Ober-/Unterhitze: etwa 180 °C (vorgeheizt)
Heißluft: etwa 160 °C (nicht vorgeheizt)
Gas: Stufe 2 – 3 (nicht vorgeheizt)
Backzeit: etwa 50 Minuten

7 Kuchen mit der Karamell-Milch tränken, dann den Kuchen auf einem Kuchenrost erkalten lassen.

Apfel-Müsli-Kuchen

Apfelschichtkuchen |

Preiswert

Für den Rührteig:
150 g Butter oder Margarine
150 g Zucker, 1 Pck. Vanillin-Zucker
3 Eier (Größe M)
1 Pck. Finesse Geriebene Zitronenschale
200 g Weizenmehl
2 gestr. TL Backpulver, 2 – 3 EL Milch

Für den Belag:
750 g Äpfel, 2 – 3 EL Zitronensaft

Zum Bestreichen:
3 EL Aprikosenkonfitüre
2 EL Wasser

Zubereitungszeit: 35 Minuten, ohne Abkühlzeit

Insgesamt: E: 49 g, F: 149 g, Kh: 409 g, kJ: 13804, kcal: 3295

1 Für den Teig Butter oder Margarine mit Handrührgerät mit Rührbesen auf höchster Stufe geschmeidig rühren. Nach und nach Zucker und Vanillin-Zucker unterrühren. So lange rühren, bis eine gebundene Masse entstanden ist. Eier nach und nach unterrühren (jedes Ei etwa ½ Minute). Mehl und Backpulver mischen, sieben und portionsweise abwechselnd mit der Milch unterrühren.

2 Für den Belag Äpfel schälen, vierteln, entkernen und in dünne Spalten schneiden.

3 ⅓ des Teiges in eine Springform (Ø 26 cm, Boden gefettet) füllen und glatt streichen. Darauf die Hälfte der Apfelspalten legen und mit etwas Zitronensaft beträufeln.

4 Wieder ⅓ des Teiges darüber streichen, restliche Apfelspalten darauf geben und mit dem restlichen Zitronensaft beträufeln. Den Rest des Teiges darauf streichen. Die Form auf dem Rost in den Backofen schieben.

Ober-/ Unterhitze: etwa 180 °C (vorgeheizt)
Heißluft: etwa 160 °C (nicht vorgeheizt)
Gas: Stufe 2 – 3 (nicht vorgeheizt)
Backzeit: etwa 50 Minuten (evtl. zum Schluss mit Backpapier abdecken)

5 Den Kuchen aus der Form lösen und auf einem Kuchenrost erkalten lassen.

6 Zum Bestreichen Aprikosenkonfitüre mit Wasser aufkochen, den Kuchen noch heiß damit bestreichen und erkalten lassen.

Apfelstrudel | 🥛 🥛 🥛 🍶

Klassisch

Für den Strudelteig:
200 g Weizenmehl
1 Prise Salz
75 ml (gut 5 EL) lauwarmes Wasser
50 g zerlassene Butter

Für die Füllung:
1 – 1,5 kg Äpfel
¹/₂ Fläschchen Rum-Aroma
3 Tropfen Zitronen-Aroma
75 g Butter
50 g Semmelbrösel
50 g Rosinen
100 g Zucker, 1 Pck. Vanillin-Zucker
50 g abgezogene, gehackte Mandeln

Zum Bestäuben:
Puderzucker

Zubereitungszeit: 60 Minuten, ohne Ruhezeit

Insgesamt: E: 42 g, F: 137 g, Kh: 453 g, kJ: 14086, kcal: 3360

1 Für den Teig Mehl in eine Rührschüssel sieben. Die übrigen Zutaten hinzufügen, mit Handrührgerät mit Knethaken zunächst kurz auf niedrigster, dann auf höchster Stufe gut durcharbeiten. Anschließend auf der Arbeitsfläche zu einem glatten Teig verkneten, ihn auf Pergamentpapier in einen heißen, trockenen Kochtopf (vorher Wasser darin kochen) legen, mit einem Deckel verschließen. 30 Minuten ruhen lassen.

2 Für die Füllung Äpfel schälen, vierteln, entkernen und in feine Stifte schneiden. Rum-Aroma und Zitronen-Aroma untermischen. Butter zerlassen.

3 Den Teig auf einem bemehlten, großen Küchentuch ausrollen und dünn mit etwas von der Butter bestreichen. Den Teig anheben und über dem Handrücken zu einem Rechteck (50 x 70 cm) ausziehen. Der Teig muss durchsichtig sein.

4 ²/₃ der Butter auf den Teig streichen. Brösel auf den Teig streuen und dabei an den kürzeren Seiten etwa 3 cm frei lassen.

5 Nacheinander Äpfel, Rosinen, Zucker, Vanillin-Zucker und Mandeln auf der Hälfte des Teiges verteilen.

6 Die frei gebliebenen Teigränder auf die Füllung schlagen. Den Teig von der längeren Seite her, mit der Füllung beginnend, aufrollen. An den Enden gut zusammendrücken und auf ein gefettetes Backblech legen. Strudel mit etwas Butter bestreichen und das Backblech in den Backofen schieben.

Ober-/Unterhitze: 180 – 200 °C (vorgeheizt)
Heißluft: 160 – 180 °C (nicht vorgeheizt)
Gas: Stufe 3 – 4 (nicht vorgeheizt)
Backzeit: 45 – 55 Minuten

7 Nach 30 Minuten Backzeit den Strudel mit der restlichen Butter bestreichen.

8 Nach dem Backen den Strudel erkalten lassen und mit Puderzucker bestäubt servieren.

Apfelstrudel

Apfeltaschen

Apfeltaschen | 🗑 🗑

Für Kinder

Für die Füllung:
750 g Äpfel
50 g Rosinen
50 – 70 g Zucker
3 – 4 Tropfen Zitronen-Aroma

Für den Quark-Öl-Teig:
300 g Weizenmehl
1 Pck. Backpulver
150 g Magerquark
6 EL Milch
6 EL Speiseöl
75 g Zucker
1 Pck. Vanillin-Zucker
1 Prise Salz
etwas Milch zum Bestreichen

Für den Guss:
100 g Puderzucker
etwas Wasser

Zubereitungszeit: 60 Minuten

Insgesamt: E: 57 g, F: 81 g, Kh: 574 g,
kJ: 14114, kcal: 3367

1 Für die Füllung Äpfel schälen, vierteln, entkernen, in kleine Stücke schneiden. Unter Rühren leicht dünsten, Rosinen, Zucker und Zitronen-Aroma unterrühren, erkalten lassen.

2 Für den Teig Mehl mit Backpulver mischen, in eine Rührschüssel sieben. Quark, Milch, Öl, Zucker, Vanillin-Zucker und Salz hinzufügen. Die Zutaten mit Handrührgerät mit Knethaken auf höchster Stufe in etwa 1 Minute zu einem glatten Teig verarbeiten (nicht zu lange, Teig klebt sonst).

3 Teig auf der Arbeitsfläche zu einer Rolle formen, den Teig dünn ausrollen und runde Platten (Ø 10 cm) ausstechen, die eine Hälfte jeder Teigplatte mit etwas Apfelfüllung belegen, den Rand jeder Teigplatte mit Milch bestreichen, die andere Teighälfte über die Apfelfüllung klappen. Die Taschen gut an den Rändern andrücken, auf ein Backblech (gefettet) legen und in den Backofen schieben.

Ober-/Unterhitze: 180 – 200 °C (vorgeheizt)
Heißluft: 160 – 180 °C (vorgeheizt)
Gas: etwa Stufe 3 (vorgeheizt)
Backzeit: etwa 15 Minuten

4 Für den Guss Puderzucker sieben, mit so viel Wasser glatt rühren, dass eine dickflüssige Masse entsteht. Sofort nach dem Backen die Apfeltaschen damit bestreichen, erkalten lassen.

Tipp. Anstelle von Äpfeln, Sauerkirschen, Pfirsiche oder Aprikosen verwenden.

Apfeltorte, gedeckt | 🗑️ 🗑️ 🍾 ❄️

Raffiniert

Für den Knetteig:
300 g Weizenmehl
2 gestr. TL Backpulver
100 g Zucker
1 Pck. Vanillin-Zucker
1 Prise Salz
1/2 Eigelb (Größe M)
1 Eiweiß (Größe M)
1 EL Milch
150 g Butter oder Margarine

Für die Füllung:
etwa 2 kg Äpfel
1 EL Wasser, 50 g Zucker
1/2 TL gemahlener Zimt
50 g Rosinen
etwa 50 g Zucker
einige Tropfen Rum-Aroma

Zum Bestreichen:
1/2 Eigelb, 1 EL Milch

Zubereitungszeit: 60 Minuten

Insgesamt: E: 44 g, F: 140 g, Kh: 648 g, kJ: 17545, kcal: 4183

1 Für den Teig Mehl mit Backpulver mischen, in eine Rührschüssel sieben. Zucker, Vanillin-Zucker, Salz, Eigelb, Eiweiß, Milch und Butter oder Margarine hinzufügen.

2 Die Zutaten mit Handrührgerät mit Knethaken zunächst kurz auf niedrigster, dann auf höchster Stufe gut durcharbeiten, anschließend auf der Arbeitsfläche zu einem glatten Teig verkneten. Sollte er kleben, ihn in Folie gewickelt eine Zeit lang kalt stellen.

3 Knapp die Hälfte des Teiges auf dem Boden einer Springform (Ø 28 cm, gefettet) ausrollen, mehrmals mit einer Gabel einstechen, Springformrand um den Boden stellen. Die Form auf dem Rost in den Backofen schieben.

Ober-/Unterhitze: 200 – 220 °C (vorgeheizt)
Heißluft: 180 – 200 °C (vorgeheizt)
Gas: etwa Stufe 4 (vorgeheizt)
Backzeit: 15 – 20 Minuten

4 Für die Füllung die Äpfel schälen, vierteln, entkernen, in kleine Stücke schneiden, mit Wasser, Zucker, Zimt und Rosinen unter Rühren dünsten und etwas abkühlen lassen. Masse mit Zucker und Rum-Aroma abschmecken.

5 Den restlichen Teig (etwa 1/3 für den Rand abnehmen) zu einer Platte in Größe der Springform ausrollen, den abgenommenen Teig zu einer Rolle formen, sie als Rand auf den vorgebackenen Boden legen und so an die Form drücken, dass ein etwa 3 cm hoher Rand entsteht.

6 Die Füllung auf den vorgebackenen Boden streichen, die Teigplatte darauf legen.

7 Zum Bestreichen Eigelb mit Milch verschlagen, die Teigplatte damit bestreichen, mit einer Gabel mehrmals einstechen. Die Form auf dem Rost in den Backofen schieben und den Kuchen fertig backen

Ober-/Unterhitze: 200 – 220 °C (vorgeheizt)
Heißluft: 180 – 200 °C (vorgeheizt)
Gas: etwa Stufe 4 (vorgeheizt)
Backzeit: 20 – 30 Minuten

Apfeltorte, gedeckt

Apfeltorte, umgedreht

Apfeltorte, umgedreht | 🍷 🍷

Gut vorzubereiten

Für den Belag:
30 – 50 g Butter
30 g Zucker
1/2 gestr. TL gemahlener Zimt
750 g Äpfel
100 g halbierte Walnusskerne

Für den Rührteig:
100 g Butter oder Margarine
120 g Zucker
1 Pck. Vanillin-Zucker
1 Prise Salz
5 Tropfen Zitronen-Aroma
2 Eier (Größe M)
125 g Weizenmehl
75 g Speisestärke
2 gestr. TL Backpulver

Zum Bestreichen:
2 EL Aprikosenkonfitüre

Zubereitungszeit: 60 Minuten, ohne
Abkühlzeit

Insgesamt: E: 46 g, F: 151 g, Kh: 415 g,
kJ: 13889, kcal: 3314

1 Für den Belag Butter in einer Pfanne zerlassen und auf dem Boden einer Springform (Ø 28 cm, Form mit Alufolie ausgelegt) verteilen. Zucker mit Zimt mischen und gleichmäßig dünn auf die Butter streuen.

2 Äpfel schälen, die Kerngehäuse mit einem Apfelausstecher ausstechen. Äpfel in etwa 1 1/2 cm dicke Ringe schneiden.

3 Die Apfelringe in die mit Zucker und Zimt ausgestreute Form legen. Die Lücken mit Walnusskernhälften auslegen.

4 Für den Teig Butter oder Margarine mit Handrührgerät mit Rührbesen auf höchster Stufe geschmeidig rühren. Nach und nach Zucker, Vanillin-Zucker, Salz und Aroma unterrühren. So lange rühren, bis eine gebundene Masse entstanden ist.

5 Eier nach und nach unterrühren (jedes Ei etwa 1/2 Minute). Mehl mit Speisestärke und Backpulver mischen, sieben, portionsweise auf mittlerer Stufe unterrühren. Den Teig gleichmäßig auf den Apfelringen verteilen. Die Form auf dem Rost in den Backofen schieben.

Ober-/Unterhitze: 180 – 200 °C (vorgeheizt)
Heißluft: 160 – 180 °C (nicht vorgeheizt)
Gas: etwa Stufe 3 (nicht vorgeheizt)
Backzeit: 40 – 50 Minuten

6 Die Torte vorsichtig mit Hilfe eines Messers vom Springformrand lösen und auf einen Kuchenrost stürzen. Alufolie abziehen. Die Torte erkalten lassen.

7 Zum Bestreichen Konfitüre durch ein Sieb streichen, in einem kleinen Topf aufkochen lassen und die Apfelringe damit bestreichen.

Tipp: Bereiten Sie die Torte mit einem säuerlichen Apfel, z. B. Cox Orange zu. Die Apfelringe zusätzlich mit Zitronensaft beträufeln.

Aprikosenkuchen | 🗑 ❄

Vollwertig – gut vorzubereiten

Für den Rührteig:
150 g Butter oder Margarine
100 g Ahornsirup
abgeriebene Schale von ¹/₂ Bio-Zitrone
(unbehandelt, ungewachst)
4 Eigelb (Größe M)
200 g Dinkelmehl
1 TL Backpulver

4 Eiweiß (Größe M)
1 TL Zitronensaft, 1 EL Ahornsirup

Für den Belag:
750 g reife Aprikosen

Zum Aprikotieren:
2 – 3 EL Aprikosen-Hagebuttenkonfitüre

Zubereitungszeit: 40 Minuten

Insgesamt: E: 59 g, F: 149 g, Kh: 319 g,
kJ: 12497, kcal: 2985

1 Für den Teig Fett mit Handrührgerät mit Rührbesen auf höchster Stufe geschmeidig rühren. Nach und nach Ahornsirup und Zitronenschale unterrühren. So lange rühren, bis eine gebundene Masse entstanden ist.

2 Nach und nach Eigelb unterrühren (jedes Eigelb knapp ¹/₂ Minute). Dinkelmehl mit Backpulver mischen, portionsweise auf mittlerer Stufe unterrühren.

3 Eiweiß mit Zitronensaft steif schlagen, Ahornsirup unterschlagen, unter den Teig heben, Teig in eine Springform (Ø 28 cm, Boden gefettet, bemehlt) füllen und glatt streichen.

4 Für den Belag Aprikosen enthäuten, halbieren und vom Stein lösen. Die Aprikosenhälften mit der Schnittfläche nach unten auf den Teig legen. Form auf dem Rost in den Backofen schieben.

Ober-/Unterhitze: 180 – 200 °C (vorgeheizt)
Heißluft: 160 – 180 °C (nicht vorgeheizt)
Gas: etwa Stufe 3 (nicht vorgeheizt)
Backzeit: 40 – 45 Minuten

5 Zum Aprikotieren Konfitüre unter Rühren etwas einkochen lassen, den Kuchen sofort nach dem Backen damit bestreichen.

Aprikosenkuchen

Aprikosen-Rosetten-Kuchen | 🗑 🗑 🗑 🍶 ❄

Dauert länger

Für die Füllung:
125 g getrocknete Aprikosen
5 EL Rum
1 Pck. Pudding-Pulver
Vanille-Geschmack
40 g Zucker
375 ml (³/₈ l) Milch
1 Pck. Bourbon-Vanille-Zucker

1 Becher (125 g) Crème double

Für den Hefeteig:
275 g Weizenmehl
1 Pck. Trockenhefe
75 g Zucker
1 Pck. Vanillin-Zucker
¹/₂ Fläschchen Zitronen-Aroma
1 Prise Salz
1 Ei (Größe M)

1 Becher (150 g) Crème fraîche
4 EL (60 ml) lauwarme Milch

Für den Knetteig:
100 g Weizenmehl
30 g Zucker
1 Pck. Vanillin-Zucker
1 Prise Salz
60 g Butter oder Margarine

Zum Aprikotieren:
2 EL Aprikosenkonfitüre
2 EL Wasser

evtl. gehackte Pistazienkerne

Zubereitungszeit: 1 Stunde, ohne Einweich- und Teiggehzeit

Insgesamt: E: 94 g, F: 181 g, Kh: 632 g, kJ: 20222, kcal: 4830

1 Für die Füllung Aprikosen in feine Würfel schneiden, mit Rum vermengen, am besten über Nacht einweichen lassen.

2 Pudding nach Packungsaufschrift (jedoch nur mit 375 ml Milch) zubereiten, etwas abkühlen lassen. Vanille-Zucker, Crème double und die eingeweichten Aprikosen unterrühren. Den Pudding erkalten lassen, ab und zu durchrühren.

3 Für den Hefeteig Mehl in eine Rührschüssel sieben, mit Hefe sorgfältig vermischen. Zucker, Vanillin-Zucker, Aroma, Salz, Ei, Crème fraîche und Milch hinzufügen.

4 Die Zutaten mit Handrührgerät mit Knethaken zunächst auf niedrigster, dann auf höchster Stufe in 5 Minuten zu einem Teig verarbeiten. Den Teig zugedeckt so lange an einem warmen Ort gehen lassen, bis er sich sichtbar vergrößert hat.

5 Für den Knetteig Mehl in eine Rührschüssel sieben. Zucker, Vanillin-Zucker, Salz und Butter oder Margarine hinzufügen. Die Zutaten mit Handrührgerät mit Knethaken zunächst kurz auf niedrigster, dann auf höchster Stufe gut durcharbeiten, anschließend auf der Arbeitsfläche zu einem glatten Teig verkneten.

6 Den gegangenen Hefeteig aus der Schüssel nehmen, auf der Arbeitsfläche nochmals gut durchkneten, mit dem Knetteig gut verkneten. Den Teig zu einem Rechteck (50 x 30 cm) ausrollen, mit der Füllung bestreichen (1 cm Teig am Rand frei lassen), den Teig von der längeren Seite her aufrollen. Die Rolle in 3 cm breite Stücke schneiden, nebeneinander in eine Springform (Ø 28 cm, Boden gefettet) geben.

7 Den Teig nochmals so lange an einem warmen Ort gehen lassen, bis er sich sichtbar vergrößert hat. Die Form auf dem Rost in den Backofen schieben.

Ober-/Unterhitze: 180 – 200 °C (vorgeheizt)
Heißluft: 160 – 180 °C (nicht vorgeheizt)
Gas: etwa Stufe 3 (nicht vorgeheizt)
Backzeit: 45 – 50 Minuten

8 Den Kuchen aus der Form lösen und auf einen Kuchenrost geben.

9 Zum Aprikotieren Aprikosenkonfitüre durch ein Sieb streichen, mit Wasser unter Rühren etwas einkochen lassen, den Kuchen sofort nach dem Backen damit bestreichen. Nach Belieben mit Pistazienkernen bestreuen.

Aprikosen-Rosetten-Kuchen

Aprikosenwähe mit Marzipanguss | 🗑 🗑

Raffiniert

*1 Dose Aprikosenhälften
(Abtropfgewicht 480 g)*

Für den Quark-Öl-Teig:
*300 g Weizenmehl, 1 Pck. Backpulver
150 g Magerquark
75 g Zucker, 6 EL Milch
6 EL Speiseöl, 1 Prise Salz*

Zum Bestreuen:
2 EL abgezogene, gemahlene Mandeln

Für die Marzipancreme:
*100 g Marzipan-Rohmasse
250 g Schmand, 4 Eier (Größe M)
2 EL Speisestärke
1 Pck. Finesse Bourbon-Vanille-Aroma
2 EL abgezogene, gehobelte Mandeln*

Zubereitungszeit: 35 Minuten

Insgesamt: E: 114 g, F: 228 g, Kh: 420 g,
kJ: 18426, kcal: 4401

1 Aprikosen auf ein Sieb geben und gut abtropfen lassen.

2 Für den Teig Mehl und Backpulver mischen, in eine Rührschüssel sieben. Quark, Zucker, Milch, Öl und Salz hinzufügen.

3 Die Zutaten mit Handrührgerät mit Knethaken auf höchster Stufe in etwa 1 Minute verarbeiten (nicht zu lange, Teig klebt sonst). Anschließend auf der bemehlten Arbeitsfläche zu einer Rolle formen. Eine Platte (Ø 30 – 32 cm) ausrollen, in eine gefettete Wähen- oder Tarteform (Ø 28 – 30 cm) legen und überstehenden Rand abschneiden.

4 Boden mit Mandeln bestreuen. Aprikosenhälften darauf verteilen.

5 Für die Marzipancreme Marzipan klein schneiden und in eine Schüssel geben. Schmand, Eier, Stärke und Vanille-Aroma hinzufügen und pürieren. Marzipancreme auf den Aprikosen verteilen. Wähe mit Mandeln bestreuen.

6 Form auf dem Rost in den Backofen schieben.

Ober-/Unterhitze: etwa 200 °C (vorgeheizt)
Heißluft: etwa 180 °C (vorgeheizt)
Gas: Stufe 3 – 4 (vorgeheizt)
Backzeit: etwa 30 Minuten

7 Lauwarm oder kalt als Dessert servieren.

Aprikosenwähe mit
Marzipanguss*

Artischockentarte

Artischockentarte | 🍶 🍶 ❄

Raffiniert – etwas teurer

Für den Teig:
200 g Weizenmehl
¹/₂ gestr. TL Salz
1 Msp. Backpulver
1 Ei (Größe M)
120 g Butter oder Margarine

Für den Belag:
3 Dosen Artischockenböden (je 220 g)
50 g schwarze Olivenringe
(aus dem Glas)
30 g Pinienkerne
70 g Salami
30 g Parmesan
1 Döschen (0,2 g) Safran
1 EL heißes Wasser
250 ml (¹/₄ l) Schlagsahne
2 Eier (Größe M)
Salz, frisch gemahlener Pfeffer
Cayennepfeffer

Zubereitungszeit: 35 Minuten, ohne Kühlzeit

Insgsamt: E: 100 g, F: 253 g, Kh: 197 g, kJ: 15177, kcal: 3626

1 Für den Teig Mehl mit Salz und Backpulver in einer Schüssel mischen. Ei und Butter oder Margarine hinzufügen und mit Handrührgerät mit Knethaken auf höchster Stufe zu einem glatten Teig verkneten. Teig abdecken und 1 Stunde kalt stellen.

2 Für den Belag Artischockenböden und Olivenringe getrennt auf ein Sieb geben und abtropfen lassen. Pinienkerne in einer trockenen Pfanne goldbraun rösten. Abkühlen lassen.

3 Salami würfeln. Parmesan grob reiben und mit Salamiwürfeln, Pinienkernen und Olivenringen mischen.

4 Teig auf der bemehlten Arbeitsfläche zu einer runden Platte (Ø 32 cm) ausrollen. Eine Tarteform (Ø 28 cm) fetten und mit Teig auslegen. Teigboden mit einer Gabel mehrfach einstechen. Artischockenböden auf dem Teig verteilen und mit der Salamimischung füllen.

5 Safran mit Wasser verrühren. Sahne, Eier und angerührten Safran verrühren. Mit Salz, Pfeffer und Cayennepfeffer würzen und auf den Belag gießen. Form auf dem Rost in den Backofen schieben.

Ober-/Unterhitze: etwa 200 °C (vorgeheizt)
Heißluft: etwa 180 °C (nicht vorgeheizt)
Gas: Stufe 3 – 4 (nicht vorgeheizt)
Backzeit: etwa 40 Minuten

Baba au Rhum | 🗑 🍶 ❄

Klassisch

Für den Hefeteig:
20 g frische Hefe
1 TL Zucker
80 ml lauwarme Milch
4 Eier (Größe M)
4 Eigelb (Größe M)
65 g Zucker
1 Pck. Bourbon-Vanille-Zucker
250 g Weizenmehl
1 Prise Salz
1 Prise geriebene Muskatnuss
1 Prise gemahlener Zimt

Für den Sirup:
250 ml (¼ l) Wasser
100 g Rohrzucker
50 ml Rum

Zum Bestreichen:
120 g Aprikosenkonfitüre
4 EL Orangenlikör

Zubereitungszeit: 40 Minuten,
ohne Teiggehzeit

Insgesamt: E: 75 g, F: 54 g, Kh: 449 g,
kJ: 12194, kcal: 2912

1 Für den Teig Hefe zerbröseln, mit Zucker in der warmen Milch auflösen und 10 Minuten gehen lassen.

2 Eier, Eigelb, Zucker und Vanille-Zucker mit Handrührgerät mit Rührbesen auf höchster Stufe verrühren.

3 Mehl sieben und mit den Gewürzen portionsweise auf mittlerer Stufe unterrühren. Gegangene Hefelösung unterrühren. So lange rühren, bis der Teig Blasen wirft.

4 Den Teig in eine gut gefettete Babaform füllen. Zugedeckt an einem warmen Ort gehen lassen, bis er sich sichtbar vergrößert hat. Form auf dem Rost in den Backofen schieben.

Ober-/Unterhitze: etwa 200 °C (vorgeheizt)
Heißluft: etwa 180 °C (nicht vorgeheizt)
Gas: Stufe 3 – 4 (nicht vorgeheizt)
Backzeit: etwa 40 Minuten

5 Baba etwas abkühlen lassen und auf einen Kuchenrost stürzen.

6 Für den Sirup Wasser mit Rohrzucker in einem kleinen Topf zum Kochen bringen und so lange einkochen lassen, bis ein Sirup entstanden ist. Rum unterrühren und Baba damit tränken.

7 Zum Bestreichen Aprikosenkonfitüre mit Orangenlikör verrühren und durch ein Sieb streichen. Baba damit bestreichen und kalt stellen.

Tipp: Wenn Sie keine Ring- oder Babaform besitzen, können Sie auch eine Springform mit Rohrboden (ø 26 cm) verwenden.

Beigabe: Steif geschlagene Sahne.

Baba au Rhum

Baguette |

Preiswert

Für den Hefeteig:
500 g Weizenmehl (Type 550)
1 Pck. Trockenhefe
1 geh. TL Salz
1 EL Speiseöl
125 ml (⅛ l) lauwarme Milch
200 ml lauwarmes Wasser

Zubereitungszeit: 25 Minuten,
ohne Teiggehzeit

Insgesamt: E: 61 g, F: 22 g, Kh: 366 g,
kJ: 8435, kcal: 2017

1 Für den Teig Mehl in eine Schüssel sieben, mit der Hefe sorgfältig vermischen, Salz, Öl, Milch und Wasser hinzufügen. Alle Zutaten mit Handrührgerät mit Knethaken zunächst auf niedrigster, dann auf höchster Stufe in etwa 5 Minuten zu einem glatten Teig verarbeiten und an einem warmen Ort so lange gehen lassen, bis er sich sichtbar vergrößert hat.

2 Den Teig auf einer leicht bemehlten Arbeitsfläche gut durchkneten, zu 2 etwa 40 cm langen Rollen formen, auf ein mit Backpapier belegtes Backblech legen.

3 Teigrollen zugedeckt an einem warmen Ort so lange gehen lassen, bis sich die Rollen sichtbar vergrößert haben.

4 Die Teigoberflächen mehrmals schräg einschneiden, mit Wasser bestreichen. Das Backblech in den Backofen schieben.

Ober-/Unterhitze: etwa 220 °C (vorgeheizt)
Heißluft: etwa 200 °C (vorgeheizt)
Gas: Stufe 4 – 5 (vorgeheizt)
Backzeit: etwa 25 Minuten

Baguette

Baiser |

Klassisch

4 Eiweiß (Größe M)
200 g feinkörniger Zucker

Zubereitungszeit: 15 Minuten

Insgesamt: E: 15 g, F: 0,5 g, Kh: 199 g,
kJ: 3573, kcal: 853

1 Eiweiß mit Handrührgerät mit Rührbesen auf höchster Stufe steif schlagen, Zucker unterschlagen.

2 Die Baisermasse in einen Spritzbeutel mit Loch- oder Sterntülle füllen, in beliebigen Formen auf ein mit Backpapier belegtes Backblech spritzen oder mit 2 Teelöffeln aufsetzen.

3 Das Backblech in den Backofen schieben.

Ober-/Unterhitze: etwa 120 °C (vorgeheizt)
Heißluft: etwa 100 °C (nicht vorgeheizt)
Gas: etwa Stufe 1 (nicht vorgeheizt)
Backzeit: 70 – 100 Minuten,
Gas 25 Minuten, Stufe 1, 25 Minuten ausgeschaltet, 25 Minuten Stufe 1

4 Das Gebäck darf nur leicht aufgehen und sich schwach gelblich färben.

Baisertorte mit Schokocreme

Baisertorte mit Schokocreme | 🍮 🍮 🍮

Raffiniert – dauert etwas länger

Für die Baisermasse:
4 Eiweiß (Größe M)
200 g Zucker

Für die Füllung:
4 Eigelb (Größe M)
50 g Zucker
25 g gesiebtes Kakaopulver
400 ml Schlagsahne
100 g Butter
1 Pck. Sahnesteif

25 g geschabte Zartbitterschokolade

Zubereitungszeit: 40 Minuten,
ohne Kühlzeit

Insgesamt: E: 43 g, F: 239 g, Kh: 290 g,
kJ: 14861, kcal: 3551

1 Für die Baisermasse Eiweiß mit Handrührgerät mit Rührbesen zu steifem Schnee schlagen. Zucker nach und nach unterschlagen. Die Baisermasse in 3 Kreisen (Ø 19 cm) auf gefettete, mit Backpapier belegte Backbleche streichen (2 Kreise passen auf ein Blech). Backbleche nacheinander (bei Heißluft zusammen) in den Backofen schieben.

Ober-/ Unterhitze: etwa 120 °C (vorgeheizt)
Heißluft: etwa 100 °C (nicht vorgeheizt)
Gas: etwa Stufe 1 (nicht vorgeheizt)
Backzeit: etwa 50 Minuten pro Backblech

2 Die Baiserböden vom Backpapier lösen und einzeln auf einem Kuchenrost erkalten lassen.

3 Für die Füllung Eigelb, Zucker, Kakao und 100 ml der Sahne verrühren. Butter in einem Topf zerlassen, Kakaomasse einrühren und

unter Rühren zum Kochen bringen. Topf von der Kochstelle nehmen und erkalten lassen. Zwischendurch umrühren.

4 Die übrige Sahne mit Sahnesteif steif schlagen und unter die Schokoladenmasse (3 Esslöffel Sahne zurückbehalten) heben.

5 Einen Baiserboden auf eine Tortenplatte legen, die Hälfte der Schokocreme auf den Boden streichen, den zweiten Boden darauf legen, restliche Schokocreme darauf verteilen, mit dem dritten Boden bedecken. Auf den oberen Boden die zurückbehaltene Sahne streichen und mit Zartbitterschokolade bestreuen.

Tipp: Baiserböden können schon einige Tage vor dem Verzehr zubereitet werden. Böden dann gut verpackt, z. B. in Alufolie, aufbewahren.

Bananengebäck | 🗑 🗑 ❄

Für Kinder

Für den Quark-Öl-Teig:
300 g Weizenmehl
1 Pck. Backpulver
150 g Magerquark
6 EL Milch
6 EL Speiseöl
75 g Zucker, 1 Pck. Vanillin-Zucker
1 Prise Salz

Für die Füllung:
4 – 5 Bananen
Aprikosenkonfitüre
1 Eiweiß (Größe M)

Zum Bestreichen:
1 Eigelb, 1 EL Milch

Zum Bestreuen:
abgezogene, gehobelte Mandeln
Hagelzucker

Zubereitungszeit: 25 Minuten

Insgesamt: E: 70 g, F: 90 g, Kh: 434 g,
kJ: 12451, kcal: 2976

1 Für den Teig Mehl mit Backpulver mischen, in eine Rührschüssel sieben. Quark, Milch, Öl, Zucker, Vanillin-Zucker und Salz hinzufügen. Die Zutaten mit Handrührgerät mit Knethaken auf höchster Stufe in etwa 1 Minute zu einem Teig verarbeiten (nicht zu lange, Teig klebt sonst).

2 Anschließend auf der bemehlten Arbeitsfläche zu einer Rolle formen. Den Teig zu einem Rechteck (24 x 60 cm) ausrollen und in 10 Quadrate von 12 x 12 cm schneiden.

3 Für die Füllung Bananen schälen, je nach Größe in 2 bzw. 3 Stücke schneiden. Jedes Teigstück mit Aprikosenkonfitüre bestreichen, jeweils 1 Bananenstück darauf legen und

ebenfalls mit Aprikosenkonfitüre bestreichen. Die Teigränder mit verschlagenem Eiweiß bestreichen und jeweils von einer Ecke her übereinander legen.

4 Das Gebäck auf ein Backblech (gefettet) legen. Eigelb mit Milch verrühren, das Gebäck damit bestreichen, mit Mandeln und Hagelzucker bestreuen. Das Backblech in den Backofen schieben.

Ober-/ Unterhitze: 180 – 200 °C (vorgeheizt)
Heißluft: 160 – 180 °C (vorgeheizt)
Gas: etwa Stufe 3 (vorgeheizt)
Backzeit: 15 – 20 Minuten

5 Das Bananengebäck warm mit Schlagsahne oder Vanillesauce servieren.

Tipp: Anstelle der Aprikosenkonfitüre kann auch Kiwikonfitüre verwendet werden.

Bananengebäck

Bananen-Nuss-Brot | 🗑️ 🗑️ ❄️

Raffiniert

Zum Vorbereiten:
100 g gehobelte Haselnusskerne
3 mittelgroße Bananen
1 EL Zitronensaft
30 g Butter

Für den Teig:
200 g flüssiger Honig
2 Eigelb (Größe M), 3 EL Milch
1 Vanilleschote
1 Prise Salz
250 g Weizenmehl
1 TL Backpulver
2 Eiweiß (Größe M)

Zubereitungszeit: 30 Minuten,
ohne Kühlzeit

Insgesamt: E: 54 g, F: 69 g, Kh: 429 g,
kJ: 11009, kcal: 2633

1 Zum Vorbereiten Haselnusskerne in einer Pfanne ohne Fett goldgelb rösten, herausnehmen, abkühlen lassen. Bananen schälen, mit einer Gabel zu Mus zerdrücken, mit Zitronensaft beträufeln.

2 Butter in einer Pfanne erhitzen, Bananenmus kurz darin andünsten, erkalten lassen.

3 Für den Teig Honig und Eigelb mit Handrührgerät mit Rührbesen auf höchster Stufe cremig rühren. Milch, Mark der Vanilleschote, Salz und Bananenmus hinzufügen, zu einem glatten Teig verrühren.

4 Mehl und Backpulver mischen, sieben und portionsweise auf mittlerer Stufe unterrühren.

5 Eiweiß zu sehr steifem Schnee schlagen, vorsichtig mit den Haselnusskernen unterheben.

6 Die Teigmasse in eine Kastenform (30 x 11 cm, gefettet, mit Backpapier ausgelegt) füllen, glatt streichen. Die Form auf dem Rost in den Backofen schieben. Evtl. mit Backpapier zudecken.

Ober-/Unterhitze: etwa 180 °C (vorgeheizt)
Heißluft: etwa 160 °C (nicht vorgeheizt)
Gas: Stufe 2 – 3 (nicht vorgeheizt)
Backzeit: etwa 70 Minuten

Bananen-Rosinen-Muffins | 🗑️

Für Kinder – Vollwertig

Für die Bananenmasse:
3 reife Bananen
150 g Naturjoghurt
abgeriebene Schale von 1 Bio-Zitrone
(unbehandelt, ungewachst)

Für den Rührteig:
120 g Butter, 120 g Rohrzucker
3 Eier (Größe M)
150 g Weizenvollkornmehl
2 gestr. TL Backpulver
75 g zerdrückte Cornflakes
100 g Rosinen

Zubereitungszeit: 25 Minuten

Insgesamt: E: 61 g, F: 130 g, Kh: 424 g,
kJ: 13560, kcal: 3241

1 Für die Bananenmasse Bananen schälen und in Stücke schneiden, Joghurt und Zitronenschale hinzufügen, mit der Gabel gut zerdrücken.

2 Für den Teig Butter oder Margarine mit Handrührgerät mit Rührbesen auf höchster Stufe geschmeidig rühren, Zucker unterrühren. So lange rühren, bis eine gebundene Masse entstanden ist. Eier nach und nach unterrühren (jedes Ei etwa $^1/_2$ Minute). Die Bananenmasse unterrühren.

3 Mehl mit Backpulver, zerdrückten Cornflakes und Rosinen mischen und kurz unter die Ei-Bananen-Masse rühren. Den Teig in

eine gefettete Muffinform (für 12 Muffins, gefettet) füllen und auf dem Rost in den Backofen schieben.

Ober-/Unterhitze: etwa 180 °C (vorgeheizt)
Heißluft: etwa 160 °C (vorgeheizt)
Gas: Stufe 2 – 3 (vorgeheizt)
Backzeit: etwa 25 Minuten

4 Die Muffins 10 Minuten stehen lassen, aus den Förmchen lösen und erkalten lassen.

Bananen-Rosinen-Muffins

Bananentorte mit Mandel-Kokos-Baiser

Bananentorte mit Mandel-Kokos-Baiser I

Vollwertig – für Gäste

Für den Knetteig:
250 g Weizenvollkornmehl
1 TL Backpulver
80 g flüssiger Honig
1 Prise Meersalz
etwas Vanillemark
1 Ei (Größe M)
100 g Butter oder Margarine

Für den Teigrand:
1 EL Weizenmehl

Für den Belag:
1 ¹/₂ kg Bananen
Saft von 2 Zitronen
200 g verlesene Himbeeren

Für das Mandelbaiser:
3 Eiweiß (Größe M)
70 g flüssiger Honig
75 g abgezogene, gemahlene Mandeln
125 g Kokosraspel

Zubereitungszeit: 40 Minuten

Insgesamt: E: 92 g, F: 138 g, Kh: 504 g,
kJ: 15875, kcal: 3796

1 Für den Teig Mehl in eine Rührschüssel geben. Restliche Zutaten hinzugeben und mit Handrührgerät mit Knethaken zunächst auf niedrigster, dann auf höchster Stufe gut durcharbeiten.

2 Teig auf einer bemehlten Arbeitsfläche zu einem glatten Teig verkneten. Sollte der Teig kleben, ihn eine Zeit lang kalt stellen.

3 Gut ²/₃ des Teiges auf dem Boden einer Springform (Ø 26 cm, Boden gefettet) ausrollen, mehrmals mit der Gabel einstechen. Den Rest des Teiges mit dem Esslöffel Mehl verkneten, zu einer Rolle formen, sie als Rand auf den Teigboden legen, so an die Form drücken, dass ein 2–3 cm hoher Rand entsteht. Die Form auf dem Rost in den Backofen schieben.

Ober-/Unterhitze: 180–200 °C (vorgeheizt)
Heißluft: 160–180 °C (vorgeheizt)
Gas: Stufe 3–4 (vorgeheizt)
Backzeit: etwa 20 Minuten

4 Für den Belag Bananen schälen, in 3 cm lange Stücke schneiden, mit Zitronensaft beträufeln, dicht nebeneinander auf den vorgebackenen Tortenboden setzen. Himbeeren zwischen den Bananenstücken verteilen.

5 Für das Baiser Eiweiß steif schlagen, Honig und Mandeln hinzufügen und unterschlagen. Kokosraspel vorsichtig unter die Eiweißmasse heben. Mandelbaiser auf dem Obst verteilen und glatt streichen. Form auf dem Rost in den Backofen schieben.

Ober-/Unterhitze: etwa 200 °C (vorgeheizt)
Heißluft: etwa 180 °C (vorgeheizt)
Gas: Stufe 3–4 (vorgeheizt)
Backzeit: 12–15 Minuten

Barbaratorte |

Für den Nachmittagskaffee

Für den Rührteig:
150 g Butter oder Margarine
150 g Zucker
1 Pck. Vanillin-Zucker
2 Eigelb (Größe M)
100 g Schmand
300 g Weizenmehl
¹/₂ Pck. Backpulver

Für den Belag:
2 Eiweiß (Größe M)
150 g Zucker
1 EL Weizengrieß
2 grob geraspelte Äpfel
50 g gemahlene Walnusskerne
1 – 2 EL Weizenmehl

Zum Verzieren:
etwas Schokoladenglasur

Zubereitungszeit: 50 Minuten

Insgesamt: E: 60 g, F: 202 g, Kh: 592 g, kJ: 19084, kcal: 4558

1 Für den Teig Butter oder Margarine mit Handrührgerät mit Rührbesen auf höchster Stufe geschmeidig rühren. Nach und nach Zucker und Vanillin-Zucker unterrühren. So lange rühren, bis eine gebundene Masse entstanden ist.

2 Eigelb nach und nach unterrühren (jedes Eigelb knapp ¹/₂ Minute). Schmand unterrühren. Mehl mit Backpulver mischen, sieben, portionsweise auf mittlerer Stufe unterrühren.

3 ²/₃ des Teiges in eine Springform (Ø 26 cm, Boden gefettet) geben, glatt streichen. Form auf dem Rost in den Backofen schieben und den Boden vorbacken.

Ober-/Unterhitze: etwa 180 °C (vorgeheizt)
Heißluft: etwa 160 °C (vorgeheizt)
Gas: Stufe 2 – 3 (vorgeheizt)
Backzeit: etwa 20 Minuten

4 Die Form auf einen Kuchenrost stellen. Boden abkühlen lassen.

5 Für den Belag Eiweiß steif schlagen, Zucker nach und nach unterrühren. Grieß, Apfelraspel und Nüsse vorsichtig unterheben und auf dem vorgebackenen Boden verteilen. Unter den restlichen Teig Mehl kneten, dünne Rollen daraus formen und als Gitter über den Belag legen. Form auf dem Rost in den Backofen schieben und die Torte **bei gleicher Backofeneinstellung in etwa 30 Minuten** fertig backen.

6 Die Torte aus der Form lösen und auf einem Kuchenrost erkalten lassen. Torte mit aufgelöster Glasur verzieren.

Barbaratorte

Bärentatzen | 🥛 🍶

Zum Tee – gut vorzubereiten

Für den Rührteig:
150 g Butter oder Margarine
150 g Zucker
1 Pck. Jamaika-Rum-Aroma
3 Eier (Größe M)
125 g Weizenmehl
2 gestr. TL Backpulver
50 g geriebene Zartbitterschokolade
50 g nicht abgezogene, gemahlene
Mandeln, 1 gestr. TL gemahlener Zimt

Für den Guss:
100 g Zartbitterschokolade
1 EL Speiseöl

Zubereitungszeit: 35 Minuten

Insgesamt: E: 58 g, F: 232 g, Kh: 319 g,
kJ: 15612, kcal: 3730

1 Für den Teig Butter oder Margarine mit Handrührgerät mit Rührbesen auf höchster Stufe geschmeidig rühren. Nach und nach Zucker und Aroma unterrühren. So lange rühren, bis eine gebundene Masse entstanden ist.

2 Eier nach und nach unterrühren (jedes Ei etwa ½ Minute). Mehl mit Backpulver mischen, sieben, abwechselnd portionsweise mit Schokolade, Mandeln und Zimt auf mittlerer Stufe unterrühren.

3 Teig in gefettete, gemehlte Bärentatzen-Formen geben und nacheinander (bei Heißluft zusammen) auf dem Rost in den Backofen schieben.

Ober-/Unterhitze: etwa 180 °C (vorgeheizt)
Heißluft: etwa 160 °C (vorgeheizt)
Gas: Stufe 2–3 (vorgeheizt)
Backzeit: 15–20 Minuten pro Form

4 Die Bärentatzen 10 Minuten in der Form stehen lassen, vorsichtig lösen, stürzen und erkalten lassen.

5 Für den Guss Schokolade in Stücke brechen, mit Öl in einem kleinen Topf im Wasserbad auflösen, die Tatzen mit den Enden hineintauchen und trocknen lassen.

Bärentatzen

Baumkuchen | 🥛 🥛 🥛 🍶 ❄

Gut vorzubereiten

Für den Rührteig:
250 g Butter oder Margarine
250 g Zucker
1 Pck. Vanillin-Zucker
1 Prise Salz
2 Eier (Größe M)
4 Eigelb (Größe M)
3 EL Rum
150 g Weizenmehl
100 g Speisestärke
3 gestr. TL Backpulver
4 Eiweiß (Größe M)

Für den Guss:
100 g weiße Kuvertüre
100 g Halbbitter-Kuvertüre
30 g Kokosfett

Zubereitungszeit: 70 Minuten,
ohne Kühlzeit

Insgesamt: E: 73 g, F: 303 g, Kh: 559 g,
kJ: 23012, kcal: 5497

1 Für den Teig Butter oder Margarine mit Handrührgrät mit Rührbesen auf höchster Stufe geschmeidig rühren. Nach und nach Zucker, Vanillin-Zucker und Salz unterrühren, so lange rühren, bis eine gebundene Masse entstanden ist. Nach und nach die Eier und Eigelb unterrühren (jedes Ei, Eigelb knapp ½ Minute), Rum unterrühren.

2 Mehl mit Speisestärke und Backpulver mischen, sieben, portionsweise auf mittlerer Stufe unterrühren. Das Eiweiß steif schlagen, vorsichtig unter den Teig heben.

3 Eine gefettete Kastenform (35 x 11 cm) mit Backpapier auslegen. Einen gut gehäuften Esslöffel Teig gleichmäßig mit einem Pinsel darauf streichen. Die Form auf dem Rost unter den vorgeheizten Grill schieben (Abstand zwischen Grill und Teigschicht etwa 20 cm).

4 Die Teigschicht in etwa 2 Minuten hellbraun backen. Als zweite Schicht wieder 1–2 Esslöffel Teig auf die gebackene Schicht streichen, die Form wieder unter den Grill schieben. Auf diese Weise den ganzen Teig verarbeiten (die Einschubhöhe nach Möglichkeit so verändern, dass der Abstand von etwa 20 cm zwischen Grill und Teigschicht bestehen bleibt).

5 Den Kuchen mit einem Messer vorsichtig vom Rand der Form lösen, auf ein Backblech stürzen, das Papier abziehen und den Kuchen sofort noch etwa 5 Minuten in den heißen Backofen schieben. Den Kuchen auf einem Kuchenrost erkalten lassen und in 4 Stangen schneiden.

6 Für den Guss Kuvertüre und jeweils die Hälfte des Kokosfettes getrennt im heißen Wasserbad geschmeidig rühren und je 2 Baumkuchenstangen damit überziehen.

Baumkuchen-Petits-Fours

Baumkuchen-Petits-Fours | 🧂 🧂 🍶

Zum Verschenken

Für den Rührteig:
200 g Butter oder Margarine
200 g Zucker
1 Pck. Vanillin-Zucker
3 EL Weinbrand
2 Eier (Größe M)
2 Eigelb (Größe M)
100 g Weizenmehl
50 g Speisestärke
2 gestr. TL Backpulver
50 g abgezogene, gemahlene Mandeln
2 Eiweiß (Größe M)

Für den Guss:
200 g Kuvertüre (Vollmilch-, Halbbitter-
oder weiße Kuvertüre)
2 TL Speiseöl

Zubereitungszeit: 75 Minuten,
ohne Kühlzeit

Insgesamt: E: 63 g, F: 286 g, Kh: 442 g,
kJ: 20128, kcal: 4809

1 Für den Teig Butter oder Margarine mit Handrührgerät mit Rührbesen auf höchster Stufe geschmeidig rühren, nach und nach Zucker, Vanillin-Zucker und Weinbrand unterrühren und so lange rühren, bis eine gebundene Masse entstanden ist.

2 Eier und Eigelb nach und nach unterrühren (jedes Ei etwa 1/2 Minute, jedes Eigelb knapp 1/2 Minute). Mehl mit Speisestärke und Backpulver mischen, sieben, portionsweise auf mittlerer Stufe unterrühren, dann Mandeln unterrühren.

3 Eiweiß zu steifem Schnee schlagen und vorsichtig unter den Teig heben.

4 Den gefetteten Boden einer Kastenform (30 x 11 cm) mit Backpapier auslegen, 1 gut gehäuften Esslöffel Teig gleichmäßig mit einem Pinsel darauf streichen, die Form auf dem Rost in den Backofen schieben (Abstand zwischen Grill und Teigschicht etwa 20 cm) und die Teigschicht unter dem vorgeheizten Grill hellbraun backen.
Grillzeit: etwa 2 Minuten.

5 Als zweite Schicht 1 – 2 Esslöffel Teig auf die gebackene Schicht streichen und die Form wieder unter den Grill schieben. Auf diese Weise zunächst die Hälfte des Teiges (6 Schichten) verarbeiten (die Einschubhöhe nach Möglich-

keit so verändern, dass der Abstand von etwa 20 cm zwischen Grill und Teigschicht bestehen bleibt). Das fertige Gebäck mit einem Messer vorsichtig vom Rand der Form lösen, auf einen Kuchenrost stürzen, das Papier abziehen.

6 Den restlichen Teig auf die gleiche Weise backen.

7 Die beiden Gebäckstücke erkalten lassen. Mit Blattausstechern kleine Petits fours ausstechen.

8 Für den Guss Kuvertüre voneinander getrennt in kleine Stücke schneiden und mit je 1 Teelöffel Öl in einem kleinen Topf im Wasserbad bei schwacher Hitze geschmeidig rühren. Die Petits fours mit einer Gabel in die Kuvertüre tauchen, abtropfen lassen und auf einen Kuchenrost setzen, trocknen lassen und in einer gut schließenden Dose aufbewahren.

Tipp: Jeweils die andersfarbige Kuvertüre in eine Pergamentpapiertüte füllen und Blattadern auf die Petits fours spritzen. Einen Backrahmen von 25 x 25 cm auf ein Backblech (gefettet, mit Backpapier belegt) stellen und die ganze Masse darin backen.

Beerenschiffchen | 🍶 🍶 🍶 🍶

Raffiniert – dauert etwas länger

Für den Knetteig:
125 g Weizenmehl
25 g Zucker
1 Pck. Vanillin-Zucker
1 Eigelb (Größe M)
¹/₂ EL Milch
65 g Butter oder Margarine

Zum Bestreichen:
40 g Zartbitterschokolade
etwas Kokosfett

Für die Füllung:
1 TL Speisestärke
1 EL Zucker, 1 Pck. Vanillin-Zucker
1 Becher (150 g) Crème fraîche
1 Ei (Größe M)
3 EL Kirschwasser
250 g gemischte Beeren
1 – 2 EL Zucker

Für den Guss:
1 Pck. Tortenguss, 40 g Zucker
250 ml (¹/₄ l) Wasser oder Fruchtsaft

Zubereitungszeit: 60 Minuten,
ohne Kühlzeit

Insgesamt: E: 34 g, F: 136 g, Kh: 282 g,
kJ: 11046, kcal: 2640

1 Für den Teig Mehl in eine Rührschüssel sieben. Zucker, Vanillin-Zucker, Eigelb, Milch und Butter oder Margarine hinzufügen. Die Zutaten mit Handrührgerät mit Knethaken zunächst kurz auf niedrigster, dann auf höchster Stufe gut durcharbeiten.

2 Anschließend auf der bemehlten Arbeitsfläche zu einem glatten Teig verkneten, sollte er kleben, ihn eine Zeit lang kalt stellen. Den Teig ausrollen, in der Größe von 12 Schiffchen-Förmchen ausstechen und die Förmchen damit auslegen.

3 Die Förmchen auf ein Backblech setzen und das Blech auf der untersten Schiene in den Backofen schieben.

Ober-/Unterhitze: etwa 180 °C (vorgeheizt)
Heißluft: etwa 160 °C (vorgeheizt)
Gas: Stufe 2 – 3 (vorgeheizt)
Backzeit: etwa 10 Minuten

4 Die gebackenen Schiffchen sofort aus den Förmchen lösen und erkalten lassen.

5 Zum Bestreichen Zartbitterschokolade mit Kokosfett in einem kleinen Topf im heißen Wasserbad bei schwacher Hitze zu einer geschmeidigen Masse verrühren und die Schiffchen damit ausstreichen.

6 Für die Füllung Speisestärke, Zucker, Vanillin-Zucker und Crème-fraîche in einem Topf gut verrühren. Das Ei hinzufügen. Die Masse unter ständigem Schlagen einmal aufkochen lassen und von der Kochstelle nehmen. Kirschwasser unterrühren. Die Masse erkalten lassen, in die Schiffchen geben und glatt streichen.

7 Beeren vorsichtig waschen, abtropfen lassen, mit Zucker bestreuen und einige Zeit stehen lassen. Die Beeren abtropfen lassen, dabei den Saft auffangen. Beeren auf die Schiffchen geben.

8 Für den Guss den Tortenguss nach Packungsanleitung zubereiten und über die Beeren verteilen.

Tipp: Die Schiffchen können schon etwa 8 Tage vor dem Verzehr gebacken und in einer gut schließenden Dose aufbewahrt werden. Sie müssen die Schiffchen dann am Tag des Verzehrs nur noch füllen.

Beerenschiffchen

Bergische Waffeln |

Schnell zuzubereiten

Für den Rührteig:
250 g Butter oder Margarine
150 g Zucker
1 Pck. Vanillin-Zucker
1 Prise Salz
4 Eier (Größe M)
500 g Weizenmehl
1 TL Backpulver
etwa 375 ml (³/₈ l) Buttermilch
2–3 EL flüssiger Honig

Zum Einreiben:
1 Speckschwarte oder etwas Öl

Zum Bestreuen:
Puderzucker

Zubereitungszeit: 15 Minuten

Insgesamt: E: 101 g, F: 279 g, Kh: 600 g,
kJ: 23050, kcal: 5507

Bergische Waffeln

1 Für den Teig Butter oder Margarine mit Handrührgerät mit Rührbesen auf höchster Stufe geschmeidig rühren, nach und nach Zucker, Vanillin-Zucker und Salz unterrühren und so lange rühren, bis eine gebundene Masse entstanden ist.

2 Nach und nach Eier unterrühren (jedes Ei etwa ½ Minute). Mehl mit Backpulver mischen, sieben und abwechselnd mit Buttermilch portionsweise auf mittlerer Stufe unterrühren. Anschließend den Honig unterrühren.

3 Ein Waffeleisen gut erhitzen und mit einer Speckschwarte einreiben oder mit Öl bestreichen. Den Teig in nicht zu großen Portionen in das Waffeleisen füllen, die Waffeln auf beiden Seiten goldbraun backen und einzeln auf einem Kuchenrost erkalten lassen. Die Waffeln mit Puderzucker bestreuen.

Tipp: Die Waffeln mit Zuckerrübensirup oder Kompott servieren.

Berliner | 🗑 🗑 🗑

Für Kinder

Für den Hefeteig:
500 g Weizenmehl
1 Pck. Trockenhefe
30 g Zucker
1 Pck. Vanillin-Zucker
3 Tropfen Bittermandel-Aroma
1 gestr. TL Salz
2 Eier (Größe M)
1 Eigelb (Größe M)
125 ml (⅛ l) lauwarme Milch
100 g zerlassene abgekühlte Butter oder Margarine

1 Eiweiß (zum Bestreichen)

gelbe oder rote Konfitüre
1,5 kg Kokosfett
Zucker

Zubereitungszeit: 60 Minuten, ohne Teiggehzeit

Insgesamt: E: 84 g, F: 310 g, Kh: 427 g, kJ: 21114, kcal: 5044

1 Für den Teig Mehl in eine Rührschüssel sieben und mit der Hefe sorgfältig vermischen. Alle übrigen Zutaten hinzufügen und mit Handrührgerät mit Knethaken zunächst auf niedrigster, dann auf höchster Stufe in etwa 5 Minuten zu einem Teig verarbeiten.

2 Den Teig zugedeckt so lange an einem warmen Ort stehen lassen, bis er sich sichtbar vergrößert hat, ihn dann auf der Arbeitsfläche nochmals kurz durchkneten.

3 Den Teig etwa ½ cm dick ausrollen, mit einer runden Form (Ø etwa 7 cm) Platten ausstechen.

4 Die Hälfte der Teigplatten am Rand dünn mit Eiweiß bestreichen. In die Mitte jeweils etwas Konfitüre geben. Die übrigen Teigplatten darauf legen. Die Teigränder gut andrücken.

5 Die Teigstücke nochmals an einem warmen Ort so lange gehen lassen, bis sie sich sichtbar vergrößert haben.

6 Die Bällchen schwimmend in siedendem Ausbackfett auf beiden Seiten backen, mit einem Schaumlöffel herausnehmen, auf einem Kuchenrost abtropfen lassen und in Zucker wälzen.

Tipp: Berliner sind besonders zu Silvester und um die Karnevalszeit beliebt. Sie können außer mit Konfitüre auch mit Pflaumenmus gefüllt werden.

Biberle |

Aufwändig

Für den Teig:
2 Eier (Größe M)
125 g Zucker
200 g flüssiger Honig
1 gestr. TL gemahlener Zimt
1 Msp. gemahlener Nelkenpfeffer
(Piment), 500 g Weizenmehl
3 gestr. TL Backpulver

Für die Marzipanfüllung:
200 g Puderzucker
300 abgezogene, gemahlene Mandeln
3 – 4 Tropfen Bittermandel-Aroma
1 – 2 EL Kondensmilch
1 Ei (Größe M), etwas Milch
125 g abgezogene, halbierte Mandeln

Zubereitungszeit: 50 Minuten

Insgesamt: E: 164 g, F: 254 g, Kh: 885 g, kJ: 28651, kcal: 6844

1 Für den Teig Eier mit Zucker und Honig mit Handrührgerät mit Rührbesen cremig rühren. Zimt und Nelkenpfeffer unterrühren. Mehl mit Backpulver mischen und sieben. ²/₃ des Mehlgemisches portionsweise unterrühren, den Rest unterkneten.

2 Den Teig auf einer bemehlten Arbeitsfläche zu einem Rechteck ausrollen (etwa 20 x 72 cm), daraus 9 Rechtecke (8 x 20 cm) schneiden.

3 Für die Füllung Puderzucker sieben, mit den Mandeln auf einer Arbeitsfläche mischen und in die Mitte eine Vertiefung eindrücken. Aroma, Kondensmilch und Ei in die Vertiefung geben und alle Zutaten miteinander verkneten.

4 Aus der Masse 9 fingerdicke Rollen (etwa 20 cm lang) formen.

5 Auf jedes Teigrechteck eine Marzipanrolle legen und fest in den Teig einrollen. Rollen kalt stellen.

6 Teigrollen in Spitzkuchen-ähnliche Stücke schneiden, auf ein Backblech (gefettet, mit Backpapier belegt) legen, mit Milch bestreichen und jeweils in die Mitte jedes Dreiecks eine halbe Mandel drücken. Backblech in den Backofen schieben.

Ober-/Unterhitze: etwa 180 °C (vorgeheizt)
Heißluft: etwa 160 °C (vorgeheizt)
Gas: Stufe 2 – 3 (vorgeheizt)
Backzeit: 15 – 20 Minuten

Biberle

Bienenstich |

Für Gäste – klassisch

Für den Hefeteig:
375 g Weizenmehl
1 Pck. Trockenhefe
50 g Zucker, 1 Pck. Vanillin-Zucker
1 Prise Salz
1 Ei (Größe M)
200 ml lauwarme Milch
50 g zerlassene abgekühlte Butter

Für den Belag:
150 g Butter
75 g Zucker
1 Pck. Vanillin-Zucker
3 EL Schlagsahne
150 g abgezogene, gehobelte Mandeln

Für die Füllung:
2 Pck. Pudding-Pulver
Vanille-Geschmack
750 ml (³/₄ l) Milch
60 g Zucker
250 ml (¹/₄ l) Schlagsahne
1 Pck. Sahnesteif

Zubereitungszeit: 50 Minuten,
ohne Teiggehzeit

Insgesamt: E: 123 g, F: 398 g, Kh: 634 g,
kJ: 28885, kcal: 6899

1 Für den Teig Mehl in eine Rührschüssel
sieben, mit Trockenhefe sorgfältig vermischen.
Zucker, Vanillin-Zucker, Salz, Ei, Milch und
Butter hinzufügen. Die Zutaten mit Handrührgerät mit Knethaken zunächst auf niedrigster,
dann auf höchster Stufe in etwa 5 Minuten zu
einem glatten Teig verarbeiten.

2 Den Teig zugedeckt so lange an einem
warmen Ort stehen lassen, bis er sich sichtbar vergrößert hat. Teig auf der Arbeitsfläche
nochmals kurz durchkneten, in einer Fettfangschale (30 x 40 cm, gefettet) ausrollen und
mehrmals mit einer Gabel einstechen.

3 Für den Belag Butter mit Zucker, Vanillin-
Zucker und Sahne unter Rühren zerlassen,
Mandeln unterrühren, zum Kochen bringen,
von der Kochstelle nehmen, die Masse etwas

abkühlen lassen, gleichmäßig auf dem Teig
verteilen.

4 Teig nochmals so lange an einem warmen
Ort gehen lassen, bis er sich sichtbar vergrößert hat. Das Backblech in den Backofen
schieben.

Ober-/Unterhitze: 200 – 220 °C (vorgeheizt)
Heißluft: 180 – 200 °C (vorgeheizt)
Gas: etwa Stufe 4 (vorgeheizt)
Backzeit: etwa 15 Minuten

5 Für die Füllung einen Pudding aus Pudding-Pulver, Milch und Zucker nach Packungsanleitung, aber nur mit 750 ml Milch, zubereiten.

6 Sahne ¹/₂ Minute schlagen, Sahnesteif einstreuen, die Sahne steif schlagen, vorsichtig
unter die Creme rühren.

7 Das erkaltete Gebäck vierteln, jedes Stück
waagerecht durchschneiden und mit der
Creme füllen.

Bienenstich

Bienenstich mit Erdnüssen

Bienenstich mit Erdnüssen | 🗑 🗑

Für Kinder

Für den Hefeteig:
400 g Weizenmehl
1 Pck. Trockenhefe
60 g Zucker
1 Pck. Vanillin-Zucker
1 Ei (Größe M)
50 g weiche Butter
150 ml lauwarme Milch

Für den Belag:
200 g ungesalzene Erdnusskerne
100 g Butter
200 g Zucker
1 Pck. Vanillin-Zucker
1 Msp. gemahlener Zimt
6 – 7 EL Milch

Für die Füllung:
1 Pck. Vanilla-Tortencreme
300 ml Milch
100 – 200 g Butter

Zubereitungszeit: 50 Minuten,
ohne Teiggehzeit

Insgesamt: E: 126 g, F: 372 g, Kh: 623 g,
kJ: 27446, kcal: 6556

1 Für den Teig Mehl in eine Schüssel sieben und mit der Hefe sorgfältig mischen. Zucker, Vanillin-Zucker, Ei, Butter und Milch hinzufügen, alles mit Handrührgerät mit Knethaken zunächst auf niedrigster, dann auf höchster Stufe in etwa 5 Minuten zu einem glatten Teig verarbeiten.

2 Den Teig zugedeckt an einem warmen Ort so lange stehen lassen, bis er sich sichtbar vergrößert hat, nochmals auf der bemehlten Arbeitsfläche kurz durchkneten und auf dem Boden einer Springform (Ø 28 cm, Boden gefettet) ausrollen.

3 Für den Belag Erdnusskerne grob hacken, mit Butter, Zucker, Vanillin-Zucker, Zimt und Milch verrühren, die Masse unter Rühren aufkochen, leicht abkühlen lassen und auf dem Teig verteilen.

4 Den Teig nochmals so lange an einem warmen Ort gehen lassen, bis er sich sichtbar

vergrößert hat. Form auf dem Rost in den Backofen schieben.

Ober-/Unterhitze: etwa 200 °C (vorgeheizt)
Heißluft: etwa 180 °C (vorgeheizt)
Gas: Stufe 3 – 4 (vorgeheizt)
Backzeit: etwa 30 Minuten

5 Den Boden aus der Form lösen und auf einem Kuchenrost erkalten lassen.

6 Für die Füllung aus Tortencreme, Milch und Butter nach Packungsanleitung eine Creme bereiten. Den erkalteten Kuchen einmal waagerecht durchschneiden, den unteren Boden mit der Creme bestreichen und den oberen Boden darauf legen.

Tipp: Der Bienenstich kann auch mit einer Vanillecreme gefüllt werden. Dafür aus 2 Päckchen Pudding-Pulver Vanille-Geschmack, 100 g Zucker und 750 ml (³/₄ l) Milch einen Pudding zubereiten. Unter den heißen Pudding 100 g Butter rühren, den Pudding kalt stellen, ab und zu durchrühren. Den Kuchen damit füllen.

Birnenkuchen mit Quark | 🗑 🗑 🗑

Für Gäste

Für den Knetteig:
250 g Weizenmehl
2 gestr. TL Backpulver
125 g Zucker
I Pck. Vanillin-Zucker
1 Prise Salz
1 Ei (Größe M)
2 EL kaltes Wasser
125 g Butter oder Margarine

Für den Belag:
1 Dose Birnenhälften
(Abtropfgewicht 460 g)
3 Eier (Größe M)
50 g Zucker
1 Pck. Vanillin-Zucker
3 – 5 Tropfen Zitronen-Aroma
1 Prise Salz, 250 g Magerquark
50 g abgezogene, gemahlene Mandeln
20 g gesiebte Speisestärke
125 ml (¹/₈ l) Schlagsahne

Für den Guss:
75 g Halbbitter-Kuvertüre
20 g Kokosfett

Zum Garnieren:
1 Dose Baby-Birnen
(Abtropfgewicht 200 g)
125 ml (¹/₈ l) Schlagsahne

Zubereitungszeit: 60 Minuten,
ohne Kühlzeit

Insgesamt: E: 110 g, F: 290 g, Kh: 515 g,
kJ: 22259, kcal: 5321

1 Für den Teig Mehl und Backpulver mischen, in eine Rührschüssel sieben, die übrigen Zutaten hinzufügen und alles mit Handrührgerät mit Knethaken zunächst auf niedrigster, dann auf höchster Stufe gut durcharbeiten. Anschließend auf der Arbeitsfläche zu einem glatten Teig verkneten. ²/₃ des Teiges auf einem Springformboden (Ø 26 cm, gefettet) ausrollen. Den restlichen Teig zu einer Rolle formen, auf den Teigboden legen, so an den Rand der Form drücken, dass der Teig-

rand 3 cm hoch wird. Den Boden mehrmals mit einer Gabel einstechen.

2 Für den Belag die Birnenhälften sehr gut abtropfen lassen, mit der Schnittfläche nach unten auf den Teigboden legen. Die Eier mit dem Zucker schaumig schlagen, Vanillin-Zucker, Zitronen-Aroma und Salz unterschlagen. Den Quark mit Mandeln und Speisestärke mischen, unterrühren. Die Sahne steif schlagen, unterziehen. Creme über die Birnen verteilen, glatt streichen. Die Form auf dem Rost in den Backofen schieben.

Ober-/Unterhitze: etwa 180 °C (vorgeheizt)
Heißluft: etwa 160 °C (nicht vorgeheizt)
Gas: Stufe 2 – 3 (nicht vorgeheizt)
Backzeit: etwa 45 Minuten (nach etwa 30 Minuten den Kuchen zudecken)

3 Das Gebäck in der Form auf einem Kuchenrost 10 Minuten abkühlen lassen, den Springformrand entfernen, den Boden lösen, das Gebäck erkalten lassen.

4 Für den Guss die Kuvertüre und das Kokosfett in einem kleinen Topf im Wasserbad bei schwacher Hitze zu einer geschmeidigen Masse verrühren. Den Gebäckrand damit bestreichen.

5 Zum Garnieren die Baby-Birnen gut abtropfen lassen, vierteln, mit Guss überziehen, fest werden lassen. Die Sahne steif schlagen, das Gebäck damit verzieren, mit Birnen garnieren.

Birnenkuchen mit Quark

Birnen-Schokokuchen

Birnen-Schokokuchen | 🍮 🍮

Für Kinder

Für den Rührteig:
150 g Butter oder Margarine
150 g Zucker
1 Pck. Vanillin-Zucker
3 Eier (Größe M)
150 g Weizenmehl
30 g Kakaopulver
2 gestr. TL Backpulver
100 g Raspelschokolade

1 Dose Birnen (Abtropfgewicht 460 g)

75 g Zartbitterschokolade
1 TL Speiseöl

Für den Belag:
3 Becher (je 150 g) Crème fraîche
50 ml Birnensaft aus der Dose
50 g Zucker
500 ml (½ l) Schlagsahne
2 Pck. Vanillin-Zucker
1 Pck. Sahnesteif
evtl. Birnenspalten

Zubereitungszeit: 60 Minuten,
ohne Kühlzeit

Insgesamt: E: 74 g, F: 394 g, Kh: 548 g,
kJ: 25966, kcal: 6207

1 Für den Teig Butter oder Margarine mit Handrührgerät mit Rührbesen auf höchster Stufe geschmeidig rühren. Nach und nach Zucker und Vanillin-Zucker dazugeben, so lange rühren, bis eine gebundene Masse entstanden ist.

2 Eier nach und nach unterrühren (jedes Ei etwa ½ Minute). Mehl, Kakao und Backpulver mischen, sieben und portionsweise auf mittlerer Stufe unterrühren. Raspelschokolade unterheben.

3 Den Teig auf ein Backblech (30 x 40 cm, gefettet) geben und glatt streichen.

4 Birnen auf ein Sieb geben, abtropfen lassen, Saft auffangen und 50 ml für den Belag abmessen. Birnen in Scheiben schneiden und auf dem Teig verteilen. Das Backblech in den Backofen schieben.

Ober-/Unterhitze: etwa 180 °C (vorgeheizt)
Heißluft: etwa 160 °C (nicht vorgeheizt)
Gas: Stufe 2 – 3 (nicht vorgeheizt)
Backzeit: etwa 35 Minuten

5 Das Backblech auf einen Kuchenrost stellen und das Gebäck abkühlen lassen.

6 Schokolade in Stücke brechen, mit Öl in einem kleinen Topf im Wasserbad bei schwacher Hitze zu geschmeidiger Masse verrühren, auf Backpapier streichen und fest werden lassen. Dann mit einem spitzen Messer Birnenornamente ausschneiden.

7 Für den Belag Crème fraîche mit Birnensaft und Zucker verrühren. Sahne mit Vanillin-Zucker und Sahnesteif steif schlagen und unter die Crème-fraîche-Masse heben.

8 Die Creme auf dem Boden verteilen, glatt streichen, mit Hilfe eines Tortengarnierkammes verzieren und etwa 1 Stunde fest werden lassen. Mit Schokoladenornamenten und evtl. Birnenspalten garnieren.

Tipp: Einen Teil der Zartbitterschokolade durch Vollmilchschokolade ersetzen (getrennt auflösen). Oberfläche vor dem Garnieren mit 20 g Puderzucker – mit 20 g Kakaopulver gemischt – bestäuben.

Birnentarte |  ❄

Klassisch

Für den All-in-Teig:
200 g Weizenmehl
1 gestr. TL Natron
150 g Butter oder Margarine
1 Prise Salz
80 g Zucker, 1 Pck. Vanillin-Zucker
125 ml ('/₈ l) Buttermilch
2 Eier (Größe M)
50 g Korinthen
1 Dose Birnenhälften
(Abtropfgewicht 460 g)
2 EL Aprikosenkonfitüre

Puderzucker

Zubereitungszeit: 30 Minuten,
ohne Kühlzeit

Insgesamt: E: 45 g, F: 140 g, Kh: 339 g,
kJ: 12140, kcal: 2902

1 Für den Teig Mehl und Natron mischen
und in eine Rührschüssel sieben. Butter oder
Margarine, Salz, Zucker, Vanillin-Zucker,
Buttermilch, Eier und Korinthen nacheinander
hinzufügen. Die Zutaten mit Handrührgerät mit
Knethaken zu einem glatten Teig verarbeiten.

2 Den Teig in eine gefettete Tarteform
(Ø 26 cm) füllen. Abgetropfte Birnenhälften
auf den Teig legen. Form auf dem Rost in
den Backofen schieben.

Ober-/Unterhitze: etwa 180 °C (vorgeheizt)
Heißluft: etwa 160 °C (nicht vorgeheizt)
Gas: Stufe 2 – 3 (nicht vorgeheizt)
Backzeit: etwa 35 Minuten

3 Tarte auf einem Kuchenrost erkalten lassen. Aprikosenkonfitüre durch ein Sieb streichen, aufkochen und auf die Birnen streichen. Mit Puderzucker bestäuben.

Tipp: Die Birnen können durch die gleiche
Menge Pfirsich- oder Aprikosenhälften, Man-
gostücke oder Ananasringe aus der Dose
ersetzt werden.

Birnentarte

Biskuit (Grundrezept) | ❄

Gut vorzubereiten

75 g (100 g) Weizenmehl
1 gestr. TL (2 gestr. TL) Backpulver
50 g (100 g) Speisestärke
eventuell: Kakaopulver
3 (4) Eier (Größe M)
2 (4) EL heißes Wasser
100 g (150 g) Zucker
1 Pck. Vanillin-Zucker

Zubereitungszeit: 35 Minuten

Insgesamt: E: 34 g, F: 22 g, Kh: 211 g,
kJ: 5117, kcal: 1222

1 Es ist empfehlenswert, Backform oder
Backblech mit Pergament- oder Backpapier
auszulegen. Das Papier für eine Springform so
herstellen: Die Form umdrehen (Boden nach
oben), das Papier darauf legen. Mit einem

Messerrücken das am Rand überstehende
Papier abstreifen.

2 Den Boden an etwa 4 Stellen mit streich-
fähiger Butter oder Margarine einfetten, am
besten mit einem Pinsel. Den Rand nicht fetten. Das Backpapier auf den Boden legen, gut
andrücken. Mit den Händen glatt streichen.

3 Die Zutatenangaben in Klammern sind für

eine etwas größere Biskuitmenge. Eier einzeln in eine Tasse aufschlagen. Zuerst jedes Ei überprüfen, ob es frisch ist, danach mit den anderen Eiern in eine Rührschüssel geben.

4 Mehl, Backpulver, Speisestärke und evtl. Kakao vermischen und sieben.

5 Eier und heißes Wasser mit den Rührbesen des Handrührgerätes in etwa 1 Minute schaumig schlagen.

6 Zucker mit Vanillin-Zucker mischen, in

1 Minute einstreuen und weitere etwa 2 Minuten auf höchster Stufe schlagen.

7 Zuerst die Hälfte der gesiebten Mehlmischung auf niedrigster Stufe unterrühren. Danach den Rest unterrühren.

8 Den Teig in die vorbereitete Form (Backblech) füllen und gleichmäßig verstreichen und backen.

9 Nach dem Abbacken das Gebäck auf ein Kuchenrost legen und das Papier abziehen,

damit der Biskuit besser ausdünsten kann. Soll der Biskuitboden nicht am gleichen Tag verwendet werden, das Papier bis zum Gebrauch des Bodens darauf lassen.

Tipp: Nur sauber gespülte Gefäße und Geräte verwenden, da sie nicht fetthaltig sein dürfen. Zubereiteten Teig sofort backen. Bei auf dem Backblech gebackenem Biskuitteig kann durch leichtes Auflegen der Handfläche geprüft werden, ob er gar ist. Der Teig fühlt sich watteähnlich und trocken an.

Biskuitrolle I 🗑

Schnell

Für den Teig:
3 Eier (Größe M)
5 – 6 EL heißes Wasser
150 g Zucker, 1 Pck. Vanillin-Zucker
100 g Weizenmehl
50 g Speisestärke
1 gestr. TL Backpulver

Für die Füllung:
250 – 375 g Himbeerkonfitüre

Puderzucker

Zubereitungszeit: 25 Minuten

Insgesamt: E: 38 g, F: 22 g, Kh: 461 g, kJ: 9437, kcal: 2254

1 Für den Teig Eier und Wasser mit Handrührgerät mit Rührbesen auf höchster Stufe in 1 Minute schaumig schlagen.

2 Zucker mit Vanillin-Zucker mischen, in 1 Minute einstreuen, dann noch etwa 2 Minuten schlagen.

3 Mehl mit Speisestärke und Backpulver mischen, die Hälfte davon auf die Eiercreme sieben, kurz auf niedrigster Stufe unterrühren.

Den Rest des Mehlgemisches auf die gleiche Weise unterarbeiten.

4 Den Teig auf ein Backblech (30 x 40 cm, gefettet, mit Backpapier belegt) streichen.

5 An der offenen Seite des Blechs das Papier unmittelbar vor dem Teig zur Falte knicken, so dass ein Rand entsteht, das Backblech in den Backofen schieben.

Ober-/Unterhitze: 200 – 220 °C
Heißluft: 180 – 200 °C (vorgeheizt)
Gas: etwa Stufe 4 (vorgeheizt)
Backzeit: 10 – 15 Minuten

6 Den Biskuit sofort nach dem Backen auf ein mit Zucker bestreutes Geschirrtuch stürzen.

7 Das Backpapier mit kaltem Wasser bestreichen, vorsichtig, aber schnell abziehen.

8 Den Biskuit gleichmäßig mit der geschmeidig gerührten Konfitüre bestreichen, von der kürzeren Seite her aufrollen, die Rolle mit Puderzucker bestäuben.

Tipp: Den Biskuit statt auf ein Geschirrtuch auf ein mit Zucker bestreutes Backpapier stürzen und aufrollen.

Biskuitrolle

Biskuitrollen-Bombe | 🥛 🥛 🍾

Klassisch

Für den Biskuitteig:
2 Eier (Größe M)
3–4 EL heißes Wasser
100 g Zucker
1 Pck. Vanillin-Zucker
75 g Weizenmehl
40 g Speisestärke
1 gestr. TL Backpulver

Zum Bestreichen:
200–250 g rote Konfitüre
(z. B. Erdbeer-, Himbeer- oder
Kirschkonfitüre)

Für die Füllung:
500 ml (¹/₂ l) Schlagsahne
50 g Zucker, 1 Pck. Vanillin-Zucker
2 Pck. Sahnesteif
etwa 2 EL Kirschwasser

Zum Verzieren und Garnieren:
Schlagsahne
Sauerkirschen

Zubereitungszeit: 50 Minuten,
ohne Kühlzeit

Insgesamt: E: 39 g, F: 177 g, Kh: 434 g,
kJ: 15204, kcal: 3633

1 Für den Teig Eier und Wasser mit Handrührgerät mit Rührbesen auf höchster Stufe
in 1 Minute schaumig schlagen. Zucker mit
Vanillin-Zucker mischen, in 1 Minute einstreuen, dann noch etwa 2 Minuten schlagen.

2 Mehl mit Speisestärke und Backpulver
mischen, die Hälfte davon auf die Eiercreme
sieben, kurz auf niedrigster Stufe unterrühren
und den Rest des Mehlgemisches auf die
gleiche Weise unterarbeiten.

3 Den Teig auf ein Backblech (30 x 40 cm,
gefettet, mit Backpapier belegt) streichen, an
der offenen Seite des Blechs das Papier unmittelbar vor dem Teig zur Falte knicken, so
dass ein Rand entsteht. Backblech in den
Backofen schieben.

Ober-/ Unterhitze: 200–220 °C (vorgeheizt)
Heißluft: 180–200 °C (vorgeheizt)
Gas: etwa Stufe 4 (vorgeheizt)
Backzeit: 10–15 Minuten

4 Den Biskuit sofort nach dem Backen auf
mit Zucker bestreutes Backpapier stürzen,
das mitgebackene Backpapier mit kaltem
Wasser bestreichen, vorsichtig, aber schnell
abziehen. Den Biskuit sofort gleichmäßig mit
Konfitüre bestreichen und von der kürzeren
Seite her aufrollen. Rolle erkalten lassen.

5 Die erkaltete Rolle in etwa 1 cm dicke
Scheiben schneiden und eine Schüssel

(Ø etwa 23 cm, 2,5 l Inhalt) damit auslegen
(einige Scheiben zum Bedecken zurücklassen).

6 Für die Füllung Sahne mit Zucker, Vanillin-
Zucker und Sahnesteif steif schlagen und mit
Kirschwasser abschmecken. Die Sahne in die
mit Biskuitscheiben ausgelegte Schüssel füllen und mit den zurückgelassenen Biskuitscheiben bedecken.

7 Die Biskuitrollen-Bombe bis zum Servieren
kalt stellen, auf eine runde Platte stürzen, mit
geschlagener Sahne verzieren und Sauerkirschen garnieren.

Biskuitrollen-Bombe

Biskuitrollentorte „Exotic" | 🗑 🗑 🗑

Für Gäste

Für den Knetteig:
125 g Weizenmehl, 40 g Zucker
1 Pck. Vanillin-Zucker
80 g Butter oder Margarine

Für den Biskuitteig:
3 Eier (Größe M)
3 – 4 EL heißes Wasser
150 g Zucker, 1 Pck. Vanillin-Zucker
100 g Weizenmehl, 50 g Speisestärke
1 gestr. TL Backpulver

Zum Bestreichen:
200 g Erdbeerkonfitüre
1 EL Pfirsich-Maracuja-Konfitüre

Für den Belag:
1 Pck. Saucenpulver
Vanille-Geschmack
20 g Zucker, 250 ml (¹/₄ l) Milch
750 g vorbereitetes Obst, z. B. Litschis,
Karambole, Kiwis, Feigen, Erdbeeren

Für den Guss:
1 Pck. Tortenguss, klar
25 g Zucker, 250 ml (¹/₄ l) Apfelsaft
1 EL Zitronensaft

Für den Tortenrand:
gut 3 EL Erdbeerkonfitüre
25 g Kokosraspel

Zubereitungszeit: 50 Minuten,
ohne Kühlzeit

Insgesamt: E: 67 g, F: 113 g, Kh: 782 g,
kJ: 19073, kcal: 4557

1 Für den Knetteig das Mehl in eine Rührschüssel sieben. Die übrigen Zutaten hinzufügen, mit Handrührgerät mit Knethaken zunächst kurz auf niedrigster, dann auf höchster Stufe gut durcharbeiten.

2 Anschließend auf der mit Mehl bestäubten Arbeitsfläche zu einem glatten Teig verkneten. Sollte der Teig kleben, ihn eine Zeit lang kalt stellen.

3 Den Teig auf dem gefetteten Boden einer Springform (Ø 26 cm) ausrollen, mehrmals mit einer Gabel einstechen, Springformrand darumlegen. Form auf dem Rost in den Backofen schieben.

Biskuitrollentorte „Exotic"

Ober-/Unterhitze: etwa 200 °C (vorgeheizt)
Heißluft: etwa 180 °C (vorgeheizt)
Gas: Stufe 3 – 4 (vorgeheizt)
Backzeit: etwa 15 Minuten

4 Boden nach dem Backen vom Springformboden lösen, aber darauf erkalten lassen.

5 Für den Biskuitteig Eier und Wasser mit Handrührgerät mit Rührbesen auf höchster Stufe in 1 Minute schaumig schlagen. Den mit Vanillin-Zucker gemischten Zucker in 1 Minute einstreuen. Dann noch etwa 2 Minuten schlagen. Mehl, Speisestärke und Backpulver mischen. Die Hälfte davon auf die Eiercreme sieben und kurz auf niedrigster Stufe unterrühren. Den Rest des Mehlgemisches auf die gleiche Weise unterarbeiten.

6 Den Teig auf ein Backblech (gefettet, mit Backpapier belegt) streichen, an der offenen Seite des Blechs das Papier unmittelbar vor dem Teig zur Falte knicken, so dass ein Rand entsteht. Das Backblech in den Backofen schieben.

Ober-/Unterhitze: 200 – 220 °C (vorgeheizt)
Heißluft: 180 – 200 °C (vorgeheizt)
Gas: etwa Stufe 4 (vorgeheizt)
Backzeit: 10 – 15 Minuten

7 Den Biskuit sofort nach dem Backen auf mit Zucker bestreutes Backpapier stürzen, das mitgebackene Backpapier mit kaltem Wasser bestreichen, vorsichtig, aber schnell abziehen. Den Biskuit sofort gleichmäßig mit Erdbeerkonfitüre bestreichen, von der kürzeren Seite her aufrollen, erkalten lassen.

8 Die Rolle in 14 gleichmäßige Scheiben schneiden.

9 Den gesäuberten Springformrand wieder um den Knetteigboden legen, diesen mit Pfirsich-Maracuja-Konfitüre bestreichen, dicht mit den Biskuitrollenscheiben belegen.

10 Für den Belag eine Sauce nach Packungsanleitung (mit den hier angegebenen Zutaten) zubereiten, etwas abkühlen lassen, ab und zu durchrühren. Sauce in die Form geben, glatt streichen. Das Obst in Scheiben schneiden, auf der Sauce verteilen.

11 Für den Guss einen Tortenguss nach Packungsanleitung (mit den hier angegebenen Zutaten) zubereiten. Den Guss über das Obst verteilen, fest werden lassen, den Springformrand entfernen.

12 Für den Tortenrand die Erdbeerkonfitüre durch ein Sieb streichen, den Rand der Torte damit bestreichen, mit Kokosraspeln bestreuen.

Biskuittörtchen

Biskuittörtchen | 🥛 🥛 🍶 ❄

Raffiniert

Für den Biskuitteig:
3 Eier (Größe M)
3 EL heißes Wasser
150 g Zucker
1 Pck. Bourbon-Vanille-Zucker
75 g Weizenmehl
1 Pck. Pudding-Pulver
Mandel- oder Vanille-Geschmack
3 gestr. TL Backpulver
Semmelbrösel

Für die Füllung
1 Pck. Pudding-Pulver
Vanille- oder Sahne-Geschmack
500 ml (½ l) Milch
1 Eigelb (Größe M), 75 g Zucker
200 g Speisequark (20 %)
1 Pck. Finesse Jamaica-Rum-Aroma
3 Blatt weiße Gelatine
1 geh. TL Kakao
25 g abgezogene, fein gehackte,
gebräunte Mandeln
25 g fein gehackte Pistazienkernen

Zum Bestreuen:
75 g Vollmilch-Raspelschokolade
evtl. Marzipan-Motive

Zubereitungszeit: 45 Minuten

Insgesamt: E: 93 g, F: 93 g, Kh: 481 g,
kJ: 13523, kcal: 3227

1 Für den Teig Eier, Wasser, Zucker und
Vanille-Zucker mit Handrührgerät mit Rührbesen auf höchster Stufe in etwa 1 Minute
schaumig schlagen. Mehl mit Pudding-Pulver
und Backpulver mischen, darüber sieben,
kurz auf niedrigster Stufe unter die Eiercreme
ziehen.

2 Einen Backrahmen in der Größe von
26 x 26 cm auf ein Backblech (mit Backpapier belegt) stellen. Den Teig hineingeben
und glatt streichen. Das Backblech in den
Backofen schieben.

Ober-/Unterhitze: 180 – 200 °C (vorgeheizt)
Heißluft: 160 – 180 °C (vorgeheizt)
Gas: etwa Stufe 3 (vorgeheizt)
Backzeit: etwa 15 Minuten

3 Gebäckplatte lösen, auf ein mit Zucker bestreutes Backpapier stürzen. Mitgebackenes
Backpapier lösen.

4 Für die Füllung Pudding-Pulver mit etwas
von der Milch, Eigelb und Zucker verrühren.
Die übrige Milch zum Kochen bringen, das
angerührte Pudding-Pulver unterrühren, zum
Kochen bringen, von der Kochstelle nehmen.

5 Pudding mit Speisequark verrühren, Aroma unter den Pudding rühren, erkalten lassen.

6 Aus der erkalteten Biskuitplatte Kreise
(Ø 5 – 7 cm) ausstechen.

7 Gelatine in kaltem Wasser einweichen,
tropfnass in einem kleinen Topf bei schwacher Hitze auflösen, unter die Pudding-Quark-
Creme rühren, etwas zum Verzieren beiseite
stellen, unter den Rest Mandeln und Pistazienkerne mischen.

8 Biskuittörtchen mit der Quark-Creme füllen, zweites Törtchen darauf setzen, gut andrücken. Den Rand und die Oberfläche mit
der Quark-Creme bestreichen.

9 Zum Verzieren Kakao unter die restliche
Creme rühren, in ein Pergamentpapiertütchen
füllen, die Törtchen damit verzieren. Die Ränder mit Raspelschokolade bestreuen und evtl.
mit Marzipan-Motiven garnieren.

Bismarckeiche | 🗑 🗑 ❄

Klassisch

Für den Biskuitteig:
4 Eier (Größe M)
3–4 EL heißes Wasser
125 g Zucker
1 Pck. Vanillin-Zucker
75 g Weizenmehl
50 g Speisestärke, 1 Msp. Backpulver

Für die Füllung:
1 Pck. Pudding-Pulver Schokolade
75–100 g Zucker
500 ml (½ l) Milch
200 g Butter

Zubereitungszeit: 50 Minuten,
ohne Kühlzeit

Insgesamt: E: 58 g, F: 210 g, Kh: 388 g,
kJ: 15759, kcal: 3763

1 Für den Teig Eier und Wasser mit Handrührgerät mit Rührbesen auf höchster Stufe in
1 Minute schaumig schlagen. Zucker mit
Vanillin-Zucker mischen, in 1 Minute einstreuen, dann noch etwa 2 Minuten schlagen.

2 Mehl mit Speisestärke und Backpulver
mischen, die Hälfte davon auf die Eiercreme
sieben. Kurz auf niedrigster Stufe unterrühren. Den Rest des Mehlgemisches auf die-
selbe Weise unterarbeiten.

3 Den Teig auf ein Backblech (30 x 40 cm,
gefettet, mit Backpapier belegt) streichen, an
der offenen Seite des Bleches das Papier unmittelbar vor dem Teig zur Falte knicken, so
dass ein Rand entsteht. Das Backblech in den
Backofen schieben.

Ober-/Unterhitze: 200–220 °C (vorgeheizt)
Heißluft: 180–200 °C (vorgeheizt)
Gas: etwa Stufe 4 (vorgeheizt)
Backzeit: 10–15 Minuten

4 Den Biskuit nach dem Backen sofort auf
mit Zucker bestreutes Backpapier stürzen.

Das mitgebackene Backpapier mit kaltem
Wasser bestreichen, vorsichtig, aber schnell
abziehen. Den Biskuit mit dem Backpapier
aufrollen und erkalten lassen.

5 Für die Füllung aus Pudding-Pulver, Zucker und Milch nach Packungsanleitung einen Pudding zubereiten, kalt stellen, ab und
zu durchrühren, damit sich auf dem Pudding
keine Haut bildet.

6 Butter geschmeidig rühren, den Pudding
esslöffelweise unterrühren (darauf achten,
dass weder Butter noch Pudding zu kalt sind,
da die Masse sonst gerinnt).

7 Die ausgekühlte Rolle vorsichtig auseinander rollen, mit Buttercreme gleichmäßig bestreichen, aufrollen, dabei die äußere braune
Haut entfernen.

8 Die Rolle mit der restlichen Creme bestreichen und durch wellenförmige Längsstriche
mit Hilfe einer Gabel verzieren.

Bismarckeiche

Blätterteig (Grundrezept) | 🗑 🗑 🗑 ❄

Klassisch – dauert länger

Für den Blätterteig:
225 g Weizenmehl
25 g Butter, ¼ TL Salz
½ EL Weißweinessig
125 ml (⅛ l) lauwarmes Wasser
225 g kalte Butter, 25 g Weizenmehl

Zubereitungszeit: 50 Minuten,
ohne Kühlzeit

Insgesamt: E: 28 g, F: 207 g, Kh: 184 g,
kJ: 11805, kcal: 2821

1 Für den Teig Mehl in eine Rührschüssel sieben. Butter, Salz, Essig und Wasser hinzufügen.

2 Die Zutaten mit Handrührgerät mit Knethaken zunächst kurz auf niedrigster, dann auf höchster Stufe zu einem glatten Teig verarbeiten. Sollte er kleben, ihn eine Zeit lang kalt stellen.

3 Kalte Butter in eine Rührschüssel geben, Mehl hinzufügen. Beide Zutaten mit Handrührgerät mit Knethaken auf höchster Stufe zu einer einheitlichen Masse verkneten, auf der mit Mehl bestäubten Arbeitsfläche zu einem Quadrat (12 x 12 cm) ausrollen.

4 Teig zu einem Rechteck (25 x 12 cm) ausrollen, die ausgerollte Buttermasse auf eine Teighälfte legen, die andere Teighälfte darüber klappen, die Ränder andrücken.

5 Teigstück zu einem 1 cm dicken Rechteck ausrollen, der Länge nach 3-fach übereinander legen. Teigstück um 90° drehen (Vierteldrehung).

6 Teigstück nochmals zu einem 1 cm dicken Rechteck ausrollen, der Länge nach 4-fach übereinander legen, zugedeckt 30 Minuten kalt stellen.

7 Arbeitsschritte 5 und 6 nochmals wiederholen, zwischendurch 30 Minuten kalt stellen. Teig je nach Rezept weiter verarbeiten und backen.

Abwandlung: Anstelle von Weizenmehl Type 405 Weizenmehl Type 1050 verwenden.

Blätterteigecken | 🗑

Raffiniert – für Gäste

1 Pck. (450 g) TK-Blätterteig
30 g Pinienkerne
½ Bund Basilikum
100 g Gorgonzola (oder ein anderer kräftiger Blauschimmelkäse)
250 g Ricotta (ital. Frischkäse, ersatzweise Speisequark 40 % Fett)
Salz
frisch gemahlener Pfeffer
Paprikapulver rosenscharf
1 Ei
1 EL Wasser
1 EL Milch

Zubereitungszeit: 50 Minuten,
ohne Kühlzeit

Insgesamt: E: 82 g, F: 215 g, Kh: 156 g,
kJ: 12490, kcal: 2987

1 Blätterteigplatten nebeneinander, zugedeckt auftauen lassen.

2 Für die Füllung Pinienkerne in einer Pfanne ohne Fett goldbraun rösten. Basilikum abspülen, trockenschütteln und hacken. Gorgonzola mit Ricotta, Pinienkernen und Basilikum verrühren, mit Salz, Pfeffer und Paprika abschmecken.

3 Je zwei Blätterteigplatten aufeinander legen und auf der bemehlten Arbeitsfläche zu einem Rechteck (etwa 30 x 25 cm) ausrollen, 5 Minuten ruhen lassen.

4 Das Ei aufschlagen. Eiweiß mit Wasser, Eigelb mit Milch verrühren. Ausgerollten Teig der Länge nach halbieren. Auf eine Hälfte mit einem Teelöffel 10 Häufchen der Füllung geben. Dabei möglichst gleichmäßige Zwischenräume lassen und diese mit Eiweiß bestreichen.

5 Zweite Teighälfte darüber legen und von der Mitte nach außen, um die Häufchen herum, andrücken. Daraus mit einem Teigrädchen 10 Quadrate schneiden und auf ein Backblech (mit Backpapier belegt) legen. Quadrate mit Eigelb bestreichen.

Blätterteigecken

6 Restliche Teigplatten und Füllung auf die gleiche Weise verarbeiten. Backblech in den Backofen schieben.

Ober-/Unterhitze: etwa 200 °C (vorgeheizt)
Heißluft: etwa 180 °C (vorgeheizt)
Gas: Stufe 3 – 4 (vorgeheizt)
Backzeit: 20 – 25 Minuten

Blätterteigschnecken |

Für Kinder

Für den Teig:
1 Pck. (450 g) TK-Blätterteig
20 g Zucker
75 g Apfelkraut
(fruchtiger Brotaufstrich)
1 Pck. Finesse Geriebene Zitronenschale

Zubereitungszeit: 30 Minuten,
ohne Auftauzeit

Insgesamt: E: 23 g, F: 127 g, Kh: 212 g,
kJ: 8795, kcal: 2103

1 Für den Teig Blätterteigplatten zugedeckt
nebeneinander auftauen lassen. Zucker,
Apfelkraut und Zitronenschale verrühren.

2 Je zwei Blätterteigplatten aufeinander
legen und auf bemehlter Arbeitsfläche zu
Rechtecken (etwa 12 x 34 cm) ausrollen.
Rechtecke mit dem Apfelkraut bestreichen
und der Länge nach in etwa 1 cm breite
Streifen schneiden.

3 Die Streifen sehr lose aufrollen und auf
zwei Backbleche (mit Backpapier belegt)
legen. Backbleche nacheinander (bei Heißluft
zusammen) in den Backofen schieben.

Ober-/Unterhitze: etwa 200 °C (vorgeheizt)
Heißluft: etwa 180 °C (vorgeheizt)
Gas: Stufe 3 – 4 (vorgeheizt)
Backzeit: etwa 20 Minuten

4 Die Schnecken auf einem Kuchenrost
erkalten lassen.

Tipp: Für eine Füllung mit Orangenge-
schmack 30 g weiche Butter auf die Rechtecke streichen, mit 20 g Zucker und 1 Päckchen Finesse Orangenfrucht bestreuen. Wie
beschrieben aufrollen und backen.

Blätterteigschnecken

Blätterteigstangen |

Schnell

300 g TK-Blätterteig

Zum Bestreichen:
1 Eigelb
3 EL Milch

Zum Bestreuen:
100 g klein gehackte, geröstete
Sonnenblumenkerne
30 g Sesamsamen
30 g Mohnsamen

Zubereitungszeit: 30 Minuten,
ohne Auftauzeit

Insgesamt: E: 56 g, F: 167 g, Kh: 117 g,
kJ: 9418, kcal: 2251

1 Blätterteigplatten zugedeckt nebeneinander
auftauen lassen.

2 Jede Teigplatte in 8 Streifen (1,5 x 9 cm)
schneiden.

3 Die Teigstreifen spiralförmig drehen (das
eine Ende nach rechts, das andere Ende nach
links herum drehen) und auf ein Backblech
(30 x 40 cm, mit Backpapier belegt) legen
und etwas andrücken.

4 Zum Bestreichen Eigelb mit Milch verschlagen, die Stangen damit bestreichen
und mit Sonnenblumenkernen, Sesam oder
Mohn bestreuen. Das Backblech in den
Backofen schieben.

Ober-/Unterhitze: 200 – 220 °C (vorgeheizt)
Heißluft: 180 – 200 °C (vorgeheizt)
Gas: etwa Stufe 4 (vorgeheizt)
Backzeit: 10 – 15 Minuten

Blitzkuchen mit braunem Kandis | 🗑

Schnell zuzubereiten

Für den Rührteig:
150 g Butter oder Margarine
100 g Zucker, 1 Pck. Vanillin-Zucker
3 Eier (Größe M)
150 g Weizenmehl
1 gestr. TL Backpulver
50 g abgezogene, gemahlene Mandeln

1 EL Wasser
50 g abgezogene, gehackte Mandeln
50 g brauner Grümmel (Kandis)

Zubereitungszeit: 20 Minuten

Insgesamt: E: 60 g, F: 198 g, Kh: 277 g,
kJ: 13704, kcal: 3274

1 Für den Teig Butter oder Margarine mit Handrührgerät mit Rührbesen auf höchster Stufe geschmeidig rühren. Nach und nach Zucker und Vanillin-Zucker unterrühren. So lange rühren, bis eine gebundene Masse entstanden ist.

Blitzkuchen mit braunem Kandis

2 Eier nach und nach unterrühren (jedes Ei etwa ¹/₂ Minute). Mehl mit Backpulver mischen, sieben, portionsweise auf mittlerer Stufe unter den Teig rühren. Mandeln unterheben.

3 Den Teig in eine Springform (Ø 26 cm, Boden gefettet) streichen, mit Wasser bestreichen, mit Mandeln und Kandis bestreuen. Form auf dem Rost in den Backofen schieben.

Ober-/Unterhitze: etwa 200 °C (vorgeheizt)
Heißluft: etwa 180 °C (vorgeheizt)
Gas: Stufe 3 – 4 (vorgeheizt)
Backzeit: etwa 30 Minuten

4 Die Form auf einen Kuchenrost stellen, etwas abkühlen lassen. Kuchen lösen, erkalten lassen.

Brandteig (Grundrezept) | 🗑 🗑

Preiswert

125 ml (¹/₈ l) Wasser
25 g Butter oder Margarine
75 g Weizenmehl, 15 g Speisestärke
2 – 3 Eier (Größe M), 1 Msp. Backpulver

Zubereitungszeit: 25 Minuten,

Insgesamt: E: 24 g, F: 35 g, Kh: 69 g,
kJ: 3017, kcal: 721

1 Das Backblech einfetten und die Hälfte leicht bemehlen. Damit sich das Mehl gleichmäßig verteilt, die nicht bemehlte Seite des Backbleches auf der Arbeitsfläche aufschlagen. Dabei verteilt sich das restliche Mehl gleichmäßig über das ganze Blech. Restliches Mehl entfernen.

2 Wasser und Fett am besten in einem Stieltopf aufkochen.

3 Den Topf von der Kochstelle nehmen. Das gesiebte Mehl-Speisestärke-Gemisch auf einmal hineinschütten. So wird die Bildung von Klümpchen vermieden. Die Zutaten kräftig verrühren, bis ein glatter Kloß entstanden ist. Den Topf wieder auf die Kochstelle geben und den Teig unter Rühren etwa eine Minute erhitzen (abbrennen). Dabei wird der Teig fester und am Topfboden entsteht eine dünne Haut.

4 Den Teigkloß in eine Rührschüssel umfüllen. Er kühlt schneller ab und lässt sich besser rühren.

5 Eier nacheinander mit den Knethaken des Handrührgerätes unter den Teig rühren. Ist der Teig zu fest, die Zugabe von einem weiteren Ei jedoch zu viel, ein Ei in einer Tasse verschlagen und die Hälfte des Eis unter die Masse rühren. Die Konsistenz des Teiges ist richtig, wenn er glänzt und so vom Löffel abreißt, dass lange Teigspitzen hängen bleiben. Backpulver in den erkalteten Teig einarbeiten.

6 Den Teig in einen Spritzbeutel füllen, auf ein vorbereitetes Backblech spritzen und nach Rezeptanweisung backen. Teigabstände auf dem Backblech einhalten. Beim Backvorgang verdoppelt sich das Volumen.

Tipp: Das Backblech erst in den Backofen einschieben, wenn die gewünschte Temperatur erreicht ist. Die Backofentür erst kurz vor Beendigung der Backzeit öffnen; das Gebäck ist sehr empfindlich und fällt sehr leicht zusammen.

Soll der Teig in Fett ausgebacken werden, ihn auf ein gefettetes Pergamentpapier spritzen oder mit zwei Teelöffeln formen und vorsichtig in das heiße Fett gleiten lassen. Das Fett muss die richtige Temperatur haben (beim Eintauchen müssen sich an einem Holzlöffel kleine Bläschen bilden), damit das Gebäck nicht zu viel Fett aufsaugt.

Das fertige Gebäck ist luftig und locker. Der innere Hohlraum darf dabei nicht mehr feucht sein. Die Gebäckstücke aufschneiden, so lange sie noch heiß sind. Sie zerbrechen dann nicht so leicht.

Das Gebäck auskühlen lassen, erst kurz vor dem Verzehr füllen.

Brandteig eignet sich gebacken zum Tiefgefrieren.

Brandteig gelingt besonders gut im Heißluftherd. Er wird dort krosser und luftiger.

Brandteigbrötchen |  ❄

Schnell

Für den Brandteig:
250 ml (¹/₄ l) Wasser, 50 g Butter
¹/₂ TL Salz, frisch gemahlener Pfeffer
geriebene Muskatnuss
125 g Weizenvollkornmehl
3 Eier (Größe M)
¹/₂ TL Backpulver

Zubereitungszeit: 30 Minuten

Insgesamt: E: 37 g, F: 63 g, Kh: 94 g,
kJ: 4812, kcal: 1150

1 Für den Brandteig Wasser mit Butter, Salz,
Pfeffer und Muskat am besten in einem Stieltopf zum Kochen bringen.

2 Mehl auf einmal in die von der Kochstelle
genommene Flüssigkeit schütten, zu einem
glatten Kloß rühren, unter Rühren etwa
1 Minute erhitzen, den heißen Kloß sofort in
eine Rührschüssel geben.

3 Nach und nach Eier mit Handrührgerät
mit Knethaken auf höchster Stufe unterarbeiten, weitere Eizugabe erübrigt sich, wenn der

Teig stark glänzt und so von einem Löffel
abreißt, dass lange Spitzen hängen bleiben.

4 Backpulver in den erkalteten Teig arbeiten,
mit 2 Teelöffeln etwa 20 walnussgroße Häufchen auf ein mit Backpapier belegtes Backblech geben. Backblech in den Backofen
schieben.

Ober-/Unterhitze: etwa 220 °C (vorgeheizt)
Heißluft: etwa 200 °C (vorgeheizt)
Gas: Stufe 4 – 5 (vorgeheizt)
Backzeit: 20 – 25 Minuten

Variante: So lassen sich auch Käsebrötchen
zubereiten, dafür vor dem Backen noch
100 g fein gewürfelten Hartkäse unter den
Teig rühren.

Brandteigbrötchen

Brandteigkrapfen, pikant gefüllt |

Für Gäste

Für den Brandteig:
250 ml (¹/₄ l) Wasser
70 g Butter oder Margarine
1 gestr. TL Salz
150 g Weizenmehl, 4 Eier (Größe M)

etwa 1 l Speiseöl

Für die Füllung:
250 ml (¹/₄ l) Schlagsahne
2 Pck. Meerrettichquark (je 200 g)

Zubereitungszeit: 40 Minuten,
ohne Kühlzeit

Insgesamt: E: 97 g, F: 407 g, Kh: 132 g,
kJ: 19990, kcal: 4775

1 Für den Teig Wasser mit Butter oder
Margarine und Salz am besten in einem
Stieltopf zum Kochen bringen. Mehl sieben,
auf einmal in die von der Kochstelle genommene Flüssigkeit schütten, zu einem Kloß rühren, unter Rühren etwa 1 Minute erhitzen, den
heißen Kloß sofort in eine Schüssel geben.

2 Nach und nach die Eier mit Handrührgerät
mit Knethaken auf höchster Stufe unterarbeiten, die Eiermenge hängt von der Beschaffenheit des Teiges ab, er muss stark glänzen und

so von einem Löffel abreißen, dass lange
Spitzen hängen bleiben. Teig abkühlen lassen.

3 Öl auf 170 – 180 °C erhitzen. Mit 2 Esslöffeln mehrere walnussgroße Teighäufchen
abstechen und sofort in das Öl geben. (Das
Volumen der Krapfen vergrößert sich beim
Backen etwa um ein Drittel.) Etwa 5 Minuten
im Öl backen, mit der Schaumkelle herausheben und auf einem Kuchenrost abtropfen
lassen.

4 Für die Füllung Sahne steif schlagen,
Quark verrühren und unterheben. Die erkalte-
ten Krapfen tief einschneiden und mit etwas
Quarksahne füllen.

Braune Kuchen, schwedische |

Für das Weihnachtsfest

Für den Teig:
60 g dunkler Sirup
100 g Zucker, 1 Pck. Vanillin-Zucker
125 g Butter oder Margarine
2 EL Wasser, 1 Msp. gemahlener Ingwer
1 Msp. gemahlene Nelken
1 schwach geh. TL gemahlener Zimt
250 g Weizenmehl
¹/₂ gestr. TL Backpulver
40 g abgezogene, gehobelte Mandeln
40 g fein gehacktes Zitronat (Sukkade)

Zubereitungszeit: 30 Minuten,
ohne Kühlzeit

Insgesamt: E: 36 g, F: 127 g, Kh: 369 g,
kJ: 11970, kcal: 2860

1 Für den Teig Sirup, Zucker, Vanillin-Zucker,
Butter oder Margarine und Wasser langsam
erwärmen, bis das Fett zerlassen ist, in eine
Rührschüssel geben und erkalten lassen.
Unter die fast erkaltete Masse Ingwer, Nelken
und Zimt rühren.

2 Mehl mit Backpulver mischen, sieben und
unter die Masse rühren. Zum Schluss Mandeln und Zitronat unterarbeiten.

3 Aus dem Teig Rollen (Ø etwa 3 cm) formen und in Alufolie verpackt kalt stellen (am
besten über Nacht). Rollen in sehr dünne
Scheiben schneiden und auf ein Backblech
(mit Backpapier belegt) legen. Das Backblech
in den Backofen schieben.

Braune Kuchen, schwedische

Ober-/Unterhitze: etwa 180 °C (vorgeheizt)
Heißluft: etwa 160 °C (vorgeheizt)
Gas: Stufe 2 – 3 (vorgeheizt)
Backzeit: 8 – 10 Minuten

4 Braune Kuchen mit dem Backpapier vom
Backblech ziehen, erkalten lassen.

Brioches | 🗑 🗑 ❄

Klassisch

Für den Hefeteig:
500 g Weizenmehl
1 Pck. (42 g) frische Hefe
1 TL Zucker
125 ml (¹/₈ l) Milch
50 g Zucker, ¹/₂ TL Salz

2 Eier, 2 Eigelb (Größe M)
250 g weiche Butter oder Margarine

Zum Bestreichen:
1 Eigelb, 1 EL Milch

Zubereitungszeit: 30 Minuten,
ohne Teiggehzeit

Insgesamt: E: 88 g, F: 245 g, Kh: 428 g,
kJ: 18622, kcal: 4449

1 Für den Teig Mehl in eine Rührschüssel
sieben. In die Mitte eine Vertiefung drücken.
Die Hefe hineinbröckeln, 1 Teelöffel Zucker
und etwas von der Milch hinzufügen. Mit
einer Gabel vorsichtig verrühren und etwa
10 Minuten gehen lassen.

2 Die restlichen Zutaten hinzugeben und mit
Handrührgerät mit Knethaken zunächst auf
niedrigster, dann auf höchster Stufe in etwa
5 Minuten zu einem Teig verarbeiten. Den Teig
zugedeckt so lange an einem warmen Ort
stehen lassen, bis er sich sichtbar vergrößert
hat.

3 Den gegangenen Teig auf der Arbeitsfläche kurz durchkneten. Den Teig (etwas
Teig abnehmen) auf die Brioche-Förmchen
(gefettet) verteilen. Den abgenommenen Teig
zu kleinen Kugeln formen und diese auf den
Teig setzen.

4 Zum Bestreichen das Eigelb mit der Milch verschlagen. Den Teig damit bestreichen, nochmals gehen lassen. Die Förmchen auf dem Rost in den Backofen schieben.

Ober-/Unterhitze: etwa 200 °C (vorgehcizt)
Heißluft: etwa 180 °C (vorgeheizt)
Gas: Stufe 3–4 (vorgeheizt)
Backzeit: 25–30 Minuten

5 Das Gebäck sofort nach dem Backen aus den Förmchen lösen, noch warm verzehren.

Tipp: Brioches können auch gut eingefroren werden. Etwas antauen lassen und nochmals 10 Minuten aufbacken.

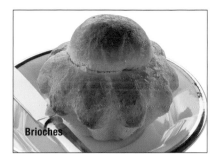
Brioches

Brombeerschnitten | 🗑 ❄

Schnell

Für den Teig:
1 Pck. (400 g) Grundmischung Mürbeteig
1 Ei (Größe M)
125 g Butter oder Margarine

Für den Belag:
750 g frische Brombeeren oder 600 g TK Brombeeren

Für den Guss:
4 Eigelb (Größe M)
200 g Zucker
1 Pck. Bourbon-Vanille-Zucker
1 Pck. Finesse Geriebene Zitronenschale
100 g abgezogene, gemahlene, leicht gebräunte Mandeln
1 Becher (150 g) Crème fraîche
4 Eiweiß (Größe M)
50 g Zucker
Puderzucker

Zubereitungszeit: 35 Minuten

Insgesamt: E: 97 g, F: 173 g, Kh: 617 g, kJ: 19104, kcal: 4568

1 Für den Teig die Grundmischung nach Packungsanleitung zu Streuseln verarbeiten. Die Streusel mit gemehlten Händen auf ein Backblech (30 x 40 cm, Boden gefettet) geben, leicht andrücken.

2 Für den Belag die Brombeeren waschen und gut abtupfen oder TK Brombeeren etwas antauen lassen und auf dem Teig verteilen.

3 Für den Guss Eigelb mit Zucker, Vanille-Zucker und Zitronenschale schaumig rühren. Mandeln und Créme fraîche hinzufügen und verrühren.

4 Eiweiß steit schlagen und unter die Elgelbcreme heben. Den Guss auf die Brombeeren geben, glatt streichen. Backblech in den Backofen schieben.

Ober-/Unterhitze: 180–200 °C (vorgeheizt)
Heißluft: 160–180 °C (vorgeheizt)
Gas: etwa Stufe 3 (vorgeheizt)
Backzeit: etwa 30 Minuten

5 Das erkaltete Gebäck vor dem Servieren mit Puderzucker bestäuben.

Tipp: Das Gebäck kann auch mit gemischten Beerenfrüchten wie Himbeeren, Johannisbeeren und Heidelbeeren zubereitet werden.

Brombeerschnitten

Bröseltorte mit Obst |

Schnell zuzubereiten – preiswert

Für den All-in-Teig:
225 g Weizenmehl
150 g weiche Butter oder Margarine
100 g Zucker
2 Eier (Größe M)
1 Pck. Finesse Geriebene
Zitronenschale

Für den Belag:
1 Glas Rhabarberkompott
(Einwaage 360 g)
nach Belieben Puderzucker

Zubereitungszeit: 20 Minuten

Insgesamt: E: 44 g, F: 140 g, Kh: 442 g,
kJ: 13860, kcal: 3313

1 Für den Teig Mehl, Butter oder Margarine, Zucker, Eier und Zitronenschale in eine Schüssel geben und mit Handrührgerät mit Rührbesen auf höchster Stufe 2 Minuten rühren.

2 Knapp die Hälfte des Teiges in eine Springform (Ø 26 cm, Boden gefettet) geben und glatt streichen. Das Kompott darauf verteilen, dabei etwa 1 cm am Springformrand frei lassen.

3 Den Rest des Teiges in einen Spritzbeutel mit Sterntülle füllen, einen Rand und Streifen auf das Kompott spritzen. Die Form auf dem Rost in den Backofen schieben.

Ober-/Unterhitze: etwa 180 °C (vorgeheizt)
Heißluft: etwa 160 °C (vorgeheizt)
Gas: Stufe 2 – 3 (vorgeheizt)
Backzeit: etwa 30 Minuten

4 Den Kuchen aus der Springform lösen, erkalten lassen und nach Belieben mit Puderzucker bestäuben.

Bröseltorte mit Obst

Brownies |

Für Kinder – schnell

Für den Rührteig:
125 g Butter oder Margarine
75 g brauner Zucker
75 g weißer Zucker
1 Pck. Bourbon-Vanille-Zucker
1/2 TL Salz
2 Eier (Größe M)
150 g Weizenmehl
20 g Kakao
1 gestr. TL Backpulver
75 g gehackte Pekannusskerne
40 g Schokotropfen

Zubereitungszeit: 15 Minuten

Insgesamt: E: 45 g, F: 178 g, Kh: 316 g,
kJ: 13133, kcal: 3137

1 Für den Teig Butter oder Margarine mit Handrührgerät mit Rührbesen auf höchster Stufe geschmeidig rühren. Nach und nach beide Zuckersorten und Vanille-Zucker unterrühren, so lange rühren, bis eine gebundene Masse entstanden ist. Salz und Eier (jedes Ei etwa 1/2 Minute) nach und nach unterrühren.

2 Das Mehl mit Kakao und Backpulver mischen, sieben, portionsweise auf mittlerer Stufe unterrühren. Zuletzt Pekannüsse und Schokotropfen unterrühren. Einen Backrahmen in der Größe von 30 x 21 cm auf ein

Backblech (gefettet, mit Backpapier belegt) stellen. Den Teig einfüllen, glatt streichen. Das Backblech in den Backofen schieben.

Ober-/Unterhitze: etwa 180 °C (vorgeheizt)
Heißluft: etwa 160 °C (vorgeheizt)
Gas: Stufe 2 – 3 (vorgeheizt)
Backzeit: etwa 15 Minuten.

3 Den Backrahmen lösen, das Gebäck erkalten lassen, in kleine Würfel schneiden.

Tipp: Das Gebäck mit aufgelöster Kuvertüre besprenkeln.

Buchweizentorte | 🗑

Vollwertig – für Gäste

Für den Biskuitteig:
6 Eier (Größe M)
2 EL heißes Wasser
125 g flüssiger Honig
abgeriebene Schale von ¹/₂ Zitrone
(unbehandelt)
175 g Buchweizen, fein gemahlen

Für die Füllung:
1 Pck. gemahlene Gelatine, weiß
4 EL kaltes Wasser
2 – 3 EL Zitronensaft
750 ml (³/₄ l) Schlagsahne
6 EL Ahornsirup

Zum Bestreichen:
etwa 350 g Preiselbeerkonfitüre

Zubereitungszeit: 45 Minuten,
ohne Abkühlzeit

Insgesamt: E: 91 g, F: 277 g, Kh: 572 g,
kJ: 22117, kcal: 5285

1 Für den Teig Eier und Wasser mit Hand-rührgerät mit Rührbesen auf höchster Stufe in 1 Minute schaumig schlagen. Honig und Zitronenschale in etwa 3 Minuten unter-schlagen.

2 ¹/₃ des Buchweizens auf die Eiercreme geben, kurz auf niedrigster Stufe unterrühren und den Rest des Buchweizenmehls auf die gleiche Weise unterarbeiten.

3 Teig in eine Springform (Ø 28 cm, Boden gefettet, mit Backpapier belegt) füllen, glatt streichen. Die Form auf dem Rost in den Backofen schieben.

Ober-/Unterhitze: 180 – 200 °C (vorgeheizt)
Heißluft: 160 – 180 °C (nicht vorgeheizt)
Gas: etwa Stufe 3 (nicht vorgeheizt)
Backzeit: 30 – 35 Minuten

4 Den Tortenboden aus der Form lösen, auf einen mit Backpapier belegten Kuchenrost stürzen. Boden erkalten lassen und zweimal waagerecht durchschneiden.

5 Für die Füllung Gelatine mit Wasser in einem kleinen Topf anrühren, 10 Minuten zum Quellen stehen lassen, unter Rühren erwärmen, bis sie gelöst ist, Zitronensaft unterrühren. Sahne steif schlagen, die lau-warme Gelatinelösung und Ahornsirup unter-schlagen.

6 ¹/₄ der Sahne in einen Spritzbeutel mit Sterntülle füllen. Den unteren Tortenboden mit der Hälfte der Preiselbeerkonfitüre bestreichen, ¹/₃ der Sahne darauf streichen, mit dem zweiten Tortenboden bedecken, etwas andrücken, mit der restlichen Konfitüre (¹/₂ Esslöffel zum Garnieren zurückbehalten), bestreichen. Die Hälfte der restlichen Sahne darauf streichen, den dritten Tortenboden darauf legen, etwas andrücken. Rand und obere Seite der Torte mit der restlichen Sahne bestreichen. Die Torte mit der Sahne aus dem Spritzbeutel verzieren und kurz vor dem Servieren mit der zurückgelassenen Konfitüre oder mit frischen Preiselbeeren garnieren.

Buchweizentorte

Burgunder Rodon |

Klassisch – für Gäste

Für den Rührteig:
250 g Butter oder Margarine
250 g Zucker, 5 Tropfen Zitronen-Aroma
1 Msp. gemahlener Zimt
1 Pck. Bourbon-Vanille-Zucker
1 Prise Salz, 4 Eier (Größe M)
250 g Weizenmehl
3 gestr. TL Backpulver
20 g Kakaopulver
125 ml (¹/₈ l) Rotwein
50 g aufgelöste Kuvertüre

Zum Aprikotieren:
30 g Zucker, 25 ml (knapp 2 EL) Wasser
50 g Aprikosenkonfitüre

Zum Glasieren:
65 g gesiebter Puderzucker
1 EL Rotwein
evtl. rote Belegkirschen

Zubereitungszeit: 30 Minuten, ohne Kühlzeit

Insgesamt: E: 68 g, F: 254 g, Kh: 606 g, kJ: 21704, kcal: 5185

1 Für den Teig Butter oder Margarine mit Handrührgerät mit Rührbesen auf höchster Stufe geschmeidig rühren. Nach und nach Zucker, Aroma, Zimt, Vanille-Zucker und Salz unterrühren. So lange rühren, bis eine gebundene Masse entstanden ist.

2 Eier nach und nach unterrühren (jedes Ei etwa ¹/₂ Minute). Mehl mit Backpulver und Kakao mischen, sieben und portionsweise auf mittlerer Stufe unterrühren. Rotwein und Kuvertüre unterrühren.

3 Den Teig in eine Napfkuchenform (Ø 22 cm, gefettet) füllen. Form auf dem Rost in den Backofen schieben.

Ober-/Unterhitze: etwa 180 °C (vorgeheizt)
Heißluft: etwa 160 °C (nicht vorgeheizt)
Gas: Stufe 2 – 3 (nicht vorgeheizt)
Backzeit: 50 – 60 Minuten

4 Den Kuchen 10 Minuten in der Form stehen lassen, auf einen Kuchenrost stürzen, erkalten lassen.

5 Zum Aprikotieren Zucker und Wasser unter Rühren erhitzen, bis der Zucker gelöst ist. Die Aprikosenkonfitüre durch ein Sieb streichen und hinzufügen. So lange kochen, bis die Masse anfängt dicklich zu werden. Das Gebäck damit bestreichen.

6 Zum Glasieren den Puderzucker mit Rotwein zu einer dünnflüssigen Masse verrühren. Das Gebäck damit besprenkeln, nach Belieben mit roten Belegkirschen garnieren.

Buttercremetorte |

Für Gäste

Für den Biskuitteig:
3 Eier (Größe M)
3 – 4 EL heißes Wasser
150 g Zucker, 1 Pck. Vanillin-Zucker
100 g Weizenmehl, 100 g Speisestärke
3 gestr. TL Backpulver

Für die Füllung:
1 Pck. Pudding-Pulver (Schokolade, Vanille-, Mandel- oder Sahne-Geschmack)
75 – 100 g Zucker
500 ml (¹/₂ l) Milch
250 g Butter

Zum Garnieren:
Schokoladenstreusel

Zubereitungszeit: 60 Minuten, ohne Kühlzeit

Buttercremetorte

Insgesamt: E: 53 g, F: 246 g, Kh: 484 g, kJ: 18734, kcal: 4473

1 Für den Teig Eier und Wasser mit Handrührgerät mit Rührbesen auf höchster Stufe in 1 Minute schaumig schlagen. Zucker mit Vanillin-Zucker mischen, in 1 Minute einstreuen, dann noch etwa 2 Minuten schlagen.

2 Mehl mit Speisestärke und Backpulver mischen, die Hälfte davon auf die Eiercreme sieben, kurz auf niedrigster Stufe unterrühren, den Rest des Mehlgemisches auf die gleiche Weise unterarbeiten.

3 Teig in eine Springform (Ø 28 cm, Boden gefettet, mit Backpapier belegt) füllen und die Form auf dem Rost in den Backofen schieben.

Ober/Unterhitze: 180 – 200 °C (vorgeheizt)
Heißluft: 160 – 180 °C (vorgeheizt)
Gas: etwa Stufe 3 (vorgeheizt)
Backzeit: 20 – 30 Minuten

4 Den Tortenboden aus der Form lösen, stürzen und erkalten lassen.

5 Für die Buttercreme aus Pudding Pulver, Zucker und Milch nach Packungsanleitung (aber mit 75 – 100 g Zucker) einen Pudding zubereiten, kalt stellen, ab und zu durchrühren.

6 Butter geschmeidig rühren, Pudding esslöffelweise darunter geben, darauf achten, das Butter und Pudding Zimmertemperatur haben, da die Buttercreme sonst gerinnt.

7 Den Tortenboden zweimal waagerecht durchschneiden, den unteren Boden (nach Belieben den Boden zunächst mit 2 – 3 Esslöffeln Konfitüre bestreichen) mit gut ¼ der Buttercreme bestreichen und den zweiten Boden darauf legen.

8 Mit knapp der Hälfte der restlichen Creme bestreichen, mit dem dritten Boden bedecken. Tortenoberfläche und -rand dünn und gleichmäßig mit etwas von der zurück gelassenen Creme bestreichen. Tortenrand mit Schokoladenstreuseln bestreuen.

9 Die Torte mit der restlichen Creme verzieren und nach Belieben garnieren.

Butter-Toastbrot I 🥛

Preiswert

Für den Hefeteig:
250 g Weizenmehl (Type 405)
250 g Weizenmehl (Type 1050)
1 Pck. Trockenhefe
1 gestr. TL Meersalz
1 geh. TL Honig, 75 g weiche Butter
1 Ei (Größe M)
etwa 250 ml (¼ l) lauwarme Milch

20 g Semmelbrösel

Zubereitungszeit: 25 Minuten, ohne Teiggehzeit

Insgesamt: E: 79 g, F: 84 g, Kh: 388 g, kJ: 11575, kcal: 2764

1 Für den Teig Mehl in eine Rührschüssel sieben, mit Hefe und Salz sorgfältig vermischen, Honig, Butter, Ei und Milch hinzufügen. Alle Zutaten mit Handrührgerät mit Knethaken zunächst auf niedrigster, dann auf höchster Stufe in 5 Minuten zu einem glatten Teig verarbeiten.

2 Den Teig zugedeckt an einem warmen Ort so lange gehen lassen, bis er sich sichtbar vergrößert hat, ihn dann auf der Arbeitsfläche nochmals kurz durchkneten.

3 Den Teig in eine Kastenform (30 x 11 cm, gefettet, mit Semmelbröseln ausgestreut) geben, nochmals an einem warmen Ort gehen lassen, bis der Teig sich sichtbar vergrößert hat. Die Teigoberfläche mehrmals schräg einschneiden, mit Wasser bestreichen. Die Form auf dem Rost in den Backofen schieben.

Ober-/Unterhitze: 180 – 200 °C (vorgeheizt)
Heißluft: 160 – 180 °C (nicht vorgeheizt)
Gas: etwa Stufe 3 (nicht vorgeheizt)
Backzeit: 40 – 50 Minuten

4 Das Brot aus der Form lösen, auf einem Kuchenrost erkalten lassen.

Butter-Toastbrot

Butterkuchen |  ❄

Klassisch

Für den Hefeteig:
375 g Weizenmehl
1 Pck. Trockenhefe
50 g Zucker
1 Pck. Vanillin-Zucker
1 Prise Salz
250 ml (¹/₄ l) lauwarme Milch
50–75 g zerlassene, abgekühlte Butter

Butterkuchen

Für den Belag:
100 g Butter
75 g Zucker, 1 Pck. Vanillin-Zucker
50 g abgezogene, gehobelte Mandeln

Zubereitungszeit: 20 Minuten,
ohne Teiggehzeit

Insgesamt: E: 63 g, F: 175 g, Kh: 436 g,
kJ: 15535, kcal: 3711

1 Für den Teig Mehl in eine Rührschüssel sieben und mit Hefe sorgfältig vermischen. Zucker, Vanillin-Zucker, Salz, Milch und Butter hinzufügen, die Zutaten mit Handrührgerät mit Knethaken zunächst auf niedrigster, dann auf höchster Stufe in etwa 5 Minuten zu einem glatten Teig verarbeiten.

2 Den Teig zugedeckt so lange an einem warmen Ort stehen lassen, bis er sich sichtbar vergrößert hat.

3 Teig aus der Schüssel nehmen, auf der Arbeitsfläche nochmals kurz durchkneten, auf einem Backblech (30 x 40 cm, gefettet) ausrollen und vor den Teig einen mehrfach umgeknickten Streifen Alufolie legen.

4 Für den Belag Butter in Flöckchen gleichmäßig auf den Teig setzen oder zerlassen und darauf streichen. Zucker mit Vanillin-Zucker mischen, darüber streuen, Mandeln gleichmäßig darüber verteilen.

5 Den Teig nochmals so lange an einem warmen Ort gehen lassen, bis er sich sichtbar vergrößert hat. Das Backblech in den Backofen schieben.

Ober/Unterhitze: 200–220 °C (vorgeheizt)
Heißluft: 180–200 °C (vorgeheizt)
Gas: etwa Stufe 4 (vorgeheizt)
Backzeit: etwa 15 Minuten

Tipp: 250 ml (¹/₄ l) Schlagsahne steif schlagen und sofort nach dem Backen auf den Butterkuchen streichen.

Butterkuchen aus Quark-Öl-Teig |   ❄

Für Kinder – preiswert

Für den Quark-Öl-Teig:
300 g Weizenmehl
1 Pck. Backpulver
150 g Speisequark
6 EL Milch
6 EL Speiseöl
75 g Zucker
1 Pck. Vanillin-Zucker
1 Prise Salz

Für den Belag:
125 g Butter
75 g Zucker
1 Pck. Vanillin-Zucker
50 g abgezogene, gehobelte Mandeln

Zubereitungszeit: 20 Minuten

Insgesamt: E: 63 g, F: 223 g, Kh: 450 g,
kJ: 17688, kcal: 4225

1 Für den Teig Mehl mit Backpulver mischen, in eine Rührschüssel sieben. Quark, Milch, Öl, Zucker, Vanillin-Zucker und Salz hinzufügen. Die Zutaten mit Handrührgerät mit Knethaken auf höchster Stufe in etwa 1 Minute zu einem Teig verarbeiten (nicht zu lange, Teig klebt sonst).

2 Den Teig auf einem Backblech (30 x 40 cm, gefettet) ausrollen.

3 Für den Belag Butter zerlassen und auf den Teig streichen. Zucker mit Vanillin-Zucker und Mandeln mischen, gleichmäßig auf dem Teig verteilen, vor den Teig einen mehrfach umgeknickten Streifen Alufolie legen und das Backblech in den Backofen schieben.

Ober-/Unterhitze: 180–200 °C (vorgeheizt)
Heißluft: 160–180 °C (vorgeheizt)
Gas: etwa Stufe 3 (vorgeheizt)
Backzeit: etwa 20 Minuten

Tipp: 75 g Rosinen zum Schluss unter den Teig kneten.

Butterpralinen |

Schnell – einfach

50 g Butter
150 g geriebene Schokolade
1 Pck. Flana Schokolade
6 Tropfen Rum-Aroma
20 g klein geschnittene Schokolade
etwa 40 g Schokoladenstreusel

Zubereitungszeit: 30 Minuten

Insgesamt: E: 11 g, F: 77 g, Kh: 190 g,
kJ: 6474, kcal: 1546

1 Butter geschmeidig rühren. Geriebene Schokolade, Flana, Aroma und Schokolade nach und nach unterrühren. Die Masse kalt stellen.

2 Anschließend etwa walnussgroße Kugeln formen (evtl. nochmals kalt stellen) und in den Schokoladenstreuseln wälzen. Pralinen kalt stellen.

3 Zum Verzehr die Pralinen in Papiermanschetten anrichten.

Tipp: Statt Flana 1 Päckchen Pudding-Pulver Schokoladen-Geschmack verwenden.

Butterpralinen

Butterringe |

Für Kinder

Für den Rührteig:
150 g Butter
75 g Zucker
1 Pck. Vanillin-Zucker
1 Ei (Größe M)
½ gestr. TL gemahlener Koriander

175 g Weizenmehl
25 g Speisestärke

Zubereitungszeit: 50 Minuten,
ohne Kühlzeit

Insgesamt: E: 28 g, F: 132 g, Kh: 235 g,
kJ: 9672, kcal: 2311

1 Für den Teig Butter zerlassen und kalt stellen.

2 Die etwas fest gewordene Butter mit Handrührgerät mit Rührbesen auf höchster Stufe geschmeidig rühren. Nach und nach Zucker und Vanillin-Zucker unterrühren. So lange rühren, bis eine gebundene Masse entstanden ist.

3 Ei (etwa ½ Minute) und Koriander unterrühren. Mehl mit Speisestärke mischen, sieben und portionsweise auf mittlerer Stufe unterrühren.

4 Den Teig in einen Spritzbeutel mit Sterntülle füllen und in Form von Ringen auf ein Backblech (gefettet, mit Backpapier belegt) spritzen. Backblech in den Backofen schieben.

Ober-/Unterhitze: 180 – 200 °C (vorgeheizt)
Heißluft: 160 – 180 °C (vorgeheizt)
Gas: etwa Stufe 3 (vorgeheizt)
Backzeit: etwa 12 Minuten

Tipp: Die Ringe vor dem Backen mit gehackten Belegkischen oder Mandeln bestreuen.

Butterringe

Calzone | 🗑 🗑

Für Gäste

Für den Hefeteig:
300 g Weizenmehl (Type 550)
1 Pck. Trockenhefe
4 EL Speiseöl
1 TL Salz
knapp 125 ml (*¹/₈* l) lauwarme Milch

Für den Belag:
1 Glas Champignons
(Abtropfgewicht 380 g)
5 Tomaten
200 g Salami
350 g Maasdamer-Käse
100 g Schinkenspeck
1 Zwiebel
8 EL Tomatenmark
2 EL Semmelbrösel
frisch gemahlener Pfeffer
Paprikapulver edelsüß

Knoblauchsalz
gerebelter Oregano
Speiseöl

Zubereitungszeit: 50 Minuten, ohne
Teiggehzeit

Insgesamt: E: 222 g, F: 294 g, Kh: 273 g,
kJ: 20404 , kcal: 4875

1 Für den Teig Mehl in eine Rührschüssel
sieben, mit Trockenhefe sorgfältig vermischen.
Öl, Salz und Milch hinzufügen.

2 Die Zutaten mit Handrührgerät mit Knethaken zunächst auf niedrigster, dann auf höchster Stufe in etwa 5 Minuten zu einem glatten
Teig verarbeiten. Sollte der Teig kleben, noch
etwas Mehl hinzufügen. Den Teig zugedeckt
so lange an einem warmen Ort stehen lassen,
bis er sich sichtbar vergrößert hat.

3 Den Teig leicht mit Mehl bestäuben, aus
der Schüssel nehmen, auf der Arbeitsfläche
nochmals kurz durchkneten und halbieren.
Jede Teighälfte zu einer runden Platte
(Ø 30 cm) ausrollen, auf ein Backblech
(mit Backpapier belegt) legen.

4 Für den Belag Champignons in einem Sieb
abtropfen lassen, in Scheiben schneiden.

5 Tomaten kurze Zeit in kochendes Wasser
legen, nicht kochen lassen, mit kaltem Wasser abschrecken, enthäuten, Stängelansätze
herausschneiden, die Tomaten in Scheiben
schneiden.

6 Salami in Scheiben schneiden, Maas-
damer und Schinkenspeck fein würfeln. Zwiebel abziehen und in Ringe schneiden.

7 Tomatenmark mit Semmelbröseln verrühren, mit Salz, Pfeffer, Paprika und Knoblauchsalz würzen.

8 Beide Teigplatten mit der Tomatenmark-
Masse bestreichen, die Tomatenscheiben darauf verteilen, mit Salz, Pfeffer, Paprika und
Knoblauchsalz bestreuen. Champignons, Salami, Käse, Schinken und Zwiebelringe darauf
verteilen und mit Pfeffer, Paprika und Oregano
bestreuen.

9 Die Teigplatten zur Hälfte zusammenklappen, gut festdrücken. Die Oberfläche mit
Speiseöl bestreichen, mit Oregano bestreuen
und die Calzone nochmals an einem warmen
Ort so lange gehen lassen, bis sie sich sichtbar vergrößert haben. Das Backblech in den
Backofen schieben.

Ober-/Unterhitze: 200 – 220 °C (vorgeheizt)
Heißluft: 180 – 200 °C (vorgeheizt)
Gas: etwa Stufe 4 (vorgeheizt)
Backzeit: etwa 25 Minuten

Tipp: Die Calzone mit geraspeltem Käse
bestreuen und backen.

Calzone

Cantuccini

Cantuccini | 🍶🍶🍶

Klassisch

Für den Knetteig:
500 g Weizenmehl
1 TL Backpulver
250 g Zucker
3 Eier (Größe M)
1 Pck. Finesse geriebene Zitronenschale
1 Pck. Finesse Orangenfrucht
2 EL Orangensaft
2 EL Vin Santo oder Cream Sherry
etwa 25 g Anissamen
1 Prise Salz
50 g weiche Butter
1 El Schweineschmalz
200 g nicht abgezogene, ganze Mandeln

Zubereitungszeit: 50 Minuten

Insgesamt: E: 123 g, F: 193 g, Kh: 647 g, kJ: 21390, kcal: 5110

1 Für den Teig Mehl mit Backpulver mischen, in eine Rührschüssel sieben. Zucker, Eier, Zitronenschale, Orangenfrucht, Orangensaft, Vin Santo oder Cream Sherry, Anissamen, Salz, Butter und Schweineschmalz hinzufügen. Die Zutaten mit Handrührgerät mit Knethaken zunächst kurz auf niedrigster, dann auf höchster Stufe gut durcharbeiten.

2 Anschließend auf der Arbeitsfläche zu einem glatten Teig verkneten, die Mandeln unterkneten. Sollte der Teig kleben, ihn in Folie gewickelt eine Zeit lang kalt stellen.

3 Aus dem Teig fünf gleich große Rollen formen, nebeneinander auf ein Backblech (mit Backpapier belegt) legen. Das Backblech in den Backofen schieben.

Ober-/Unterhitze: etwa 180 °C (vorgeheizt)
Heißluft: etwa 160 °C (vorgeheizt)
Gas: Stufe 2–3 (vorgeheizt)
Backzeit: etwa 30 Minuten

4 Die noch heißen Gebäckrollen schräg in gut 1 cm breite Scheiben schneiden, nochmals auf einem Backblech in den Backofen schieben, damit sie kross werden.

Ober-/Unterhitze: 160–180 °C (vorgeheizt)
Heißluft: 140–160 °C (vorgeheizt)
Gas: etwa Stufe 2 (vorgeheizt)
Backzeit: etwa 20 Minuten

Cappuccino-Flockentorte mit Rumkirschen | 🍸 🍸 🍶

Für Gäste

Zum Vorbereiten:
1 Glas Sauerkirschen
(Abtropfgewicht 360 g)
2 cl Rum

Für den Brandteig:
125 ml (¹/₈ l) Wasser
50 g Butter oder Margarine
1 Prise Salz
75 g Weizenmehl
25 g Speisestärke
2–3 Eier (Größe M)

Für den Belag:
1 EL lösliches Instant-
Cappuccinopulver
2 EL heißes Wasser
200 ml Schlagsahne
2 Pck. Sahnesteif
250 g Magerquark
250 g Mascarpone
(italienischer Frischkäse)
120 g Zucker
1 Pck. Vanillin-Zucker

Zum Bestäuben:
je 1 TL Kakaopulver und Instant-
Cappuccinopulver

Zubereitungszeit: 60 Minuten, ohne
Durchzieh- und Abkühlzeit

Insgesamt: E: 82 g, F: 230 g, Kh: 290 g,
kJ: 15631, kcal: 3735

1 Zum Vorbereiten Kirschen in einem Sieb
abtropfen lassen, mit Rum beträufeln, 1 Stunde durchziehen lassen.

2 Für den Teig Wasser mit Butter oder Margarine und Salz am besten in einem Stieltopf
zum Kochen bringen.

3 Mehl mit Speisestärke sieben, auf einmal
in die von der Kochstelle genommene Flüssigkeit schütten, zu einem glatten Kloß rühren
und unter Rühren etwa 1 Minute erhitzen.

4 Den heißen Kloß sofort in eine Rührschüssel geben, nach und nach Eier mit Handrührgerät mit Knethaken auf höchster Stufe unterarbeiten. Die Eiermenge hängt von der Beschaffenheit des Teiges ab, er muss stark
glänzen und so von einem Löffel abreißen,
dass lange Spitzen hängen bleiben.

5 Aus dem Teig drei Böden backen, dazu jeweils ein Drittel des Teiges auf einen Springformboden (Ø 26 cm, gefettet, mit Mehl bestäubt) streichen (darauf achten, dass die
Teiglage am Rand nicht zu dünn ist, damit
der Boden dort nicht zu dunkel wird). Jeden
Boden ohne Springformrand backen. Die
Formen nacheinander auf dem Rost in den
Backofen schieben (bei Heißluft 2 Böden
zusammen).

Ober-/Unterhitze: 200 – 220 °C (vorgeheizt)
Heißluft: 180 – 200 °C (vorgeheizt)
Gas: etwa Stufe 4 (vorgeheizt)
Backzeit: etwa 20 Minuten pro Boden

6 Böden sofort nach dem Backen vom
Springformboden lösen, einzeln auf einem
Kuchenrost erkalten lassen.

7 Für den Belag Cappuccinopulver mit
Wasser gut verrühren, erkalten lassen.

8 Sahne mit Sahnesteif steif schlagen. Quark,
Mascarpone, angerührten Cappuccino, Zucker
und Vanillin-Zucker verrühren. Sahne unterrühren.

9 Kirschen abtropfen lassen und trockentupfen. Den unteren Boden auf eine Tortenplatte
legen, mit Kirschen belegen. Die Hälfte der
Cappuccinocreme darauf verteilen. Mit dem
zweiten Boden bedecken, restliche Creme
darauf streichen. Mit dem dritten Boden
bedecken. Mit Kakao und Cappuccinopulver
bestäuben.

Tipp: Für den Belag zusätzlich noch 3 Esslöffel Cappuccinopulver unterrühren.

Cappuccino-Flockentorte mit Rumkirschen

Cappuccino-Torte | ☕ ☕

Cappuccino-Torte

Für Gäste

Zum Vorbereiten:
100 ml starker Kaffee
150 g Zartbitterschokolade

Für den Biskuitteig:
3 Eier (Größe M)
150 g Zucker
1 Pck. Bourbon-Vanille-Zucker
5 Tropfen Butter-Vanille-Aroma
150 g Weizenmehl
25 g Speisestärke
2 gestr. TL Backpulver
75 g zerlassene Butter

Für den Guss:
100 g Zartbitterschokolade
20 g Kokosfett
1 TL Instant-Kaffeepulver

Für die Mascarponesauce:
250 g Mascarpone
(italienischer Frischkäse)
50 g Zucker
1 Pck. Bourbon-Vanille-Zucker
100 ml Milch

Zubereitungszeit: 45 Minuten, ohne Abkühlzeit

Insgesamt: E: 71 g, F: 293 g, Kh: 485 g, kJ: 20930, kcal: 5001

1 Kaffee in einem Stieltopf erwärmen. Schokolade in Stücke brechen, unter Rühren darin auflösen und erkalten lassen.

2 Für den Teig Eier mit Handrührgerät mit Rührbesen auf höchster Stufe in 1 Minute schaumig schlagen. Zucker mit Vanille-Zucker mischen, in 1 Minute einstreuen, dann noch etwa 2 Minuten schlagen. Aroma und Schoko-Kaffee auf niedrigster Stufe unterrühren.

3 Mehl mit Speisestärke und Backpulver mischen, die Hälfte davon auf die Eiercreme sieben, kurz auf niedrigster Stufe unterrühren. Den Rest des Mehlgemisches auf die gleiche Weise unterarbeiten, zuletzt die Butter unterrühren. Den Teig in eine Springform (Ø 22 cm, Boden gefettet, mit Backpapier belegt) füllen. Die Form auf dem Rost in den Backofen schieben.

Ober-/Unterhitze: etwa 180 °C (vorgeheizt)
Heißluft: etwa 160 °C (nicht vorgeheizt)
Gas: Stufe 2–3 (nicht vorgeheizt)
Backzeit: 30–40 Minuten

4 Den Boden aus der Form lösen, auf einen Kuchenrost stürzen und erkalten lassen.

5 Für den Guss Schokolade in Stücke brechen, mit Kokosfett in einem kleinen Topf im Wasserbad auflösen, Instant-Kaffeepulver hinzufügen und auflösen. Den Guss auf die Gebäckoberfläche geben, am Gebäckrand herunterlaufen lassen.

6 Für die Mascarponesauce Mascarpone mit Zucker, Vanille-Zucker und Milch verrühren. Die Sauce erst kurz vor dem Servieren zubereiten, zu der Torte reichen.

Garnier-Tipp: Das Gebäck mit Puderzucker bestäuben, mit Mokkabohnen belegen.

Cassata-Torte | 🗑 🗑 🍶 ❄

Gut vorzubereiten

Für den Boden:
75 g Amarettinikekse

Für den Belag:
1 kleines Glas Sauerkirschen
(Abtropfgewicht 155 g)
125 g Amarena-Kirschen
100 g Marzipan-Rohmasse
50 g Pistazienkerne
2–3 Tropfen grüne Speisefarbe
3 Elgelb (Größe M)
50 g Zucker, 1 kleine Mango
750 ml (³/₄ l) Schlagsahne

Zum Verzieren und Garnieren:
125 ml (¹/₈ l) Schlagsahne
1 EL Pistazienkerne, gehackt

Zubereitungszeit: 60 Minuten, ohne
Gefrierzeit

Insgesamt: E: 60 g, F: 361 g, Kh: 265 g,
kJ: 19622, kcal: 4687

1 Für den Boden Amarettinikekse grob zerstoßen, Tortenring oder Springformrand
(Ø 20 – 22 cm) auf eine Tortenplatte stellen,
die Masse einfüllen, mit einem Esslöffel andrücken.

2 Für den Belag Sauerkirschen und Amarena-Kirschen in einem Sieb abtropfen lassen, nebeneinander im Gefrierfach hart gefrieren lassen.

3 Marzipan mit Pistazien verkneten,
mit Speisefarbe färben. Daraus Rollen
(Ø etwa 5 mm) formen, in 5 mm dicke
Scheiben schneiden und gefrieren lassen.

4 Eigelb und Zucker mit Handrührgerät
mit Rührbesen auf höchster Stufe schaumig
schlagen. Mango schälen, Fruchtfleisch vom

faserigen Stein lösen, pürieren und unter die
Eigelbcreme ziehen. Sahne steif schlagen,
unter die Mangocreme heben. Die gefrorenen
Kirschen und Marzipanscheiben hinzufügen
und unterheben. Masse auf den Amarettini-
boden füllen. Über Nacht gefrieren lassen.

5 Vor dem Servieren Cassata-Torte aus der
Form lösen.

6 Zum Verzieren und Garnieren Sahne steif
schlagen, mit Hilfe eines Spritzbeutels mit
glatter Tülle an den Tortenrand spritzen. Mit
Pistazienkernen garnieren.

Tipp: Besonders gut schmeckt die Torte,
wenn sie etwa 30 Minuten vor dem Verzehr
angetaut wird.
Für Kinder können die Amarena-Kirschen
durch 100 g abgetropfte Sauerkirschen
ersetzt werden.

Cassata-Torte

Cassispralinen |

Zum Verschenken

Für die Pralinenmasse:
50 g Vollmilch-Kuvertüre
50 g Marzipan-Rohmasse
1–2 EL Cassis-Likör (schwarzer
Johannisbeerlikör) oder Kirschlikör
50 g Nuss-Nougat
gesiebter Puderzucker

kandierte Veilchen zum Garnieren

Zubereitungszeit: 30 Minuten

Insgesamt: E: 13 g, F: 49 g, Kh: 80 g,
kJ: 3693, kcal: 883

1 Für die Pralinen Kuvertüre in einem kleinen Topf im Wasserbad bei schwacher Hitze
zu einer geschmeidigen Masse verrühren und
in Papier-Pralinen-Förmchen füllen.

2 Marzipan mit Likör geschmeidig rühren
und ebenfalls in die Förmchen füllen.

3 Nougat auf einer mit Puderzucker bestäubten Arbeitsfläche messerrückendick
ausrollen. Mit einem Förmchen Deckel für
die Pralinenförmchen ausstechen, die
Pralinen damit verschließen.

4 Kandierte Veilchen in kleine Stücke
brechen, die Pralinen damit garnieren.

Tipp: Diese Pralinen halten sich gut gekühlt
1 Woche.

Cassispralinen

Champagnerplätzchen |

Für Gäste

Für den Knetteig:
125 g Weizenmehl
50 g gesiebter Puderzucker
1 Pck. Vanillin-Zucker
abgeriebene Schale von ¹/₂ Bio-Zitrone
(unbehandelt, ungewachst)
1 Prise Salz, 2 Eigelb (Größe M)
60 g Butter oder Margarine

Für die Füllung:
100 g weiße Kuvertüre, 40 g Butter
40 g gesiebter Puderzucker
4 EL Champagner oder Sekt
abgeriebene Schale von ¹/₂ Bio-Zitrone
(unbehandelt, ungewachst)
1 EL Zitronensaft

50 g aufgelöste weiße Kuvertüre

Zubereitungszeit: 90 Minuten, ohne
Abkühlzeit

Insgesamt: E: 35 g, F: 148 g, Kh: 285 g,
kJ: 11334, kcal: 2708

1 Für den Teig Mehl in eine Rührschüssel

sieben. Puderzucker, Vanillin-Zucker, Zitronenschale, Salz, Eigelb und Butter oder Margarine
hinzufügen. Die Zutaten mit Handrührgerät mit
Knethaken zunächst kurz auf niedrigster, dann
auf höchster Stufe gut durcharbeiten.

2 Anschließend auf der Arbeitsfläche zu
einem glatten Teig verkneten. Sollte er kleben,
ihn in Folie gewickelt 30 Minuten kalt stellen.

3 Teig portionsweise auf bemehlter Arbeitsfläche dünn ausrollen, Plätzchen (Ø etwa 6 cm)
ausstechen und auf ein Backblech (mit Backpapier belegt) legen. Backblech in den Backofen schieben.

Ober-/Unterhitze: etwa 200 °C (vorgeheizt)
Heißluft: etwa 180 °C (vorgeheizt)
Gas: Stufe 3–4 (vorgeheizt)
Backzeit: 8–10 Minuten

4 Plätzchen vom Backpapier lösen und erkalten lassen.

5 Für die Füllung Kuvertüre in kleine Stücke
schneiden, in einem kleinen Topf im Wasserbad bei schwacher Hitze zu einer geschmeidigen Masse verrühren.

6 Butter und Puderzucker mit Handrührgerät mit Rührbesen auf höchster Stufe cremig rühren. Zwei Drittel der Kuvertüre, Champagner, Zitronenschale und -saft hinzufügen
und gut aufschlagen. Die Hälfte der Plätzchen
mit der Masse bestreichen und mit den restlichen Plätzchen belegen.

7 Kuvertüre in einen kleinen Gefrierbeutel
füllen. Eine kleine Ecke abschneiden und die
Plätzchen mit der Kuvertüre verzieren. Gekühlt servieren.

Tipp: Runde Plätzchen (Ø 4 cm) ausstechen
und nach dem Füllen die Plätzchen zur Hälfte
in aufgelöste Zartbitterschokolade tauchen.

Champagnerplätzchen

Champagnertorte mit Physalis | 🥛 🥛 🥛 🍾

Für Gäste

Zum Vorbereiten:
100 g Edelbitter-Schokolade
(70 % Kakao)

Für den Schoko-Biskuitteig:
6 Eier (Größe M)
150 g Zucker
125 g Weizenmehl
125 g Speisestärke
¹/₂ gestr. TL Backpulver

Für die Füllung:
4 Blatt weiße Gelatine
2 Eigelb (Größe M)
75 g Zucker
100 ml Champagner (oder Sekt)
250 ml (¹/₄ l) Orangensaft
300 g Physalis (Kapstachelbeeren)
40 g Speisestärke
100 g Zucker
1 Pck. Vanillin-Zucker
200 ml Schlagsahne
1 Becher (150 g) Crème fraîche

Zum Verzieren und Garnieren:
400 ml Schlagsahne
2 Pck. Sahnesteif
einige Physalis und Champagnertrüffel

Zubereitungszeit: 50 Minuten, ohne Kühlzeit

Insgesamt: E: 98 g, F: 320 g, Kh: 767 g, kJ: 27481, kcal: 6567

1 Zum Vorbereiten Schokolade in kleine Stücke brechen, in einem kleinen Topf im Wasserbad bei schwacher Hitze zu einer geschmeidigen Masse verrühren, etwas abkühlen lassen.

2 Für den Teig Eier trennen. Eiweiß sehr steif schlagen. Eigelb und Zucker weiß cremig rühren. Mehl, Speisestärke und Backpulver mischen, auf die Eigelbcreme sieben, unterrühren.

3 Aufgelöste Schokolade hinzufügen und unterrühren. Eischnee vorsichtig unterheben. Den Teig in eine Springform (Ø 26 cm, Boden gefettet, mit Backpapier belegt) füllen, glatt streichen. Die Form auf dem Rost in den Backofen schieben.

Ober-/Unterhitze: etwa 180 °C (vorgeheizt)
Heißluft: etwa 160 °C (vorgeheizt)
Gas: Stufe 2–3 (vorgeheizt)
Backzeit: etwa 25 Minuten

4 Den Biskuitboden aus der Form lösen, auf einen Kucherost stürzen und erkalten lassen.

5 Für die Füllung Gelatine in kaltem Wasser nach Packungsanleitung einweichen. Eigelb und Zucker in einer Rührschüssel im heißen Wasserbad cremig rühren. Champagner unterrühren. Gelatine leicht ausdrücken, in der Eigelbcreme unter Rühren auflösen. Creme zum Gelieren in den Kühlschrank stellen, zwischendurch mehrmals umrühren.

6 Physalis aus den „Lampignons" lösen, kalt abspülen und trockentupfen.

7 Speisestärke mit 4 Esslöffeln Orangensaft glatt rühren. Restlichen Orangensaft, Physalis, Zucker und Vanillin-Zucker unter Rühren aufkochen. Angerührte Speisestärke unterrühren, unter Rühren einige Minuten köcheln, dann abkühlen lassen.

8 Sahne steif schlagen, mit Crème fraîche verrühren und unter die etwas fest gewordene Champagnercreme rühren.

9 Biskuitboden zweimal waagerecht durchschneiden. Unteren Boden auf eine Tortenplatte legen, Tortenring darumstellen. Physaliskompott auf dem Boden verteilen. Mit dem zweiten Boden bedecken, Champagnercreme darauf streichen. Mit dem dritten Boden bedecken. Torte 2–3 Stunden kalt stellen.

10 Zum Verzieren und Garnieren Sahne mit Sahnesteif steif schlagen. Tortenrand und -oberfläche damit bestreichen. Mit Sahnetuffs verzieren, mit Physalis und Champagnertrüffeln garnieren.

Champagnertorte mit Physalis

Chaostorte |

Raffiniert – für Gäste

Für den Biskuitteig:
3 Eier (Größe M)
100 g Zucker
1 Pck. Vanillin-Zucker
125 g Weizenmehl
25 g Speisestärke
1 gestr. TL Backpulver

Für die Füllung:
4 Blatt weiße Gelatine
150 ml Eierlikör
300 g TK-Himbeeren
600 ml Schlagsahne

Zum Bestreuen und Bestäuben:
40 g gehobelte Haselnusskerne
2 EL Puderzucker

Zubereitungszeit: 40 Minuten, ohne Kühlzeit

Insgesamt: E: 72 g, F: 239 g, Kh: 339 g, kJ: 17298, kcal: 4134

1 Für den Teig Eier mit Handrührgerät mit Rührbesen auf höchster Stufe in 1 Minute schaumig schlagen. Zucker und Vanillin-Zucker mischen, in 1 Minute einstreuen, dann noch etwa 2 Minuten schlagen. Mehl, Speisestärke und Backpulver mischen, die Hälfte davon auf die Eiercreme sieben, kurz auf niedrigster Stufe unterrühren. Den Rest des Mehlgemisches auf die gleiche Weise unterarbeiten.

2 Den Teig in eine Springform (Ø 26 cm, Boden gefettet, mit Backpapier belegt) füllen. Form auf dem Rost in den Backofen schieben und sofort backen.

Ober-/Unterhitze: 180 – 200 °C (vorgeheizt)
Heißluft: 160 – 180 °C (vorgeheizt)
Gas: etwa Stufe 3 (vorgeheizt)
Backzeit: etwa 30 Minuten

3 Den Tortenboden aus der Form lösen, auf einen Kuchenrost stürzen, Backpapier abziehen, Boden erkalten lassen, einmal waagerecht durchschneiden. Tortenring oder den gesäuberten Springformrand um den unteren Boden legen. Oberen Boden in „Chaosstücke" schneiden.

4 Für die Füllung Gelatine in kaltem Wasser nach Packungsanleitung einweichen, leicht ausdrücken. Die ausgedrückte Gelatine in einem kleinen Topf unter Rühren erwärmen (nicht kochen), bis sie völlig gelöst ist, leicht abkühlen lassen und mit dem Eierlikör verrühren.

5 Himbeeren antauen lassen. 400 ml Sahne steif schlagen. Wenn die Eierlikörmasse anfängt dicklich zu werden, die steif geschlagene Sahne unterheben.

6 Ein Drittel der Eierlikörcreme auf den Boden streichen, mit Himbeeren (12 Himbeeren beiseite legen) belegen, mit restlicher Creme bestreichen. Mindestens zwei Stunden kalt stellen.

7 Haselnusskerne in einer Pfanne ohne Fett rösten. Restliche Sahne (200 ml) steif schlagen. Den Tortenring oder Springformrand lösen und entfernen. Tortenrand mit etwas von der Sahne bestreichen und mit Nussblättchen bestreuen.

8 Restliche Sahne in einen Spritzbeutel mit Lochtülle füllen und auf die Torte spritzen. Chaosstücke darauf verteilen und mit den beiseite gelegten Himbeeren garnieren. Kurz vor dem Servieren mit Puderzucker bestäuben.

Tipp: Anstelle von TK-Himbeeren frische Himbeeren verwenden.

Chaostorte

Christstollen |

Klassisch – dauert länger

Zum Vorbereiten:
375 g Rosinen, 4 EL Rum

Für den Hefeteig:
375 g Weizenmehl
1 Pck. Trockenhefe
150 ml lauwarme Milch
75 g Zucker, 1 Pck. Vanillin-Zucker
1 Prise Salz
2 Msp. gemahlener Kardamom
2 Msp. gemahlene Muskatblüte
1 Ei (Größe M)
150 g weiche Butter oder Margarine
100 g gewürfeltes Zitronat (Sukkade)
100 g abgezogene, gehackte Mandeln

Zum Bestreichen:
100 g zerlassene Butter

Puderzucker zum Bestäuben

Zubereitungszeit: 60 Minuten, ohne Einweich- und Teiggehzeit

Insgesamt: E: 44 g, F: 271 g, Kh: 458 g, kJ: 19962, kcal: 4768

1 Zum Vorbereiten Rosinen mit Rum beträufeln, mehrere Stunden (am besten über Nacht) einweichen lassen.

2 Für den Teig Mehl in eine Rührschüssel sieben, mit Trockenhefe sorgfältig vermischen.

Milch, Zucker, Vanillin-Zucker, Salz, Gewürze, Ei und Butter oder Margarine hinzufügen.

3 Die Zutaten mit Handrührgerät mit Knethaken zunächst auf niedrigster, dann auf höchster Stufe in etwa 5 Minuten zu einem glatten Teig verarbeiten. Den Teig zugedeckt so lange an einem warmen Ort stehen lassen, bis er sich sichtbar vergrößert hat.

4 Den Teig leicht mit Mehl bestäuben, aus der Schüssel nehmen und auf der Arbeitsfläche kurz durchkneten, dabei Rum-Rosinen, Zitronat und Mandeln unterkneten.

5 Den Teig zu einem Stollen formen, dazu den Teig zu einer Rolle formen und mit der Teigrolle der Länge nach eine Vertiefung eindrücken. Die linke Seite auf die rechte Seite schlagen, den mittleren Teil mit den Händen formen. Stollen auf ein Backblech (gefettet, mit doppeltem Backpapier belegt) legen, nochmals so lange an einem warmen Ort gehen lassen, bis er sich sichtbar vergrößert hat. Backblech in den Backofen schieben.

Ober-/Unterhitze: vorheizen etwa 250 °C, backen 160 – 180 °C
Heißluft: vorheizen etwa 220 °C, backen 140 – 160 °C
Gas: Stufe 2 – 3 (vorgeheizt)
Backzeit: 50 – 55 Minuten

6 Das Backblech auf einen Kuchenrost stellen. Den Stollen sofort nach dem Backen mit

einem Teil der Butter bestreichen, mit etwas Puderzucker bestäuben.

7 Den Stollen etwas abkühlen lassen und den Vorgang wiederholen.

Tipp: Nach Belieben 200 g Marzipan Rohmasse gut durchkneten und zu einem Rechteck von 30 x 15 cm ausrollen. Den Teig zu einem Rechteck von 30 x 20 cm ausrollen. Die Marzipanplatte auf die Teigplatte legen, so dass an den Längsseiten etwas Teig frei bleibt. Den Teig von der längeren Seite her nicht zu locker aufrollen, zu einem Stollen formen und wie nebenstehend angegeben backen. Stollen gut in Alufolie einpacken, trocken und kühl lagern, er bleibt 4 – 6 Wochen frisch. Stollen schmeckt am besten, wenn er etwas durchgezogen ist.

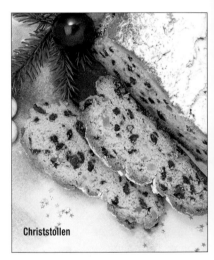

Christstollen

Ciabatta |

Dauert länger

Für den Hefeteig:
950 g Weizenmehl (Type 550)
1 Pck. (42 g) frische Hefe
500 ml (¹/₂ l) lauwarmes Wasser
5 EL (75 ml) lauwarme Milch
1 EL Olivenöl
1 gestr. EL Salz

evtl. 2 – 3 EL lauwarmes Wasser

Zubereitungszeit: 45 Minuten, ohne Ruhe- und Teiggehzeit

Insgesamt: E: 106 g, F: 25 g, Kh: 681 g, kJ: 14982, kcal: 3583

1 Für den Teig Mehl in eine Rührschüssel

sieben. In die Mitte eine Vertiefung drücken. Hefe hineinbröckeln, etwas Wasser hinzufügen. Mit einer Gabel vorsichtig verrühren und etwa 10 Minuten gehen lassen.

2 Milch, Öl, Salz und restliches Wasser hinzufügen. Die Zutaten mit Handrührgerät mit Knethaken zunächst auf niedrigster, dann auf höchster Stufe in etwa 5 Minuten zu einem glatten Teig verarbeiten. Den Teig zugedeckt so lange an einem warmen Ort stehen lassen, bis er sich sichtbar vergrößert hat.

3 Teig aus der Schüssel nehmen, auf der bemehlten Arbeitsfläche nochmals kurz durchkneten, evtl. etwas Mehl unterarbeiten. Der Teig soll relativ weich bleiben. Nochmals zugedeckt so lange an einem warmen Ort gehen lassen, bis er sich verdoppelt hat.

4 Teig auf einer mit Mehl bestäubten Arbeitsfläche in vier Portionen teilen, aber nicht durchkneten. Zu Rechtecken (25 x 10 cm) ausrollen. Jedes Rechteck auf ein Stück bemehltes Backpapier legen und mit den Fingern regelmäßig eindrücken. Die Teigstücke zugedeckt 90 Minuten ruhen lassen. Der Teig geht nur wenig auf.

5 Zwei Backbleche für etwa 15 Minuten zum Erhitzen in den vorgeheizten Backofen schieben. Die Teigbrote vorsichtig umgedreht auf je ein Backblech (mit Backpapier belegt)

legen (dabei aber nicht die Luft herausdrücken!). Das Backpapier vorsichtig entfernen und die Backbleche nacheinander (bei Heißluft zusammen) in den Backofen schieben. Während der ersten 10 Minuten der Backzeit die Brote dreimal mit Wasser bestreichen.

Ober-/Unterhitze: 200–220 °C (vorgeheizt)
Heißluft: 180–200 °C (vorgeheizt)
Gas: etwa Stufe 4 (vorgeheizt)
Backzeit: 20–25 Minuten pro Backblech

6 Brote vom Backpapier lösen und auf einem Kuchenrost erkalten lassen.

Tipp: Aus dem gleichen Teig können Sie ein Oliven-Tomaten-Brot herstellen. Nach einer Stunde Teiggehzeit werden je 100 g schwarze und grüne, entsteinte, gewürfelte Oliven und 6 gewürfelte, getrocknete Tomaten (in Öl eingelegt, abgetropft) unter den Teig geknetet. Teig teilen, aus einer Portion ein flaches Brot, aus restlichem Teig 6 flache Fladen formen. Nach

90 Minuten Ruhezeit das Brot etwa 30 Minuten und die Fladen etwa 20 Minuten backen.

Ciabatta

Coca-Cola Muffins* |

Einfach

Für den Teig:
225 g Weizenmehl
1 ½ gestr. TL Backpulver
½ gestr. TL Natron
300 g Zucker
150 g Butter oder Margarine
3 EL Kakaopulver
125 ml (⅛ l) Coca-Cola
100 ml Buttermilch, 3 Eier (Größe M)
½ Fläschchen Butter-Vanille-Aroma

Für den Guss:
25 g Butter, 1 ½ EL Kakaopulver
50 ml Coca-Cola
200 g gesiebter Puderzucker

Zum Bestreuen:
100 g gehackte Pekannusskerne

Zubereitungszeit: 25 Minuten, ohne Abkühlzeit

Ingesamt: E: 70 g, F: 241 g, Kh: 715 g, kJ: 22703, kcal: 5421

1 Für den Teig Mehl mit Backpulver und Natron mischen, in eine Rührschüssel sieben. Zucker, Butter oder Margarine, Kakao, Coca-Cola, Buttermilch, Eier und Aroma hinzufügen. Die Zutaten mit Handrührgerät mit Rührbesen in 2 Minuten zu einem glatten Teig verarbeiten.

2 Den Teig in 18 Muffinförmchen (gefettet) füllen. Die Förmchen auf dem Rost in den Backofen schieben.

Ober-/Unterhitze: etwa 180 °C (vorgeheizt)
Heißluft: etwa 160 °C (vorgeheizt)
Gas: Stufe 2–3 (vorgeheizt)
Backzeit: etwa 25 Minuten

3 Die Muffins 10 Minuten in den Förmchen stehen lassen, dann herauslösen und auf einen Kuchenrost legen.

4 Für den Guss Butter, Kakao und Coca-Cola in einem kleinen Stieltopf zum Kochen bringen, kurz einkochen lassen. Den Topf von der Kochstelle nehmen, Puderzucker unterrühren. Den warmen Guss auf die noch warmen Muffins geben und mit Pekannüssen bestreuen. Muffins erkalten lassen.

Tipp: Die Muffinförmchen sollten zu etwa zwei Drittel mit dem Teig gefüllt sein. Muffins können auch in doppelt gestellten Papierbackförmchen gebacken werden.

* Rezept nicht von Coca-Cola autorisiert

Cremeschnitten mit Blätterteig | 🗑 🧴

Schnell – einfach

Für den Teig:
1 Pck. (300 g) TK-Blätterteig

Für die Glasur:
100 g gesiebter Puderzucker
2 EL Zitronensaft
2 EL Wasser
50 g Halbbitter-Kuvertüre

Für die Füllung:
300 g frische Himbeeren
300 g Himbeerkonfitüre
250 ml (¼ l) Schlagsahne
1 Pck. Sahnesteif
1 Pck. Vanillin-Zucker
1 EL Himbeergeist

Zubereitungszeit: 30 Minuten, ohne
Auftau- und Ruhezeit

Insgesamt: E: 31 g, F: 181 g, Kh: 445 g,
kJ: 15194, kcal: 3632

1 Den Blätterteig nach Packungsanleitung
auftauen lassen, jede Platte quer halbieren, auf
ein mit kaltem Wasser abgespültes Backblech

legen, 15 Minuten ruhen lassen. Anschließend
das Backblech in den Backofen schieben.

Ober-/Unterhitze: etwa 200 °C (vorgeheizt)
Heißluft: etwa 180 °C (vorgeheizt)
Gas: Stufe 3 – 4 (vorgeheizt)
Backzeit: etwa 15 Minuten

2 Die Blätterteigplatten sofort vom Backblech lösen und erkalten lassen. Jede Platte
waagerecht vorsichtig mit Hilfe eines Säge-
messers durchschneiden.

3 Für die Glasur Puderzucker mit Zitronensaft und Wasser verrühren und die Oberseite
der Gebäckteile damit bestreichen. Kuvertüre
in kleine Stücke schneiden, in einem kleinen
Topf im Wasserbad bei schwacher Hitze zu
einer geschmeidigen Masse verrühren und
auf den fest werdenden weißen Guss spritzen. Die Glasur sofort mit einem Hölzchen
verziehen.

4 Für die Füllung Himbeeren verlesen, evtl.
waschen. Himbeerkonfitüre auf die unteren
Gebäckteile streichen, Himbeeren darauf geben. Schlagsahne ½ Minute schlagen. Sahnesteif mit Vanillin-Zucker mischen, in die

Sahne einstreuen und die Sahne steif schlagen.
Himbeergeist unterschlagen und die Sahne
auf den Himbeeren verteilen. Die glasierten
Gebäckteile darauf legen.

Cremeschnitten mit Blätterteig

Croissants | 🗑 🗑 🗑 ❄

Dauert länger

Für den Plunderteig:
500 g Weizenmehl
1 Pck. (42 g) frische Hefe
30 g Zucker, 250 ml (¼ l) Milch
1 Prise Salz, 2 Eier (Größe M)
25 g Butter

Zum Belegen:
250 g kalte Butter in Scheiben

Zum Bestreichen:
3 EL Kondensmilch

Zubereitungszeit: 60 Minuten, ohne
Teiggeh- und Kühlzeit

Insgesamt: E: 83 g, F: 255 g, Kh: 420 g,
kJ: 18822, kcal: 4497

1 Für den Teig Mehl in eine Rührschüssel
sieben und in die Mitte eine Vertiefung drücken, Hefe zerbröckeln, in die Vertiefung geben, mit etwas Zucker, etwas Milch und etwas Mehl vom Rand aus verrühren. Mit Mehl
bestäuben, an einem warmen Ort so lange
gehen lassen, bis der Vorteig sich sichtbar
vergrößert hat.

2 Salz, Eier, restlichen Zucker, Butter und
restliche kalte Milch hinzufügen. Mit Handrührgerät mit Knethaken auf höchster Stufe in
5 Minuten zu einem glatten Teig verarbeiten.
Teig zugedeckt an einem warmen Ort so
lange gehen lassen, bis er sich sichtbar vergrößert hat.

3 Teig aus der Schüssel nehmen, nochmals
kurz durchkneten, auf der mit Mehl bestäubten Arbeitsfläche zu einem Rechteck von
20 x 35 cm ausrollen. Die Hälfte des Teiges
mit den kalten Butterscheiben belegen. Die
nicht belegte Teighälfte darüber klappen und
leicht mit einer Teigrolle andrücken.

4 Teig zu einer Platte von 30 x 40 cm ausrollen. Von der schmalen Seite her zweimal übereinander schlagen, damit 3 Schichten entstehen und 15 Minuten in den Kühlschrank legen. Diesen Vorgang noch 2 – 3 mal wiederholen. Teig dazu zur offenen Seite ausrollen. Teig zwischendurch immer 15 Minuten ruhen lassen.

5 Teig zu einem Rechteck von 40 x 50 cm ausrollen, der Länge nach halbieren, so dass 2 Teigstreifen von 20 x 50 cm entstehen.

6 Jeden Teigstreifen mit Hilfe eines Lineals und Messers in 6 Dreiecke schneiden, von der breiten Seite her aufrollen, und die Seiten etwas nach innen biegen.

Croissants

7 Croissants in größerem Abstand nebeneinander auf ein Backblech (gefettet, mit Backpapier belegt) legen. Croissants zugedeckt nochmals an einem warmen Ort stehen lassen, bis sie sich vergrößert haben. Mit Kondensmilch bestreichen. Backblech in den Backofen schieben.

Ober-/Unterhitze: 200 – 220 °C (vorgeheizt)
Heißluft: 180 – 200 °C (vorgeheizt)
Gas: etwa Stufe 4 (vorgeheizt)
Backzeit: 15 – 20 Minuten

Tipp: Croissants können auch gefüllt werden, z. B. mit Schinken, Käse oder Konfitüre.

Croissants mit Schokofüllung

Für Kinder – dauert etwas länger

Für den Plunderteig:
500 g Weizenmehl
1 Pck. Trockenhefe
25 g Zucker
1 Prise Salz
2 Eier (Größe M)
25 g Butter oder Margarine
250 ml ('/₄ l) Milch

250 g kalte Butter in Scheiben

Für die Füllung:
50 g Vollmilchschokolade

Kondensmilch zum Bestreichen

Zum Bestreuen:
100 g abgezogene, gehobelte Mandeln

Zubereitungszeit: 60 Minuten, ohne Kühl- und Teiggehzeit

Insgesamt: E: 107 g, F: 322 g, Kh: 416 g, kJ: 21945, kcal: 5243

1 Für den Teig Mehl in eine Rührschüssel sieben, mit Hefe sorgfältig vermischen. Zucker, Salz, Eier, Fett und kalte Milch hinzufügen. Die Zutaten mit Handrührgerät mit Knethaken zunächst auf niedrigster, dann auf höchster Stufe in etwa 5 Minuten zu einem glatten Teig verarbeiten. Den Teig zugedeckt an einem warmen Ort so lange gehen lassen, bis er sich sichtbar vergrößert hat.

2 Den Teig auf einer mit Mehl bestäubten Arbeitsfläche kurz durchkneten, zu einem Rechteck (20 x 35 cm) ausrollen. Die Hälfte des Teiges mit den Butterscheiben belegen. Die nicht belegte Teighälfte darüber klappen und leicht mit der Teigrolle andrücken.

3 Den Teig wieder zu einem Rechteck (30 x 40 cm) ausrollen. Von der schmalen Seite her dreifach übereinander klappen, den Teig zugedeckt 15 Minuten kalt stellen.

4 Diesen Vorgang 2 – 3 mal wiederholen (den Teig dazu zur offenen Seite zu einem Rechteck ausrollen). Den Teig zu einem Rechteck (40 x 50 cm) ausrollen, der Länge nach halbieren, so dass zwei Teigstreifen von 20 x 50 cm entstehen. Jeden Teigstreifen mit Hilfe eines Lineals und eines Messers in sechs Dreiecke schneiden.

5 Für die Füllung Schokolade in kleine Stücke schneiden. Einige Schokoladenstückchen auf jedes Teigdreieck legen, jeweils von der breiten Seite her aufrollen und rund biegen.

6 Die Croissants im größeren Abstand nebeneinander auf ein Backblech (gefettet, mit Backpapier belegt) legen, nochmals zugedeckt an einem warmen Ort gehen lassen, mit Kondensmilch bestreichen und mit Mandeln bestreuen.

7 Backblech in den Backofen schieben.

Ober-/Unterhitze: 200 – 220 °C (vorgeheizt)
Heißluft: 180 – 200 °C (vorgeheizt)
Gas: etwa Stufe 4 (vorgeheizt)
Backzeit: etwa 20 Minuten

Tipp: Croissants lassen sich gut einfrieren und bei 220 °C in 4 – 5 Minuten wieder aufbacken.

Dänisches Brot | 🗑 ❄

Gut vorzubereiten

Für den Hefeteig:
500 g Weizenmehl (Type 550)
1 Pck. Trockenhefe
1 Prise Salz
1 TL Zucker
250 ml ('/4 l) lauwarme Schlagsahne
200 g Doppelrahm-Frischkäse
Milch oder Sahne zum Bestreichen

Zubereitungszeit: 25 Minuten, ohne
Teiggehzeit

Insgesamt: E: 85 g, F: 147 g, Kh: 380 g,
kJ: 13960, kcal: 3338

1 Für den Teig Mehl in eine Rührschüssel
sieben, mit Trockenhefe sorgfältig vermischen. Salz, Zucker, Sahne und Frischkäse
hinzufügen. Die Zutaten mit Handrührgerät
mit Knethaken zunächst auf niedrigster,
dann auf höchster Stufe in etwa 5 Minuten
zu einem glatten Teig verarbeiten. Den Teig
zugedeckt so lange an einem warmen Ort
stehen lassen, bis er sich sichtbar vergrößert hat.

2 Den Teig aus der Schüssel nehmen, auf
der Arbeitsfläche nochmals kurz durchkneten,
zu einem länglichen Laib formen und in eine
Kastenform (30 x 11 cm, gefettet) oder in eine
dänische Brotbackform geben. Den Teig nochmals zugedeckt so lange an einem warmen
Ort stehen lassen, bis er sich sichtbar vergrö-

Dänisches Brot

ßert hat. Mit einem Messer etwa 1 cm tief
ein Zickzackmuster in den Teig ritzen. Form
auf dem Rost in den Backofen schieben.

Ober-/Unterhitze: etwa 180 °C (vorgeheizt)
Heißluft: etwa 160 °C (nicht vorgeheizt)

Gas: Stufe 2 – 3 (nicht vorgeheizt)
Backzeit: etwa 35 Minuten

3 Das Brot sofort nach dem Backen mit
Milch oder Sahne bestreichen, damit
es Glanz bekommt, aus der Form lösen,
erkalten lassen.

Dattelkonfekt | 🗑

Geschenk

250 g Datteln mit Stein
100 g Marzipan-Rohmasse
30 – 40 g Zartbitterschokolade
etwas Kokosfett

Zubereitungszeit: 35 Minuten,
ohne Kühlzeit

Insgesamt: E: 17 g, F: 59 g, Kh: 87 g,
kJ: 4843, kcal: 1157

1 Datteln entsteinen. Marzipan in so viele
Stücke schneiden, wie Datteln vorhanden
sind. Stücke etwas länglich formen und
anstelle des Steins in die Datteln drücken.

2 Schokolade und Fett in einem kleinen Topf
im Wasserbad bei schwacher Hitze schmelzen, die Dattelenden in die Schokolade tauchen, auf Backpapier legen, im Kühlschrank
fest werden lassen.

Dobostorte I 🗑 🗑 🗑 🍶

Klassisch – für Gäste – mit Alkohol

Für den Teig:
7 Eier (Größe M)
150 g gesiebter Puderzucker
100 g Weizenmehl
50 g Speisestärke

Für die Creme:
150 g Zartbitterschokolade
250 g Butter
150 g gesiebter Puderzucker
2 Eigelb (Größe M, ganz frisch)
1 EL Kirschwasser

Für die Karamellglasur:
150 g Zucker
1 EL Zitronensaft

Zubereitungszeit: 110 Minuten, ohne Abkühlzeit

Insgesamt: E: 83 g, F: 313 g, Kh: 637 g, kJ: 24577, kcal: 5871

1 Für den Teig Eier trennen. Eigelb und die Hälfte des Puderzuckers mit Handrührgerät mit Rührbesen schaumig schlagen. Eiweiß sehr steif schlagen, den restlichen Puderzucker einrieseln lassen. Eischnee auf die Eigelbmasse geben.

2 Mehl mit Speisestärke mischen, auf die Eiermasse sieben und vorsichtig unterheben. Für fünf Böden je ein Fünftel des Teiges in je eine Springform (Ø 24 cm, Boden gefettet, mit Mehl bestäubt) füllen, glatt streichen. Formen nacheinander (bei Heißluft zusammen) auf dem Rost in den Backofen schieben.

Ober-/Unterhitze: etwa 200 °C (vorgeheizt)
Heißluft: etwa 180 °C (vorgeheizt)
Gas: etwa Stufe 3 (vorgeheizt)
Backzeit: etwa 8 Minuten pro Boden

3 Die Böden sofort vorsichtig aus der Form lösen und einzeln auf je einem mit Backpapier belegten Kuchenrost erkalten lassen.

4 Für die Creme Schokolade in Stücke brechen, in einem kleinen Topf im Wasserbad bei schwacher Hitze zu einer geschmeidigen Masse verrühren, erkalten lassen.

5 Butter mit Puderzucker und Eigelb schaumig rühren. Kirschwasser dazugeben und esslöffelweise die Schokolade unterrühren.

6 Einen Tortenboden beiseite legen, die restlichen Böden mit der Creme bestreichen. Ein Viertel der Creme zurücklassen. Die bestrichenen Böden zusammensetzen und mit der restlichen Creme bestreichen.

7 Für die Karamellglasur Zucker mit Zitronensaft in einem Topf unter ständigem Rühren erhitzen, bis er goldgelb ist. Schnell den letzten unbestrichenen Boden damit überziehen, mit einem gefetteten Messer den Rand sauber schneiden.

8 Den Boden mit einem frisch gefetteten Messer in 12 Tortenstücke teilen, die Stücke auf der Torte zusammensetzen. Torte gut durchziehen lassen.

Dobostorte

Dominosteine | 🍮 🍮

Gut vorzubereiten

Für den Teig:
200 g flüssiger Honig
50 g Kandisfarin (brauner Zucker)
1 Pck. Vanillin-Zucker, 1 Ei (Größe M)
2 gestr. TL Lebkuchengewürz
100 g abgezogene, gemahlene Mandeln
250 g Weizenmehl
2 gestr. TL Backpulver

Für die Füllung:
200 g Aprikosenkonfitüre
200 g Marzipan-Rohmasse
100 g gesiebter Puderzucker

Für den Guss:
200 g Zartbitterschokolade
75 g Kokosfett

Zubereitungszeit: 90 Minuten, ohne
Abkühlzeit

Insgesamt: E: 47 g, F: 56 g, Kh: 396 g,
kJ: 9900, kcal: 2367

1 Für den Teig Honig, Kandisfarin und
Vanillin-Zucker bei schwacher Hitze zerlassen, in einer Schüssel abkühlen lassen.

2 Unter die fast erkaltete Masse mit Handrührgerät mit Rührbesen auf höchster Stufe
nach und nach Ei, Lebkuchengewürz und
Mandeln rühren.

3 Mehl und Backpulver mischen, sieben,
zwei Drittel auf mittlerer Stufe unterrühren.
Den Rest auf der bemehlten Arbeitsfläche
unterkneten. Teig auf ³/₄ eines Backblechs
(30 x 40 cm, gefettet) ausrollen. Vor den
Teig einen mehrfach geknickten Streifen
Alufolie legen oder einen Backrahmen
darumstellen. Backblech in den Backofen
schieben.

Ober-/Unterhitze: 180 – 200 °C (vorgeheizt)
Heißluft: 160 – 180 °C (vorgeheizt)
Gas: etwa Stufe 3 (vorgeheizt)
Backzeit: etwa 20 Minuten

4 Gebäck erkalten lassen, halbieren, vom
Backblech nehmen. Jede Platte einmal
waagerecht durchschneiden.

5 Für die Füllung Aprikosenkonfitüre durch
ein Sieb passieren. Die Hälfte davon auf die
unteren Gebäckhälften streichen.

6 Marzipan-Rohmasse mit Puderzucker
verkneten, zwischen Frischhaltefolie 2 Platten
in Größe der Gebäckplatten ausrollen, auf
die bestrichenen Gebäckteile legen. Mit der
restlichen Aprikosenkonfitüre bestreichen,
mit den oberen Gebäckteilen belegen und
kalt stellen.

7 Für den Guss Schokolade und Kokosfett in einem kleinen Topf im Wasserbad
bei schwacher Hitze zu einer geschmeidigen
Masse verrühren. Gebäck in Würfel von
2 x 2 cm schneiden. Mit dem Guss überziehen, evtl. mit Hilfe zweier Gabeln hineintauchen, fest werden lassen. Dominosteine
nach Belieben mit Puderzuckerguss
verzieren.

Dominosteine

Donuts und Timbits

Donuts und Timbits | 🗑 ❄

Klassisch – preiswert

Für den Hefeteig:
375 g Weizenmehl
1 Pck. Trockenhefe
40 g Zucker, 1 Prise Salz
2 Eigelb (Größe M)
150 ml lauwarme Milch
60 g zerlassene abgekühlte Butter
oder Margarine

1 kg Ausbackfett

Zum Bestäuben:
Puderzucker

Zubereitungszeit: 60 Minuten, ohne
Teiggehzeit

Insgesamt: E: 54 g, F: 369 g, Kh: 343 g,
kJ: 21342, kcal: 5098

1 Für den Teig Mehl in eine Rührschüssel
sieben, mit Trockenhefe sorgfältig vermischen.
Zucker, Salz, Eigelb, Milch und Butter oder
Margarine hinzufügen. Die Zutaten mit Handrührgerät mit Knethaken zunächst auf niedrigster, dann auf höchster Stufe in etwa 5 Minuten zu einem glatten Teig verarbeiten.

2 Den Teig zugedeckt so lange an einem
warmen Ort stehen lassen, bis er sich sichtbar vergrößert hat.

3 Den Teig aus der Schüssel nehmen, auf
der Arbeitsfläche nochmals kurz durchkneten
und etwa 1 cm dick ausrollen. Zunächst

Platten (Ø 9 cm), dann die Mitte nochmals
so ausstechen, dass 2 cm breite Ringe entstehen. Die Ringe und das Innere (Timbits)
der Ringe auf ein Backpapier legen, nochmals
so lange an einem warmen Ort gehen lassen,
bis sie sich sichtbar vergrößert haben.

4 Die Teigringe und das innere Teigstück
(Timbits) schwimmend in siedendem Ausbackfett auf beiden Seiten backen, mit einem Schaumlöffel herausnehmen, auf
einem Kuchenrost abtropfen lassen und
noch warm mit Puderzucker bestäuben.

Tipp: Donuts können nach dem Erkalten mit
Puderzucker oder Schokoladenguss bestri-
chen und mit Schokoladenraspeln oder Liebesperlen bestreut werden.

Dreispitze

Dreispitze | 🗑 🗑

Etwas schwieriger – für Geübte

Für den Knetteig:
250 g Weizenmehl
1 Msp. Backpulver
65 g Zucker, 1 Pck. Vanillin-Zucker
1 Eigelb (Größe M)
½ Fläschchen Rum-Aroma
½ Pck. Finesse Orangenfrucht
125 g Butter oder Margarine

Für die Füllung:
100 g gemahlene Haselnusskerne
50 g Zucker
1 ½ Eiweiß (Größe M)
½ Fläschchen Rum-Aroma
½ Pck. Finesse Orangenfrucht
etwa 2 EL Orangensaft
40 g Korinthen

Zum Bestreichen:
½ verschlagenes Eiweiß
1 Eigelb
1 EL Milch

Zubereitungszeit: 110 Minuten,
ohne Kühlzeit

Pro Stück: E: 1 g, F: 3 g, Kh: 6 g,
kJ: 236, kcal: 56

1 Für den Teig Mehl mit Backpulver mischen und in eine Rührschüssel sieben. Zucker, Vanillin-Zucker, Eigelb, Aroma, Orangenfrucht und Butter oder Margarine hinzufügen. Die Zutaten mit Handrührgerät mit Knethaken zunächst kurz auf niedrigster, dann auf höchster Stufe gut durcharbeiten.

2 Anschließend auf der bemehlten Arbeitsfläche zu einem glatten Teig verkneten. Sollte er kleben, ihn in Folie gewickelt eine Zeit lang kalt stellen.

3 Für die Füllung Haselnusskerne mit Zucker, Eiweiß, Aroma, Orangenfrucht und Orangensaft zu einer geschmeidigen Masse verrühren. Korinthen unterrühren.

4 Den Teig auf der bemehlten Arbeitsfläche portionsweise etwa knapp ½ cm dick ausrollen und mit einer Ausstechform runde Plätzchen (Ø etwa 4 cm) ausstechen. Die Teigplätzchen mit Eiweiß bestreichen. In die Mitte je ein haselnuss-großes Häufchen von der

Füllung geben. Den Teig an drei Seiten zur Mitte hochziehen und zu einem Dreispitz zusammendrücken.

5 Die Teigstücke auf Backbleche (mit Backpapier belegt) setzen. Eigelb mit Milch verschlagen, die Teigstücke damit bestreichen. Die Backbleche nacheinander (bei Heißluft zusammen) in den Backofen schieben.

Ober-/Unterhitze: etwa 200 °C (vorgeheizt)
Heißluft: etwa 180 °C (vorgeheizt)
Gas: etwa Stufe 4 (vorgeheizt)
Backzeit: etwa 15 Minuten je Backblech

6 Die Dreispitze mit dem Backpapier von den Backblechen auf Kuchenroste ziehen. Dreispitze erkalten lassen.

Tipp: Die Dreispitze sind in einer gut schließenden Dose (nicht zu warm lagern) etwa 4 Wochen haltbar. Sie werden nach einiger Zeit etwas weicher.

Durstige Liese | 🗑 ❄

Preiswert – einfach

Für den Rührteig:
200 g Butter oder Margarine
200 g Zucker, 1 Pck. Vanillin-Zucker
4 Eier (Größe M)
200 g Weizenmehl
50 g Speisestärke
2 gestr. TL Backpulver
¹/₂ FL. Zitronen-Aroma
oder abgeriebene Schale von 1 Bio-
Zitrone (unbehandelt, ungewachst)

Zum Beträufeln:
Saft von 1 – 2 Orangen
Saft von 1 Zitrone
1 – 2 EL Zucker

Zubereitungszeit: 25 Minuten

Insgesamt: E: 57 g, F: 196 g, Kh: 440 g,
kJ: 16169, kcal: 3863

1 Für den Teig Butter oder Margarine mit
Handrührgerät mit Rührbesen auf höchster
Stufe geschmeidig rühren. Nach und nach
Zucker und Vanillin-Zucker unterrühren. So
lange rühren, bis eine gebundene Masse
entstanden ist.

2 Eier nach und nach unterrühren (jedes
Ei etwa ¹/₂ Minute). Mehl mit Speisestärke
und Backpulver mischen, sieben, portionsweise auf mittlerer Stufe unterrühren. Zuletzt
Zitronen-Aroma oder -schale unterrühren.

3 Teig in eine Springform mit Rohrboden
(Ø 24 cm, gefettet) füllen. Die Form auf dem
Rost in den Backofen schieben.

Ober-/Unterhitze: etwa 180 °C (vorgeheizt)
Heißluft: etwa 160 °C (nicht vorgeheizt)
Gas: Stufe 2 – 3 (nicht vorgeheizt)
Backzeit: etwa 45 Minuten

4 Den Kuchen auf einen mit Backpapier
belegten Kuchenrost stürzen, mit einem
Holzstäbchen einstechen und mit Orangen-
und Zitronensaft (evtl. mit Zucker verrührt)
beträufeln. Kuchen erkalten lassen.

Tipp: Den Teig auf ein Backblech (30 x 40 cm,
gefettet) streichen und etwa 30 Minuten bei
gleicher Backtemperatur backen.

Durstige Liese

Eberswalder Spritzkuchen | 🗑 🗑 ❄

Klassisch

Für den Brandteig:
125 ml (¹/₈ l) Wasser
25 g Butter
75 g Weizenmehl
15 g Speisestärke
15 g Zucker
1 Pck. Vanillin-Zucker
2 – 3 Eier (Größe M)
1 Msp. Backpulver

Außerdem:
1 kg Ausbackfett (Kokosfett) oder
1 l Speiseöl

Für den Guss:
100 g Puderzucker
1 EL Zitronensaft
etwa 2 EL heißes Wasser

Zubereitungszeit: 40 Minuten, ohne Abkühlzeit

Insgesamt: E: 33 g, F: 239 g, Kh: 194 g, kJ: 13237, kcal: 3161

1 Für den Teig Wasser und Butter am besten in einem Stieltopf zum Kochen bringen. Mehl mit Speisestärke mischen, sieben, auf einmal in die von der Kochstelle genommene Flüssigkeit schütten, zu einem glatten Kloß rühren und unter Rühren etwa 1 Minute erhitzen.

2 Den heißen Kloß sofort in eine Rührschüssel geben, nach und nach Zucker, Vanillin-Zucker und Eier mit Handrührgerät mit Knethaken auf höchster Stufe unterarbeiten. Weitere Eizugabe erübrigt sich, wenn der Teig stark glänzt und so von einem Löffel abreißt, dass lange Spitzen hängen bleiben.

3 Backpulver in den erkalteten Teig arbeiten, den Teig in einen Spritzbeutel (große Sterntülle) füllen, auf gefettetem Backpapier (etwa 10 x 10 cm groß) in Form von Kränzen spritzen.

4 Durch Eintauchen der mit Teig bespritzten Backpapierstücke in siedendem Ausbackfett die Kränzchen lösen, schwimmend auf beiden Seiten hellbraun backen, mit einem Schaumlöffel herausnehmen, auf einem Kuchenrost abtropfen lassen.

5 Für den Guss Puderzucker sieben, mit Zitronensaft und Wasser glatt rühren, so dass eine dickflüssige Masse entsteht. Das Gebäck damit überziehen.

Eberswalder Spritzkuchen

Eclairs (Liebesknochen)

Eclairs (Liebesknochen) | 🗑 🗑

Klassisch

Für den Brandteig:
125 ml (¹/₈ l) Wasser
25 g Butter oder Margarine
75 g Weizenmehl
15 g Speisestärke
2 – 3 Eier (Größe M)
1 Msp. Backpulver

1 – 2 EL Aprikosenkonfitüre

Für die Füllung:
75 g Nuss-Nougat
250 ml (¹/₄ l) Schlagsahne
1 Pck. Sahnesteif

Zubereitungszeit: 30 Minuten, ohne Abkühlzeit

Insgesamt: E: 44 g, F: 139 g, Kh: 141 g, kJ: 864,9 kcal: 2068

1 Für den Teig Wasser und Butter oder Margarine am besten in einem Stieltopf zum Kochen bringen.

2 Mehl mit Speisestärke mischen, sieben, auf einmal in die von der Kochstelle genommene Flüssigkeit schütten, zu einem glatten Kloß rühren und unter Rühren etwa 1 Minute erhitzen.

3 Den heißen Kloß sofort in eine Rührschüssel geben, nach und nach 2 – 3 Eier mit Handrührgerät mit Knethaken auf höchster Stufe unterarbeiten. Weitere Eizugabe erübrigt sich, wenn der Teig stark glänzt und so von einem Löffel abreißt, dass lange Spitzen hängen bleiben.

4 Backpulver in den erkalteten Teig arbeiten, ihn in einen Spritzbeutel (große Sterntülle) füllen, jeweils zwei fingerlange Streifen nebeneinander, einen dritten Teigstreifen obenauf, auf ein Backblech (gefettet, bemehlt) spritzen. In den Backofen schieben.

Ober-/Unterhitze: 200 – 220 °C (vorgeheizt)
Heißluft: 180 – 200 °C (vorgeheizt)
Gas: Stufe 4 – 5 (vorgeheizt)
Backzeit: etwa 20 Minuten

5 Nach dem Backen sofort von jedem Eclair einen Deckel abschneiden, auskühlen lassen.

6 Etwas Aprikosenkonfitüre durch ein Sieb streichen, unter Rühren erhitzen, die Geback deckel dünn damit bestreichen.

7 Für die Füllung Nuss-Nougat in einem kleinen Topf im Wasserbad bei schwacher Hitze zu einer geschmeidigen Masse verrühren, etwas abkühlen lassen. Schlagsahne ¹/₂ Minute schlagen, Sahnesteif einstreuen, die Sahne steif schlagen und die Nougatmasse esslöffelweise unterrühren. Die Nougatsahne in einen Spritzbeutel füllen, in die Eclairs spritzen, je einen Deckel auflegen.

Eierlikör-Cremekuchen | 🗑 🗑 🍾 ❄

Eierlikör-Cremekuchen

2 Eier nach und nach unterrühren (jedes Ei etwa ¹/₂ Minute). Mehl mit Backpulver mischen, sieben, portionsweise auf mittlerer Stufe unterrühren.

3 Den Teig in eine Springform (Ø 28 cm, Boden gefettet) füllen, glatt streichen.

4 Sauerkirschen oder Stachelbeeren in einem Sieb gut abtropfen lassen, auf dem Teig verteilen. Die Form auf dem Rost in den Backofen schieben.

Ober-/Unterhitze: 180 – 200 °C (vorgeheizt)
Heißluft: 160 – 180 °C (vorgeheizt)
Gas: etwa Stufe 3 (vorgeheizt)
Backzeit: 25 – 30 Minuten

5 Den Kuchen aus der Form lösen, auf einem Kuchenrost erkalten lassen. Dann auf eine Tortenplatte geben, den gesäuberten Springformrand darumlegen.

6 Für die Eierlikörcreme Gelatine mit kaltem Wasser in einem kleinen Topf anrühren, 10 Minuten zum Quellen stehen lassen. Aus Pudding-Pulver, Zucker und Milch nach Packungsanleitung einen Pudding zubereiten.

7 Die gequollene Gelatine unter den heißen Pudding rühren, bis sie gelöst ist, kalt stellen, ab und zu durchrühren. Likör unterrühren. Wenn die Masse anfängt dicklich zu werden, die Sahne steif schlagen und unterheben.

8 Die Creme auf dem Kuchen verteilen, glatt streichen, im Kühlschrank fest werden lassen. Springformrand vorsichtig lösen und entfernen.

9 Den Eierlikör-Cremekuchen mit Krokant bestreuen.

Tipp: Nach Belieben mit grünen Marzipanblättern garnieren. Marzipanblätter fertig kaufen oder selbst herstellen. Dafür etwa 50 g Marzipan-Rohmasse und 25 g gesiebten Puderzucker mit grüner Lebensmittelfarbe verkneten, ausrollen, Blätter ausstechen.

Für Gäste

Für den Rührteig:
100 g Butter oder Margarine
100 g Zucker
2 Eier (Größe M)
100 g Weizenmehl
1 gestr. TL Backpulver

etwa 500 g gedünstete Sauerkirschen oder Stachelbeeren

Für die Eierlikörcreme:
1 Pck. gemahlene Gelatine, weiß
4 EL kaltes Wasser
1 Pck. Pudding-Pulver
Vanille-Geschmack
50 g Zucker

500 ml (¹/₂ l) Milch
250 ml (¹/₄ l) Eierlikör
250 ml (¹/₄ l) Schlagsahne

100 g Krokant

Zubereitungszeit: 45 Minuten, ohne Kühl- und Quellzeit

Insgesamt: E: 90 g, F: 205 g, Kh: 420 g, kJ: 18294, kcal: 4366

1 Für den Teig Butter oder Margarine mit Handrührgerät mit Rührbesen auf höchster Stufe geschmeidig rühren. Nach und nach Zucker unterrühren. So lange rühren, bis eine gebundene Masse entstanden ist.

Eierlikörkuchen |

Einfach

Für den Biskuitteig:
5 Eier (Größe M)
250 g gesiebter Puderzucker
2 Pck. Vanillin-Zucker
250 ml (¹/₄ l) Speiseöl
250 ml (¹/₄ l) Eierlikör
125 g Weizenmehl, 125 g Speisestärke
4 gestr. TL Backpulver

40 g Puderzucker

Zubereitungszeit: 20 Minuten, ohne
Abkühlzeit

Insgesamt: E: 64 g, F: 296 g, Kh: 582 g,
kJ: 24141, kcal: 5764

1 Für den Teig Eier mit Puderzucker und
Vanillin-Zucker mit Handrührgerät mit Rührbesen auf höchster Stufe in 1 Minute schaumig schlagen. Öl und Eierlikör unterrühren.

2 Mehl mit Speisestärke und Backpulver
mischen, die Hälfte davon auf die Eiercreme
sieben, kurz auf niedrigster Stufe unterrühren,
den Rest des Mehlgemisches auf die gleiche
Art unterarbeiten.

3 Den Teig in eine Gugelhupfform (Ø 22 cm,
gefettet, mit Weizenmehl ausgestreut) füllen.
Form auf dem Rost in den Backofen schieben.

Ober-/Unterhitze: 180 – 200 °C (vorgeheizt)
Heißluft: 160 – 180 °C (nicht vorgeheizt)
Gas: etwa Stufe 3 (nicht vorgeheizt)
Backzeit: etwa 60 Minuten

4 Kuchen etwa 10 Minuten in der Form stehen lassen, auf einen mit Backpapier belegten Kuchenrost stürzen, erkalten lassen, mit
Puderzucker bestäuben.

Eierlikörkuchen

Eierlikör-Mohn-Torte | 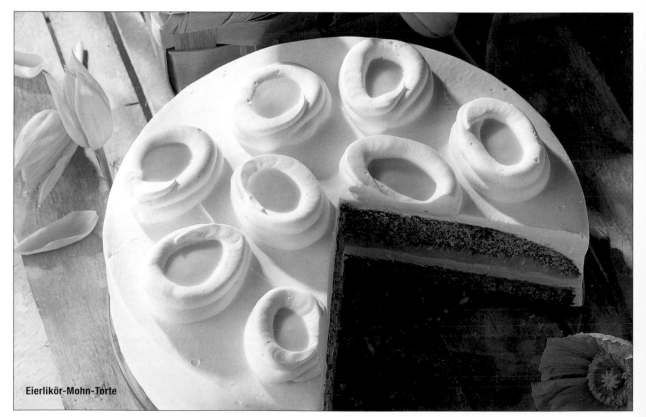🗑 🗑 🍾

Für das Osterfest

Für den Rührteig:
250 g Butter oder Margarine
150 g Zucker
1 Pck. Vanillin-Zucker
4 Eier (Größe M)
250 g Weizenmehl
2 gestr. TL Backpulver
75 g frisch gemahlener Mohn

Für die Füllung:
100 g Marzipan-Rohmasse
25 g Puderzucker
600 ml Schlagsahne
3 Pck. Sahnesteif
2 Pck. Vanillin-Zucker
1 Pck. Galetta Pudding-Pulver
Vanille-Geschmack, ohne Kochen
125 ml (¹/₈ l) Eierlikör
125 ml (¹/₈ l) Milch

Zum Verzieren:
75 ml Eierlikör

Zubereitungszeit: 40 Minuten,
ohne Kühlzeit

Insgesamt: E: 99 g, F: 463 g, Kh: 566 g,
kJ: 30528, kcal: 7294

1 Für den Teig Fett mit Handrührgerät mit Rührbesen auf höchster Stufe geschmeidig rühren. Nach und nach Zucker und Vanillin-Zucker unterrühren. So lange rühren, bis eine gebundene Masse entstanden ist. Eier nach und nach unterrühren (jedes Ei etwa ¹/₂ Minute). Mehl mit Backpulver mischen, sieben, portionsweise auf mittlerer Stufe unterrühren. Zuletzt Mohn unterheben.

2 Teig in eine Springform (Ø 26 cm, gefettet) füllen, glatt streichen. Form auf dem Rost in den Backofen schieben.

Ober-/Unterhitze: etwa 180 °C (vorgeheizt)
Heißluft: etwa 160 °C (vorgeheizt)
Gas: Stufe 2 – 3 (vorgeheizt)
Backzeit: etwa 30 Minuten

3 Den Boden aus der Form lösen, auf einen mit Backpapier belegten Kuchenrost stürzen, erkalten lassen. Boden einmal waagerecht durchschneiden. Unteren Boden auf eine Tortenplatte legen.

4 Für die Füllung Marzipan und Puderzucker verkneten, auf Puderzucker zu einer Platte (Ø 26 cm) ausrollen, auf den unteren Boden legen. Sahne ¹/₂ Minute schlagen, Sahnesteif mit Vanillin-Zucker mischen, einstreuen, Sahne steif schlagen (2 Esslöffel in einen Spritzbeutel mit Lochtulle füllen). Ein Drittel der Sahne auf die Marzipandecke streichen.

5 Pudding-Pulver nach Packungsanleitung – aber nur mit Eierlikör und Milch – aufschlagen und auf der Sahne verteilen. Oberen Boden darauf legen. Tortenrand und Oberfläche mit der restlichen Sahne bestreichen.

6 Zum Verzieren ovale Sahneringe übereinander auf die Oberfläche spritzen und mit Eierlikör füllen. Torte zwei Stunden kalt stellen.

Eierlikör-Mohn-Torte

Eischwertorte mit buntem Streuzucker | 🗑 ❄

Einfach

Für den Rührteig:
225 g Butter oder Margarine
225 g Zucker, 4 Eier (Größe M)
225 g Weizenmehl
1 gestr. TL Backpulver

bunter Streuzuckcr

Für die Füllung:
1 Glas Aprikosen-Apfelmus
(Einwaage 500 g)

Zubereitungszeit: 35 Minuten, ohne Durchzieh- und Abkühlzeit

Insgesamt: E: 57 g, F: 215 g, Kh: 449 g, kJ: 17059, kcal: 4076

1 Für den Teig Butter oder Margarine mit Handrührgerät mit Rührbesen auf höchster Stufe geschmeidig rühren. Nach und nach Zucker unterrühren. So lange rühren, bis eine gebundene Masse entstanden ist.

2 Eier nach und nach unterrühren (jedes Ei etwa $1/2$ Minute). Mehl mit Backpulver mischen, sieben, portionsweise auf mittlerer Stufe unterrühren.

3 Je ein Drittel des Teiges in je eine Springform (Ø 26 cm, Boden gefettet) füllen und glatt streichen. Einen Boden dick mit Streuzucker bestreuen. Formen nacheinander (bei Heißluft zusammen) auf dem Rost in den Backofen schieben.

Ober-/ Unterhitze: etwa 180 °C (vorgeheizt)
Heißluft: etwa 160 °C (vorgeheizt)
Gas: Stufe 2 – 3 (vorgeheizt)
Backzeit: etwa 15 Minuten pro Boden

4 Die Böden sofort nach dem Backen mit einem Messer aus der Form lösen, auf einen Kuchenrost geben und erkalten lassen.

5 Den ersten Boden (ohne Zucker) auf eine Tortenplatte legen, mit der Hälfte von dem Mus gleichmäßig bestreichen, den zweiten Boden (ohne Zucker) darauf legen, mit dem restlichen Mus bestreichen und dem letzten Boden (mit Zucker) belegen.

6 Die Torte etwa 1 Stunde durchziehen lassen.

Eiserkuchen | 🗑 🗑

Gut vorzubereiten

Für den Rührteig:
125 g Butter
250 g Zucker
1 Pck. Vanillin-Zucker
1 Prise Salz
2 Eier (Größe M)
250 g Weizenmehl
500 ml ($1/2$ l) Milch

Außerdem:
Speckschwarte oder etwas Margarine

Zubereitungszeit: 2 Stunden, ohne Kühlzeit

Insgesamt: E: 59 g, F: 156 g, Kh: 465 g, kJ: 15065, kcal: 3597

1 Für den Teig Butter zerlassen, in eine Rührschüssel geben und kalt stellen.

2 Zucker, Vanillin-Zucker und Salz in das wieder etwas fest gewordene Fett geben. Mit Handrührgerät mit Rührbesen auf höchster Stufe so lange rühren, bis Butter und Zucker weiß schaumig geworden sind.

3 Nach und nach Eier unterrühren (jedes Ei etwa $1/2$ Minute). Mehl sieben, abwechselnd mit Milch auf mittlerer Stufe unterrühren.

4 Den Teig in nicht zu großer Menge in ein gut erhitztes, mit Speckschwarte oder etwas Margarine gefettetes Eiserkucheneisen füllen und goldbraun backen.

5 Die Eiserkuchen schnell aus dem Eisen lösen, noch heiß zu Röllchen oder Tüten wickeln, damit die Eiserkuchen nicht brechen.

Tipp: Eiserkuchen in gut schließenden Blechdosen aufbewahren. Mit Schlagsahne füllen.

Eiserkuchen

Englischer Kuchen |

Klassisch – für Gäste

Für den Rührteig:
100 g Butter oder Margarine
150 g Zucker
1 Pck. Vanillin-Zucker
$^1/_2$ Fläschchen Zitronen-Aroma
1 Prise Salz, 2 Eier (Größe M)

Englischer Kuchen

250 g Weizenmehl
2 gestr. TL Backpulver
125 ml ($^1/_8$ l) Schlagsahne
150 g Rosinen, 150 g Korinthen
50 g gewürfeltes Zitronat (Sukkade)
50 g kandierte Kirschen

Zubereitungszeit: 30 Minuten

Insgesamt: E: 52 g, F: 138 g, Kh: 578 g,
kJ: 16317, kcal: 3899

1 Für den Teig Fett mit Handrührgerät mit Rührbesen auf höchster Stufe geschmeidig rühren. Nach und nach Zucker, Vanillin-Zucker, Aroma und Salz unterrühren. So lange rühren, bis eine gebundene Masse entstanden ist.

2 Eier nach und nach unterrühren (jedes Ei etwa $^1/_2$ Minute). Mehl mit Backpulver mischen,

sieben, abwechselnd portionsweise mit der Sahne auf mittlerer Stufe unterrühren. Rosinen, Korinthen, Zitronat und klein geschnittene Kirschen unterheben.

3 Den Teig in eine Kastenform (30 x 11 cm, gefettet, mit Backpapier ausgelegt) füllen, glatt streichen. Die Form auf dem Rost in den Backofen schieben.

Ober-/Unterhitze: 160 – 180 °C (vorgeheizt)
Heißluft: 140 – 160 °C (nicht vorgeheizt)
Gas: etwa Stufe 2 (nicht vorgeheizt)
Backzeit: etwa 80 Minuten

4 Den Kuchen auf einen Kuchenrost stürzen, Backpapier abziehen. Kuchen erkalten lassen.

Tipp: Evtl. den Kuchen nach etwa 40 Minuten Backzeit mit Backpapier abdecken, damit er nicht zu dunkel wird.

Englisches Teegebäck |

Für Gäste

Für den Rühr-Knetteig:
100 g Marzipan-Rohmasse
250 g Butter
100 g brauner Rohrzucker
250 g Weizenmehl

Rohrzucker oder Zucker

Zubereitungszeit: 40 Minuten, ohne Kühlzeit

Insgesamt: E: 41 g, F: 243 g, Kh: 342 g,
kJ: 16026, kcal: 3829

1 Für den Teig Marzipan-Rohmasse und Butter mit Handrührgerät mit Rührbesen auf höchster Stufe geschmeidig rühren. Zucker nach und nach unterrühren. So lange rühren, bis eine gebundene Masse entstanden ist.

2 Mehl sieben, portionsweise auf mittlerer Stufe unterrühren. Den Teig zu einer Rolle formen, zwei bis drei Stunden kalt stellen.

3 Den Teig auf einer bemehlten Arbeitsfläche gut 1 cm dick ausrollen, in Streifen von etwa 1 $^1/_2$ x 6 cm schneiden und auf ein Backblech (gefettet) legen. Auf jeden Teigstreifen mit einer Gabel ein Muster einstechen. Teigstreifen mit Rohrzucker bestreuen. Das Backblech in den Backofen schieben.

Ober-/Unterhitze: 160 – 180 °C (vorgeheizt)
Heißluft: 140 – 160 °C (vorgeheizt)
Gas: etwa Stufe 2 (vorgeheizt)
Backzeit: 25 – 30 Minuten

4 Das Teegebäck mit dem Backpapier auf einen Kuchenrost ziehen und erkalten lassen. In einer gut schließenden Dose aufbewahren.

Englisches Teegebäck

Erdbeerbiskuit mit Pistaziensahne I 🗑 🗑

Raffiniert

Für den Knetteig:
150 g Weizenmehl, 40 g Zucker
1 Pck. Vanillin-Zucker
100 g Butter oder Margarine

Für den Biskuitteig:
3 Eier (Größe M)
3 – 4 EL heißes Wasser
150 g Zucker, 1 Pck. Vanillin-Zucker
100 g Weizenmehl
100 g Speisestärke
3 gestr. TL Backpulver

Für die Füllung:
500 g Erdbeeren
500 ml ('/₂ l) Schlagsahne
2 Pck. Sahnesteif
1 Pck. Vanillin-Zucker
1 EL Zucker
25 g gehackte Pistazienkerne

Zum Bestreichen:
2 – 3 EL Erdbeerkonfitüre

Zum Garnieren:
Pistazienkerne
Erdbeerkonfitüre

Zubereitungszeit: 60 Minuten,
ohne Abkühlzeit

Insgesamt: E: 76 g, F: 286 g, Kh: 616 g,
kJ: 23114, kcal: 5526

1 Für den Knetteig Mehl in eine Rührschüssel sieben. Zucker, Vanillin-Zucker und Butter oder Margarine hinzufügen. Die Zutaten mit Handrührgerät mit Knethaken zunächst kurz auf niedrigster, dann auf höchster Stufe gut durcharbeiten. Anschließend auf einer bemehlten Arbeitsfläche zu einem glatten Teig verkneten. Sollte er kleben, ihn in Folie gewickelt eine Zeit lang kalt stellen.

2 Teig auf dem Boden einer Springform (Ø 28 cm, gefettet) ausrollen, Springformrand darumstellen. Form auf dem Rost in den Backofen schieben.

Ober-/Unterhitze: 200 – 220 °C (vorgeheizt)
Heißluft: 180 – 200 °C (vorgeheizt)
Gas: etwa Stufe 4 (vorgeheizt)
Backzeit: 12 – 15 Minuten

3 Den Boden nach dem Backen vom Springformboden lösen, aber darauf erkalten lassen.

4 Für den Biskuitteig Eier und Wasser mit Handrührgerät mit Rührbesen auf höchster Stufe in 1 Minute schaumig schlagen. Zucker und Vanillin-Zucker mischen, in 1 Minute einstreuen, dann noch etwa 2 Minuten schlagen.

5 Mehl mit Speisestärke und Backpulver mischen, die Hälfte davon auf die Eiercreme sieben, kurz auf niedrigster Stufe unterrühren, den Rest des Mehlgemisches auf die gleiche Art unterarbeiten. Den Teig in eine Springform (Ø 28 cm, Boden gefettet, mit Backpapier belegt) füllen, glatt streichen. Form auf dem Rost in den Backofen schieben.

Ober-/Unterhitze: 180 – 200 °C (vorgeheizt)
Heißluft: 160 – 180 °C (vorgeheizt)
Gas: etwa Stufe 3 (vorgeheizt)
Backzeit: 20 – 30 Minuten

6 Den Tortenboden sofort nach dem Backen aus der Form lösen, auf einen Kuchenrost stürzen, mitgebackenes Backpapier abziehen. Den Boden erkalten lassen, einmal waagerecht durchschneiden.

7 Für die Füllung Erdbeeren waschen, gut abtropfen lassen (einige Erdbeeren zum Garnieren beiseite legen), entstielen und halbieren.

8 Sahne mit Sahnesteif, Vanillin-Zucker und Zucker steif schlagen, unter die Hälfte der Sahne Pistazienkerne heben.

9 Knetteigboden auf eine Tortenplatte legen, mit Erdbeerkonfitüre bestreichen. Den unteren Biskuitboden darauf legen, den Boden mit halbierten Erdbeeren belegen, mit der Pistaziensahne bestreichen, mit dem zweiten Boden bedecken, gut andrücken. Rand und Oberfläche der Torte mit der restlichen Sahne bestreichen.

10 Torte mit den beiseite gelegten Erdbeeren, Pistazienkernen und etwas glatt gerührter Erdbeerkonfitüre garnieren.

**Erdbeerbiskuit mit
Pistaziensahne**

Erdbeer-Käse-Kuchen

Erdbeer-Käse-Kuchen | 🗑 🗑

Für Gäste

Für den Boden:
100 g Butter, 150 g Löffelbiskuits

Für den Belag:
500 g Erdbeeren, 500 g Mascarpone
(italienischer Frischkäse)
500 g Magerquark, 150 g Zucker
Saft und abgeriebene Schale von
1 ¹/₂ Bio-Zitronen
(unbehandelt, ungewachst)
30 g Speisestärke
1 Prise Salz, 5 Eier (Größe M)
2 EL abgezogene, gehobelte Mandeln
1 EL Schlagsahne

Zubereitungszeit: etwa 60 Minuten,
ohne Abkühlzeit

Insgesamt: E: 148 g, F: 357 g, Kh: 328 g,
kJ: 22335, kcal: 5340

1 Für den Boden Butter zerlassen. Löffelbiskuits in einen Gefrierbeutel geben und mit
einer Teigrolle fein zerbröseln. Löffelbiskuit-
brösel mit der Butter verkneten.

2 Biskuitbrösel auf dem Boden einer Springform (Ø 26 cm, gefettet) verteilen und mit einem Esslöffel fest andrücken. Die Form auf
dem Rost in den Backofen schieben und den
Boden vorbacken.

Ober-/Unterhitze: etwa 180 °C (vorgeheizt)
Heißluft: etwa 160 °C (vorgeheizt)
Gas: Stufe 2 – 3 (vorgeheizt)
Backzeit: 10 – 15 Minuten

3 Für den Belag Erdbeeren waschen, gut
abtropfen lassen, entstielen und klein schneiden. Etwa 100 g geputzte Erdbeeren beiseite
legen, den Rest auf dem Teigboden verteilen.

4 400 g Mascarpone, Quark, Zucker, Zitronensaft und -schale verrühren. Stärke, Salz und

Eier unterrühren. Mascarponecreme auf den
Erdbeeren verteilen. Die Form wieder auf dem
Rost in den Backofen schieben (unteres Drittel).

Ober-/Unterhitze: etwa 180 °C (vorgeheizt)
Heißluft: etwa 160 °C (nicht vorgeheizt)
Gas: Stufe 2 – 3 (nicht vorgeheizt)
Backzeit: etwa 90 Minuten

5 Kuchen in der Form etwas auskühlen lassen, aus der Form lösen, auf einen mit Backpapier belegten Kuchenrost stellen und erkalten lassen.

6 Mandeln in einer Pfanne ohne Fett goldbraun rösten, an den Kuchenrand drücken.

7 Beiseite gelegte Erdbeeren pürieren. Restlichen Mascarpone und Sahne cremig rühren,
auf der Kuchenoberfläche mit einem Esslöffel
wellenförmig verteilen. Mit Erdbeerpüree verzieren.

Erdbeerkonfekt |

Zum Verschenken

500 g Erdbeeren mit Stiel
100 g Zartbitterschokolade
etwas Kokosfett

Zubereitungszeit: 30 Minuten

Insgesamt: E: 11 g, F: 44 g, Kh: 73 g,
kJ: 3240, kcal: 776

1 Die Erdbeeren mit Stiel vorsichtig waschen
und trockentupfen.

2 Schokolade in Stücke brechen, mit Kokosfett in einem kleinen Topf im Wasserbad bei schwacher Hitze geschmeidig rühren.

3 Die Erdbeeren zur Hälfte hineintauchen, abtropfen lassen und auf Backpapier setzen.

Tipp: Lassen sich kühl und trocken
2–3 Tage aufbewahren. Schmecken
gut gekühlt am besten.

Erdbeerkonfekt

Erdbeertorte Gracia |

Einfach – mit Alkohol

Für den Teig:
1 Pck. (250 g) Grundmischung
Obstkuchenteig
125 g Butter oder Margarine
1 Ei (Größe M)
2 EL Wasser

Zum Bestreichen:
100 g Zartbitterschokolade
20 g Kokosfett

Für den Belag:
500 g Erdbeeren
125 ml (¹/₈ l) Wasser
125 ml (¹/₈ l) Weißwein
50 g Zucker

1 Pck. Tortenguss, rot
250 ml (¹/₄ l) Saft

Zubereitungszeit: 30 Minuten,
ohne Abkühl- und Durchziehzeit

Insgesamt: E: 32 g, F: 170 g, Kh: 343 g,
kJ: 13362, kcal: 3194

1 Für den Teig die Grundmischung mit
Butter oder Margarine, Ei und Wasser nach
Packungsanleitung zubereiten.

2 Den Teig in eine Obsttortenform (Ø 28 cm,
gefettet) streichen. Form auf dem Rost in den
Backofen schieben.

Ober-/Unterhitze: 200 – 220 °C (vorgeheizt)
Heißluft: 180 – 200 °C (vorgeheizt)
Gas: etwa Stufe 4 (vorgeheizt)
Backzeit: etwa 20 Minuten

3 Den Tortenboden aus der Form lösen,
auf einen Kuchrost stürzen, erkalten lassen.

4 Zum Bestreichen Schokolade in kleine
Stücke brechen, in einem kleinen Topf im
Wasserbad bei schwacher Hitze zu einer
geschmeidigen Masse verrühren, mit Hilfe
eines Pinsels auf den erkalteten Tortenboden
streichen.

5 Für den Belag Erdbeeren waschen, abtropfen lassen, entstielen, evtl. halbieren.
Wasser mit Wein und Zucker mischen, die
Erdbeeren etwa 30 Minuten darin ziehen lassen, anschließend zum Abtropfen in ein Sieb
geben, den Saft auffangen und 250 ml (¹/₄ l)
davon abmessen. Erdbeeren auf den Tortenboden legen. Tortenguss mit dem abgemessenen Saft nach Packungsanleitung zubereiten, den Guss über die Erdbeeren geben.
Guss fest werden lassen.

Erdbeertorte Gracia

Erdnuss-Gugelhupf | 🗑

Erdnuss-Gugelhupf

Raffiniert

Für den Schüttelteig:
300 g Weizenmehl, 50 g Speisestärke
4 gestr. TL Backpulver
250 g Naturjoghurt
150 ml Speiseöl
4 Eier (Größe M)
4 Frühlingszwiebeln
200 g ungesalzene gehackte Erdnüsse
200 g geraspelter Käse

Zubereitungszeit: 35 Minuten

Insgesamt: E: 182 g, F: 346 g, Kh: 312 g,
kJ: 22376, kcal: 5347

1 Für den Teig Mehl mit Speisestärke und Backpulver mischen und in eine gut verschließbare Schüssel (3-l-Inhalt) geben. Joghurt, Öl und Eier hinzufügen, Schüssel mit dem Deckel verschließen. Mehrmals (insgesamt 15 – 30 Sekunden) kräftig schütteln. Mit einem Schneebesen oder Rührlöffel nochmals gut umrühren,

damit vor allem die trockenen Zutaten vom Rand gut untergerührt werden.

2 Frühlingszwiebeln putzen, waschen, klein schneiden und unter den Teig heben. Erdnüsse und Käse unterheben.

3 Den Teig in eine Gugelhupfform (Ø 22 cm, gefettet, bemehlt) geben. Die Form auf dem Rost in den Backofen schieben.

Ober-/Unterhitze: etwa 180 °C (vorgeheizt)
Heißluft: etwa 160 °C (nicht vorgeheizt)
Gas: Stufe 2 – 3 (nicht vorgeheizt)
Backzeit: etwa 60 Minuten

4 Gebäck 10 Minuten in der Form auf einem Kuchenrost stehen lassen, dann stürzen und erkalten lassen.

Tipp: Schmeckt auch lauwarm sehr gut. Sie können den Gugelhupf nach dem Erkalten in Scheiben im Toaster aufbacken oder in zerlassenem Fett goldgelb braten.

Erdnussmuffins, pikant | 🗑 ❄

Pikant – für Gäste

Zum Vorbereiten:
200 g gesalzene Erdnusskerne

Für den Rührteig:
100 g Butter oder Margarine
1 TL Zucker, 4 Eier (Größe M)
200 g Weizenmehl (Type 550)
1 gestr. TL Backpulver
1 Msp. Salz, 6 EL Wasser
1 – 2 EL Sojasauce

Zubereitungszeit: 25 Minuten, ohne Abkühlzeit

Insgesamt: E: 110 g, F: 225 g, Kh: 174 g,
kJ: 13873, kcal: 3316

1 Zum Vorbereiten 150 g von den Erdnusskernen fein hacken.

2 Für den Teig Butter oder Margarine mit Handrührgerät mit Rührbesen auf höchster Stufe geschmeidig rühren. Zucker hinzufügen.

3 Eier nach und nach unterrühren (jedes Ei etwa ½ Minute). Mehl, Backpulver, gehackte Erdnüsse und Salz mischen, abwechselnd portionsweise mit Wasser und Sojasauce unterrühren.

4 Teig in eine Muffinform (für 12 Muffins, gefettet) füllen, mit den restlichen ganzen Nusskernen bestreuen. Die Form auf dem Rost in den Backofen schieben.

Ober-/Unterhitze: etwa 180 °C (vorgeheizt)
Heißluft: etwa 160 °C (vorgeheizt)
Gas: Stufe 2 – 3 (vorgeheizt)
Backzeit: etwa 25 Minuten

5 Muffins 10 Minuten in den Förmchen abkühlen lassen, herauslösen und auf einem Kuchenrost erkalten lassen.

Tipp: Zu den Muffins einen gemischten Salat reichen.

Erdnussmuffins, pikant

Erdnussrauten | 🗑 🗑

Für Gäste – raffiniert

Zum Vorbereiten:
100 g ungesalzene Erdnusskerne

Für den Knetteig:
250 g Weizenmehl
1 Msp. Backpulver
1 EL Zucker
2 Pck. Vanillin-Zucker
1 Eigelb (Größe M)
etwas abgeriebene Bio-Orangenschale,
(unbehandelt, ungewachst)
100 g Erdnussbutter
100 g Butter

Für die Baisermasse:
1 Eiweiß (Größe M)
75 g gesiebter Puderzucker
120 g halbierte ungesalzene
Erdnusskerne

Zubereitungszeit: 60 Minuten, ohne Abkühlzeit

Insgesamt: E: 92 g, F: 243 g, Kh: 166 g, kJ: 13986, kcal: 3342

1 Zum Vorbereiten Erdnüsse in einer Pfanne ohne Fett goldbraun rösten, erkalten lassen und fein mahlen.

2 Für den Teig Mehl mit Backpulver mischen, in eine Rührschüssel sieben. Gemahlene Erdnüsse, Zucker, Vanillin-Zucker, Eigelb, Orangenschale, Erdnussbutter und Butter hinzufügen. Die Zutaten mit Handrührgerät mit Knethaken kurz auf niedrigster, dann auf höchster Stufe gut durcharbeiten.

3 Anschließend auf der bemehlten Arbeitsfläche zu einem glatten Teig verkneten. Sollte er kleben, ihn in Folie gewickelt eine Zeit lang kalt stellen.

4 Teig auf der bemehlten Arbeitsfläche 3 mm dick ausrollen, mit dem Teigrädchen Rauten (8 x 4,5 cm) schneiden. Teigstücke auf Backbleche (gefettet, mit Backpapier belegt) legen.

5 Für die Baisermasse Eiweiß mit Handrührgerät mit Rührbesen auf höchster Stufe steif schlagen, der Schnee muss so fest sein, dass ein Messerschnitt sichtbar bleibt. Puderzucker nach und nach unterschlagen. Baisermasse auf die Rauten streichen und mit Erdnusshälften bestreuen. Backbleche nacheinander (bei Heißluft zusammen) in den Backofen schieben.

Ober-/Unterhitze: etwa 180 °C (vorgeheizt)
Heißluft: etwa 160 °C (vorgeheizt)
Gas: Stufe 2 – 3 (vorgeheizt)
Backzeit: 15 – 20 Minuten pro Backblech

6 Gebäck vom Backpapier lösen und erkalten lassen.

Erdnussrauten

Erfrischungstorte | 🗑 🗑

Für Kinder

Für den Teig:
2 Eier (Größe M)
125 g Zucker
1 Pck. Vanillin-Zucker
5 EL Speiseöl
6 EL Zitronenlimonade
125 g Weizenmehl
15 g Kakaopulver
2 gestr. TL Backpulver

Für den Belag:
2 Pck. Erfrischungsstäbchen je 75 g
1 Dose Mandarinenspalten

(Abtropfgewicht 175 g)
8 Blatt weiße Gelatine
6 EL Mandarinensaft
300 g Naturjoghurt
40 g Zucker
400 ml Schlagsahne

Zum Garnieren:
1 Pck. Erfrischungsstäbchen (75 g)

Zubereitungszeit: 45 Minuten,
ohne Kühlzeit

Insgesamt: E: 62 g, F: 212 g, Kh: 362 g,
kJ: 15561, kcal: 3721

1 Für den Teig Eier, Zucker und Vanillin-Zucker mit Handrührgerät mit Rührbesen auf höchster Stufe 1 Minute schaumig schlagen. Öl und Zitronenlimonade unterrühren.

2 Mehl, Kakao und Backpulver mischen, sieben und portionsweise auf mittlerer Stufe unterrühren. Den Teig in eine Springform (Ø 26 cm, Boden gefettet, mit Backpapier belegt) füllen und glatt streichen. Die Form auf dem Rost in den Backofen schieben.

Ober-/Unterhitze: etwa 180 °C (vorgchcizt)
Heißluft: etwa 160 °C (vorgeheizt)
Gas: Stufe 2 – 3 (vorgeheizt)
Backzeit: etwa 25 Minuten

3 Den Boden aus der Form lösen, auf einen mit Backpapier belegten Kuchenrost stürzen und erkalten lassen.

4 Für den Belag Erfrischungsstäbchen in kleine Stücke schneiden. Mandarinen in einem Sieb abtropfen lassen, Saft auffangen.

5 Gelatine in kaltem Wasser nach Packungsanleitung einweichen, leicht ausdrücken. Die ausgedrückte Gelatine mit dem Mandarinensaft in einem kleinen Topf unter Rühren erwärmen (nicht kochen), bis sie völlig gelöst ist, leicht abkühlen lassen.

6 Joghurt und Zucker verrühren, aufgelöste Gelatine unterrühren. Wenn die Masse anfängt dicklich zu werden, zerkleinerte Erfrischungsstäbchen und Mandarinen (einige zum Garnieren beiseite legen) unterheben.

7 Sahne steif schlagen und unterheben. Den Boden auf eine Tortenplatte legen, einen Tortenring darumstellen, den Belag darauf verteilen, glatt streichen und 2 – 3 Stunden kalt stellen.

8 Den Tortenring vorsichtig lösen und entfernen. Die Oberfläche mit Erfrischungsstäbchen und den beiseite gelegten Mandarinen garnieren.

Erfrischungstorte

Errötendes-Mädchen-Torte | 🍮 🍮 🍾

Für Gäste – mit Alkohol

Für den All-In-Teig:
100 g Weizenmehl
3 gestr. TL Backpulver, 75 g Zucker
1 Pck. Vanillin-Zucker, 3 Eier (Größe M)
2 EL Speiseöl, 1 EL Essig

50 g Zucker, 5 EL Wasser
3 – 4 EL Himbeergeist

Für den Belag:
500 g TK-Himbeeren
6 EL Himbeersirup
500 ml ('/₂ l) Buttermilch
75 g gesiebter Puderzucker
2 Pck. Finesse Geriebene
Zitronenschale, 3 EL Zitronensaft
10 Blatt rote oder weiße Gelatine
200 ml Schlagsahne

250 ml ('/₄ l) Schlagsahne
1 Pck. Sahnesteif
Zitronenmelisse
Himbeeren

Zubereitungszeit: 45 Minuten,
ohne Auftau- und Kühlzeit

Insgesamt: E: 82 g, F: 188 g, Kh: 475 g,
kJ: 17287, kcal: 4131

Errötendes-Mädchen-Torte

1 Für den Teig Mehl und Backpulver mischen, in eine Rührschüssel sieben, Zucker, Vanillin-Zucker, Eier, Öl und Essig hinzufügen. Die Zutaten mit Handrührgerät mit Rührbooon in 1 Minute zu einem glatten Teig verarbeiten. Den Teig in eine Springform (Ø 26 cm, Boden gefettet, mit Backpapier belegt) füllen, glatt streichen. Form auf dem Rost in den Backofen schieben.

Ober-/Unterhitze: etwa 200 °C (vorgeheizt)
Heißluft: etwa 180 °C (vorgeheizt)
Gas: Stufe 3 – 4 (vorgeheizt)
Backzeit: 15 – 20 Minuten

2 Den Boden aus der Form lösen, auf einen mit Backpapier belegten Kuchenrost stürzen, erkalten lassen. Mitgebackenes Papier entfernen. Den Boden auf eine Tortenplatte legen

und einen gesäuberten Springformrand darumstellen.

3 Zucker und Wasser in einem kleinen Topf aufkochen, so lange kochen lassen, bis der Zucker sich gelöst hat, Himbeergeist unterrühren. Den Boden damit beträufeln.

4 Für den Belag Himbeeren auftauen lassen, in einem Sieb gut abtropfen lassen, mit Küchenpapier trockentupfen. Saft mit Himbeersirup und Wasser auf 200 ml ergänzen.

5 Die Saftmischung mit Buttermilch, Puderzucker, Zitronenschale und -saft verrühren. Gelatine in kaltem Wasser nach Packungsanleitung einweichen, leicht ausdrücken. Die ausgedrückte Gelatine in einem

kleinen Topf unter Rühren erwärmen (nicht kochen), bis sie völlig gelöst ist, leicht abkühlen lassen.

6 Etwas von der Buttermilchmischung zu der Gelatine geben, dann alles unter die Buttermilchmischung rühren. Wenn die Masse anfängt dicklich zu werden, die Sahne steif schlagen und unterheben.

7 Die Himbeeren auf dem Boden verteilen. Die Buttermilchmasse darauf geben. Torte etwa 3 Stunden kalt stellen.

8 Den Springformrand lösen, entfernen. Sahne mit Sahnesteif steif schlagen. Torte mit Sahne verzieren, mit Himbeeren und Melisse garnieren.

Fächertorte mit Fruchtcocktail | 🗑 🗑 ❄

Gut vorzubereiten – für Gäste

Für den Rührteig:
125 g Butter oder Margarine
125 g Zucker, 1 Pck. Vanillin-Zucker
1 Prise Salz, 2 Eier (Größe M)
150 g Weizenmehl
1 gestr. TL Backpulver, 2 EL Milch
50 g abgezogene, gehobelte Mandeln
10 g Zucker

Für die Füllung:
1 Pck. Pudding-Pulver
Vanille-Geschmack
50 g Zucker, 400 ml Milch
1 Dose Fruchtcocktail
(Abtropfgewicht 460 g)
250 ml ('/4 l) Schlagsahne
1 Pck. Käse-Sahne-Tortencreme
150 ml Saft (von den Cocktailfrüchten)
3 EL Zitronensaft
500 g Naturjoghurt

Zum Verzieren:
250 ml ('/4 l) Schlagsahne
1 Pck. Sahnesteif, 1 TL Zucker

Zubereitungszeit: 60 Minuten,
ohne Kühlzeit

Insgesamt: E: 90 g, F: 331 g, Kh: 547 g,
kJ: 24125, kcal: 5764

1 Für den Teig Butter oder Margarine mit
Handrührgerät mit Rührbesen auf höchster
Stufe geschmeidig rühren. Nach und nach
Zucker, Vanillin-Zucker und Salz unterrühren.
So lange rühren, bis eine gebundene Masse
entstanden ist.

2 Eier nach und nach unterrühren (jedes
Ei etwa ¹/₂ Minute). Mehl und Backpulver
mischen, sieben und portionsweise abwechselnd mit der Milch auf mittlerer Stufe
unterrühren.

3 Für zwei Böden jeweils die Hälfte des
Teiges in eine Springform (Ø 26 cm, Boden
gefettet) streichen. Auf einen der Böden
Mandeln und Zucker verteilen. Die Formen

nacheinander (bei Heißluft zusammen) auf
dem Rost in den Backofen schieben.

Ober-/Unterhitze: etwa 180 °C (vorgeheizt)
Heißluft: etwa 160 °C (vorgeheizt)
Gas: Stufe 2 – 3 (vorgeheizt)
Backzeit: etwa 20 Minuten pro Boden

4 Böden sofort nach dem Backen vom
Springformboden lösen und einzeln auf einem
Kuchenrost erkalten lassen. Den Mandel-
boden in zwölf Stücke schneiden.

5 Für die Füllung aus Pudding-Pulver, Zucker und Milch nach Packungsanleitung (aber
mit den hier angegebenen Zutaten) einen
Pudding zubereiten und unter gelegentlichem
Rühren abkühlen lassen.

6 Den unteren Boden (ohne Mandeln) auf
eine Tortenplatte legen, einen Tortenring darumstellen und den Pudding darauf verteilen.

7 Fruchtcocktail zum Abtropfen in ein Sieb
geben. 150 ml Saft abmessen. Sahne steif
schlagen. Die Tortencreme nach Packungsanleitung mit dem Saft und Zitronensaft zubereiten. Joghurt und die steif geschlagene
Sahne unterheben.

8 Die gut abgetropften Früchte unter die Jo-
ghurtcreme heben, die Masse auf dem Pudding verteilen und 2 – 3 Stunden kalt stellen.
Tortenring entfernen.

9 Zum Verzieren Sahne mit Sahnesteif und
Zucker steif schlagen, in einen Spritzbeutel
mit gezackter Tülle füllen und auf die Joghurt-
masse 12 Streifen (Tortenstücke) spritzen.
Den in Stücke geschnittenen Boden schräg
daran stellen.

10 Nach Belieben mit dem Puderzucker
(aus der Tortencreme-Packung) bestäuben.

Fächertorte mit Fruchtcocktail

Feigen-Pinien-Torte mit Honigquarkcreme

Feigen-Pinien-Torte mit Honigquarkcreme | 🗑 🗑

Dauert länger

Für den Knetteig:
300 g Weizenmehl
2 gestr. TL Backpulver
200 g Zucker, 1 Prise Salz
5 Eigelb (Größe M)
250 g Butter oder Margarine

Für die Baisermasse:
60 g Pinienkerne
5 Eiweiß (Größe M)
150 g Zucker

Für die Füllung:
150 g Feigenkonfitüre
200 ml Schlagsahne
500 g Magerquark
60 g flüssiger Orangenblütenhonig
2 Pck. Vanillin-Zucker

Zum Garnieren:
3 Feigen
Pinienkerne und Minze

Zubereitungszeit: 100 Minuten,
ohne Warte- und Abkühlzeit

Insgesamt: E: 160 g, F: 335 g, Kh: 808 g,
kJ: 29647, kcal: 7081

1 Für den Teig Mehl mit Backpulver mischen, in eine Rührschüssel sieben. Zucker, Salz, Eigelb und Butter oder Margarine hinzufügen. Die Zutaten mit Handrührgerät mit Knethaken zunächst kurz auf niedrigster, dann auf höchster Stufe gut durcharbeiten.

2 Anschließend auf einer bemehlten Arbeitsfläche zu einem glatten Teig verkneten. Sollte er kleben, ihn in Folie gewickelt eine Zeit lang kalt stellen.

3 Den Teig in 4 Portionen teilen, jeweils 1 Teigstück auf dem Boden einer Springform (Ø 26 cm, gefettet) ausrollen. Den Springformrand darumlegen.

4 Für die Baisermasse Pinienkerne fein mahlen. Eiweiß mit Handrührgerät mit Rührbesen auf höchster Stufe steif schlagen, der Schnee muss so fest sein, dass ein Messerschnitt sichtbar bleibt, nach und nach Zucker unterschlagen.

5 Jeweils ein Viertel der Baisermasse auf je einen Boden streichen. Mit gemahlenen Pinienkernen bestreuen. Formen nacheinander (bei Heißluft je 2 Formen zusammen) auf dem Rost in den Backofen schieben.

Ober-/Unterhitze: etwa 180 °C (vorgeheizt)
Heißluft: etwa 160 °C (vorgeheizt)
Gas: Stufe 2–3 (vorgeheizt)
Backzeit: 15–20 Minuten pro Boden
(Baisermasse zwischendurch immer wieder kalt stellen)

6 Böden sofort nach dem Backen lösen, einzeln auf einen Kuchenrost legen, erkalten lassen. Einen Boden sofort in 12 Stücke schneiden. Die Böden erkalten lassen, drei Böden mit Feigenkonfitüre bestreichen.

7 Sahne steif schlagen. Quark, Honig und Vanillin-Zucker verrühren. Sahne unterziehen. Quarkcreme auf den drei Böden verteilen und die Böden zu einer Torte zusammensetzen. Den geschnittenen Boden auf die Torte legen. Mit frischen Feigen, gerösteten Pinienkernen und Minze garnieren.

Feigentörtchen |

Für Gäste

Für den Knetteig:
100 g Weizenmehl
30 g Zucker
1 Pck. Vanillin-Zucker
70 g Butter oder Margarine

Für die Füllung:
2 reife Feigen
200 ml Schlagsahne
1 Pck. Sahnesteif
20 g gesiebter Puderzucker

1 reife Feige

Puderzucker

Zubereitungszeit: 45 Minuten,
ohne Abkühlzeit

Insgesamt: E: 18 g, F: 121 g, Kh: 158 g,
kJ: 7740, kcal: 1850

1 Für den Teig Mehl in eine Rührschüssel sieben. Restliche Zutaten hinzufügen, mit Handrührgerät mit Knethaken zunächst kurz auf niedrigster, dann auf höchster Stufe gut durcharbeiten.

2 Anschließend auf einer bemehlten Arbeitsfläche zu einem glatten Teig verkneten. Sollte er kleben, ihn in Folie gewickelt eine Zeit lang kalt stellen.

Feigentörtchen

3 Den Teig dünn ausrollen, 4 kleine Quadrate (5 x 5 cm) und 4 große Quadrate (8 x 8 cm) ausschneiden. Alle Quadrate so halbieren, dass Dreiecke entstehen, auf ein Backblech (mit Backpapier belegt) legen. Backblech in den Backofen schieben.

Ober-/Unterhitze: 180 – 200 °C (vorgeheizt)
Heißluft: 160 – 180 °C (vorgeheizt)
Gas: Stufe 3 – 4 (vorgeheizt)
Backzeit: etwa 10 Minuten

4 Gebäck vom Backblech lösen, auf einem Kuchenrost erkalten lassen.

5 Für die Füllung Feigen schälen, das Fruchtfleisch in kleine Würfel schneiden. Sahne mit Sahnesteif und Puderzucker steif schlagen. Feigenwürfel unterheben. Die Masse auf die großen Dreiecke verteilen, mit den kleinen Dreiecken belegen.

6 Feige waschen, trockentupfen, in Scheiben schneiden, auf die Törtchen legen. Mit Puderzucker bestäuben.

Fladenbrot | ❄

Gut vorzubereiten

Für den Hefeteig:
450 g Weizenmehl (Type 405)
300 g Weizenmehl (Type 1050)
1 Pck. Backpulver
1 Pck. Trockenhefe
2 gestr. TL Salz
1 TL Zucker
1 Becher (150 g) Naturjoghurt
150 ml lauwarme Milch
150 ml lauwarmes Wasser
4 – 6 EL Speiseöl
2 Eier (Größe M)

Zum Bestreichen:
1 – 2 EL zerlassene Butter

Zum Bestreuen:
Sesamsamen
Korianderkörner
grobes Salz
gehackte Pistazienkerne

Zubereitungszeit: 35 Minuten,
ohne Teiggehzeit

Insgesamt: E: 117 g, F: 114 g, Kh: 555 g,
kJ: 16419, kcal: 3922

1 Für den Teig beide Mehlsorten mit Backpulver und Trockenhefe in eine Rührschüssel geben, sorgfältig vermischen, Salz, Zucker, Joghurt, Milch, Wasser, Öl und Eier hinzufügen.

2 Die Zutaten mit Handrührgerät mit Knethaken zunächst auf niedrigster, dann auf höchster Stufe in etwa 5 Minuten zu einem glatten Teig verarbeiten. Den Teig zugedeckt an einem warmen Ort so lange stehen lassen, bis er sich sichtbar vergrößert hat.

3 Den Teig aus der Schüssel nehmen, auf der Arbeitsfläche nochmals kurz durchkneten, in drei Teile teilen. Jedes Teigstück etwa 2 cm dick ausrollen und zu einem ovalen Fladen formen. Fladen auf Backbleche (mit Backpapier belegt) legen, mit zerlassener Butter bestreichen, mit Sesam, Koriander, Salz und Pistazienkernen bestreuen. Teigstücke zugedeckt an einem warmen Ort so lange gehen lassen, bis sie sich sichtbar vergrößert haben.

4 Backbleche nacheinander (bei Heißluft zusammen) in den Backofen schieben.

Ober-/Unterhitze: etwa 200 °C (vorgeheizt)
Heißluft: etwa 180 °C (vorgeheizt)
Gas: Stufe 3 – 4 (vorgeheizt)
Backzeit: etwa 25 Minuten pro Backblech

Tipp: Fladenbrot schmeckt mit Kräuterbutter gut. Es eignet sich auch hervorragend als Beilage zu orientalischen Speisen.

Fladenbrot

Fladenbrot mit Kräutern | 🗑 🗑 ❄

Klassisch

Für den Hefeteig:
250 g Weizenmehl (Type 550)
¹/₂ Pck. (21 g) frische Hefe
1 TL flüssiger Honig
125 ml (¹/₈ l) lauwarmes Wasser
1 gestr. TL Salz
1 – 2 TL Kräuter der Provence
6 EL Speiseöl

Zum Beträufeln:
1 – 2 EL Olivenöl

Zubereitungszeit: 25 Minuten, ohne Teiggehzeit

Insgesamt: E: 30 g, F: 99 g, Kh: 188 g, kJ: 7709, kcal: 1842

1 Für den Teig Mehl in eine Schüssel sieben. In die Mitte eine Vertiefung drücken. Hefe hineinbröckeln, Honig und etwas von dem Wasser hinzufügen. Mit einer Gabel vorsichtig verrühren und etwa 10 Minuten gehen lassen.

2 Salz, Kräuter, Speiseöl und restliches Wasser hinzufügen. Die Zutaten mit Handrührgerät mit Knethaken zunächst auf niedrigster, dann auf höchster Stufe in etwa 5 Minuten zu einem glatten Teig verarbeiten.

3 Den Teig mit Mehl bestäuben und zugedeckt so lange an einem warmen Ort stehen lassen, bis er sich sichtbar vergrößert hat.

4 Teig aus der Schüssel nehmen und auf der bemehlten Arbeitsfläche nochmals kurz durchkneten, zu 2 ovalen Fladen (25 x 15 cm)

ausrollen. Fladen auf ein Backblech (gefettet, mit Backpapier belegt) legen. Teigfladen nochmals zugedeckt so lange an einem warmen Ort gehen lassen, bis sie sich sichtbar vergrößert haben. Mit den Fingern Vertiefungen in den Teig drücken und mit Olivenöl beträufeln. Die Backbleche nacheinander (bei Heißluft zusammen) in den Backofen schieben.

Ober-/Unterhitze: 200 – 220 °C (vorgeheizt)
Heißluft: 180 – 200 °C (vorgeheizt)
Gas: etwa Stufe 4 (vorgeheizt)
Backzeit: etwa 20 Minuten

Tipp: Anstelle der Kräuter 2 Esslöffel gehackte grüne oder schwarze Oliven unter den Teig kneten.

Fladenkuchen mit Porree | 🗑 ❄

Für Gäste

Für den Hefeteig:
250 g Weizenmehl (Type 550)
¹/₂ Pck. (21 g) frische Hefe
1 gestr. TL Salz
125 ml (¹/₈ l) lauwarmes Wasser
1 TL flüssiger Honig, 10 EL Speiseöl

Für den Belag:
250 g Porree (Lauch)
1 Msp. getrockneter Thymian
2 EL Speiseöl, Salz
frisch gemahlener Pfeffer
250 g Schmand
1 Ei (Größe M)
frisch geriebene Muskatnuss
1 Pck. (150 g) Bacon
(Frühstücksspeck in Scheiben)

Zubereitungszeit: etwa 50 Minuten,
ohne Teiggehzeit

Insgesamt: E: 61 g, F: 304 g, Kh: 203 g,
kJ: 16535, kcal: 3950

1 Für den Teig Mehl in eine Schüssel sieben. In die Mitte eine Vertiefung drücken. Hefe hineinbröckeln, Salz und etwas Wasser hinzufügen. Mit einer Gabel vorsichtig verrühren und etwa 10 Minuten gehen lassen.

2 Honig, Öl und restliches Wasser hinzufügen. Die Zutaten mit Handrührgerät mit Knethaken zunächst auf niedrigster, dann auf höchster Stufe in etwa 5 Minuten zu einem glatten Teig verarbeiten. Den Teig zugedeckt so lange an einem warmen Ort stehen lassen, bis er sich sichtbar vergrößert hat.

3 Für den Belag Porree putzen, der Länge nach aufschneiden, waschen. Porree in halbe Ringe schneiden, mit Thymian in Öl 5 Minuten dünsten. Mit Salz und Pfeffer würzen.

4 Schmand und Ei verquirlen, mit Pfeffer und Muskat würzen. Baconscheiben zweimal durchschneiden.

5 Teig aus der Schüssel nehmen und auf der bemehlten Arbeitsfläche nochmals kurz

durchkneten. Teigstück zu einem ovalen Fladen (35 x 30 cm) ausrollen und auf ein Backblech (gefettet, mit Backpapier belegt) legen. Teigfladen zugedeckt an einem warmen Ort nochmals so lange gehen lassen, bis er sich sichtbar vergrößert hat.

6 Schmand, Porree und Bacon auf dem Teigfladen verteilen. Das Backblech in den Backofen schieben.

Ober-/Unterhitze: etwa 200 °C (vorgeheizt)
Heißluft: etwa 180 °C (vorgeheizt)
Gas: Stufe 3 – 4 (vorgeheizt)
Backzeit: etwa 30 Minuten

Tipp: Den Fladenkuchen mit Blätterteig zubereiten. Dafür 5 Platten TK-Blätterteig (¹/₂ Päckchen, 225 g) auftauen lassen, zu einem Rechteck in gleicher Größe ausrollen. Statt mit Thymian mit Kümmel würzen.

Fladenkuchen mit Porree

Flammkuchen

Flammkuchen |

Klassisch

Für den Hefeteig:
375 g Weizenmehl
1 Pck. Trockenhefe
1 TL Zucker, 1 ¹/₂ TL Salz
3–4 EL Speiseöl
etwa 250 ml (¹/₄ l) lauwarmes Wasser

Für den Belag:
150 g Schinkenspeck
4 große Zwiebeln
250 g Speisequark (40 % Fett)
250 ml (¹/₄ l) Schlagsahne
Salz
gemahlener schwarzer Pfeffer
geriebene Muskatnuss

Zubereitungszeit: 30 Minuten,
ohne Teiggeh- und Abkühlzeit

Insgesamt: E: 92 g, F: 256 g, Kh: 307 g,
kJ: 17058, kcal: 4075

1 Für den Teig Mehl in eine Rührschüssel
sieben, mit Trockenhefe sorgfältig vermischen.
Zucker, Salz, Öl und Wasser hinzufügen.

2 Die Zutaten mit Handrührgerät mit Knethaken zunächst auf niedrigster, dann auf
höchster Stufe in etwa 5 Minuten zu einem
glatten Teig verarbeiten. Den Teig zugedeckt
so lange an einem warmen Ort stehen lassen, bis er sich sichtbar vergrößert hat.

3 Den Teig leicht mit Mehl bestäuben, aus
der Schüssel nehmen und auf der Arbeitsfläche nochmals kurz durchkneten.

4 Für den Belag den Schinkenspeck fein
würfeln, in einer Pfanne ausbraten und zum
Abtropfen auf Küchenpapier geben.

5 Zwiebeln abziehen, in Ringe schneiden, in
dem Speckfett kurz dünsten, erkalten lassen.

6 Quark und Sahne verrühren, mit Salz,
Pfeffer und Muskat abschmecken.

7 Den Teig halbieren und jede Teighälfte
2–3 mm dick zu einer ovalen großen Platte
ausrollen und jeweils auf ein Backblech
(gefettet, mit Backpapier belegt) legen.

8 Die Quarkmasse darauf streichen, mit
Zwiebelringen und Speckwürfeln belegen.
Die Backbleche nacheinander (bei Heißluft
zusammen) in den Backofen schieben.

Ober-/Unterhitze: etwa 240 °C (vorgeheizt)
Heißluft: etwa 220 °C (vorgeheizt)
Gas: etwa Stufe 5 (vorgeheizt)
Backzeit: etwa 15 Minuten

Flockentorte |

Für Gäste

Für den Knetteig:
150 g Weizenmehl
40 g Zucker, 1 Pck. Vanillin-Zucker
100 g Butter oder Margarine

Für den Brandteig:
125 ml (¹/₈ l) Wasser
25 g Butter
75 g Weizenmehl
15 g Speisestärke
2–3 Eier (Größe M)
¹/₂ gestr. TL Backpulver

Für die Füllung:
1 Glas Sauerkirschen
(Abtropfgewicht 370 g)
30 g Speisestärke
etwas Zucker
500 ml (¹/₂ l) Schlagsahne
25 g gesiebter Puderzucker
1 Pck. Vanillin-Zucker
2 Pck. Sahnesteif

rotes Johannisbeergelee zum
Bestreichen

Zum Bestäuben:
Puderzucker

Zubereitungszeit: 70 Minuten,
ohne Kühlzeit

Insgesamt: E: 62 g, F: 281 g, Kh: 370 g,
kJ: 18487, kcal: 4418

1 Für den Knetteig Mehl in eine Rührschüssel sieben. Zucker, Vanillin-Zucker und Fett hinzufügen. Die Zutaten mit Handrührgerät mit Knethaken zunächst kurz auf niedrigster, dann auf höchster Stufe gut durcharbeiten.

2 Anschließend auf einer bemehlten Arbeitsfläche zu einem glatten Teig verkneten. Sollte er kleben, ihn in Folie gewickelt eine Zeit lang kalt stellen. Den Teig auf dem Boden einer Springform (Ø 28 cm, gefettet) ausrollen und den Springformrand darumlegen. Form auf dem Rost in den Backofen schieben.

Caption: Flockentorte

Ober-/Unterhitze: 200 – 220 °C (vorgeheizt)
Heißluft: 180 – 200 °C (vorgeheizt)
Gas: etwa Stufe 4 (vorgeheizt)
Backzeit: etwa 15 Minuten

3 Sofort nach dem Backen das Gebäck vom Springformboden lösen, aber darauf erkalten lassen. Boden auf eine Tortenplatte legen.

4 Für den Brandteig Wasser und Butter in einem Stieltopf zum Kochen bringen. Mehl mit Speisestärke mischen, sieben, auf einmal in die von der Kochstelle genommene Flüssigkeit schütten, zu einem glatten Kloß rühren, unter Rühren etwa 1 Minute erhitzen.

5 Den heißen Kloß sofort in eine Rührschüssel geben. Nach und nach Eier mit Handrührgerät mit Knethaken auf höchster Stufe unterarbeiten. Weitere Eizugabe erübrigt sich, wenn der Teig stark glänzt und so von einem Löffel abreißt, dass lange Spitzen hängen bleiben. Backpulver in den erkalteten Teig arbeiten.

6 Aus dem Teig drei Böden backen, dazu jeweils ein Drittel des Teiges auf einen Springformboden (Ø 28 cm, gefettet, mit Mehl bestäubt) streichen (darauf achten, dass der Teig am Rand nicht zu dünn ist, damit der Boden dort nicht zu dunkel wird). Jeden Boden ohne Springformrand nacheinander (bei Heißluft 2 Böden zusammen) auf dem Rost in den Backofen schieben.

Ober-/Unterhitze: 200 – 220 °C (vorgeheizt)
Heißluft: 180 – 200 °C (vorgeheizt)
Gas: etwa Stufe 4 (vorgeheizt)
Backzeit: 20 – 25 Minuten pro Boden

7 Die hellbraunen Böden sofort vom Springformboden lösen und einzeln auf einem Kuchenrost erkalten lassen.

8 Für die Füllung Sauerkirschen in einem Sieb abtropfen lassen, 250 ml (¹/₄ l) Saft abmessen (evtl. mit Wasser auffüllen). Speisestärke mit 4 Esslöffeln von dem Saft anrühren, den übrigen Saft zum Kochen bringen. Angerührte Speisestärke unter Rühren in den von der Kochstelle genommenen Saft geben, kurz aufkochen lassen, die Kirschen unterrühren, kalt stellen, evtl. mit Zucker abschmecken.

9 Sahne ¹/₂ Minute schlagen. Puderzucker, Vanillin-Zucker und Sahnesteif mischen, einstreuen. Sahne steif schlagen. Den Knetteigboden dünn mit Johannisbeergelee bestreichen und mit einem Brandteigboden bedecken. Diesen zunächst mit der Hälfte der Kirschmasse, dann mit einem Drittel der Sahne bestreichen, darauf den zweiten Brandteigboden legen und mit der restlichen Kirschmasse und der Sahne bestreichen. Den dritten Boden zerbröckeln, auf der Sahne verteilen und mit Puderzucker bestäuben.

Florentiner mit Mandeln I 🗑️ 🗑️

Klassisch – für Gäste

Zum Vorbereiten:
50 g Orangeat
50 g Zitronat (Sukkade)

Zum Karamellisieren:
100 g Butter, 100 g Zucker
3 EL flüssiger Honig
250 ml ('/₄ l) Schlagsahne
250 g abgezogene, gehobelte Mandeln
50 g gehobelte Haselnusskerne

Für den Guss:
100 g Zartbitterschokolade
20 g Kokosfett

Zubereitungszeit: 60 Minuten,
ohne Abkühlzeit

Insgesamt: E: 71 g, F: 377 g, Kh: 296 g,
kJ: 21286, kcal: 5086

1 Orangeat und Zitronat sehr fein hacken.

2 Zum Karamellisieren Butter, Zucker und
Honig in einem Topf zerlassen, erhitzen und
unter Rühren etwa 5 Minuten bräunen lassen. Sahne hinzufügen, so lange rühren, bis
der Zucker gelöst ist. Orangeat, Zitronat,
Mandeln und Haselnüsse hinzufügen. Die
Masse bei schwacher Hitze köcheln lassen,
bis sie gebunden ist.

3 Von der Masse mit 2 Teelöffeln Häufchen
in Abständen auf ein Backblech (gefettet, mit
Backpapier belegt) setzen und in den Backofen schieben.

Ober-/Unterhitze: 180 – 200 °C (vorgeheizt)
Heißluft: 160 – 180 °C (vorgeheizt)
Gas: etwa Stufe 3 (vorgeheizt)
Backzeit: etwa 10 Minuten

4 Florentiner aus dem Backofen nehmen,
evtl. mit großen runden Ausstechförmchen
nachformen, vom Backpapier lösen.

5 Für den Guss Schokolade in kleine Stücke
brechen, mit dem Kokosfett in einem kleinen
Topf im Wasserbad bei schwacher Hitze geschmeidig rühren.

6 Den Guss mit einem Pinsel auf die Unterseite der erkalteten Florentiner auftragen und
fest werden lassen.

Florentiner mit Mandeln

Florentiner Schnitten | 🗑 🗑

Für Kinder – gut vorzubereiten

Für den Knetteig:
200 g Weizenmehl
¹/₂ gestr. TL Backpulver
75 g Zucker
1 Pck. Vanillin-Zucker
1 EL Milch
100 g Butter

Für den Belag:
75 g Butter, 75 g Zucker
1 Pck. Vanillin-Zucker
2 EL flüssiger Honig
125 ml (¹/₈ l) Schlagsahne
100 g abgezogene,
gestiftelte Mandeln
100 g gehobelte Haselnusskerne
50 g kandierte Kirschen

150 g Zartbitter-Kuvertüre
1 EL Speiseöl

Zubereitungszeit: 60 Minuten,
ohne Abkühlzeit

Insgesamt: E: 66 g, F: 364 g, Kh: 447 g,
kJ: 23493, kcal: 5612

1 Für den Teig Mehl mit Backpulver mischen, in eine Rührschüssel sieben. Zucker, Vanillin-Zucker, Milch und Butter hinzufügen. Die Zutaten mit Handrührgerät mit Knethaken zunächst kurz auf niedrigster, dann auf höchster Stufe gut durcharbeiten.

2 Anschließend auf einer bemehlten Arbeitsfläche zu einem glatten Teig verkneten. Sollte er kleben, ihn in Folie gewickelt eine Zeit lang kalt stellen.

3 Den Teig in der Größe von etwa 28 x 36 cm ausrollen. Die Teigplatte halbieren, so dass zwei Teigstreifen von etwa 14 x 36 cm entstehen, die Teigstreifen jeweils an den Längsseiten 1 – 2 cm nach innen klappen. Die Teigstreifen auf ein Backblech (mit Backpapier belegt) legen. Das Backblech in den Backofen schieben und das Gebäck vorbacken.

Ober-/Unterhitze: etwa 180 °C (vorgeheizt)
Heißluft: etwa 160 °C (vorgeheizt)
Gas: Stufe 2 – 3 (vorgeheizt)
Backzeit: etwa 10 Minuten

4 Für den Belag Butter zerlassen. Zucker, Vanillin-Zucker und Honig hinzufügen, unter Rühren karamellisieren lassen. Sahne hinzugießen, so lange rühren, bis sich der Zucker gelöst hat.

5 Mandeln, Haselnusskerne und kandierte Kirschen (in kleine Stücke geschnitten) hinzufügen, so lange unter Rühren erhitzen, bis die Masse gebunden ist. Auf die beiden Gebäckstreifen streichen. Das Backblech wieder in den Backofen schieben und das Gebäck fertig backen.

Ober-/Unterhitze: etwa 180 °C (vorgeheizt)
Heißluft: etwa 160 °C (vorgeheizt)
Gas: Stufe 2 – 3 (vorgeheizt)
Backzeit: etwa 10 Minuten

6 Die Gebäckstreifen mit dem Backpapier auf einen Kuchenrost ziehen, etwas abkühlen lassen, dann in 3 – 4 cm dicke Streifen schneiden und erkalten lassen.

7 Kuvertüre in kleine Stücke schneiden, mit Öl in einem kleinen Topf im Wasserbad bei schwacher Hitze schmelzen. Die Schnitten von einer Seite hineintauchen, auf Backpapier legen, mit Kuvertüre besprenkeln und fest werden lassen.

Florentiner Schnitten

Förstertorte |

Einfach

Für den Rührteig:
100 g Butter oder Margarine
80 g Zucker, 3 Eigelb (Größe M)
25 g gesiebtes Weizenmehl
1 ¹/₂ TL Backpulver
2 EL gesiebtes Kakaopulver
100 g gemahlene Haselnusskerne
100 g abgezogene, gehackte Mandeln
3 Eiweiß (Größe M)

Zum Bestreichen:
2 EL Nuss-Nougat-Creme
(aus dem Glas)

Für den Belag:
2 Gläser Wildpreiselbeer-Dessert
(Abtropfgewicht je 175 g)
500 ml (¹/₂ l) Schlagsahne
3 Pck. Sahnesteif
etwa 2 EL Rotwein

Zum Garnieren:
Preiselbeeren
Zitronenmelisse

Zubereitungszeit: 45 Minuten,
ohne Abkühlzeit

Insgesamt: E: 81 g, F: 380 g, Kh: 212 g,
kJ: 20072, kcal: 4795

1 Für den Teig Fett mit Handrührgerät mit Rührbesen auf höchster Stufe geschmeidig rühren, nach und nach Zucker unterrühren. So lange rühren, bis eine gebundene Masse entstanden ist.

2 Eigelb nach und nach unterrühren (jedes Eigelb knapp ¹/₂ Minute). Mehl mit Backpulver, Kakao und Haselnüssen mischen, portionsweise auf mittlerer Stufe unterrühren. Mandeln und steif geschlagenes Eiweiß unterheben.

3 Teig in eine Springform (Ø 26 cm, Boden gefettet, mit Backpapier belegt) füllen. Die Form auf dem Rost in den Backofen schieben.

Förstertorte

Ober-/Unterhitze: etwa 180 °C (vorgeheizt)
Heißluft: etwa 160 °C (vorgeheizt)
Gas: Stufe 2–3 (vorgeheizt)
Backzeit: etwa 25 Minuten

4 Boden vorsichtig aus der Form lösen, auf einen mit Backpapier belegten Kuchenrost stürzen und erkalten lassen. Boden auf eine Tortenplatte geben.

5 Tortenring oder den gesäuberten Springformrand um den Boden stellen. Den Boden mit Nuss-Nougat-Creme bestreichen.

6 Für den Belag Preiselbeeren in einem Sieb gut abtropfen lassen. Sahne mit Sahnesteif steif schlagen, Preiselbeeren vorsichtig unter die Sahne heben, einige zum Garnieren beiseite legen. Preiselbeersahne mit Wein abschmecken.

7 Preiselbeersahne auf den Boden geben und mit den Preiselbeeren und der Zitronenmelisse garnieren. Nach 1 Stunde den Tortenring oder Springformrand vorsichtig lösen und entfernen.

Tipp: Wenn die Preiselbeersahne kuppelartig auf den Tortenboden gestrichen wird, benötigt man keinen Tortenring.

Frankfurter Kranz |

Klassisch

Für den Rührteig:
100 g Butter oder Margarine
150 g Zucker
1 Pck. Vanillin-Zucker
4 Tropfen Zitronen-Aroma
3 Eier (Größe M)
150 g Weizenmehl
50 g Speisestärke
2 gestr. TL Backpulver

Für den Krokant:
1 TL Butter, 60 g Zucker
125 g gehackte Haselnusskerne
etwas Speiseöl

Für die Buttercreme:
1 Pck. Pudding-Pulver
Vanille-Geschmack
100 g Zucker
500 ml (¹/₂ l) kalte Milch
250 g weiche Butter

rote Konfitüre, z. B. Kirschkonfitüre
Kirschen oder rote Konfitüre

Zubereitungszeit: 60 Minuten,
ohne Kühlzeit

Insgesamt: E: 85 g, F: 398 g, Kh: 615 g,
kJ: 27603, kcal: 6592

1 Für den Teig Butter oder Margarine mit Handrührgerät mit Rührbesen auf höchster Stufe geschmeidig rühren. Nach und nach Zucker, Vanillin-Zucker und Aroma unterrühren. So lange rühren, bis eine gebundene Masse entstanden ist.

2 Eier nach und nach unterrühren (jedes Ei etwa ¹/₂ Minute). Mehl mit Speisestärke und Backpulver mischen, sieben, portionsweise auf mittlerer Stufe unterrühren. Den Teig in eine Kranzform (Ø 20 cm, gefettet) füllen.

Ober-/Unterhitze: 180–200 °C (vorgeheizt)
Heißluft: 160–180 °C (nicht vorgeheizt)
Gas: etwa Stufe 3 (nicht vorgeheizt)
Backzeit: 35–45 Minuten

3 Gebäck auf einen Kuchenrost stürzen und erkalten lassen.

4 Für den Krokant Butter, Zucker und Haselnusskerne unter Rühren so lange erhitzen, bis der Krokant genügend gebräunt ist, ihn auf ein mit Speiseöl bestrichenes Stück Alufolle geben, erkalten lassen und zerstoßen.

5 Für die Buttercreme aus Pudding-Pulver, Zucker und Milch nach Packungsanleitung (aber mit 100 g Zucker) einen Pudding zubereiten, kalt stellen, ab und zu rühren.

6 Butter geschmeidig rühren, den Pudding esslöffelweise dazugeben (darauf achten, dass weder Butter noch Pudding zu kalt sind, da die Masse sonst gerinnt).

7 Den Gebäckkranz zweimal waagerecht durchschneiden. Die untere Gebäcklage mit Konfitüre bestreichen.

8 Die 3 Gebäcklagen mit Buttercreme zu einem Kranz zusammensetzen, ihn mit Creme bestreichen (etwas zurücklassen), mit Krokant bestreuen, mit zurückgelassener Creme verzieren und mit Kirschen oder Konfitüre garnieren.

Tipp: Das Gebäck am besten einen Tag vor dem Verzehr füllen. Sofort Klarsichtfolie auf den heißen Pudding legen, dann bildet sich keine Haut.

Frankfurter Kranz

Fränkisches Gewürzbrot | 🗑 🗑 ❄

Vollwert – gut vorzubereiten

Für den Hefeteig:
500 g Roggen
je 1 TL Anis-, Fenchel- und Kümmel-
samen, 1 Pck. Trockenhefe
1 Pck. Sauerteig-Extrakt, 1 TL Salz
400 ml lauwarmes Wasser
heißes Wasser zum Bestreichen

Zubereitungszeit: 30 Minuten,
ohne Teiggehzeit

Insgesamt: E: 56 g, F: 10 g, Kh: 309 g,
kJ: 6884, kcal: 1646

1 Für den Teig 250 g Roggen fein mahlen,
restlichen Roggen mittelgrob schroten. Anis-,
Fenchel- und Kümmelsamen mitschroten.

Vorbereitete Zutaten mit Hefe und Sauerteig-
Extrakt sorgfältig vermischen.

2 Salz und Wasser hinzufügen. Die Zutaten
mit Handrührgerät mit Knethaken zunächst
auf niedrigster, dann auf höchster Stufe in etwa
5 Minuten zu einem glatten Teig verarbeiten.

3 Den Teig zugedeckt an einem warmen Ort
so lange stehen lassen, bis er sich sichtbar
vergrößert hat.

4 Den Teig aus der Schüssel nehmen, auf
einer bemehlten Arbeitsfläche nochmals kurz
durchkneten, zu einem Brotlaib formen und
auf ein Backblech (gefettet, mit Backpapier
belegt) legen. Den Teig nochmals zugedeckt
an einem warmen Ort so lange gehen lassen,
bis er sich sichtbar vergrößert hat.

5 Den Brotlaib mit Wasser bestreichen. Das
Backblech in den Backofen schieben.

Ober-/Unterhitze: etwa 220 °C (vorgeheizt)
Heißluft: etwa 200 °C (nicht vorgeheizt)
Gas: Stufe 4 – 5 (nicht vorgeheizt)
Backzeit: 50 – 60 Minuten

6 Das Brot nach etwa 40 Minuten Backzeit
mit Backpapier zudecken. Während des
Backens eine Schale mit heißem Wasser mit
auf das Backblech stellen.

7 Das fertig gebackene Brot mit heißem
Wasser bestreichen und noch 5 – 10 Minuten
im ausgeschalteten Backofen stehen lassen,
dann mit dem Backpapier auf einen Kuchenrost ziehen und erkalten lassen.

Friesenkeks, hell oder dunkel | 🗑 🍶

Gut vorzubereiten

Für den hellen Knetteig:
250 g Weizenmehl
1 gestr. TL Backpulver
100 g Zucker, 1 Pck. Vanillin-Zucker
1 Fläschchen Rum-Aroma
2 EL Wasser, 100 g Butter

Für den dunklen Knetteig:
250 g Weizenmehl, 30 g Kakaopulver
1 gestr. TL Backpulver
100 g Zucker, 1 Pck. Vanillin-Zucker
1 Fläschchen Rum-Aroma
3 EL Wasser
125 g Butter

Zum Wälzen:
grober Zucker

Zubereitungszeit: 60 Minuten,
ohne Kühlzeit

Insgesamt: E: 61 g, F: 193 g, Kh: 614 g,
kJ: 19168, kcal: 4580

1 Für den hellen Teig Mehl mit Backpulver
mischen, in eine Rührschüssel sieben. Zucker,
Vanillin-Zucker, Aroma, Wasser und Butter hinzufügen, mit Handrührgerät mit Knethaken zunächst kurz auf niedrigster, dann auf höchster
Stufe gut durcharbeiten. Anschließend auf einer bemehlten Arbeitsfläche zu einem glatten
Teig verkneten.

2 Für den dunklen Teig Mehl mit Backpulver
und Kakao mischen, in eine Rührschüssel sieben. Zucker, Vanillin-Zucker, Aroma, Wasser
und Butter hinzufügen, mit Handrührgerät mit
Knethaken zunächst kurz auf niedrigster, dann
auf höchster Stufe gut durcharbeiten. Anschließend auf der bemehlten Arbeitsfläche zu
einem glatten Teig verkneten.

3 Aus den Teigen je 2 – 3 etwa 3 cm dicke
Rollen formen, in grobem Zucker wälzen. Rollen
so lange kalt stellen, bis sie fest geworden sind.
Teigrollen in $1/2$ cm dicke Scheiben schneiden,
die obere Seite in den Zucker drücken und
auf ein Backblech (mit Backpapier belegt)
legen. Backblech in den Backofen schieben.

Ober-/Unterhitze: 180 – 200 °C (vorgeheizt)
Heißluft: 160 – 180 °C (vorgeheizt)
Gas: etwa Stufe 3 (vorgeheizt)
Backzeit: etwa 10 Minuten

4 Gebäck mit dem Backpapier vom Backblech auf einen Kuchenrost ziehen und erkalten lassen.

Tipp: Helle und dunkle Teigrollen ganz kurz
miteinander verkneten, so erhält man ein
marmoriertes Muster.

Friesenkeks, hell oder dunkel

Friesische Streuseltorte |

Klassisch – gut vorzubereiten

Für den Knetteig:
250 g Weizenmehl
1 Msp. Backpulver
2 Pck. Vanillin-Zucker
1 Becher (150 g) Crème fraîche
175 g Butter oder Margarine

Für den Streuselteig:
150 g Weizenmehl
75 g Zucker, 1 Pck. Vanillin-Zucker
1 Msp. gemahlener Zimt
100 g Butter oder Margarine

Für die Füllung:
450 g Pflaumenmus
500 ml ('/₂ l) Schlagsahne

2 Pck. Sahnesteif
25 g Zucker
1 Pck. Vanillin-Zucker

Puderzucker zum Bestäuben

Zubereitungszeit: 75 Minuten,
ohne Kühlzeit

Insgesamt: E: 65 g, F: 431 g, Kh: 703 g,
kJ: 30165, kcal: 7209

1 Für den Knetteig Mehl mit Backpulver
mischen, in eine Rührschüssel sieben.
Restliche Zutaten hinzufügen und mit
Handrührgerät mit Knethaken zunächst
kurz auf niedrigster, dann auf höchster
Stufe gut durcharbeiten.

2 Anschließend auf einer bemehlten Arbeitsfläche zu einem glatten Teig verkneten, ihn in
Folie gewickelt ein Zeit lang kalt stellen.

3 Den Teig vierteln. Jedes Teigstück auf dem
Boden einer Springform (Ø 28 cm, Boden
gefettet) ausrollen, dabei am Rand nicht zu
dünn ausrollen. Den Boden mehrmals mit
einer Gabel einstechen. Den Springformrand
darumlegen.

4 Für den Streuselteig Mehl in eine Rührschüssel sieben, mit Zucker, Vanillin-Zucker
und Zimt mischen. Butter oder Margarine hinzufügen. Mit Handrührgerät mit Knethaken zu
Streuseln von gewünschter Größe verarbeiten. Die Knetteigböden gleichmäßig mit den
Streuseln bedecken. Formen nacheinander
(bei Heißluft 2 Böden zusammen) auf dem
Rost in den Backofen schieben.

Ober-/Unterhitze: etwa 200 °C (vorgeheizt)
Heißluft: etwa 180 °C (vorgeheizt)
Gas: Stufe 3 – 4 (vorgeheizt)
Backzeit: etwa 15 Minuten pro Boden

5 Jeden Boden nach dem Backen sofort
vom Springformboden lösen, aber darauf
erkalten lassen. Einen Boden noch heiß in
12 Tortenstücke schneiden.

6 Für die Füllung die drei unzerteilten Böden
jeweils mit einem Drittel des Pflaumenmuses
bestreichen. Die Sahne mit Sahnesteif, Zucker und Vanillin-Zucker steif schlagen. Die
Hälfte in einen Spritzbeutel mit Sterntülle füllen. Die übrige Sahne gleichmäßig auf den
bestrichenen Böden verteilen. Auf alle drei
Böden direkt am Rand mit Sahne einen Kreis
spritzen.

7 Die drei Böden zu einer Torte zusammensetzen, mit dem geschnittenen Boden bedecken und leicht andrücken.

8 Die Torte mit Puderzucker bestäuben, bis
zum Servieren kalt stellen und am besten mit
einem Sägemesser (Schneide mit Wellen-
schliff) schneiden.

Friesische Streuseltorte

Frischkäse-Torte I 🍨 🍨

Für Kinder

Für den Biskuitboden:
150 g Löffelbiskuits
120 g zerlassene abgekühlte Butter

Für die Füllung:
1 Pck. Götterspeise Zitronen-
Geschmack (1 Beutel)
200 ml Wasser
200 g Doppelrahm-Frischkäse
125 g Zucker
1 Pck. Vanillin-Zucker
2 EL Zitronensaft
500 ml (¹/₂ l) Schlagsahne

Zum Bestreuen:
30 g Löffelbiskuits

Zubereitungszeit: 40 Minuten,
ohne Kühlzeit

Insgesamt: E: 74 g, F: 326 g, Kh: 251 g,
kJ: 18276, kcal: 4366

1 Für den Boden Löffelbiskuits in einen
Gefrierbeutel geben, den Beutel fest ver-
schließen, mit einer Teigrolle zerbröseln.
Biskuitbrösel in eine Schüssel geben.

2 Butter zu den Biskuitbröseln geben und
gut verrühren. Die Masse gleichmäßig auf
dem Boden einer Springform (Ø etwa 26 cm,
gefettet, mit Backpapier belegt) verteilen und
gut andrücken.

3 Für die Füllung Götterspeise mit Wasser
nach Packungsanleitung zubereiten. Götterspeise etwas abkühlen lassen.

4 Frischkäse mit Zucker, Vanillin-Zucker und
Zitronensaft verrühren. Die lauwarme Götterspeise unterrühren, kalt stellen.

5 Sahne steif schlagen. Wenn die Masse
anfängt dicklich zu werden, Sahne unterheben.

6 Käse-Sahne-Masse auf dem Biskuitboden
verteilen und glatt streichen.

7 Zum Bestreuen Löffelbiskuits in einen
Gefrierbeutel geben, den Beutel fest verschließen. Löffelbiskuits mit einer Teigrolle
zerbröseln.

8 Biskuitbrösel auf die Käse-Sahne-Masse
streuen. Die Torte bis zum Verzehr kalt
stellen.

Tipp: Die Oberfläche der Käse-Sahne-Fül-
lung mit Hilfe eines Esslöffels mit einem Mus
ter versehen und die Torte mit frischem Obst
der Saison garnieren.

Frischkäse-Torte

Frühlingspizza | 🗑 🗑

Für Gäste

Für den Hefeteig:
125 g Weizenmehl (Type 550)
125 g Dinkel-Vollkornmehl
½ Pck. (21 g) frische Hefe
1 TL Zucker
125 ml (⅛ l) lauwarmes Wasser
1 gestr. TL Salz, 5 EL Speiseöl

Für den Belag:
500 g weißer Spargel
250 g grüner Spargel

½ Paket (250 g) stückige Tomaten
1 Prise Salz
frisch gemahlener Pfeffer
125 g Mozzarella
1 kleines Bund Rauke (Rucola, 30 g)
1 Becher Garnelen in Knoblauchöl
(Abtropfgewicht 100 g)

Zubereitungszeit: 60 Minuten,
ohne Teiggehzeit

Insgesamt: E: 86 g, F: 104 g, Kh: 206 g.
kJ: 9275, kcal: 2215

1 Für den Teig beide Mehlsorten in eine Schüssel geben. In die Mitte eine Vertiefung drücken. Hefe hineinbröckeln, Zucker und etwas Wasser hinzufügen. Mit einer Gabel vorsichtig verrühren, etwa 10 Minuten gehen lassen.

2 Salz, Speiseöl und restliches Wasser hinzufügen. Die Zutaten mit Handrührgerät mit Knethaken zunächst auf niedrigster, dann auf höchster Stufe in etwa 5 Minuten zu einem glatten Teig verarbeiten. Den Teig zugedeckt so lange an einem warmen Ort stehen lassen, bis er sich sichtbar vergrößert hat.

3 Für den Belag Spargel waschen und schälen, vom grünen Spargel nur das untere Drittel schälen. Enden abschneiden, Spargel quer halbieren und in kochendem Salzwasser 3–5 Minuten vorgaren. Spargelstücke abgießen, kalt abspülen und in einem Sieb abtropfen lassen.

4 Stückige Tomaten im offenen Topf 5 Minuten kochen. Mit Salz und Pfeffer würzen. Mozzarella in einem Sieb abtropfen lassen und in etwa 1 cm große Würfel schneiden.

5 Teig aus der Schüssel nehmen, auf einer bemehlten Arbeitsfläche nochmals kurz durchkneten, zu einer runden Platte (Ø 38 cm) ausrollen. Ränder etwa 2 cm breit nach innen klappen und andrücken. Teigplatte auf ein Backblech (gefettet) legen. Teigränder mit Mehl bestäuben. Teigplatte nochmals zugedeckt so lange an einem warmen Ort gehen lassen, bis sie sich sichtbar vergrößert hat.

6 Teigplatte nacheinander mit Tomaten, Spargel und Mozzarella belegen. Das Backblech in den Backofen schieben.

Ober-/Unterhitze: etwa 200 °C (vorgeheizt)
Heißluft: etwa 180 °C (nicht vorgeheizt)
Gas: Stufe 3–4 (nicht vorgeheizt)
Backzeit: etwa 35 Minuten

7 Rauke putzen, waschen, abtropfen lassen und in Stücke zupfen. Garnelen in einem Sieb abtropfen lassen. Heiße Pizza mit Garnelen und Rauke belegen und sofort servieren.

Frühlingspizza

Frühstücksbrioche mit Buttermilch | 🗑 🗑 ❄

Einfach

Für den Hefeteig:
375 g Weizenmehl (Type 550)
¹/₂ Pck. (21 g) frische Hefe
40 g Zucker
200 ml lauwarme Buttermilch
150 g Butter
1 Pck. Vanillin-Zucker
¹/₂ TL Salz
4 Eier (Größe M)
100 g Rosinen

Zubereitungszeit: 30 Minuten, ohne Teiggehzeit

Insgesamt: E: 83 g, F: 157 g, Kh: 407 g, kJ: 14791, kcal: 3535

1 Für den Teig Mehl in eine Rührschüssel sieben. In die Mitte eine Vertiefung drücken. Hefe hineinbröckeln, Zucker und etwas Buttermilch hinzufügen. Mit einer Gabel vorsichtig verrühren und etwa 10 Minuten gehen lassen.

2 Butter, Vanillin-Zucker, Salz, Eier und restliche Buttermilch hinzufügen. Die Zutaten mit Handrührgerät mit Knethaken zunächst auf niedrigster, dann auf höchster Stufe in etwa 5 Minuten zu einem glatten Teig verarbeiten. Den Teig zugedeckt so lange an einem warmen Ort stehen lassen, bis er sich sichtbar vergrößert hat.

3 Teig aus der Schüssel nehmen und auf der bemehlten Arbeitsfläche nochmals kurz durchkneten, Rosinen unterkneten. Teig in eine Napfkuchenform (Ø 24 cm, gefettet, bemehlt) füllen und nochmals zugedeckt so lange an einem warmen Ort gehen lassen, bis er sich sichtbar vergrößert hat. Form auf dem Rost in den Backofen schieben.

Ober-/Unterhitze: 180–200 °C (vorgeheizt)
Heißluft: 160–180 °C (nicht vorgeheizt)
Gas: etwa Stufe 3 (nicht vorgeheizt)
Backzeit: etwa 60 Minuten

4 Kuchen etwa 10 Minuten in der Form stehen lassen, auf einen Kuchenrost stürzen und erkalten lassen.

Frühstücksbrioche mit Buttermilch

Geburtstagstorte |

Preiswert

Für den Biskuitteig:
3 Eier (Größe M)
3–4 EL warmes Wasser
150 g Zucker
1 Pck. Vanillin-Zucker
100 g Weizenmehl
75 g Speisetärke
25 g Kakaopulver
3 gestr. TL Backpulver

Für den Guss:
100 g Vollmilchschokolade
15 g Kokosfett

Für die Füllung:
1 Pck. Pudding-Pulver
Erdbeer-Geschmack
375 ml (³/₈ l) Milch

50 g Zucker
200 g Butter
25 g kochend heißes Kokosfett

Vollmilch-Schokoladen-Streusel
Schokoladenplätzchen

Zubereitungszeit: 45 Minuten,
ohne Abkühlzeit

Insgesamt: E: 64 g, F: 279 g, Kh: 472 g,
kJ: 20031, kcal: 4784

1 Für den Teig Eier und Wasser mit Handrührgerät mit Rührbesen auf höchster Stufe in 1 Minute schaumig schlagen. Zucker und Vanillin-Zucker mischen, in 1 Minute einstreuen, dann noch etwa 2 Minuten schlagen. Mehl mit Speisestärke, Kakao und Backpulver mischen, die Hälfte davon auf die Eiercreme sieben,

kurz auf niedrigster Stufe unterrühren, den Rest des Mehlgemisches auf die gleiche Art unterarbeiten.

2 Den Teig in eine Springform (Ø 26 cm, Boden gefettet, mit Backpapier belegt) füllen, glatt streichen. Die Form auf dem Rost in den Backofen schieben.

Ober-/Unterhitze: 180–200 °C (vorgeheizt)
Heißluft: 160–180 °C (vorgeheizt)
Gas: etwa Stufe 3 (vorgeheizt)
Backzeit: 20–30 Minuten

3 Den Tortenboden aus der Form lösen, auf einem Kuchenrost erkalten lassen, zweimal waagerecht durchschneiden.

4 Für den Guss Schokolade mit Kokosfett in einem kleinen Topf im Wasserbad bei schwacher Hitze zu einer geschmeidigen Masse verrühren, oberen Tortenboden damit bestreichen, fest werden lassen.

5 Für die Füllung Pudding-Pulver mit Milch und Zucker nach Packungsanleitung zubereiten. Butter geschmeidig rühren, Pudding esslöffelweise unter Rühren hinzufügen, sofort heißes Kokosfett unterrühren.

6 2 Esslöffel Buttercreme in einen Spritzbeutel mit gezackter Tülle füllen. Mit einem Teil der Buttercreme den unteren Boden bestreichen, den mittleren darauf legen und ebenfalls bestreichen. Mit der restlichen Buttercreme den Rand bestreichen. Den oberen Boden auflegen und leicht andrücken.

7 Den mit Buttercreme bestrichenen Rand mit Schokoladenstreuseln verzieren. Die Tortenstücke (evtl. auch die Mitte) auf dem Schokoladenguss leicht markieren und auf jedes Stück mit der Creme aus dem Spritzbeutel einen Tuff spritzen. (Nach Belieben in die Mitte der Torte die Geburtstagszahl schreiben.)

8 Schokoladenplätzchen so in jeden Tuff stecken, dass kleine Blüten entstehen.

Geburtstagstorte

Gedeckter Apfelkuchen auf dem Blech

Gedeckter Apfelkuchen auf dem Blech | 🗑 🗑 ❄

Raffiniert

Für die Füllung:
1 ¹/₂ kg Äpfel
50 g Zucker
1 Pck. Vanillin-Zucker
1 Msp. gemahlener Zimt
30 g Rosinen
50 g Butter
50 g Zucker

Für den Knetteig:
350 g Weizenmehl
4 gestr. TL Backpulver
70 g Zucker
1 Pck. Vanillin-Zucker
1 Ei (Größe M)
4 EL Milch
150 g Butter oder Margarine

Zum Bestreichen:
1 Eigelb
1 EL Milch

Zum Bestreuen:
50 g abgezogene, gehobelte Mandeln

Zubereitungszeit: 70 Minuten,
ohne Abkühlzeit

Insgesamt: E: 67 g, F: 216 g, Kh: 612 g,
kJ: 20390, kcal: 4865

1 Für die Füllung Äpfel schälen, vierteln, entkernen, in Stifte schneiden, mit Zucker, Vanillin-Zucker, Zimt, Rosinen und Butter unter Rühren leicht dünsten, abkühlen lassen, mit Zucker abschmecken.

2 Für den Teig Mehl mit Backpulver mischen, in eine Rührschüssel sieben. Zucker, Vanillin-Zucker, Ei, Milch und Butter oder Margarine hinzufügen. Die Zutaten mit Handrührgerät mit Knethaken zunächst kurz auf niedrigster, dann auf höchster Stufe gut durcharbeiten. Anschließend auf einer bemehlten Arbeitsfläche zu einem glatten Teig verkneten. Sollte er kleben, ihn in Folie gewickelt eine Zeit lang kalt stellen.

3 Knapp die Hälfte des Teiges dünn ausrollen, für die Decke eine Teigplatte in Backblechgröße (30 x 40 cm) ausschneiden, auf

Papier aufrollen, den restlichen Teig auf dem Backblech (30 x 40 cm, gefettet) ausrollen.

4 Die Füllung auf dem Teig verteilen, die Teigdecke darauf abrollen.

5 Zum Bestreichen Eigelb mit Milch verschlagen, den Teig damit bestreichen, zum Schluss mit Mandeln bestreuen. Die Teigdecke mehrmals mit einer Gabel einstechen. Das Backblech in den Backofen schieben.

Ober-/Unterhitze: 200–220 °C (vorgeheizt)
Heißluft: 180–200 °C (vorgeheizt)
Gas: etwa Stufe 4 (vorgeheizt)
Backzeit: 20–25 Minuten

6 Das Backblech auf einen Kuchenrost stellen, erkalten lassen. Kuchen in Stücke schneiden und vorsichtig vom Backblech lösen.

Abwandlung: Kuchen in einer Springform (Ø 26 cm) backen, dazu Teig und Füllung halbieren.

Gelb-Weiß-Kuchen

Insgesamt: E: 77 g, F: 252 g, Kh: 443 g, kJ: 18849, kcal: 4502

1 Für den Belag Butter in einem kleinen Topf zerlassen, nach und nach Milch, Zucker, Vanillin-Zucker und Mandeln hinzufügen, unter Rühren erhitzen und erkalten lassen.

2 Für Teig I Butter mit Handrührgerät mit Rührbesen auf höchster Stufe geschmeidig rühren, nach und nach Zucker und Vanillin-Zucker unterrühren. So lange rühren, bis eine gebundene Masse entstanden ist.

3 Eiweiß nach und nach unterrühren (jedes Eiweiß knapp ¹/₂ Minute). Mehl mit Backpulver mischen, sieben und abwechselnd portionsweise mit der Milch auf mittlerer Stufe unterrühren. Kokosraspel unterrühren.

4 Den Teig in eine Kastenform (30 x 11 cm, gefettet, mit Backpapier ausgelegt) füllen.

5 Für Teig II Butter mit Handrührgerät mit Rührbesen auf höchster Stufe geschmeidig rühren, nach und nach Zucker und Vanillin-Zucker unterrühren. So lange rühren, bis eine gebundene Masse entstanden ist.

6 Eigelb nach und nach unterrühren (jedes Eigelb knapp ¹/₂ Minute). Mehl mit Pudding-Pulver und Backpulver mischen, sieben, portionsweise auf mittlerer Stufe unterrühren.

7 Den Teig II auf Teig I in die Kastenform geben, gleichmäßig verstreichen, mit dem Butter-Mandel-Belag bedecken. Form auf dem Rost in den Backofen schieben.

Ober-/Unterhitze: 160 – 180 °C (vorgeheizt)
Heißluft: 140 – 160 °C (nicht vorgeheizt)
Gas: etwa Stufe 2 (nicht vorgeheizt)
Backzeit: 50 – 60 Minuten

8 Den Kuchen aus der Form lösen, auf einem Kuchenrost erkalten lassen, das Backpapier entfernen.

Gelb-Weiß-Kuchen | 🗑 🗑 ❄

Raffiniert

Für den Belag:
50 g Butter
3 EL Milch
50 g Zucker
1 Pck. Vanillin-Zucker
75 g abgezogene,
 gehobelte Mandeln

Für Teig I:
75 g Butter
125 g Zucker
1 Pck. Vanillin-Zucker
4 Eiweiß (Größe M)
150 g Weizenmehl

2 gestr. TL Backpulver
3 – 4 EL Milch
100 g Kokosraspel

Für Teig II:
25 g Butter
50 g Zucker
1 Pck. Vanillin-Zucker
4 Eigelb (Größe M)
100 g Weizenmehl
1 Pck. Pudding-Pulver
Vanille-Geschmack
2 gestr. TL Backpulver

Zubereitungszeit: 40 Minuten,
ohne Abkühlzeit

Gemüse-Lachs-Strudel | 🗑 🗑 🗑 ❄

Etwas aufwändiger

Für den Strudelteig:
250 g Weizenmehl
125 ml (⅛ l) lauwarmes Wasser
1 Prise Salz
5 EL Speiseöl

Für die Füllung:
2 Bund Suppengrün (Möhre, Porree,
Sellerie, Petersilienwurzel mit Grün)
2 mittelgroße Zwiebeln
500 g Lachsfilet (ohne Haut)
1 TL Salz
1 EL Fenchelsamen (Apotheke)
30 g Butter
125 ml (⅛ l) Weißwein
frisch gemahlener Pfeffer

Zum Bestreichen:
80 g Butter

Zum Bestreuen:
50 g Semmelbrösel

Zubereitungszeit: 65 Minuten, ohne Ruhe- und Abkühlzeit

Insgesamt: E: 152 g, F: 163 g, Kh: 262 g, kJ: 16661, kcal: 3982

1 Für den Teig Mehl in eine Rührschüssel sieben. Wasser, Salz und Öl hinzufügen. Die Zutaten mit Handrührgerät mit Knethaken zunächst kurz auf niedrigster, dann auf höchster Stufe gut durcharbeiten.

2 Anschließend auf der Arbeitsfläche zu einem glatten Teig verkneten, ihn auf Backpapier in einen heißen, trockenen Kochtopf (vorher Wasser darin kochen) legen, mit einem Deckel verschließen und etwa 30 Minuten ruhen lassen.

3 Für die Füllung Suppengrün (nur 1 Selleriestück verwenden) putzen und waschen. Petersiliengrün beiseite legen. Sellerie, Möhren und Petersilienwurzel schälen. Möhren und Petersilienwurzel in dünne Scheiben, Sellerie in dünne Streifen schneiden. Porree in dünne Ringe schneiden. (Ergibt 600 g geputztes Suppengrün.)

4 Zwiebeln schälen, längs halbieren und in halbe Ringe schneiden.

5 Lachs waschen, trockentupfen, evtl. Lachsgräten mit einer Pinzette herausziehen. Lachs in ewa 2 cm große Würfel schneiden und mit Salz bestreuen.

6 Fenchelsamen im Mörser zerdrücken. Fenchel und Zwiebeln in zerlassener Butter andünsten. Suppengrün dazugeben, mit Weißwein ablöschen und zugedeckt 10 Minuten garen. Mit Salz und Pfeffer würzen.

Flüssigkeit im offenen Topf verdampfen lassen. Gemüsefüllung erkalten lassen. Petersiliengrün hacken.

7 Teig auf einem bemehlten Tuch sehr dünn ausrollen und über den Handrücken zu einem Rechteck (etwa 90 x 50 cm) ziehen.

8 Zum Bestreichen Butter schmelzen und etwa zwei Drittel lauwarm auf den Teig streichen. Semmelbrösel darauf streuen. Gemüse, Petersilie und Lachsstücke auf das untere Teigdrittel verteilen, dabei die Ränder 2 cm breit frei lassen.

9 Strudel mit Hilfe des Tuches von der belegten kurzen Seite her aufrollen und auf ein Backblech (mit Backpapier belegt) legen. Teigenden unter den Strudel legen. Übrige Butter auf den Strudel streichen. Das Backblech in den Backofen schieben.

Ober-/ Unterhitze: etwa 180 °C (vorgeheizt)
Heißluft: etwa 160 °C (nicht vorgeheizt)
Gas: Stufe 2–3 (nicht vorgeheizt)
Backzeit: etwa 35 Minuten

10 Strudel mit einem elektrischen Messer schneiden und lauwarm servieren.

Tipp: Den Strudel mit Hollandaise servieren.

Gemüse-Lachs-Strudel

Gemüsequiche | 🗑

Für Gäste

Für den Teig:
3 Platten TK-Blätterteig (je 75 g)

Für den Belag:
1 Zwiebel, 2 Knoblauchzehen
2 EL Olivenöl
1 Pck. (450 g) TK-Suppengemüse
1 Prise Salz
frisch gemahlener Pfeffer
200 ml Schlagsahne
3 Eier (Größe M)
2 – 3 TL mittelscharfer Senf
1 Bund Schnittlauch
1 EL Semmelbrösel

Zubereitungszeit: 35 Minuten,
ohne Auftauzeit

Insgesamt: E: 45 g, F: 165 g, Kh: 110 g,
kJ: 9041, kcal: 2160

1 Für den Teig Blätterteigplatten zugedeckt
nach Packungsanleitung auftauen lassen.

2 Für den Belag Zwiebel und Knoblauch abziehen und fein würfeln. Öl in einer Pfanne
erhitzen. Zwiebel und Knoblauch darin glasig
dünsten, evtl. etwas Wasser hinzufügen. Sup-
pengemüse hinzufügen und zugedeckt bei
mittlerer Hitze etwa 5 Minuten dünsten. Mit
Salz und Pfeffer würzen.

3 Sahne, Eier und Senf verquirlen. Mit Salz
und Pfeffer würzen.

4 Blätterteigplatten wieder aufeinander
legen, auf bemehlter Arbeitsfläche zu einem

Quadrat (etwa 32 x 32 cm) ausrollen. Teig in
eine Tarteform (Ø 28 cm, gefettet) legen, Ränder abschneiden. Teigboden mit einer Gabel
mehrmals einstechen, mit Semmelbröseln
bestreuen.

5 Schnittlauch abspülen, trockenschütteln, in
Röllchen schneiden und unter das Gemüse
mischen. Gemüse auf den Blätterteig geben.
Eiersahne darüber gießen. Form auf dem
Rost in den Backofen schieben.

Ober-/Unterhitze: etwa 200 °C
(vorgeheizt, untere Schiene)
Heißluft: etwa 180 °C (nicht vorgeheizt)
Gas: Stufe 3 – 4 (nicht vorgeheizt)
Backzeit: etwa 35 Minuten

Gemüsequiche

Gemüsetorte

Gemüsetorte | 🗑 🗑 ❄

Gut vorzubereiten

Für den Knetteig:
250 g Weizenmehl (Type 550)
1 TL Salz
3 EL kaltes Wasser
150 g Butter oder Margarine

Für die Füllung:
700 g Möhren
1–2 Knoblauchzehen
2 EL Speiseöl
Salz
Pfeffer
1–2 TL Currypulver
200 g gekochter Schinken
¹/₂ Bund glatte Petersilie
250 ml (¹/₄ l) Schlagsahne
3 Eier (Größe M)
30 g Kürbiskerne

Zubereitungszeit: etwa 60 Minuten,
ohne Kühlzeit

Insgesamt: E: 108 g, F: 284 g, Kh: 228 g,
kJ: 17050, kcal: 4075

1 Für den Teig Mehl in eine Rührschüssel
sieben. Salz, Wasser und Butter oder Margarine hinzufügen. Die Zutaten mit Handrührgerät
mit Knethaken zunächst kurz auf niedrigster,
dann auf höchster Stufe gut durcharbeiten.

2 Anschließend auf einer bemehlten Arbeitsfläche zu einem glatten Teig verkneten, ihn in
Folie gewickelt mindestens 1 Stunde kalt
stellen.

3 Für die Füllung Möhren putzen, schälen,
waschen und mit dem Gemüsehobel oder
dem Sparschäler der Länge nach in sehr
dünne Scheiben schneiden. Knoblauch abziehen. Möhren und Knoblauch zwei Minuten in
erhitztem Öl dünsten, mit Salz, Pfeffer und
Curry würzen. Abkühlen lassen. Schinken
würfeln. Petersilie waschen, trockentupfen
und hacken. Petersilie und Schinken unter die
Möhren mischen.

4 Zwei Drittel des Teiges auf dem Boden
einer Springform (Ø 26 cm, gefettet) ausrollen, mehrmals mit einer Gabel einstechen.
Einen Springformrand darumstellen. Die Form

auf dem Rost in den Backofen schieben und
den Boden vorbacken.

Ober-/Unterhitze: etwa 200 °C (vorgeheizt)
Heißluft: etwa 180 °C (vorgeheizt)
Gas: Stufe 3–4 (vorgeheizt)
Backzeit: etwa 10 Minuten

5 Die Form auf einen Kuchenrost stellen,
Boden etwas abkühlen lassen. Aus dem restlichen Teig eine Rolle formen, sie als Rand
auf den Teigboden legen, so an die Form
drücken, dass ein etwa 3 cm hoher Rand
entsteht.

6 Möhrenmasse auf den Teig geben. Sahne
und Eier verquirlen, salzen und über das
Gemüse geben. Mit Kürbiskernen bestreuen.
Die Form auf dem Rost in den Backofen
schieben und die Torte **bei der angegebenen Backofeneinstellung in 60 Minuten**
fertig backen.

7 Die Form auf einen Kuchenrost stellen,
etwas abkühlen lassen. Zum Servieren Torte
auf eine Platte setzen.

Gerstenbrot, rundes

Gerstenbrot, rundes | 🗑 🗑 ❄

Vollwertig

Für den Hefeteig:
300 g Weizen-Vollkornmehl
1 Pck. (42 g) frische Hefe
1 TL Zucker
350 ml lauwarmes Wasser
200 g Gersten-Vollkornmehl
(Reformhaus)
2 gestr. TL Salz
1 Msp. gemahlener Anis
1 gestr. TL Koriander

Zubereitungszeit: 50 Minuten,
ohne Teiggehzeit

Insgesamt: E: 61 g, F: 16 g, Kh: 347 g,
kJ: 7839, kcal: 1872

1 Für den Teig Weizen-Vollkornmehl in eine Rührschüssel geben. In die Mitte eine Vertiefung drücken. Hefe hineinbröckeln, Zucker und etwas von dem Wasser hinzufügen. Mit einer Gabel vorsichtig verrühren und etwa 10 Minuten gehen lassen.

2 Gersten-Vollkornmehl, Salz, Anis, Koriander und restliches Wasser hinzufügen. Die Zutaten mit Handrührgerät mit Knethaken zunächst auf niedrigster, dann auf höchster Stufe in etwa 5 Minuten zu einem Teig verarbeiten. Den Teig zugedeckt so lange an einem warmen Ort stehen lassen, bis er sich sichtbar vergrößert hat.

3 Den gegangenen Teig aus der Schüssel nehmen, auf einer bemehlten Arbeitsfläche nochmals kurz durchkneten und zu einer Kugel

formen. Einen Gärkorb (Ø 22 cm) oder eine Schüssel (Ø 22 cm) mit Mehl ausstreuen. Teigkugel hineinlegen, zugedeckt etwa 30 Minuten an einem warmen Ort gehen lassen.

4 Brotteig aus dem Korb oder aus der Schüssel vorsichtig auf ein Backblech (gefettet, mit Backpapier belegt) stürzen. Das Backblech in den Backofen schieben.

Ober-/Unterhitze: etwa 200 °C (vorgeheizt)
Heißluft: etwa 180 °C (nicht vorgeheizt)
Gas: Stufe 3 – 4 (nicht vorgeheizt)
Backzeit: 50 – 60 Minuten

5 Das Brot mit dem Backpapier vom Backblech auf einen Kuchenrost ziehen, Brot erkalten lassen.

Gitter-Mohn-Kuchen | 🍮 🍮 ❄

Für Gäste

Für den Knetteig:
375 g Weizenmehl
1 gestr. TL Backpulver
75 g Zucker
1 Pck. Vanillin-Zucker
2 Eier (Größe M)
175 g Butter oder Margarine

Für den Quarkbelag:
750 g Magerquark
150 g Zucker
2 Eigelb (Größe M)
1 Prise Salz
abgeriebene Schale von ½ Bio-Zitrone
(unbehandelt, ungewachst)
75 g zerlassene Butter
1 Pck. Käsekuchen-Hilfe
2 Eiweiß (Größe M)

Für den Mohnbelag:
1 Pck. (250 g) Mohnback
2 EL flüssiger Honig
2 Eier (Größe M)
100 g Rosinen

Zum Aprikotieren:
3–4 EL Aprikosenkonfitüre
3 EL Wasser

Zubereitung: 65 Minuten, ohne Abkühlzeit

Insgesamt: E: 211 g, F: 289 g, Kh: 786 g, kJ: 28911, kcal: 6734

1 Für den Teig Mehl mit Backpulver mischen, in eine Rührschüssel sieben. Zucker, Vanillin-Zucker, Eier und Butter oder Margarine hinzufügen, mit Handrührgerät mit Knethaken zunächst kurz auf niedrigster, dann auf höchster Stufe gut durcharbeiten.

2 Anschließend auf der bemehlten Arbeitsfläche zu einem glatten Teig verkneten. Sollte er kleben, ihn in Folie gewickelt eine Zeit lang kalt stellen.

3 Für den Belag Quark mit Zucker, Eigelb, Salz, Zitronenschale, Butter und Käsekuchen-Hilfe verrühren. Eiweiß steif schlagen und unterheben.

4 Für den Mohnbelag Mohnback mit Honig, Eiern und Rosinen verrühren. Zwei Drittel des Teiges auf einem Backblech (gefettet) ausrollen. Zunächst den Quarkbelag auf den Teig streichen, dann den Mohnbelag darauf verteilen.

5 Den restlichen Teig dünn ausrollen, in etwa 1 cm breite Streifen rädern, als Gitter auf die Mohnmasse legen. Das Backblech in den Backofen schieben.

Ober-/Unterhitze: 180–200 °C (vorgeheizt)
Heißluft: 160–180 °C (nicht vorgeheizt)
Gas: etwa Stufe 3 (nicht vorgeheizt)
Backzeit: etwa 50 Minuten

6 Backblech auf einen Kuchenrost stellen. Kuchen erkalten lassen.

7 Zum Aprikotieren Aprikosenkonfitüre durch ein Sieb streichen, mit Wasser unter Rühren etwas einkochen lassen. Die Teigstreifen damit bestreichen.

Gitter-Mohn-Kuchen

Glückspilze |

Zum Verschenken

Für den Knetteig:
400 g Weizenmehl
½ gestr. TL Backpulver
75 g Zucker
1 Pck. Vanillin-Zucker
1 Prise Salz, 2 Eier (Größe M)
150 g Butter oder Margarine

Zum Bestreichen:
Kondensmilch

Zum Garnieren:
200 g rote Belegkirschen
100 g abgezogene, halbierte Mandeln

Zum Verzieren:
50 g Puderzucker
etwas Wasser

Zubereitungszeit: 60 Minuten,
ohne Abkühlzeit

Insgesamt: E: 83 g, F: 195 g, Kh: 472 g,
kJ: 17486, kcal: 4177

1 Für den Teig Mehl mit Backpulver mischen, in eine Rührschüssel sieben. Zucker, Vanillin-Zucker, Salz, Eier und Fett hinzufügen. Die Zutaten mit Handrührgerät mit Knethaken zunächst kurz auf niedrigster, dann auf höchster Stufe gut durcharbeiten.

2 Anschließend auf einer bemehlten Arbeitsfläche zu einem glatten Teig verkneten. Sollte er kleben, ihn in Folie gewickelt eine Zeit lang kalt stellen.

3 Teig etwa 3 mm dick ausrollen, mit einer runden, gezackten Form (Ø etwa 5 cm) Plätzchen ausstechen, auf ein Backblech (mit Backpapier belegt) legen, mit Kondensmilch bestreichen, mit Belegkirschen und Mandeln in Form von Pilzen garnieren. Das Backblech in den Backofen schieben.

Ober-/Unterhitze: 180 – 200 °C (vorgeheizt)
Heißluft: 160 – 180 °C (vorgeheizt)
Gas: etwa Stufe 3 (vorgeheizt)
Backzeit: 10 – 12 Minuten

4 Plätzchen vom Backpapier nehmen und erkalten lassen.

5 Zum Verzieren Puderzucker sieben, mit etwas Wasser verrühren, so dass eine spritzfähige Masse entsteht und mit Hilfe eines Pergamentpapiertütchens als Tupfen auf die erkalteten Pilzköpfe spritzen, fest werden lassen.

Glückspilze

Grapefruit-Kuchen mit Baiser

Grapefruit-Kuchen mit Baiser I 🗑 🗑

Raffiniert

Für den Knetteig:
150 g Weizenmehl
1 Msp. Backpulver
50 g Zucker
1 Pck. Vanillin-Zucker
75 g Butter oder Margarine
2 EL Wasser

Für Füllung und Belag:
3 rosa Grapefruits
3 Eigelb (Größe M)
150 ml Schlagsahne
60 g Zucker
1 Pck. Vanillin-Zucker
50 ml Grapefruitsaft
20 g Speisestärke

Für das Baiser:
3 Eiweiß (Größe M)
125 g Zucker
1 TL Speisestärke

Zubereitungszeit: 60 Minuten,
ohne Abkühlzeit

Insgesamt: E: 42 g, F: 126 g, Kh: 424 g,
kJ: 12975, kcal: 3098

1 Für den Teig Mehl mit Backpulver mischen, in eine Rührschüssel sieben. Zucker, Vanillin-Zucker, Butter oder Margarine und Wasser hinzufügen. Die Zutaten mit Handrührgerät mit Knethaken zunächst kurz auf niedrigster, dann auf höchster Stufe gut durcharbeiten.

2 Anschließend auf einer bemehlten Arbeitsfläche zu einem glatten Teig verkneten. Sollte er kleben, ihn in Folie gewickelt eine Zeit lang kalt stellen. Zwei Drittel des Teiges auf einem Springformboden (Ø 26 cm, Boden gefettet) ausrollen. Springformrand darumlegen. Mehrmals mit einer Gabel einstechen. Form auf dem Rost in den Backofen schieben.

Ober-/Unterhitze: etwa 200 °C (vorgeheizt)
Heißluft: etwa 180 °C (vorgeheizt)
Gas: Stufe 3–4 (vorgeheizt)
Backzeit: etwa 15 Minuten

3 Form auf einem Kuchenrost etwas abkühlen lassen. Den restlichen Teig zu einer Rolle formen, sie als Rand auf den Boden legen und so an die Form drücken, dass ein etwa 2 cm hoher Rand entsteht.

4 Für Füllung und Belag die Grapefruits schälen, die weiße Haut entfernen, die Frucht-

filets herausschneiden und den Saft dabei auffangen. Eigelb und Sahne mit Zucker, Vanillin-Zucker, Saft und Speisestärke in einem Topf unter Rühren kurz aufkochen, bis der Zucker gelöst ist. Creme auf den Boden streichen und mit Fruchtfilets belegen.

5 Für das Baiser Eiweiß mit Handrührgerät mit Rührbesen auf höchster Stufe steif schlagen, der Schnee muss so fest sein, dass ein Messerschnitt sichtbar bleibt, Zucker mit Speisestärke mischen und nach und nach unterschlagen. Die Baisermasse auf die Grapefruits geben und mit der Rückseite eines Esslöffels Spitzen ziehen. Form auf dem Rost in den Backofen schieben.

Ober-/Unterhitze: etwa 180 °C
(vorgeheizt, unterste Einschubleiste)
Heißluft: etwa 160 °C (nicht vorgeheizt)
Gas: Stufe 2–3 (nicht vorgeheizt)
Backzeit: etwa 35 Minuten

6 Nach dem Backen den Springformrand lösen, aber den Kuchen auf dem Springformboden auf einem Kuchenrost erkalten lassen.

Griechisches Fladenbrot | 🗑 🗑 ❄

Für Gäste

Für den Hefeteig:
450 g Weizenmehl (Type 405)
300 g Weizenmehl (Type 1050)
1 Pck. Backpulver, 1 Pck. Trockenhefe
2 gestr. TL Salz, 1 TL Zucker
150 g Naturjoghurt
150 ml lauwarme Milch
150 ml lauwarmes Wasser
75 ml Speiseöl, 2 Eier (Größe M)

Griechisches Fladenbrot

1–2 EL zerlassene Butter oder Kondensmilch zum Bestreichen

Sesamsamen zum Bestreuen

Zubereitungszeit: 35 Minuten, ohne Teiggehzeit

Backzeit: etwa 25 Minuten je Backblech

Insgesamt: E: 121 g, F: 138 g, Kh: 560 g, kJ: 16452, kcal: 3929

1 Für den Teig beide Mehlsorten mit Backpulver und Trockenhefe in eine Rührschüssel geben und sorgfältig vermischen. Salz, Zucker, Joghurt, Milch, Wasser, Speiseöl und Eier hinzufügen.

2 Die Zutaten mit Handrührgerät mit Knethaken zunächst kurz auf niedrigster, dann auf höchster Stufe in etwa 5 Minuten zu einem Teig verarbeiten. Den Teig zugedeckt so lange an einem warmen Ort gehen lassen, bis er sich sichtbar vergrößert hat.

3 Den Teig leicht mit Mehl bestäuben, aus der Schüssel nehmen, auf der leicht bemehlten Arbeitsfläche nochmals gut durchkneten und in drei Portionen teilen. Jede Teigportion etwa 2 cm dick ausrollen und zu einem ovalen Fladen formen. Teigfladen auf Backbleche (mit Backpapier belegt) legen, mit zerlassener Butter oder Kondensmilch bestreichen und mit Sesam bestreuen. Die Fladen nochmals zugedeckt so lange an einem warmen Ort gehen lassen, bis sie sich sichtbar vergrößert haben.

4 Die Backbleche nacheinander (bei Heißluft zusammen) in den Backofen schieben.

Ober-/Unterhitze: etwa 200 °C (vorgeheizt)
Heißluft: etwa 180 °C (vorgeheizt)
Gas: Stufe 3–4 (vorgeheizt)
Backzeit: etwa 25 Minuten pro Backblech

5 Die Fladenbrote mit dem Backpapier von den Backblechen auf Kuchenroste ziehen und erkalten lassen.

Grießplätzchen | 🗑

Preiswert

Für den Knetteig:
125 g Weizenmehl
2 ½ gestr. TL Backpulver
125 g Zucker, 125 g Hartweizengrieß
1 großes Ei (Größe L)
50 g Butter oder Margarine

Zubereitungszeit: 40 Minuten, ohne Kühlzeit

Insgesamt: E: 32 g, F: 50 g, Kh: 308 g, kJ: 7949, kcal: 1829

1 Für den Teig Mehl mit Backpulver mischen, in eine Rührschüssel sieben. Zucker, Grieß, Ei und Butter oder Margarine hinzufügen. Die Zutaten mit Handrührgerät mit Knethaken zu-

nächst kurz auf niedrigster, dann auf höchster Stufe gut durcharbeiten.

2 Anschließend auf einer bemehlten Arbeitsfläche zu einem glatten Teig verkneten. Sollte

Grießplätzchen

er kleben, ihn in Folie gewickelt eine Zeit lang kalt stellen.

3 Aus dem Teig walnussgroße Kugeln formen, auf ein Backblech (mit Backpapier belegt) legen. Das Backblech in den Backofen schieben.

Ober-/Unterhitze: etwa 180 °C (vorgeheizt)
Heißluft: etwa 160 °C (vorgeheizt)
Gas: Stufe 2–3 (vorgeheizt)
Backzeit: etwa 15 Minuten

4 Plätzchen vom Backpapier lösen und auf einem Kuchenrost erkalten lassen.

Abwandlung: Je die Hälfte der Plätzchen mit Anissamen und Zitrone aromatisieren.

Gugelhupf |  ❄

Klassisch

Für den Hefeteig:
500 g Weizenmehl
1 Pck. Trockenhefe
125 g Zucker
1 Pck. Vanillin-Zucker
6 Tropfen Zitronen-Aroma
1 Prise Salz, 3 Eier (Größe M)
200 ml lauwarme Schlagsahne
200 g zerlassene abgekühlte Butter
oder Margarine
75 g abgezogene, gemahlene Mandeln
150 g Rosinen
Semmelbrösel

Zubereitungszeit: 40 Minuten,
ohne Teiggehzeit

Insgesamt: E: 105 g, F: 292 g, Kh: 624 g,
kJ: 24273, kcal: 5800

1 Für den Teig Mehl in eine Rührschüssel sieben, mit Trockenhefe sorgfältig vermischen. Zucker, Vanillin-Zucker, Aroma, Salz, Eier, Sahne und Butter oder Margarine hinzufügen. Die Zutaten mit Handrührgerät mit Knethaken zunächst auf niedrigster, dann auf höchster Stufe in etwa 5 Minuten zu einem glatten Teig verarbeiten. Den Teig zugedeckt so lange an einem warmen Ort stehen lassen, bis er sich sichtbar vergrößert hat.

2 Den Teig auf höchster Stufe kurz durchkneten, Mandeln und Rosinen unterkneten.

3 Den Teig in eine Napfkuchenform (Ø 24 cm, gefettet, mit Semmelbröseln ausgestreut) füllen und nochmals so lange an einem warmen Ort gehen lassen, bis er sich sichtbar vergrößert hat. Die Form auf dem Rost in den Backofen schieben.

Ober-/Unterhitze: 180 – 200 °C (vorgeheizt)
Heißluft: 160 – 180 °C (nicht vorgeheizt)
Gas: etwa Stufe 3 (nicht vorgeheizt)
Backzeit: etwa 50 Minuten

4 Kuchen etwa 10 Minuten in der Form stehen lassen, Kuchen stürzen, erkalten lassen.

Gugelhupf

Hackfleischpizza | 🗑 🗑 ❄

Für Gäste

Zum Vorbereiten:
2 Brötchen
3 Zwiebeln
2 Knoblauchzehen

Für den Hackfleischteig:
1 ½ kg Gehacktes (halb Rind-,
halb Schweinefleisch)
2 Eier (Größe M)
1 Prise Salz
frisch gemahlener Pfeffer
gerebelter Oregano
300 g Schafkäse
1 große Zucchini
2 mittelgroße Möhren
1 Glas (500 g) Zigeunersauce
2 Gläser Champignons in Scheiben
(Abtropfgewicht je 200 g)
3 Fleischtomaten
2 mittelgroße rote Paprikaschoten
(je 150 g)

Zum Belegen und Bestreuen:
250 g Mozzarella
100 g geriebener Pizzakäse

Zubereitungszeit: 70 Minuten

Insgesamt: E: 464 g, F: 515 g, Kh: 142 g,
kJ: 31317, kcal: 7474

1 Zum Vorbereiten Brötchen in einer Schüssel in kaltem Wasser einweichen. Zwiebeln und Knoblauch abziehen und fein würfeln.

2 Für den Hackfleischteig Gehacktes in eine große Schüssel geben, mit den gut ausgedrückten Brötchen, Zwiebel- und Knoblauchwürfeln, Eiern, Salz, Pfeffer und Oregano gut mischen.

3 Schafkäse in Würfel schneiden. Von der Zucchini die Enden abschneiden, Zucchini putzen, waschen und grob raspeln. Möhren putzen, schälen, waschen und ebenfalls grob raspeln. Schafkäse, Zucchini und Möhren unter die Hackfleischmasse geben und gut verkneten. Den Hackfleischteig in einer Fettfangschale (30 x 40 cm, gefettet) verteilen und glatt streichen.

4 Die Zigeunersauce auf die Hackfleischmasse streichen, Champignons in einem Sieb abtropfen lassen und darauf verteilen.

5 Tomaten kurz in kochendes Wasser legen (nicht kochen lassen), mit kaltem Wasser abschrecken, enthäuten, Stängelansätze herausschneiden. Tomaten in Scheiben schneiden und auf den Champignons verteilen.

6 Paprika waschen, die Stängelansätze entfernen, die Paprikaschoten in Ringe schneiden, dabei die Kerne herausschneiden. Die Paprikaringe auf die Tomatenscheiben legen. Mit Salz, Pfeffer und Oregano bestreuen. Die Fettfangschale in den Backofen schieben.

Ober-/Unterhitze: etwa 200 °C (vorgeheizt)
Heißluft: etwa 180 °C (nicht vorgeheizt)
Gas: Stufe 3 – 4 (nicht vorgeheizt)
Backzeit: etwa 50 Minuten

7 Zum Belegen und Bestreuen Mozzarella in einem Sieb abtropfen lassen und in Scheiben schneiden. Nach 25 Minuten Backzeit je 1 Scheibe Mozzarella in einen Paprikaring legen und den geriebenen Pizzakäse in die Zwischenräume der Tomaten streuen.

Tipp: Sie können auch einen Hefe- oder Quark-Öl-Teig unter die Hackfleischmasse geben.

Hackfleischpizza

Haferbrot | 🗑 ❄

Vollwertig – gut vorzubereiten

Für den Hefeteig:
250 g Vollkorn-Weizenmehl
125 g Weizenmehl (Type 550)
1 Pck. Trockenhefe
1 EL Rohrzucker (brauner Zucker)
2 gestr. TL Salz
375 ml lauwarme Milch
100 ml Speiseöl
100 g Vollkorn-Haferflocken

Zum Bestreichen:
etwas Milch

Zum Bestreuen:
1 EL Vollkorn-Haferflocken

Zubereitungszeit: etwa 30 Minuten,
ohne Teiggehzeit

Insgesamt: E: 70 g, F: 126 g, Kh: 339 g,
kJ: 11757, kcal: 2806

1 Für den Teig Mehl in eine Rührschüssel
geben, mit Trockenhefe sorgfältig vermischen.
Restliche Zutaten hinzufügen.

Haferbrot

2 Die Zutaten mit Handrührgerät mit Knethaken zunächst auf niedrigster, dann auf
höchster Stufe in etwa 5 Minuten zu einem
Teig verarbeiten. Den Teig zugedeckt so lange an einem warmen Ort stehen lassen, bis
er sich sichtbar vergrößert hat.

3 Den Teig leicht mit Mehl bestäuben, aus
der Schüssel nehmen und auf einer Arbeitsfläche nochmals kurz durchkneten, ein längli-
ches Brot (etwa 25 cm Länge) formen, auf ein
Backblech (mit Backpapier belegt) legen und
nochmals so lange an einem warmen Ort gehen lassen, bis es sich sichtbar vergrößert hat.

4 Die Oberfläche des Brotes mit einem
scharfen Messer mehrmals 1 cm tief schräg
einschneiden, mit Milch bestreichen, mit Haferflocken bestreuen. Das Backblech in den
Backofen schieben.

Ober-/Unterhitze: etwa 200 °C (vorgeheizt)
Heißluft: etwa 180 °C (vorgeheizt)
Gas: Stufe 3 – 4 (vorgeheizt)
Backzeit: etwa 35 Minuten

Tipp: Sie können das Brot auch mit
Kürbiskernen bestreuen.

Haferflocken-Nuss-Plätzchen | 🗑 🍾

Gut vorzubereiten

Für den Teig:
50 g Weizenmehl
1 schwach geh. TL Backpulver
100 g Zucker
1 Pck. Vanillin-Zucker
1 Ei (Größe M), 1 EL Rum
125 g Butter oder Margarine
100 g gemahlene Haselnusskerne
50 g Haferflocken

Für den Guss:
etwa 125 g Haselnussglasur

Zubereitungszeit: 40 Minuten,
ohne Abkühlzeit

Insgesamt: E: 48 g, F: 181 g, Kh: 247 g,
kJ: 12299, kcal: 2937

1 Für den Teig Mehl mit Backpulver mischen
und in eine Rührschüssel sieben.

2 Zucker, Vanillin-Zucker, Ei, Rum und Butter
oder Margarine hinzufügen. Alle Zutaten mit
Handrührgerät mit Rührbesen zunächst auf
niedrigster, dann auf höchster Stufe in etwa
3 Minuten zu einem glatten Teig verrühren.
Haselnusskerne und Haferflocken zuletzt
unterrühren.

3 Von dem Teig mit 2 Teelöffeln walnussgroße Häufchen nicht zu dicht auf ein Backblech
(gefettet, mit Backpapier belegt) setzen. Die

Teighäufchen etwas flach drücken. Das Backblech in den Backofen schieben.

Ober-/Unterhitze: etwa 180 °C (vorgeheizt)
Heißluft: etwa 160 °C (vorgeheizt)
Gas: Stufe 2 – 3 (vorgeheizt)
Backzeit: 10 – 15 Minuten

4 Die Nuss-Plätzchen mit dem Backpapier
vom Backblech ziehen und erkalten lassen.

5 Für den Guss Haselnussglasur in einem
kleinen Topf im Wasserbad nach Packungsanleitung auflösen, die erkalteten Plätzchen
bis zu einem Drittel hineintauchen, auf Backpapier trocknen lassen.

Haferstangen mit Joghurt | 🗑 🗑 ❄

Gut vorzubereiten

Für den Hefeteig:
450 g Weizenmehl (Type 550)
1 Pck. (42 g) frische Hefe
1 TL Zucker, 200 ml lauwarmes Wasser
2 TL Salz, 150 g Vollmilchjoghurt
150 g kernige Haferflocken

Zum Bestreuen:
2 EL grobe Haferflocken

Zubereitungszeit: 50 Minuten,
ohne Teiggehzeit

Insgesamt: E: 82 g, F: 23 g, Kh: 437 g,
kJ: 10127, kcal: 2422

1 Für den Teig Mehl in eine Rührschüssel
sieben. In die Mitte eine Vertiefung drücken.
Hefe hineinbröckeln, Zucker und etwas Wasser hinzufügen. Mit einer Gabel vorsichtig verrühren und etwa 10 Minuten gehen lassen.

2 Salz, Joghurt und restliches Wasser hinzufügen und mit Handrührgerät mit Knethaken

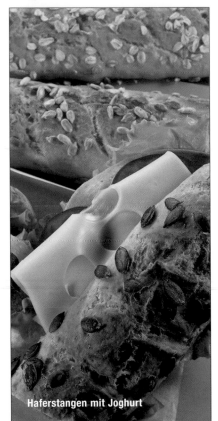
Haferstangen mit Joghurt

zunächst auf niedrigster, dann auf höchster
Stufe in etwa 5 Minuten zu einem Teig verarbeiten, zum Schluss die Haferflocken unterkneten. Den Teig zugedeckt so lange an einem warmen Ort stehen lassen, bis er sich
sichtbar vergrößert hat.

3 Teig auf einer bemehlten Arbeitsfläche
nochmals kurz durchkneten. 3 Teigstangen
(je etwa 35 cm Länge) formen und auf ein
Backblech (mit Backpapier belegt) legen,
mehrmals mit einem Messer tief einritzen,
mit Wasser bestreichen und mit Haferflocken
bestreuen. Teigstangen nochmals so lange an
einem warmen Ort stehen lassen, bis sie sich
sichtbar vergrößert haben. Das Backblech in
den Backofen schieben.

Ober-/Unterhitze: etwa 200 °C (vorgeheizt)
Heißluft: etwa 180 °C (vorgeheizt)
Gas: Stufe 3 – 4 (vorgeheizt)
Backzeit: etwa 30 Minuten

Tipp: Anstelle von Haferflocken können Sie
auch Leinsamen, Sonnenblumen- oder Kürbiskerne auf die Haferstangen streuen.

Hannchen-Jensen-Torte | 🗑 🗑

Für Gäste – raffiniert

Für den Rührteig:
100 g Butter oder Margarine
100 g Zucker, 1 Pck. Vanillin-Zucker
4 Eigelb (Größe M)
125 g Weizenmehl
1/2 gestr. TL Backpulver
2 EL Milch

Für den Belag:
4 Eiweiß (Größe M)
200 g Zucker
80 g abgezogene, gehobelte Mandeln

Für die Füllung:
1 Pck. Pudding-Pulver
Vanille-Geschmack

100 ml Wasser, 25 g Zucker
1 Pck. (300 g) TK-Himbeeren
250 ml (1/4 l) Schlagsahne
1 Pck. Sahnesteif
1 Pck. Vanillin-Zucker

Zubereitungszeit: 65 Minuten, ohne
Abkühlzeit

Insgesamt: E: 69 g, F: 226 g, Kh: 525 g,
kJ: 18996, kcal: 4539

1 Für den Teig Butter oder Margarine mit
Handrührgerät mit Rührbesen auf höchster
Stufe geschmeidig rühren. Nach und nach
Zucker und Vanillin-Zucker unterrühren. So
lange rühren, bis eine gebundene Masse ent-
standen ist.

2 Eigelb nach und nach unterrühren (jedes
Eigelb knapp 1/2 Minute). Mehl mit Backpulver
mischen, sieben, abwechselnd portionsweise
mit der Milch auf mittlerer Stufe unterrühren.

3 Den Teig halbieren. Jeweils eine Hälfte in
je eine Springform (Ø 26 cm, Boden gefettet)
geben und glatt streichen.

4 Für den Belag Eiweiß mit Handrührgerät
mit Rührbesen auf höchster Stufe steif schlagen, der Schnee muss so fest sein, dass ein
Messerschnitt sichtbar bleibt, nach und nach
Zucker unterschlagen.

5 Eiweißmasse halbieren. Jeweils eine Hälfte
auf je einen Boden streichen. Mit je 40 g
Mandeln bestreuen. Die Formen nacheinan-

der (bei Heißluft zusammen) auf dem Rost in den Backofen schieben.

Ober-/Unterhitze: etwa 180 °C (vorgeheizt)
Heißluft: etwa 160 °C (vorgeheizt)
Gas: Stufe 2 – 3 (vorgeheizt)
Backzeit: etwa 20 Minuten pro Boden

6 Die Böden aus den Formen lösen. Einen Boden sofort in 12 Stücke schneiden. Böden erkalten lassen.

7 Für die Füllung Pudding-Pulver mit etwas Wasser und Zucker anrühren. Restliches Wasser in einem Topf zum Kochen bringen, Himbeeren hinzugeben, aufkochen lassen, von der Kochstelle nehmen. Angerührtes Pudding-Pulver einrühren und alles unter Rühren nochmals aufkochen und erkalten lassen.

8 Den Tortenboden auf eine Tortenplatte legen, mit der Himbeermasse bestreichen. Sahne mit Sahnesteif und Vanillin-Zucker steif

schlagen und auf die Himbeermasse streichen. Tortenstücke auf die Sahne legen.

Tipp: Die Himbeeren statt mit Pudding-Pulver mit Tortenguss andicken.

Hannchen-Jensen-Torte

Haselnussbrot |

Vollwertig – gut vorzubereiten

Für den Hefeteig:
500 g Vollkorn-Dinkelmehl
1 Pck. Trockenhefe
30 g brauner Zucker
1 gestr. TL Salz
1 Prise gemahlener Kardamom
1 Prise gemahlener Zimt
2 Eier (Größe M)
250 ml (¼ l) lauwarme Milch
75 g zerlassene lauwarme Butter
150 g Haselnusskerne

etwas Wasser zum Bestreichen

Zum Bestreuen:
gehackte Haselnusskerne

Zubereitungszeit: 30 Minuten, ohne Teiggehzeit

Insgesamt: E: 112 g, F: 199 g, Kh: 369 g, kJ: 16325, kcal: 3900

1 Für den Teig Vollkorn-Dinkelmehl in eine Rührschüssel geben, mit Trockenhefe sorgfältig vermischen. Zucker, Salz, Kardamom, Zimt, Eier, Milch und Butter hinzufügen.

2 Die Zutaten mit Handrührgerät mit Knethaken zunächst auf niedrigster, dann auf höchster Stufe in etwa 5 Minuten zu einem Teig verarbeiten. Den Teig zugedeckt so lange an einem warmen Ort stehen lassen, bis er sich sichtbar vergrößert hat.

3 Den Teig leicht mit Mehl bestäuben, aus der Schüssel nehmen, auf bemehlter Arbeits-

fläche nochmals kurz durchkneten und Haselnusskerne unterkneten.

4 Den Teig zu einem länglichen Brot (etwa 30 cm) formen, auf ein Backblech (mit Backpapier belegt) legen. Nochmals so lange an einem warmen Ort gehen lassen, bis es sich sichtbar vergrößert hat.

5 Den Teig mehrere Male schräg etwa 1 cm tief einschneiden (nicht drücken), mit Wasser bestreichen, mit gehackten Haselnusskernen bestreuen. Das Backblech in den Backofen schieben.

Ober-/Unterhitze: 180 – 200 °C (vorgeheizt)
Heißluft: 160 – 180 °C (nicht vorgeheizt)
Gas: etwa Stufe 3 (nicht vorgeheizt)
Backzeit: etwa 45 Minuten

Haselnussmakronen | 🗑 🗑 🗑 ❄

Gut vorzubereiten – klassisch

Haselnussmakronen

Für die Baisermasse:
4 Eiweiß (Größe M)
200 g feinkörniger Zucker
1 Msp. gemahlener Zimt
4 Tropfen Bittermandel-Aroma
200 g gehobelte Haselnusskerne
150 g gemahlene Haselnusskerne

Zubereitungszeit: 30 Minuten

Insgesamt: E: 35 g, F: 91 g, Kh: 214 g,
kJ: 7770, kcal: 1856

1 Für die Baisermasse Eiweiß mit Handrührgerät mit Rührbesen auf höchster Stufe steif
schlagen. Der Schnee muss so fest sein,
dass ein Messerschnitt sichtbar bleibt.

2 Nach und nach Zucker, Zimt und Aroma
unterschlagen.

3 Haselnusskerne vorsichtig unter den Eischnee heben (nicht rühren).

4 Von dem Teig mit 2 Teelöffeln Häufchen
auf ein Backblech (mit Backpapier belegt)
setzen. Das Backblech in den Backofen
schieben.

Ober-/Unterhitze: 130 – 150 °C (vorgeheizt)
Heißluft: 110 – 130 °C (vorgeheizt)
Gas: etwa Stufe 1 (vorgeheizt)
Backzeit: 20 – 25 Minuten

5 Die Makronen vom Backpapier nehmen
und erkalten lassen.

Hefe-Knäckebrot | 🗑 🗑

Aufwändig – dauert länger

Für den Teig I:
250 g Weizenmehl (Type 1050)
100 g Roggenmehl (Type 1150)
1/2 Pck. (21 g) frische Hefe
1 TL Zucker
170 ml lauwarmes Wasser
1/2 gestr. TL Salz

warmes Wasser zum Bestreichen

Für den Teig II:
50 g Weizenmehl (Type 1050)
50 g Roggenmehl (Type 1150)
1/2 Pck. (21 g) frische Hefe
1 TL Zucker, 1/2 gestr. TL Salz
50 ml lauwarmes Wasser

50 g Kürbiskerne

Zubereitungszeit: 60 Minuten,
ohne Teiggeh- und Ruhezeit

Insgesamt: E: 67 g, F: 30 g, Kh: 313 g,
kJ: 7945, kcal: 1897

1 Für den Teig I beide Mehlsorten in eine
Rührschüssel geben. In die Mitte eine Vertiefung drücken. Hefe hineinbröckeln, Zucker
und etwas Wasser hinzufügen. Mit einer Gabel
vorsichtig verrühren und etwa 10 Minuten
gehen lassen.

2 Salz und restliches Wasser hinzufügen, mit
Handrührgerät mit Knethaken zunächst auf
niedrigster, dann auf höchster Stufe in etwa
5 Minuten zu einem Teig verarbeiten und in
einen großen Gefrierbeutel legen. Beutel verschließen. Teig bei Zimmertemperatur etwa
12 Stunden ruhen lassen.

3 Nach 12 Stunden für den Teig II beide
Mehlsorten in eine Schüssel geben. In die Mitte eine Vertiefung drücken. Hefe hineinbröckeln, Zucker und etwas Wasser hinzufügen.
Mit einer Gabel vorsichtig verrühren und etwa
10 Minuten gehen lassen.

4 Salz und restliches Wasser hinzufügen.
Teig I in Stücke zupfen und zu Teig II geben.
Den Teig mit Handrührgerät mit Knethaken
zunächst auf niedrigster, dann auf höchster

Stufe in etwa 5 Minuten zu einem Teig verarbeiten. Teig halbieren und eine Hälfte mit einem Geschirrtuch zudecken.

5 Zweite Teighälfte auf bemehlter Arbeitsfläche zu einem Rechteck (42 x 32 cm) ausrollen, der Länge nach durchschneiden und in
Rechtecke (16 x 7 cm) schneiden. Teigscheiben auf je ein Backblech (mit Backpapier belegt) legen, mit warmem Wasser bestreichen.

6 Kürbiskerne hacken und die Teigscheiben mit der Hälfte der Kürbiskerne bestreu-
en. Mit einem zweiten Backblech zudecken
und 30 Minuten an einem warmen Ort stehen lassen. Restlichen Teig und restliche Kürbiskerne auf die gleiche Weise verarbeiten.

7 Backbleche nacheinander (bei Heißluft
zusammen) in den Backofen schieben.

Ober-/Unterhitze: etwa 200 °C (vorgeheizt)
Heißluft: etwa 180 °C (vorgeheizt)
Gas: Stufe 3 – 4 (vorgeheizt)
Backzeit: 20 – 25 Minuten pro Blech

Hefe-Napfkuchen | 🍮 🍮 ❄

Gut vorzubereiten – klassisch

Für den Hefeteig:
500 g Weizenmehl, 1 Pck. Trockenhefe
125 g Zucker
1 Pck. Bourbon-Vanille-Zucker
1 Prise Salz, 3 Eier (Größe M)
etwas abgeriebene Schale von 1 Bio-
Zitrone (unbehandelt, ungewachst)
6 Tropfen Bittermandel-Aroma
gemahlener Macis (Muskatblüte)
200 ml lauwarme Schlagsahne
(oder Milch)
75 g abgezogene, gemahlene Mandeln
200 g zerlassene abgekühlte Butter
oder Margarine
125 g Rosinen
50 g fein gehacktes Zitronat (Sukkade)

30 g abgezogene, gemahlene Mandeln
für die Form

Zum Bestäuben:
Puderzucker

Zubereitungszeit: 25 Minuten,
ohne Teiggehzeit

Insgesamt: E: 116 g, F: 294 g, Kh: 666 g,
kJ: 25187, kcal: 6019

1 Für den Teig Mehl in eine Rührschüssel
sieben, mit Trockenhefe sorgfältig vermischen. Zucker, Vanille-Zucker, Salz, Eier, Zitronenschale, Aroma, Macis, Sahne oder
Milch, Mandeln und Butter oder Margarine
hinzufügen.

2 Die Zutaten mit Handrührgerät mit Knethaken zunächst auf niedrigster, dann auf
höchster Stufe in etwa 5 Minuten zu einem
Teig verarbeiten. Den Teig zugedeckt so lange
an einem warmen Ort stehen lassen, bis er
sich sichtbar vergrößert hat.

3 Den Teig leicht mit Mehl bestäuben, aus
der Schüssel nehmen, nochmals kurz durchkneten, Rosinen und Zitronat unterkneten.

4 Den Teig in eine Napfkuchenform
(Ø 24 cm, gefettet, mit gemahlenen Mandeln ausgestreut) geben und nochmals so
lange an einem warmen Ort gehen lassen,
bis er sich sichtbar vergrößert hat.

5 Die Form auf dem Rost in den Backofen
schieben.

Ober-/Unterhitze: 180 – 200 °C (vorgeheizt)
Heißluft: 160 – 180 °C (nicht vorgeheizt)
Gas: etwa Stufe 3 (nicht vorgeheizt)
Backzeit: etwa 50 Minuten

6 Den Kuchen 10 Minuten in der Form stehen lassen, dann auf einen Kuchenrost stürzen und erkalten lassen.

7 Den Kuchen vor dem Servieren mit
Puderzucker bestäuben.

Hefe-Napfkuchen

Hefeteig (Grundrezept) |

Klassisch

Für den Hefeteig:
500 g Weizenmehl
1 Pck. Trockenhefe oder
1 Pck. (42 g) frische Hefe, 75 g Zucker
1 Pck. Vanillin-Zucker, 1 Prise Salz
250 ml ('/4 l) lauwarme Milch
75 – 100 g zerlassene Butter oder
Margarine

Zubereitungszeit: etwa 35 Minuten,
ohne Teiggehzeit

Insgesamt: E: 66 g, F: 96 g, Kh: 464 g,
kJ: 13014, kcal: 3109

Zubereitung mit Trockenhefe:

1 Für den Teig Mehl in eine Rührschüssel
sieben, mit Trockenhefe sorgfältig vermischen. Zucker, Vanillin-Zucker, Salz, Milch
und Butter oder Margarine hinzufügen.

2 Die Zutaten mit Handrührgerät mit Knethaken zunächst auf niedrigster, dann auf
höchster Stufe in etwa 5 Minuten zu einem
Teig verarbeiten.

3 Den Teig zugedeckt an einem warmen Ort
so lange gehen lassen, bis er sich sichtbar
vergrößert hat, ihn leicht mit Mehl bestäuben,
aus der Schüssel nehmen und auf der Arbeitsfläche nochmals kurz durchkneten.

4 Den Teig – je nach Rezept – in der Form
oder auf dem Backblech nochmals so lange
an einem warmen Ort gehen lassen, bis er
sich sichtbar vergrößert hat. Je nach Rezept
backen.

Zubereitung mit frischer Hefe:

1 Für den Teig Mehl in eine Schüssel sieben. In die Mitte eine Vertiefung drücken. Hefe hineinbröckeln. 1 Teelöffel von dem Zucker
und etwas Milch hinzufügen. Mit einer Gabel
vorsichtig verrühren und etwa 10 Minuten
gehen lassen.

2 Restlichen Zucker, Vanillin-Zucker, Salz,
Milch und Butter oder Margarine hinzufügen.
Die Zutaten mit Handrührgerät mit Knethaken
zunächst auf niedrigster, dann auf höchster
Stufe in etwa 5 Minuten zu einem Teig verarbeiten. Den Teig zugedeckt so lange an einem
warmen Ort stehen lassen, bis er sich sichtbar vergrößert hat.

3 Teig aus der Schüssel nehmen, auf der
bemehlten Arbeitsfläche nochmals kurz
durchkneten. Den Teig – je nach Rezept –
in der Form oder auf dem Backblech nochmals an einem warmen Ort stehen lassen,
bis er sich sichtbar vergrößert hat. Je nach
Rezept backen.

Hefewaffeln |

Vollwertig – für Kinder

Für den Hefeteig:
200 g Vollkorn-Weizenmehl
1 gestr. TL Trockenhefe
2 EL flüssiger Honig
abgeriebene Schale und Saft von 1 Bio-
Zitrone (unbehandelt, ungewachst)
2 Eigelb (Größe M)
150 ml lauwarmes Wasser
75 – 100 g zerlassene Butter oder
Margarine, 2 Eiweiß (Größe M)

Zubereitungszeit: 50 Minuten,
ohne Teiggehzeit

Insgesamt: E: 36 g, F: 83 g, Kh: 177 g,
kJ: 6982, kcal: 1669

1 Für den Teig Mehl in eine Rührschüssel
geben, mit Trockenhefe sorgfältig vermischen.

Hefewaffeln

Honig, Zitronenschale und -saft, Eigelb, Wasser und Butter oder Margarine hinzufügen.

2 Die Zutaten mit Handrührgerät mit Knethaken zunächst auf niedrigster, dann auf höchster Stufe in etwa 5 Minuten zu einem

Teig verarbeiten, zugedeckt so lange an einem warmen Ort gehen lassen, bis er sich sichtbar vergrößert hat.

3 Den Teig nochmals kurz durchkneten. Eiweiß sehr steif schlagen und auf niedrigster

Stufe unter den Hefeteig arbeiten. Den Teig in nicht zu großer Menge in ein gut erhitztes Waffeleisen (gefettet) füllen und die Waffeln goldbraun backen. Waffeln einzeln auf einem Kuchenrost auskühlen lassen.

Hefezopf | 🗑 🗑 ❄

Klassisch

Für den Hefeteig:
500 g Weizenmehl
1 Pck. Trockenhefe
50 g Zucker, 1 Pck. Vanillin-Zucker
1 Prise Salz
2 Eier (Größe M)
1 Eiweiß (Größe M)
250 ml ('/4 l) lauwarme Schlagsahne

Zum Bestreichen:
1 Eigelb
1 EL Milch

Zubereitungszeit: 35 Minuten,
ohne Teiggehzeit

Insgesamt: E: 85 g, F: 103 g, Kh: 436 g,
kJ: 13224, kcal: 3161

1 Für den Teig Mehl in eine Rührschüssel sieben, mit Trockenhefe sorgfältig vermischen. Zucker, Vanillin-Zucker, Salz, Eier, Eiweiß und Sahne hinzufügen.

2 Die Zutaten mit Handrührgerät mit Knethaken zunächst kurz auf niedrigster, dann auf höchster Stufe in etwa 5 Minuten zu einem Teig verarbeiten. Den Teig zugedeckt an einem warmen Ort so lange stehen lassen, bis er sich sichtbar vergrößert hat. Den Teig anschließend leicht mit Mehl bestäuben, aus der Schüssel nehmen und auf der Arbeitsfläche nochmals kurz durchkneten.

3 Aus zwei Drittel des Teiges 3 etwa 40 cm lange Rollen formen, zum Zopf flechten und

auf ein Backblech (gefettet) legen. Mit einer Teigrolle der Länge nach eine Vertiefung eindrücken.

4 Zum Bestreichen Eigelb mit Milch verschlagen, die Vertiefung mit etwas von der Eigelbmilch bestreichen.

5 Aus dem Rest des Teiges 3 etwa 35 cm lange Rollen formen, daraus einen Zopf flechten, auf den größeren Zopf legen, etwas andrücken, ebenfalls mit Eigelbmilch bestreichen.

6 Den Zopf nochmals so lange an einem warmen Ort gehen lassen, bis er sich sichtbar vergrößert hat. Backblech in den Backofen schieben.

Ober-/Unterhitze: 180 – 200 °C (vorgeheizt)
Heißluft: 160 – 180 °C (nicht vorgeheizt)
Gas: etwa Stufe 3 (nicht vorgeheizt)
Backzeit: etwa 35 Minuten

Hefezopf

Heidelbeerkuchen mit Guss | 🗑 ❄

Für Kinder – einfach

Für den Belag:
750 – 1000 g Heidelbeeren

Für den Quark-Öl-Teig:
200 g Weizenmehl
4 gestr. TL Backpulver
100 g Speisequark
1 EL Milch
4 EL Speiseöl
1 Ei (Größe M)
50 g Zucker
1 Pck. Vanillin-Zucker
1 Prise Salz

Für den Guss:
50 g Butter
100 g Zucker
250 g Speisequark
1 Ei (Größe M)
1 Pck. Saucenpulver
Vanille-Geschmack
5 EL kalte Milch

Zubereitungszeit: 50 Minuten

Insgesamt: E: 84 g, F: 114 g, Kh: 536 g, kJ: 15408, kcal: 3677

1 Für den Belag Heidelbeeren verlesen, waschen, gut abtropfen lassen.

2 Für den Teig Mehl mit Backpulver mischen, in eine Rührschüssel sieben. Quark, Milch, Öl, Ei, Zucker, Vanillin-Zucker und Salz hinzufügen. Die Zutaten mit Handrührgerät mit Knethaken auf höchster Stufe etwa 1 Minute zu einem Teig verarbeiten (nicht zu lange, Teig klebt sonst). Anschließend auf einer bemehlten Arbeitsfläche zu einer Rolle formen.

3 Den Teig auf dem Boden einer Springform (Ø 28 cm, Boden gefettet) ausrollen, Springformrand darumstellen, Teig am Rand etwa 2 cm hochdrücken. Heidelbeeren gleichmäßig auf dem Teig verteilen.

4 Für den Guss Butter geschmeidig rühren. Nach und nach Zucker, Quark, Ei, Saucenpulver und Milch unterrühren.

5 Den Guss auf den Heidelbeeren verteilen. Form auf dem Rost in den Backofen schieben.

Ober-/Unterhitze: 180 – 200 °C (vorgeheizt)
Heißluft: 160 – 180 °C (nicht vorgeheizt)
Gas: etwa Stufe 3 (nicht vorgeheizt)
Backzeit: etwa 45 Minuten

6 Den Kuchen in der Form auf einem Kuchenrost etwas abkühlen lassen, lösen und erkalten lassen.

Tipp: Um ein Durchweichen des Kuchens zu verhindern, können auf den Teig abgezogene, gemahlene Mandeln gestreut werden. Statt frischer Heidelbeeren können auch 500 g TK-Heidelbeeren verwendet werden. Der Heidelbeerkuchen kann auch in einer Fettfangschale gebacken werden, dafür das doppelte Rezept zubereiten.

Heidelbeerkuchen mit Guss

Heidelbeermuffins | 🍶 ❄

Für Kinder – schnell

Für den Rührteig:
100 g Butter oder Margarine
125 g Zucker
1 Pck. Vanillin-Zucker
abgeriebene Schale von 1 Bio-Zitrone
(unbehandelt, ungewachst)
1 Prise Salz
2 Eier (Größe M)
200 g Weizenmehl
¹/₂ gestr. TL Backpulver, 100 ml Milch

Für den Belag:
1 Glas Heidelbeeren (Abtropfgewicht
140 g) oder TK-Heidelbeeren

Zum Bestäuben:
evtl. Puderzucker

Zubereitungszeit: 35 Minuten

Insgesamt: E: 41 g, F: 100 g, Kh: 333 g, kJ: 10381, kcal: 2480

1 Für den Teig Butter oder Margarine mit Handrührgerät mit Rührbesen auf höchster Stufe geschmeidig rühren. Nach und nach Zucker, Vanillin-Zucker, Zitronenschale und Salz unterrühren. So lange rühren, bis eine gebundene Masse entstanden ist.

2 Eier nach und nach unterrühren (jedes Ei etwa ¹/₂ Minute). Mehl mit Backpulver mischen, sieben, portionsweise mit der Milch auf mittlerer Stufe unterrühren (nur so viel Milch verwenden, dass der Teig schwer reißend vom Löffel fällt).

3 Für den Belag die Heidelbeeren in einem Sieb gut abtropfen lassen.

4 Den Teig in 12 gefettete Muffinförmchen verteilen. Die Heidelbeeren auf den Teig geben (TK-Heidelbeeren unaufgetaut auf den Teig geben). Die Form auf dem Rost in den Backofen schieben.

Ober-/Unterhitze: etwa 200 °C (vorgeheizt)
Heißluft: etwa 180 °C (vorgeheizt)
Gas: Stufe 3–4 (vorgeheizt)
Backzeit: etwa 25 Minuten

5 Muffins 10 Minuten in der Form stehen lassen, aus den Förmchen lösen und erkalten lassen. Nach Belieben mit Puderzucker bestäuben.

Heidesand | 🍶 🍶

Für Kinder – klassisch

Zum Vorbereiten:
275 g Butter

Für den Teig:
250 g Zucker
1 Pck. Vanillin-Zucker
1 Prise Salz, 1 EL Milch
375 g Weizenmehl
1 gestr. TL Backpulver

Zubereitungszeit: 40 Minuten,
ohne Kühlzeit

Insgesamt: E: 43 g, F: 210 g, Kh: 485 g, kJ: 17258, kcal: 4123

1 Zum Vorbereiten Butter zerlassen, dabei stark bräunen und in eine Rührschüssel geben. Kalt stellen.

2 Für den Teig die wieder fest gewordene Butter mit Handrührgerät mit Rührbesen auf höchster Stufe geschmeidig rühren.

Heidesand

3 Nach und nach Zucker, Vanillin-Zucker, Salz und Milch unterrühren. So lange rühren, bis eine gebundene Masse entstanden ist.

4 Mehl mit Backpulver mischen, sieben und zwei Drittel davon esslöffelweise auf mittlerer Stufe unterrühren.

5 Teigbrei mit dem Rest des Mehls auf der bemehlten Arbeitsfläche zu einem glatten Teig verkneten. Daraus etwa 3 cm dicke Rollen formen und diese so lange kalt stellen, bis sie hart geworden sind.

6 Rollen in knapp ¹/₂ cm dicke Scheiben schneiden und die Scheiben auf ein Backblech (gefettet, mit Backpapier belegt) legen. Backblech in den Backofen schieben.

Ober-/Unterhitze: etwa 180 °C (vorgeheizt)
Heißluft: etwa 160 °C (vorgeheizt)
Gas: Stufe 2–3 (vorgeheizt)
Backzeit: 15–18 Minuten

Himbeer-Kirsch-Torte | 🗑 🗑

Gut vorzubereiten

Für den Knetteig:
150 g Weizenmehl
¹/₂ gestr. TL Backpulver
15 g Kakaopulver
75 g Zucker, 1 Pck. Vanillin-Zucker
1 Ei (Größe M)
75 g Butter oder Margarine
50 g abgezogene, gehobelte Mandeln
1 EL Weizenmehl für den Rand

Für die Füllung:
1 Pck. Pudding-Pulver
Vanille-Geschmack
40 g Zucker
500 ml (¹/₂ l) Schlagsahne

Für den Belag:
250 g Himbeeren
250 g Süßkirschen

Für den Guss:
1 Pck. Tortenguss, klar
2 EL Zucker
250 ml (¹/₄ l) Wasser

Puderzucker zum Bestäuben

Zubereitungszeit: 50 Minuten,
ohne Abkühlzeit

Insgesamt: E: 55 g, F: 255 g, Kh: 323 g,
kJ: 16562, kcal: 3957

1 Für den Teig Mehl mit Backpulver und Kakao mischen, in eine Rührschüssel sieben. Zucker, Vanillin-Zucker, Ei und Butter oder Margarine hinzufügen. Die Zutaten mit Handrührgerät mit Knethaken zunächst kurz auf niedrigster, dann auf höchster Stufe gut durcharbeiten.

2 Anschließend auf einer bemehlten Arbeitsfläche zu einem glatten Teig verkneten. Sollte er kleben, ihn in Folie gewickelt eine Zeit lang kalt stellen.

3 Zwei Drittel des Teiges auf einem Springformboden (Ø 26 cm, gefettet) ausrollen, mit den Mandeln bestreuen. Den Springformrand darumstellen. Den restlichen Teig mit dem Mehl verkneten, zu einer Rolle formen, als Rand auf den Boden legen und so an die Form drücken, dass ein etwa 3 cm hoher Rand entsteht. Teigboden mit einer Gabel mehrmals einstechen. Die Form auf dem Rost in den Backofen schieben.

Ober-/Unterhitze: etwa 200 °C (vorgeheizt)
Heißluft: etwa 180 °C (vorgeheizt)
Gas: Stufe 3 – 4 (vorgeheizt)
Backzeit: etwa 15 Minuten

4 Den Boden aus der Form lösen und auf einem Kuchenrost erkalten lassen.

5 Für die Füllung den Pudding mit Zucker nach Packungsanleitung, aber nur mit Sahne zubereiten, etwas abkühlen lassen und auf den Boden streichen.

6 Für den Belag die Himbeeren verlesen. Die Kirschen waschen, in einem Sieb abtropfen lassen, entsteinen und mit den Himbeeren auf der Puddingmasse verteilen.

7 Für den Guss Tortengusspulver mit Zucker und Wasser nach Packungsanleitung zubereiten, Guss auf das Obst geben. Die Torte bis zum Verzehr kalt stellen. Den oberen Tortenrand mit Puderzucker bestäuben.

Himbeer-Kirsch-Torte

Himbeer-Kokosnuss-Schnitten

Himbeer–Kokosnuss–Schnitten |

Einfach

Für den Rühr-Knetteig:
200 g Butter oder Margarine
100 g Zucker
1 Pck. Vanillin-Zucker
1 Ei (Größe M)
300 g Weizenmehl
1 gestr. TL Backpulver

200 g Himbeerkonfitüre

Für den Belag:
300 g TK-Himbeeren
4 Eier (Größe M)
75 g Zucker
200 ml Schlagsahne
300 g Kokosraspel

Zubereitungszeit: 35 Minuten

Insgesamt: E: 103 g, F: 449 g, Kh: 575 g, J: 28969, kcal: 6923

1 Für den Teig Butter oder Margarine mit Handrührgerät mit Rührbesen auf höchster Stufe geschmeidig rühren. Nach und nach Zucker und Vanillin-Zucker unterrühren. So lange rühren, bis eine gebundene Masse entstanden ist.

2 Ei unterrühren (etwa ¹/₂ Minute). Mehl mit Backpulver mischen, sieben und mit Handrührgerät mit Rührbesen auf höchster Stufe gut unterarbeiten.

3 Den Teig mit etwas Mehl bestäuben, auf einem Backblech (30 x 40 cm, gefettet) verteilen, mit bemehlten Händen glatt drücken. Das Backblech in den Backofen schieben und den Boden vorbacken.

Ober-/Unterhitze: etwa 200 °C (vorgeheizt)
Heißluft: etwa 180 °C (vorgeheizt)
Gas: Stufe 3 – 4 (vorgeheizt)
Backzeit: etwa 15 Minuten

4 Das Backblech auf einen Kuchenrost stellen. Konfitüre auf den vorgebackenen Teig streichen.

5 Für den Belag die gefrorenen Himbeeren auf der Konfitüre verteilen.

6 Eier und Zucker verrühren, Sahne unterrühren, Kokosraspel unterheben, Masse auf die Himbeeren streichen. Backblech wieder in den Backofen schieben und den Kuchen fertig backen.

Ober-/Unterhitze: etwa 200 °C (vorgeheizt)
Heißluft: etwa 180 °C (vorgeheizt)
Gas: Stufe 3 – 4 (vorgeheizt)
Backzeit: etwa 25 Minuten

7 Backblech auf einen Kuchenrost stellen. Den Kuchen erkalten lassen.

Tipp: Evtl. in einer Fettfangschale backen.

Himbeertorte mit Frischkäse | 🗑 🗑

Für Kinder

Für den Biskuitteig:
3 Eier (Größe M), 3 EL heißes Wasser
150 g Zucker, 1 Pck. Vanillin-Zucker
100 g Weizenmehl, 75 g Speisestärke
2 gestr. TL Backpulver

Zum Bestreichen:
60 g Halbbitter-Kuvertüre

Für die Füllung:
250 g frische oder TK-Himbeeren
200 g Doppelrahm-Frischkäse
1 EL Zitronensaft
50 g Zucker, 400 ml Schlagsahne
3 Pck. Sahnesteif

Zum Bestreichen:
250 ml ('/4 l) Schlagsahne
1 Pck. Sahnesteif, 1 TL Zucker

Zum Garnieren:
einige Himbeeren
Schokoladenröllchen

Zubereitungszeit: 65 Minuten,
ohne Abkühlzeit

Insgesamt: E: 81 g, F: 315 g, Kh: 481 g,
kJ: 21906, kcal: 5236

1 Für den Teig Eier und Wasser mit Handrührgerät mit Rührbesen auf höchster Stufe in 1 Minute schaumig schlagen. Zucker und Vanillin-Zucker mischen, in 1 Minute einstreuen, dann noch etwa 2 Minuten schlagen.

2 Mehl mit Speisestärke und Backpulver mischen, die Hälfte davon auf die Eiercreme sieben, kurz auf niedrigster Stufe unterrühren. Den Rest des Mehlgemisches auf die gleiche Weise unterarbeiten.

3 Den Teig in eine Springform (Ø 28 cm, Boden gefettet, mit Backpapier belegt) füllen und glatt streichen. Form auf dem Rost in den Backofen schieben.

Ober-/Unterhitze: 180 – 200 °C (vorgeheizt)
Heißluft: 160 – 180 °C (vorgeheizt)
Gas: etwa Stufe 3 (vorgeheizt)
Backzeit: 20 – 30 Minuten

4 Den Tortenboden aus der Form lösen, auf einem Kuchenrost stürzen und erkalten lassen. Boden einmal waagerecht durchschneiden.

5 Zum Bestreichen Kuvertüre in Stücke hacken, in einem Topf im Wasserbad bei schwacher Hitze auflösen. Beide Böden damit bestreichen, fest werden lassen.

6 Für die Füllung frische Himbeeren verlesen (TK-Himbeeren auftauen lassen), zwei Drittel davon pürieren. Frischkäse mit Zitronensaft und Zucker glatt rühren, Sahne mit Sahnesteif steif schlagen und unterziehen. Himbeerpüree und die restlichen Beeren unterrühren.

7 Die Creme (etwas für den Rand zurücklassen) auf den unteren Boden streichen. Den oberen Boden darauf legen und andrücken. Den Tortenrand mit der zurückgelassenen Creme bestreichen.

8 Zum Bestreichen die Sahne mit Sahnesteif und Zucker steif schlagen. Die Sahne mit einem Esslöffel auf dem oberen Boden verteilen, mit Himbeeren und Schokoladenröllchen garnieren.

Himbeertorte mit Frischkäse

Himmelstorte | 🗑 🗑 ❄

Klassisch – dauert länger

Für den Rührteig:
250 g Butter oder Margarine
200 g Zucker
1 Pck. Vanillin-Zucker
1 Prise Salz, 5 Eigelb (Größe M)
250 g Weizenmehl
2 gestr. TL Backpulver

Für den Belag:
5 Eiweiß (Größe M)
1 EL Zucker

Zum Bestreuen:
40 g Zucker, etwas gemahlener Zimt
100 g abgezogene, gehobelte Mandeln

Für die Füllung:
500 g Johannisbeeren
125 g gesiebter Puderzucker
500 ml (½ l) Schlagsahne
3 Pck. Sahnesteif

Zubereitungszeit: 75 Minuten,
ohne Abkühlzeit

Insgesamt: E: 98 g, F: 444 g, Kh: 664 g,
kJ: 30561, kcal: 7300

Himmelstorte

1 Für den Teig Butter oder Margarine mit Handrührgerät mit Rührbesen auf höchster Stufe geschmeidig rühren. Nach und nach Zucker, Vanillin-Zucker und Salz hinzufügen, so lange rühren, bis eine gebundene Masse entstanden ist. Eigelb nach und nach unterrühren (jedes Eigelb knapp ½ Minute). Mehl mit Backpulver mischen, sieben, portionsweise auf mittlerer Stufe unterrühren.

2 Für den Belag Eiweiß steif schlagen, Zucker unterschlagen.

3 Aus dem Teig 4 Böden backen. Für jeweils einen Boden ein Viertel des Teiges auf einen Springformboden (Ø 28 cm, gefettet) streichen (darauf achten, dass die Teiglage am Rand nicht zu dünn ist, damit der Boden dort nicht zu dunkel wird). Je ein Viertel des Eischnees gleichmäßig auf je einem Boden verteilen.

4 Zum Bestreuen Zucker mit Zimt mischen, je ein Viertel des Zimt-Zuckers und je ein Viertel der Mandeln auf je einen Teigboden streuen. Jeden Boden ohne Springformrand backen. Springformböden nacheinander (bei Heißluft je 2 Böden zusammen) auf dem Rost in den Backofen schieben.

Ober-/Unterhitze: 180 – 200 °C (vorgeheizt)
Heißluft: 160 – 180 °C (vorgeheizt)
Gas: etwa Stufe 3 (vorgeheizt)
Backzeit: 15 – 20 Minuten

5 Die Formböden auf Kuchenroste stellen. Böden etwas abkühlen lassen, erst dann von den Springformböden lösen und erkalten lassen.

6 Für die Füllung Johannisbeeren waschen, in einem Sieb gut abtropfen lassen, entstielen, in eine Schüssel geben und mit Puderzucker bestreuen.

7 Sahne mit Sahnesteif schlagen. Johannisbeeren unter die Sahne heben. Drei Böden mit der Füllung bestreichen, aufeinander setzen, mit dem letzten Boden bedecken.

Tipp: Die Füllung kann auch mit Himbeeren zubereitet werden, dann aber nur 50 g Puderzucker verwenden.

Holländische Kirschtorte |

Klassisch – raffiniert

Für den Teig:
1 Pck. (300 g, 5 Platten)
TK-Blätterteig

Für den Guss:
100 g Johannisbeergelee
100 g gesiebter Puderzucker
3–4 EL Zitronensaft

Für die Füllung:
1 Glas Sauerkirschen
(Abtropfgewicht 370 g)
250 ml (¼ l) Kirschsaft
25 g Speisestärke
2 Pck. Vanillin-Zucker

Zum Bestreichen:
500–600 ml Schlagsahne
25 g Zucker

1 Pck. Vanillin-Zucker
2 Pck. Sahnesteif

Zubereitungszeit: 55 Minuten,
ohne Auftau- und Abkühlzeiten

Insgesamt: E: 32 g, F: 256 g, Kh: 468 g,
kJ: 18407, kcal: 4398

1 Blätterteigplatten nebeneinander zugedeckt bei Zimmertemperatur auftauen lassen.

2 Für 2 Böden je 1½ Blätterteigplatten aufeinander legen, je zu einem Boden (Ø 28 cm) ausrollen (Ränder begradigen) und auf je ein Backblech (gefettet, mit Backpapier belegt) legen.

3 Aus den restlichen 2 Teigplatten auf die gleiche Weise einen weiteren Boden herstellen. Böden etwa 15 Minuten ruhen lassen,

mehrmals mit einer Gabel einstechen. Backbleche nacheinander (bei Heißluft zusammen) in den Backofen schieben.

Ober-/Unterhitze: 200–220 °C (vorgeheizt)
Heißluft: 180–200 °C (vorgeheizt)
Gas: etwa Stufe 4 (vorgeheizt)
Backzeit: 10–15 Minuten pro Boden

4 Die Böden vom Backpapier lösen und einzeln auf Kuchenrosten erkalten lassen.

5 Für den Guss Johannisbeergelee in einem kleinen Topf unter Rühren erhitzen, den dickeren Boden (aus 2 Teigplatten) damit bestreichen und antrocknen lassen.

6 Puderzucker mit so viel Zitronensaft verrühren, dass eine dünnflüssige Masse entsteht. Den mit Gelee bestrichenen Boden mit dem Guss überziehen. Boden in 12 Tortenstücke schneiden.

7 Für die Füllung Sauerkirschen in ein Sieb geben, abtropfen lassen, dabei den Saft auffangen und 250 ml (¼ l) abmessen.

8 Speisestärke und Vanillin-Zucker mischen, mit 4 Esslöffeln von dem Saft anrühren, restlichen Saft in einem Topf zum Kochen bringen. Die angerührte Speisestärke unter Rühren hineingeben und kurz aufkochen lassen, Topf von der Kochstelle nehmen, die Sauerkirschen unterrühren. Masse erkalten lassen.

9 Zum Bestreichen Sahne mit Zucker, Vanillin-Zucker und Sahnesteif in 2 Portionen steif schlagen (5 Esslöffel davon in einen Spritzbeutel füllen).

10 Einen Gebäckboden auf eine Tortenplatte legen und mit der Kirschmasse (1 cm am Rand frei lassen) bestreichen, dann an dem äußeren Rand entlang einen Sahnering spritzen. Diesen mit einer Sahneschicht ausstreichen, mit dem zweiten Gebäckboden bedecken. Nochmals am Rand entlang einen Sahnering spritzen. Diesen mit der restlichen Sahne ausstreichen und mit den geschnittenen Tortenstücken belegen.

Holländische Kirschtorte

Holländische Moppen |

Einfach – klassisch

Für den Rühr-Knetteig:
1 Ei (Größe M)
1 Eigelb (Größe M)
100 g Zucker
1 Pck. Vanillin-Zucker
1 Msp. gemahlene Nelken
4 Tropfen Butter-Vanille-Aroma
200 g Weizenmehl
2 gestr. TL Backpulver

Zum Belegen:
60 g Haselnusskerne

Zubereitungszeit: 60 Minuten,
ohne Abkühlzeit

Insgesamt: E: 40 g, F: 51 g, Kh: 264 g,
kJ: 7301, kcal: 1744

1 Für den Teig Ei und Eigelb mit Handrührgerät mit Rührbesen auf höchster Stufe schaumig schlagen. Zucker mit Vanillin-Zucker und Nelken mischen, nach und nach unterrühren, Aroma unterrühren.

2 Mehl mit Backpulver mischen, sieben. Die Hälfte des Mehlgemisches auf niedrigster Stufe unterrühren. Den Rest des Mehlgemisches auf einer bemehlten Arbeitsfläche mit den Händen unterkneten. Aus dem Teig kleine Kugeln (Ø etwa 2 cm) formen und auf ein Backblech (mit Backpapier belegt) legen.

3 Zum Belegen je einen Haselnusskern in die Mitte jeder Teigkugel drücken. Das Backblech in den Backofen schieben.

Ober-/Unterhitze: etwa 180 °C (vorgeheizt)
Heißluft: etwa 160 °C (vorgeheizt)
Gas: Stufe 2 – 3 (vorgeheizt)
Backzeit: etwa 10 Minuten
(das Gebäck soll hell bleiben)

4 Das Gebäck vom Backpapier lösen und auf einem Kuchenrost erkalten lassen.

Tipp: Die Plätzchen nach dem Erkalten luftdicht verpacken.

Holländisches Kaffeegebäck |

Für Gäste

Für den Rührteig:
300 g Butter oder Margarine
100 g gesiebter Puderzucker
1 Pck. Vanillin-Zucker, 1 Prise Salz
abgeriebene Schale von 1 Bio-Zitrone
(unbehandelt, ungewachst)
2 Eier (Größe M)
400 g Weizenmehl
1 gestr. TL Backpulver

80 g Aprikosenkonfitüre

Für den Guss:
100 g Halbbitter-Kuvertüre
20 g Kokosfett

Zubereitungszeit: 60 Minuten,
ohne Abkühlzeit

Insgesamt: E: 64 g, F: 315 g, Kh: 497 g,
kJ: 22103, kcal: 5280

1 Für den Teig Butter oder Margarine mit Handrührgerät mit Rührbesen auf höchster Stufe geschmeidig rühren.

2 Nach und nach Puderzucker, Vanillin-Zucker und Salz unterrühren. So lange rühren, bis eine gebundene Masse entstanden ist, Zitronenschale unterrühren.

3 Eier nach und nach unterrühren (jedes Ei etwa 1/2 Minute). Mehl mit Backpulver mischen, sieben und portionsweise auf mittlerer Stufe unterrühren.

Holländisches Kaffeegebäck

4 Teig in einen Spritzbeutel mit Sterntülle füllen, in eng untereinander liegenden Linien auf ein Backblech (gefettet, mit Backpapier belegt) spritzen, so dass jeweils die Form eines lang gezogenen Dreiecks entsteht. Das Backblech in den Backofen schieben.

Ober-/Unterhitze: 180 – 200 °C (vorgeheizt)
Heißluft: 160 – 180 °C (vorgeheizt)
Gas: etwa Stufe 3 (vorgeheizt)
Backzeit: etwa 15 Minuten

5 Gebäck vom Backpapier lösen und auf einem Kuchenrost erkalten lassen.

6 Die Hälfte des Gebäckes auf der Unterseite mit Aprikosenkonfitüre bestreichen, die anderen mit der Unterseite darauf legen.

7 Für den Guss die Kuvertüre hacken, mit Kokosfett in einem kleinen Topf im Wasserbad bei schwacher Hitze zu einer geschmeidigen Masse verrühren. Die Plätzchen mit der breiten Seite hineintauchen und auf Backpapier legen. Guss fest werden lassen.

Honigkuchen auf dem Blech

Honigkuchen auf dem Blech | 🗑

Für Weihnachten

Für den Teig:
375 g flüssiger Honig
375 g Zucker, 1 Pck. Vanillin-Zucker
100 g Butter
2 TL Lebkuchen-Gewürz
1 TL gemahlener Zimt
100 g gewürfeltes Zitronat (Sukkade)
100 g abgezogene, gehackte Mandeln
100 g gemahlene Haselnusskerne
2 Eier (Größe M)
375 g durchgepresste Pellkartoffeln
(vom Vortag)
375 g Weizenmehl
3 gestr. TL Backpulver
10 g Kakaopulver

Für den Guss:
250 g gesiebter Puderzucker
15 g Kakaopulver
3 – 4 EL heißes Wasser

Zubereitungszeit: 30 Minuten,
ohne Abkühlzeit

Insgesamt: E: 104 g, F: 218 g, Kh: 1367 g,
kJ: 33448, kcal: 7990

1 Für den Teig Honig mit Zucker, Vanillin-Zucker und Butter in einem Topf langsam erwärmen und zerlassen. Honigmasse in eine Rührschüssel geben und kalt stellen.

2 Unter die fast erkaltete Masse mit Handrührgerät mit Rührbesen Gewürze, Zitronat,
Mandeln, Haselnusskerne und Eier rühren.
Die Kartoffeln unterrühren. Mehl mit Backpulver und Kakao mischen, sieben und portionsweise auf mittlerer Stufe unterrühren.

3 Den Teig auf ein Backblech (30 x 40 cm, gefettet, mit Backpapier belegt) streichen. Vor den
Teig einen mehrfach geknickten Streifen Alufolie
legen. Das Backblech in den Backofen schieben.

Ober-/Unterhitze: etwa 180 °C (vorgeheizt)
Heißluft: etwa 160 °C (nicht vorgeheizt)
Gas: Stufe 2 – 3 (nicht vorgeheizt)
Backzeit: 30 – 40 Minuten

4 Das Backblech auf einen Kuchenrost stellen. Gebäck vollständig erkalten lassen.

5 Für den Guss Puderzucker mit Kakao
mischen, mit dem Wasser zu einer dickflüssigen Masse verrühren. Den Kuchen mit dem
Guss bestreichen und fest werden lassen.
Den Honigkuchen in beliebig große Stücke
schneiden.

Tipp: Nachdem der Kuchen mit Guss bestri-
chen ist, ihn nach Belieben mit Walnusskernhälften, Mandelblättchen oder Schokoladen-
blättern belegen. Der Honigkuchen bleibt
mehrere Tage frisch, wenn er in einer gut
schließenden Dose aufbewahrt wird.

Honigplätzchen |

Gut vorzubereiten

Für den Knetteig:
125 g flüssiger Honig
200 g Zucker
4 EL Milch
100 g Butter oder Margarine
1 Pck. Vanillin-Zucker
3 Tropfen Bittermandel-Aroma
1 gestr. TL gemahlener Zimt
400 g Weizenmehl
100 g Speisestärke
20 g Kakaopulver
1 Pck. Backpulver
75 g abgezogene, gehackte Mandeln

Zum Bestreichen:
1 TL Speisestärke
6 EL Wasser

Zum Garnieren:
100 – 125 g abgezogene, halbierte Mandeln

Zubereitungszeit: 60 Minuten, ohne Kühlzeit

Insgesamt: E: 85 g, F: 190 g, Kh: 708 g, kJ: 21142, kcal: 5051

1 Für den Teig Honig mit Zucker, Milch und Butter oder Margarine in einem Topf langsam erwärmen und zerlassen. Honigmasse in eine Rührschüssel geben, kalt stellen.

2 Unter die fast erkaltete Masse Vanillin-Zucker, Aroma und Zimt hinzugeben. Die Zutaten mit Handrührgerät mit Rührbesen auf höchster Stufe unterrühren. Mehl mit Speisestärke, Kakaopulver und Backpulver mischen, sieben, zwei Drittel davon portionsweise auf mittlerer Stufe unterrühren, restliches Mehlgemisch und Mandeln unterkneten. Anschließend auf einer bemehlten Arbeitsfläche zu einem glatten Teig verkneten, sollte er kleben, ihn in Folie gewickelt eine Zeit lang kalt stellen.

3 Teig etwa ¹/₂ cm dick ausrollen, mit einer runden Form (Ø etwa 8 cm) Plätzchen ausstechen, auf ein Backblech (mit Backpapier belegt) legen.

4 Zum Bestreichen Speisestärke mit Wasser verrühren, in einem kleinen Topf kurz aufkochen lassen, von der Kochstelle nehmen und abkühlen lassen. Die Teigplätzchen dünn damit bestreichen.

5 Zum Garnieren je eine Mandelhälfte in ein Teigplätzchen drücken. Backblech in den Backofen schieben.

Ober-/Unterhitze: 180 – 200 °C (vorgeheizt)
Heißluft: 160 – 180 °C (vorgeheizt)
Gas: etwa Stufe 3 (vorgeheizt)
Backzeit: etwa 20 Minuten

6 Plätzchen vom Backpapier lösen und auf einem Kuchenrost erkalten lassen.

Honigplätzchen

Ingwer-Aprikosen-Kuchen | 🗑 🗑

Raffiniert – gut vorzubereiten

Zum Vorbereiten:
200 g getrocknete Aprikosen
100 g kandierter Ingwer
100 g kandierte Ananas

Für den Rührteig:
175 g Butter oder Margarine
125 g Zucker
2 Pck. Finesse Bourbon-Vanille-Aroma
1 Prise Salz
3 Eier (Größe M), 250 g Weizenmehl
2 gestr. TL Backpulver
1 Pck. Finesse Orangenfrucht
1 Pck. Finesse Geriebene
Zitronenschale

evtl. Puderzucker zum Bestäuben

Zubereitungszeit: 30 Minuten,
ohne Abkühlzeit

Insgesamt: E: 64 g, F: 169 g, Kh: 513 g,
kJ: 18199, kcal: 4348

1 Zum Vorbereiten Aprikosen, Ingwer und
Ananas klein würfeln.

2 Für den Teig Butter oder Margarine mit
Handrührgerät mit Rührbesen auf höchster
Stufe geschmeidig rühren. Nach und nach
Zucker, Aroma und Salz unterrühren. So lan-
ge rühren, bis eine gebundene Masse ent-
standen ist.

3 Eier nach und nach unterrühren (jedes Ei
etwa ¹/₂ Minute). Mehl mit Backpulver mischen, sieben und portionsweise auf mittlerer
Stufe unterrühren.

4 Orangenfrucht, Zitronenschale, Aprikosen-,
Ingwer- und Ananaswürfel unterrühren. Den
Teig in eine Kastenform (30 x 11 cm, gefettet,
mit Backpapier ausgelegt) füllen und glatt
streichen. Die Form auf dem Rost in den
Backofen schieben.

Ober-/Unterhitze: etwa 180 °C (vorgeheizt)
Heißluft: etwa 160 °C (nicht vorgeheizt)
Gas: Stufe 2–3 (nicht vorgeheizt)
Backzeit: etwa 65 Minuten (evtl. nach gut
der Hälfte der Backzeit den Kuchen mit
Backpapier zudecken).

5 Den Kuchen 10 Minuten in der Form stehen lassen, aus der Form nehmen, Backpapier entfernen und den Kuchen erkalten
lassen. Nach Belieben den Kuchen mit
Puderzucker bestäuben.

Tipp: Der Kuchen schmeckt nach
1–2 Tagen besonders gut.

Ingwer-Aprikosen-Kuchen

Ingwergebäck mit Schokolade

Ingwergebäck mit Schokolade | 🗑

Schnell

Für den Rührteig:
125 g Butter oder Margarine
200 g Zucker
1 Pck. Vanillin-Zucker
2 TL gemahlener Ingwer
4 Eier (Größe M)
250 g Weizenmehl
1 gestr. TL Backpulver
250 g Raspelschokolade
200 g Rosinen

Für den Guss:
150 g Halbbitter-Kuvertüre
evtl. einige Belegkirschen

Zubereitungszeit: 20 Minuten,
ohne Abkühlzeit

Insgesamt: E: 86 g, F: 182 g, Kh: 811 g,
kJ: 22723, kcal: 5428

1 Für den Teig Butter oder Margarine mit Handrührgerät mit Rührbesen auf höchster Stufe geschmeidig rühren. Nach und nach Zucker, Vanillin-Zucker und Ingwer unterrühren. So lange rühren, bis eine gebundene Masse entstanden ist.

2 Eier nach und nach unterrühren (jedes Ei etwa ½ Minute). Mehl mit Backpulver mischen, sieben, portionsweise abwechselnd mit der Schokolade auf mittlerer Stufe unterrühren. Rosinen klein schneiden, zuletzt unterheben.

3 Den Teig auf ein Backblech (30 x 40 cm, gefettet, mit Backpapier belegt) streichen. Das Backblech in den Backofen schieben.

Ober-/Unterhitze: 180 – 200 °C (vorgeheizt)
Heißluft: 160 – 180 °C (vorgeheizt)
Gas: etwa Stufe 3 (vorgeheizt)
Backzeit: 20 – 25 Minuten

4 Backblech auf einen Kuchenrost stellen, Gebäck erkalten lassen. Das Gebäck in Quadrate (4 x 4 cm) schneiden.

5 Für den Guss Kuvertüre hacken, in einem kleinen Topf im Wasserbad bei schwacher Hitze zu einer geschmeidigen Masse verrühren. Das Gebäck mit der Kuvertüre bestreichen, nach Belieben mit halbierten Belegkirschen garnieren.

Irisches Buttermilchbrot | 🗑

Vollwertig – gut vorzubereiten

Für den Knetteig:
350 g Vollkorn-Dinkelmehl
100 g Vollkorn-Weizenmehl
2 gestr. TL Natron, 100 ml Wasser
2 gestr. TL Salz
200 ml Buttermilch
4 EL Obstessig

Zum Bestäuben:
1 EL Vollkorn-Weizenmehl

Zubereitungszeit: 25 Minuten, ohne Kühlzeit

Insgesamt: E: 65 g, F: 12 g, Kh: 328 g, kJ: 7493, kcal: 1788

1 Für den Teig beide Mehlsorten in eine Rührschüssel geben. Natron und Wasser verrühren, Salz, Buttermilch und Obstessig hinzufügen und zu dem Mehl geben. Die Zutaten mit Handrührgerät mit Knethaken zunächst kurz auf niedrigster, dann auf höchster Stufe gut durcharbeiten.

2 Teig mit etwas Mehl bestäuben, mit einer Teigkarte aus der Schüssel nehmen, in eine Springform (Ø 18 cm, Boden gefettet) legen, etwas flach drücken und mit Mehl bestäuben. Die Form auf dem Rost in den Backofen schieben.

Irisches Buttermilchbrot

Ober-/Unterhitze: etwa 200 °C (vorgeheizt)
Heißluft: etwa 180 °C (nicht vorgeheizt)
Gas: Stufe 3 – 4 (nicht vorgeheizt)
Backzeit: etwa 45 Minuten

3 Das Brot aus der Form lösen, auf einen Kuchenrost legen und erkalten lassen.

Ischeler Törtchen | 🗑 🗑

Klassisch – für Gäste

Für den Knetteig:
250 g Weizenmehl
2 gestr. TL Backpulver
100 g Zucker
1 Pck. Vanillin-Zucker
1 Prise Salz
1 Ei (Größe M)
5 Tropfen Zitronen-Aroma
125 g Butter oder Margarine

rote Konfitüre zum Bestreichen

Puderzucker zum Bestäuben

Zubereitungszeit: 75 Minuten, ohne Abkühlzeit

Insgesamt: E: 35 g, F: 112 g, Kh: 317 g, kJ: 10455, kcal: 2498

1 Für den Teig Mehl mit Backpulver mischen, in eine Rührschüssel sieben. Zucker, Vanillin-Zucker, Salz, Aroma, Ei und Butter oder Margarine hinzufügen. Die Zutaten mit Handrührgerät mit Knethaken zunächst kurz auf niedrigster, dann auf höchster Stufe gut durcharbeiten.

2 Anschließend auf einer bemehlten Arbeitsfläche zu einem glatten Teig verkneten. Sollte er kleben, ihn in Folie gewickelt eine Zeit lang kalt stellen.

3 Teig dünn ausrollen, mit einer runden Form (Ø etwa 8 cm) Plätzchen ausstechen. Die Hälfte der Teigplätzchen mit einer kleineren Form so ausstechen, dass 3 Augen entstehen. Die Teigplätzchen auf ein Backblech (gefettet, mit Backpapier belegt) legen. Das Backblech in den Backofen schieben.

Ober-/Unterhitze: 180 – 200 °C (vorgeheizt)
Heißluft: 160 – 180 °C (vorgeheizt)
Gas: etwa Stufe 3 (vorgeheizt)
Backzeit: 8 – 10 Minuten

4 Plätzchen mit dem Backpapier auf einen Kuchenrost ziehen und erkalten lassen.

5 Die ungelochten Plätzchen auf der Unterseite mit Konfitüre bestreichen, die anderen Plätzchen mit Puderzucker bestäuben und auf die mit Konfitüre bestrichenen Plätzchen legen.

Italienische Torte nach Großmutter Art I 🗑 🗑 🍾 ❄

Einfach

Für den Knetteig:
300 g Weizenmehl
125 g Zucker
2 Eier (Größe M)
2 EL Grappa
80 g Butter oder Margarine

Für die Füllung:
200 g Crème fraîche
5 Eier (Größe M), 125 g Zucker
20 g Speisestärke
Schale von 2 Bio-Zitronen
(unbehandelt, ungewachst)
5 EL Zitronensaft

Für den Belag:
2 Eier (Größe M)
50 g gemahlene Pinienkerne

Puderzucker nach Belieben

Zubereitungszeit: 45 Minuten

Insgesamt: E: 127 g, F: 220 g, Kh: 532 g, kJ: 20363, kcal: 4865

1 Für den Teig Mehl in eine Rührschüssel sieben. Zucker, Eier, Grappa und Butter oder Margarine hinzufügen. Die Zutaten mit Handrührgerät mit Knethaken zunächst kurz auf niedrigster, dann auf höchster Stufe gut durcharbeiten. Anschließend auf einer bemehlten Arbeitsfläche zu einem glatten Teig verkneten. Sollte er kleben, ihn in Folie gewickelt eine Zeit lang kalt stellen.

2 Zwei Drittel des Teiges auf der bemehlten Arbeitsfläche zu einer Platte (Ø etwa 32 cm) ausrollen und in eine Rosettenform (Ø 28 cm, Boden gefettet) legen, dabei den Rand etwa 2 cm hochdrücken. Den Rest des Teiges zu einer Platte (Ø etwa 26 cm) ausrollen und auf ein Stück Backpapier geben, beiseite legen.

3 Für die Füllung Crème fraîche in einen Kochtopf geben. Eier, Zucker, Speisestärke, Zitronenschale und -saft hinzufügen. Die Zutaten mit einem Schneebesen gut verrühren.

Die Masse bei schwacher Hitze unter Rühren zum Kochen bringen, von der Kochstelle nehmen, erkalten lassen. Die Masse auf den Teigboden geben, glatt streichen und mit der beiseite gelegten Teigplatte bedecken.

4 Für den Belag Eier mit Pinienkernen verschlagen, auf den Teigboden streichen. Die Form auf dem Rost in den Backofen schieben.

Ober-/Unterhitze: etwa 180 °C (vorgeheizt)
Heißluft: etwa 160 °C (nicht vorgeheizt)
Gas: Stufe 2 – 3 (nicht vorgeheizt)
Backzeit: 35 – 40 Minuten

5 Die Torte etwa 10 Minuten in der Form stehen lassen, vorsichtig mit einem Tortenheber aus der Form lösen, auf einen Kuchenrost legen und erkalten lassen. Nach Belieben mit Puderzucker bestäuben.

Italienische Torte nach Großmutter Art

Jägertorte | 🗑 🗑 🍶

Raffiniert – für Gäste

Für den Rührteig:
150 g Butter oder Margarine
150 g Zucker, 1 Pck. Vanillin-Zucker
1/2 Fläschchen Rum-Aroma
1 Prise Salz, 4 Eigelb (Größe M)
60 g Weizenmehl
2 gestr. TL Backpulver
125 g geraspelte Zartbitterschokolade
50 g gemahlene Haselnusskerne
50 g abgezogene, gehackte Mandeln
4 Fiweiß (Größe M)

Für die Füllung:
2 Gläser Preiselbeeren
(Abtropfgewicht 350 g)
200 ml Preiselbeersaft aus den Gläsern
1 Pck. Tortenguss, rot
2 TL Zucker
600 ml Schlagsahne
2 Pck. Sahnesteif
2 Pck. Vanillin-Zucker

Zitronenmelisseblätter
Raspelschokolade

Zubereitungszeit: 45 Minuten,
ohne Abkühlzeit

Insgesamt: E: 78 g, F: 412 g, Kh: 462 g,
kJ: 25439, kcal: 6080

1 Für den Teig Butter oder Margarine mit Handrührgerät mit Rührbesen auf höchster Stufe geschmeidig rühren. Nach und nach Zucker, Vanillin-Zucker, Aroma und Salz unterrühren. So lange rühren, bis eine gebundene Masse entstanden ist.

2 Eigelb nach und nach unterrühren (jedes Eigelb knapp 1/2 Minute). Mehl und Backpulver mischen, sieben, auf mittlerer Stufe unterrühren. Schokolade, Haselnusskerne und Mandeln unterrühren.

3 Eiweiß steif schlagen und unter den Teig heben.

4 Teig in eine Springform (Ø 26 cm, Boden gefettet, mit Backpapier belegt) füllen, glatt streichen. Die Form auf dem Rost in den Backofen schieben.

Ober-/Unterhitze: 180 – 200 °C (vorgeheizt)
Heißluft: 160 – 180 °C (nicht vorgeheizt)
Gas: etwa Stufe 3 (nicht vorgeheizt)
Backzeit: etwa 40 Minuten

5 Tortenboden aus der Form lösen, auf einen Kuchenrost stürzen, erkalten lassen. Backpapier entfernen. Boden einmal waagerecht durchschneiden.

6 Für die Füllung Preiselbeeren zum Abtropfen in ein Sieb geben, Saft auffangen und 200 ml abmessen.

7 Einen Tortenguss aus Tortengusspulver, 200 ml Saft und Zucker nach Packungsanleitung zubereiten. Die Hälfte der Preiselbeeren unterrühren. Die Masse auf den unteren Boden streichen (1 cm am Rand frei lassen). Die Preiselbeermasse erkalten lassen.

8 Sahne mit Sahnesteif und Vanillin-Zucker steif schlagen. Unter die Hälfte der Sahnemasse die Hälfte der Preiselbeeren rühren, auf die Preiselbeermasse streichen und mit dem oberen Boden bedecken.

9 Tortenoberfläche und -rand mit der restlichen Sahnemasse bestreichen und verzieren. Torte mit den restlichen Preiselbeeren, Zitronenmelisseblättchen und Raspelschokolade garnieren.

Jägertorte

Joghurt-Becher-Kuchen | 🗑

Einfach

Für den Teig:
1 Becher (150 g) Naturjoghurt
3 Becher (je 100 g) Weizenmehl
2 gestr. TL Backpulver
2 Becher (je 150 g) Zucker
1 Pck. Finesse Geriebene
Zitronenschale, 3 Eier (Größe M)
1 Becher (150 ml) Speiseöl

1 Dose Aprikosenhälften
(Abtropfgewicht 480 g)

100 g Orangenmarmelade oder
Aprikosenkonfitüre zum Bestreichen

25 g gehackte Pistazienkerne

Zubereitungszeit: 30 Minuten

Insgesamt: E: 70 g, F: 192 g, Kh: 687 g,
kJ: 20578 , kcal: 4914

1 Für den Teig Joghurt in eine verschließbare Schüssel (3-Liter-Inhalt) geben, Becher auswaschen und trocknen. Mehl mit Backpulver mischen, sieben, mit Zucker und Zitronenschale mischen und in die Schüssel geben. Eier und Öl hinzufügen, Schüssel mit dem Deckel fest verschließen.

2 Mehrmals (insgesamt 15 – 30 Sekunden) kräftig schütteln, so dass alle Zutaten gut vermischt sind. Alles mit einem Schneebesen oder Rührlöffel nochmals sorgfältig durchrühren, damit vor allem trockene Zutaten vom Rand mit untergerührt werden. Teig auf ein Backblech (30 x 40 cm, gefettet) streichen.

3 Aprikosen in einem Sieb gut abtropfen lassen und auf dem Teig verteilen. Das Backblech in den Backofen schieben.

Ober-/Unterhitze: etwa 200 °C (vorgeheizt)
Heißluft: etwa 180 °C (vorgeheizt)
Gas: Stufe 3 – 4 (vorgeheizt)
Backzeit: etwa 30 Minuten

4 Das Backblech auf einen Kuchenrost stellen. Marmelade oder Konfitüre durch ein Sieb streichen und in einem kleinen Topf erwärmen. Den heißen Kuchen damit bestreichen.

5 Die Pistazienkerne auf die Kuchenoberfläche streuen. Kuchen erkalten lassen.

Joghurt-Becher-Kuchen

Johannisbeer-Himbeer-Schnitten, leichte | 🗑 🗑 ❄ 🍶

Fruchtig

Für den Biskuitteig:
4 Eier (Größe M)
3 EL heißes Wasser
125 g Zucker
1 Pck. Vanillin-Zucker
125 g Weizenmehl
25 g Speisestärke
1 gestr. TL Backpulver

2 – 3 EL Johannisbeer- oder
Himbeerkonfitüre

Für die Füllung:
250 ml (¼ l) Schlagsahne
500 ml (½ l) Dickmilch
100 ml Wasser
1 Pck. Käse-Sahne-Tortencreme
125 g pürierte Himbeeren
2 EL Cassis-Likör

Für den Belag:
125 g verlesene Himbeeren
125 g verlesene schwarze
Johannisbeeren

Für den Guss:
1 Pck. Tortenguss, klar
50 ml Himbeersirup
200 ml Wasser

Zubereitungszeit: 45 Minuten,
ohne Kühlzeit

Insgesamt: E: 87 g, F: 124 g, Kh: 539 g,
kJ: 15873, kcal: 3785

1 Für den Teig Eier und Wasser mit Handrührgerät mit Rührbesen auf höchster Stufe in 1 Minute schaumig schlagen. Zucker und Vanillin-Zucker mischen, in 1 Minute einstreuen, dann noch etwa 2 Minuten schlagen.

2 Mehl mit Speisestärke und Backpulver mischen, die Hälfte davon auf die Eiercreme sieben, kurz auf niedrigster Stufe unterrühren, den Rest des Mehlgemisches auf die gleiche Weise unterarbeiten.

3 Den Teig auf ein Backblech (30 x 40 cm, mit Backpapier belegt) streichen. Backblech in den Backofen schieben.

Ober-/Unterhitze: etwa 180 °C (vorgeheizt)
Heißluft: etwa 160 °C (vorgeheizt)
Gas: Stufe 2 – 3 (vorgeheizt)
Backzeit: etwa 12 Minuten

4 Die Gebäckplatte mit einem Messer vom Backblechrand lösen, auf ein mit Zucker bestreutes Backpapier stürzen, mitgebackenes Backpapier abziehen. Gebäckplatte erkalten lassen.

5 Gebäckplatte senkrecht halbieren. Eine Gebäckhälfte auf eine Platte legen und mit durch ein Sieb gestrichener Konfitüre bestreichen. Einen Backrahmen darumstellen.

6 Für die Füllung Sahne steif schlagen. Dickmilch und Wasser in einer Rührschüssel verrühren. Käse-Sahne-Tortencreme nach Packungsanleitung unterrühren. Sahne unterheben.

7 Etwa ein Viertel der Creme in einen Spritzbeutel mit Lochtülle füllen. Restliche Creme mit Himbeerpüree und Likör verrühren.

8 Himbeercreme auf die bestrichene Platte streichen, mit der oberen Platte bedecken.

9 Masse aus dem Spritzbeutel in Streifen (Abstand jeweils 3 cm) diagonal spiralförmig darauf spritzen. Gebäck etwa 2 Stunden kalt stellen.

10 Kurz vor dem Servieren die Himbeeren und Johannisbeeren zwischen die gespritzten Streifen legen.

11 Für den Guss aus Tortengusspulver, Sirup und Wasser nach Packungsanleitung einen Guss zubereiten und auf den Beeren verteilen. Guss fest werden lassen.

12 Den Backrahmen mit Hilfe eines Messers lösen und entfernen. Gebäck in beliebig große Stücke schneiden.

Johannisbeer-Himbeer-Schnitten, leichte

Johannisbeer-Quarkkuchen mit Baiser |🗑️ 🗑️ ❄️

Fruchtig

Für den Quark-Öl-Teig:
300 g Weizenmehl
1 Pck. Backpulver
150 g Magerquark
100 ml Milch
100 ml Speiseöl
75 g Zucker
1 Pck. Vanillin-Zucker
1 Prise Salz

Für den Belag:
750 g Johannisbeeren
750 g Magerquark
200 g Zucker
1 Pck. Vanillin-Zucker
3 Eier (Größe M)
2 Eigelb (Größe M)
50 zerlassene abgekühlte Butter
50 g gesiebte Speisestärke

Für das Baiser:
2 Eiweiß (Größe M)
100 g Zucker
20 g abgezogene, gehobelte Mandeln

Zubereitungszeit: 60 Minuten,
ohne Abkühlzeit

Insgesamt: E: 206 g, F: 168 g, Kh: 753 g,
kJ: 23497, kcal: 5607

Johannisbeer-Quarkkuchen mit Baiser

1 Für den Teig Mehl mit Backpulver mischen, in eine Rührschüssel sieben. Quark, Milch, Öl, Zucker, Vanillin-Zucker und Salz hinzufügen. Die Zutaten mit Handrührgerät mit Knethaken auf höchster Stufe in etwa 1 Minute zu einem Teig verarbeiten (nicht zu lange, Teig klebt sonst).

2 Anschließend auf der bemehlten Arbeitsfläche zu einer Rolle formen. Teig auf einem Backblech (30 x 40 cm, gefettet) ausrollen.

3 Für den Belag Johannisbeeren waschen, in einem Sieb abtropfen lassen und entstielen. Quark mit Zucker, Vanillin-Zucker, Eiern, Eigelb, Butter und Speisestärke verrühren, die Johannisbeeren unterheben. Die Masse auf

dem Teig verteilen und glatt streichen. Vor den Teig einen mehrfach geknickten Streifen Alufolie legen. Das Backblech in den Backofen schieben.

Ober-/Unterhitze: etwa 180 °C (vorgeheizt)
Heißluft: etwa 160 °C (vorgeheizt)
Gas: Stufe 2 – 3 (vorgeheizt)
Backzeit: etwa 25 Minuten

4 Für das Baiser Eiweiß mit Handrührgerät mit Rührbesen auf höchster Stufe steif schlagen, der Schnee muss so fest sein, dass ein Messerschnitt sichtbar bleibt, nach und nach

Zucker unterschlagen. Baiser auf dem vorgebackenen Boden verstreichen, mit Mandeln bestreuen.

5 Das Backblech wieder in den Backofen schieben, bis das Baiser braune Spitzen hat.

Ober-/Unterhitze: etwa 220 °C (vorgeheizt)
Heißluft: etwa 200 °C (vorgeheizt)
Gas: Stufe 4 – 5 (vorgeheizt)
Backzeit: etwa 5 Minuten

6 Das Backblech auf einen Kuchenrost stellen. Den Kuchen erkalten lassen.

Johannisbeerschnitten | 🗑 🗑

Für Gäste

Für den Biskuitteig:
3 Eier (Größe M)
3–4 EL heißes Wasser
150 g Zucker, 1 Pck. Vanillin-Zucker
100 g Weizenmehl
50 g Speisestärke
1 gestr. TL Backpulver

Für die Füllung:
8 Blatt weiße Gelatine
500 g rote Johannisbeeren
750 ml (³/₄ l) Schlagsahne
125 g gesiebter Puderzucker
1 Pck. Vanillin-Zucker

Zum Garnieren:
Raspelschokolade
evtl. gezuckerte
Johannisbeerrispen

Zubereitungszeit: 45 Minuten,
ohne Abkühlzeit

Insgesamt: E: 122 g, F: 271 g, Kh: 488 g,
kJ: 21019 , kcal: 5021

1 Für den Teig Eier und Wasser mit Handrührgerät mit Rührbesen auf höchster Stufe
in 1 Minute schaumig schlagen. Zucker mit
Vanillin-Zucker mischen, in 1 Minute einstreuen, dann noch etwa 2 Minuten schlagen.

2 Mehl mit Speisestärke und Backpulver mischen, die Hälfte davon auf die Eiercreme
sieben, kurz auf niedrigster Stufe unterrühren. Den Rest des Mehlgemisches auf die
gleiche Weise unterarbeiten.

3 Den Teig auf ein Backblech (30 x 40 cm,
gefettet, mit Backpapier belegt) streichen.
Das Backblech in den Backofen schieben.

Ober-/Unterhitze: 200 – 220 °C (vorgeheizt)
Heißuft: 180 – 200 °C (vorgeheizt)
Gas: etwa Stufe 4 (vorgeheizt)
Backzeit: 10 – 15 Minuten

4 Den Biskuit sofort nach dem Backen auf
ein mit Zucker bestreutes Stück Backpapier
stürzen. Das mitgebackene Backpapier mit
kaltem Wasser bestreichen und vorsichtig,
aber schnell abziehen.

5 Für die Füllung Gelatine in kaltem Wasser
nach Packungsanleitung einweichen, leicht
ausdrücken.

6 Johannisbeeren waschen, in einem Sieb
gut abtropfen lassen und entstielen (einige
Johannisbeerrispen beiseite legen). Die Johannisbeeren pürieren, den Johannisbeerbrei
durch ein Sieb streichen. Die ausgedrückte
Gelatine in einem kleinen Topf unter Rühren
erwärmen (nicht kochen), bis sie völlig gelöst
ist. Gelatine leicht abkühlen lassen.

7 Sahne mit Puderzucker und Vanillin-Zucker steif schlagen. Zwei Drittel der Sahne
unter den Johannisbeerbrei rühren. Die Gelatine unterrühren.

8 Den Biskuit halbieren, die eine Hälfte des
Gebäcks mit der Johannisbeersahne bestreichen, die andere Hälfte darauf legen, etwas
andrücken. Die Kuchenoberfläche mit der
restlichen Sahne gleichmäßig bestreichen.

9 Den Kuchen in Schnitten beliebiger Größe
schneiden, die Kuchenoberfläche mit Raspelschokolade bestreuen und mit den beiseite
gelegten Johannisbeerrispen garnieren.

Tipp: Maximal 1 Tag vor dem Verzehr zubereiten. Für Erwachsene die Sahnemasse mit
etwas Cassis-Likör abschmecken.

Veränderung: 100 g Zartbitterschokolade
in Stücke brechen, in einem kleinen Topf
im Wasserbad bei schwacher Hitze geschmeidig rühren. Die untere Biskuithälfte
zuerst mit der Schokolade, dann mit gut der
Hälfte der Johannisbeersahne bestreichen,
die restliche Johannisbeersahne auf die
Oberfläche streichen.

Johannisbeerschnitten

Johannisbeer-Stachelbeer-Kuchen | 🗑

Raffiniert

Für den Teig:
375 ml (³/₈ l) Schlagsahne
250 g Zucker
1 Pck. Vanillin-Zucker
1 Prise Salz
4 Eier (Größe M)
375 g Weizenmehl
4 gestr. TL Backpulver

Für den Belag:
1 kg reife Stachelbeeren
250 g rote Johannisbeeren
100 g Butter
100 g Zucker
125 ml (¹/₈ l) Schlagsahne
100 g abgezogene,
gehobelte Mandeln

Zubereitungszeit: 40 Minuten

Insgesamt: E: 114 g, **F:** 324 g, **Kh:** 777 g,
kJ: 28309, kcal: 6759

1 Für den Teig Sahne fast steif schlagen. Nach und nach Zucker, Vanillin-Zucker, Salz und Eier mit Handrührgerät mit Rührbesen auf nicdrigstor Stufe unterrühren.

2 Mehl mit Backpulver mischen, sieben und portionsweise auf mittlerer Stufe unterrühren. Den Teig in eine Fettfangschale (30 x 40 cm, gefettet) geben und glatt streichen.

3 Für den Belag Stachelbeeren von Stiel und Blüte befreien, waschen, gut abtropfen lassen, große Beeren halbieren und auf dem Teig verteilen. Die Fettfangschale in den Backofen schieben.

Ober-/Unterhitze: 180 – 200 °C (vorgeheizt, untere Schiene)
Heißluft: 160 – 180 °C (vorgeheizt)
Gas: etwa Stufe 3 (vorgeheizt, untere Schiene)
Backzeit: etwa 25 Minuten

4 In der Zwischenzeit Johannisbeeren waschen, gut abtropfen lassen und entstielen.

5 Butter mit Zucker und Sahne langsam erhitzen und einmal aufkochen lassen. Mandeln unterrühren.

6 Mandelmasse und Johannisbeeren auf dem vorgebackenen Kuchen verteilen. Den Kuchen **bei gleicher Temperatur auf mittlerer Schiene weitere 20 Minuten** backen.

7 Die Fettfangschale auf einen Kuchenrost stellen und den Kuchen erkalten lassen.

Johannisbeer-Stachelbeer-Kuchen

Johannisbeertorte | 🗑 🗑

Für Gäste

Für den Knetteig:
150 g Weizenmehl
40 g Zucker, 1 Pck. Vanillin-Zucker
2 Eigelb (Größe M)
75 g Butter oder Margarine

Für den Biskuitteig:
2 Eiweiß (Größe M)
2 geh. EL Zucker
1 Prise Salz
3 Eigelb (Größe M)
2 geh. EL gesiebtes Weizenmehl
2 EL abgezogene, gemahlene Mandeln

Für den Belag:
1 kg rote Johannisbeeren
175 g Zucker
50 ml Wasser, 5 EL kaltes Wasser
40 g Speisestärke

2 EL Johannisbeergelee

Für das Baiser:
3 Eiweiß (Größe M)
150 g Zucker

Zubereitungszeit: 75 Minuten,
ohne Abkühlzeit

Insgesamt: E: 65 g, F: 101 g, Kh: 653 g,
kJ: 16436, kcal: 3921

1 Für den Knetteig Mehl in eine Rührschüssel sieben, Zucker, Vanillin-Zucker, Eigelb und Butter oder Margarine hinzufügen. Die Zutaten mit Handrührgerät mit Knethaken zunächst kurz auf niedrigster, dann auf höchster Stufe gut durcharbeiten, anschließend auf der Arbeitsfläche zu einem glatten Teig verkneten. Sollte er kleben, ihn in Folie gewickelt eine Zeit lang kalt stellen. Teig auf dem Boden einer Springform (Ø 28 cm, Boden gefettet) ausrollen, mehrmals mit einer Gabel einstechen, den Springformrand darumlegen.

2 Die Form auf dem Rost in den Backofen schieben.

Johannisbeertorte

Ober-/Unterhitze: 200 – 220 °C (vorgeheizt)
Heißluft: 180 – 200 °C (vorgeheizt)
Gas: etwa Stufe 4 (vorgeheizt)
Backzeit: etwa 15 Minuten

3 Den Tortenboden sofort nach dem Backen vom Springformboden lösen, aber darauf erkalten lassen.

4 Für den Biskuitteig Eiweiß mit Handrührgerät mit Rührbesen steif schlagen, Zucker und Salz unterschlagen, Eigelb hinzufügen. Mehl mit Mandeln unterheben. Den Teig in eine Springform (Ø 28 cm, Boden gefettet, mit Backpapier belegt) füllen, glatt streichen. Form auf dem Rost in den Backofen schieben.

Ober-/Unterhitze: 180 – 200 °C (vorgeheizt)
Heißluft: 160 – 180 °C (vorgeheizt)
Gas: etwa Stufe 3 (vorgeheizt)
Backzeit: etwa 15 Minuten

5 Den Tortenboden sofort nach dem Backen aus der Form lösen, auf einen Kuchenrost stürzen, Backpapier abziehen, Boden erkalten lassen.

6 Für den Belag Johannisbeeren waschen, in einem Sieb abtropfen lassen, entstielen und mit Zucker bestreuen. Johannisbeeren zum Saft ziehen stehen lassen, in einem Sieb gut abtropfen lassen, Saft auffangen.

7 Von dem Saft 150 ml abmessen, mit Wasser auf 200 ml ergänzen. Saft in einem kleinen Topf zum Kochen bringen. Speisestärke mit Wasser anrühren und in die Flüssigkeit rühren, nochmals kurz aufkochen lassen. Johannisbeeren vorsichtig unterheben.

8 Den Knetteigboden auf ein mit Backpapier belegtes Backblech legen, mit Johannisbeergelee bestreichen. Den Biskuitboden darauf legen, mit der Johannisbeermasse bestreichen (1 – 2 cm am Rand frei lassen).

9 Für das Baiser Eiweiß mit Handrührgerät mit Rührbesen auf höchster Stufe steif schlagen, der Schnee muss so fest sein, dass ein Messerschnitt sichtbar bleibt, nach und nach Zucker unterschlagen. Die Tortenoberfläche mit etwa der Hälfte der Eiweißmasse bestreichen, restliche Eiweißmasse in einen Spritzbeutel mit Sterntülle füllen und die Torte damit verzieren. Die Torte auf dem Rost in den Backofen schieben.

Ober-/Unterhitze: etwa 220 °C (vorgeheizt)
Heißluft: etwa 200 °C (vorgeheizt)
Gas: Stufe 4 – 5 (vorgeheizt)
Backzeit: etwa 5 Minuten

10 Die Torte auf einen Kuchenrost stellen und erkalten lassen.

Johannisbeer-Wähe | 🗑

Einfach

Für den Hefeteig:
200 g Weizenmehl
1 Pck. Trockenhefe
30 g Zucker, 1 Pck. Vanillin-Zucker
1 Prise Salz
125 ml (¹/₈ l) lauwarme Milch
30 g zerlassene, abgekühlte Butter

Für den Belag:
500 g rote Johannisbeeren

Für den Guss:
1 Pck. Saucenpulver
Vanille-Geschmack (zum Kochen)
50 g Zucker. 1 Pck. Vanillin-Zucker
200 ml Schlagsahne, 3 Eier (Größe M)

Zubereitungszeit: 65 Minuten,
ohne Teiggehzeit

Insgesamt: E: 62 g, F: 114 g, Kh: 309 g,
kJ: 11023, kcal: 2632

1 Für den Teig Mehl in eine Rührschüssel sieben, mit Trockenhefe sorgfältig vermischen. Zucker, Vanillin-Zucker, Salz, Milch und Butter hinzufügen.

2 Die Zutaten mit Handrührgerät mit Knethaken zunächst auf niedrigster, dann auf höchster Stufe in etwa 5 Minuten zu einem Teig verarbeiten. Den Teig zugedeckt so lange an einem warmen Ort stehen lassen, bis er sich sichtbar vergrößert hat.

3 Den Teig leicht mit Mehl bestäuben, aus der Schüssel nehmen und auf einer bemehlten Arbeitsfläche kurz durchkneten. Teig zu einer runden Platte (Ø 28 cm) ausrollen und in eine Tarteform (28 cm, gefettet) legen. Den Rand etwas hochziehen.

4 Für den Belag Johannisbeeren waschen, in einem Sieb abtropfen lassen, entstielen und auf dem Teig verteilen.

5 Für den Guss Saucenpulver mit Zucker und Vanillin-Zucker mischen und mit der Sahne glatt rühren. Eier hinzufügen und verrühren. Den Guss über die Beeren gießen. Die Form auf dem Rost in den Backofen schieben.

Ober-/Unterhitze: etwa 180 °C (vorgeheizt)
Heißluft: etwa 160 °C (nicht vorgeheizt)
Gas: Stufe 2 – 3 (nicht vorgeheizt)
Backzeit: etwa 45 Minuten

6 Die Form auf einen Kuchenrost stellen. Gebäck erkalten lassen.

Tipp: Dazu passt leicht angeschlagene Eierlikörsahne.

Johannisbeer-Wähe

Kaffeegebäck

Kaffeegebäck | 🥤 🥤

Für Kinder – etwas aufwändiger

Für den Rühr-Knetteig:
250 g Butter oder Margarine
200 g Doppelrahm-Frischkäse
1 Pck. Vanillin-Zucker
80 g Schmand
250 g Weizenmehl

Für 9 Pflaumen-Nektarinen-Kissen:
50 g Löffelbiskuits
30 g gehackte Walnusskerne
18 Pflaumen, 1 Nektarine

Zum Bestreichen und Bestreuen:
1 Eigelb, 1 – 2 EL Milch
1 – 2 EL Hagelzucker
1 EL Johannisbeergelee

Für 8 Cappuccino-Kirsch-Hörnchen:
100 g Sauerkirschen (aus dem Glas)
50 g fein gehackte Cappuccino-schokolade

Zum Besprenkeln:
50 g aufgelöste Cappuccinoschokolade

Zubereitungszeit: 80 Minuten, ohne Kühlzeit

Insgesamt: E: 73 g, F: 336 g, Kh: 432 g, kJ: 21993, kcal: 5253

1 Für den Teig Butter oder Margarine mit Handrührgerät mit Rührbesen auf höchster Stufe geschmeidig rühren. Nach und nach Frischkäse, Vanillin-Zucker und Schmand hinzufügen. So lange rühren, bis eine gebundene Masse entstanden ist.

2 Mehl sieben, zur Hälfte unterrühren. Den Rest des Mehls auf einer Arbeitsfläche unterkneten. Teig in Folie gewickelt etwa 30 Minuten kalt stellen.

3 Für die Pflaumen-Nektarinen-Kissen knapp die Hälfte des Teiges auf der bemehlten Ar-

beitsfläche zu einem Quadrat 30 x 30 cm ausrollen, anschließend in 9 Quadrate von 10 x 10 cm schneiden.

4 Die Teigstücke mit Abstand auf ein Backblech (mit Backpapier belegt) legen. Löffelbiskuits in einen Gefrierbeutel füllen, Beutel verschließen. Löffelbiskuits mit der Teigrolle zerdrücken. Biskuitbrösel mit Walnusskernen vermengen, Masse auf den Teigstücken verteilen. Mit Pflaumenhälften und Nektarinenspalten belegen. Eigelb mit Milch verquirlen, Teigstücke mit Eigelbmilch bestreichen und mit Hagelzucker bestreuen. Das Backblech in den Backofen schieben.

Ober-/Unterhitze: 180 – 200 °C (vorgeheizt)
Heißluft: 160 – 180 °C (vorgeheizt)
Gas: etwa Stufe 3 (vorgeheizt)
Backzeit: etwa 20 Minuten

5 Zum Bestreichen Johannisbeergelee in einem kleinen Topf erwärmen, die Früchte damit bestreichen.

6 Gebäck mit dem Backpapier vom Backblech ziehen, auf einem Kuchenrost erkalten lassen.

7 Für die Cappuccino-Kirsch-Hörnchen restlichen Teig auf der bemehlten Arbeitsfläche zu einem Quadrat (28 x 28 cm) ausrollen, Teigstücke in Quadrate von 14 x 14 cm schneiden, diese diagonal in 8 Dreiecke schneiden. In die Mitte je 2 Kirschen und gehackte Schokolade geben. Teigstücke zu Hörnchen aufrollen, auf ein Backblech (mit Backpapier belegt) legen, mit Eigelbmilch bestreichen. Backblech in den Backofen schieben.

Ober-/Unterhitze: 180 – 200 °C (vorgeheizt)
Heißluft: 160 – 180 °C (vorgeheizt)
Gas: etwa Stufe 3 (vorgeheizt)
Backzeit: etwa 25 Minuten

8 Gebäck mit dem Backpapier vom Backblech ziehen und auf einem Kuchenrost erkalten lassen, mit Schokolade besprenkeln. Gebäck erkalten lassen.

Kaffeemuffins | 🗑 🗑 🍾 ❄

Einfach – zum Picknick – preiswert

Zum Vorbereiten:
125 ml (¹/₈ l) heißes Wasser
2 geh. TL Instant-Kaffeepulver

Für den Rührteig:
125 g Butter oder Margarine
175 g Zucker
1 Pck. Finesse Bourbon-Vanille-Aroma
2 Eier (Größe M), 175 g Weizenmehl
2 gestr. TL Backpulver
20 g Kakaopulver
1 EL Rum

Für den Guss:
100 g gesiebter Puderzucker
¹/₂ TL Instant-Kaffeepulver
1 – 2 EL heißes Wasser

Zubereitungszeit: 25 Minuten, ohne Abkühlzeit

Insgesamt: E: 41 g, F: 120 g, Kh: 361 g, kJ: 11652, kcal: 2784

1 Zum Vorbereiten Wasser mit Kaffeepulver verrühren und erkalten lassen.

2 Für den Teig Butter oder Margarine mit Handrührgerät mit Rührbesen auf höchster Stufe geschmeidig rühren. Nach und nach Zucker und Aroma unterrühren. So lange rühren, bis eine gebundene Masse entstanden ist.

3 Eier nach und nach unterrühren (jedes Ei etwa ¹/₂ Minute). Mehl mit Backpulver und Kakao mischen, sieben, portionsweise auf mittlerer Stufe unter den Teig rühren. Zuletzt Rum und Kaffee unterrühren.

4 Teig in zweifach ineinander gestellte Papierbackförmchen oder in eine Muffinform (für 12 Muffins, gefettet) füllen. Die Form auf dem Rost, Papierbackförmchen auf dem Backblech in den Backofen schieben.

Ober-/Unterhitze: etwa 180 °C (vorgeheizt)
Heißluft: etwa 160 °C (vorgeheizt)
Gas: Stufe 2 – 3 (vorgeheizt)
Backzeit: etwa 25 Minuten

5 Muffinform auf einen Kuchenrost stellen. Für den Guss Puderzucker mit Kaffeepulver mischen, mit Wasser anrühren und die Muffins sofort nach dem Backen damit bestreichen. Muffins erkalten lassen.

Kaffeemuffins

Kaffeetorte

2 Für die Böden Blätterteigplatten zugedeckt bei Zimmertemperatur auftauen lassen, die Platten in zwei Portionen aufeinander legen, zu je einem Boden (Ø 28 cm) ausrollen und ausschneiden. Böden auf je ein Backblech (gefettet, mit Wasser besprenkelt) legen. Mehrmals mit einer Gabel einstechen, 15 Minuten ruhen lassen, am besten im Kühlschrank.

3 Für die Streusel Mehl in eine Rührschüssel sieben, Kakao, Zucker und Vanillin-Zucker mischen, mit der Butter hinzufügen. Alle Zutaten mit Handrührgerät mit Knethaken zu Streuseln von gewünschter Größe verarbeiten. Streuselteig in den Kühlschrank stellen, bis er fest geworden ist.

4 Teigplatten mit Milch bestreichen, mit je der Hälfte der Streusel bestreuen. Backbleche nacheinander (bei Heißluft zusammen) in den Backofen schieben.

Ober-/Unterhitze: 200–220 °C (vorgeheizt)
Heißluft: 180–200 °C (vorgeheizt)
Gas: etwa Stufe 4 (vorgeheizt)
Backzeit: etwa 15 Minuten pro Backblech

5 Die Böden vom Backblech lösen und einzeln auf einem Kuchenrost erkalten lassen.

6 Für die Füllung Birnen in einem Sieb abtropfen lassen, Saft auffangen. Birnen würfeln.

7 Aus Tortengusspulver und Saft nach Packungsanleitung einen Guss zubereiten. Gewürfelte Birnen unterheben, etwas abkühlen lassen. Masse auf einem Boden verteilen. Kalt stellen.

8 Die gut gekühlte Schokosahne steif schlagen, in einen Spritzbeutel mit Sterntülle füllen und auf den Birnenboden spritzen. Anderen Boden mit der Streuselseite nach oben darauf legen. Torte kalt stellen.

9 Vor dem Verzehr mit Puderzucker bestäuben.

Tipp: Kaffeetorte etwa 1 Stunde vor dem Verzehr zusammensetzen, damit der Blätterteig nicht durchweicht. Blätterteigböden können auch schon 1–2 Tage vor dem Verzehr zubereitet werden.

Kaffeetorte | 🗑 🗑

Für Gäste – einfach

Zum Vorbereiten:
600 ml Schlagsahne
150 g Mokkaschokolade
6 TL Instant-Espressopulver oder
2 Portionsbeutel Cappuccinopulver
2 Pck. Sahnesteif

Für die Böden:
1 Pck. (300 g) TK-Blätterteig

Für die Streusel:
150 g Weizenmehl
10 g Kakaopulver
75 g Zucker
1 Pck. Vanillin-Zucker
100 g zerlassene abgekühlte Butter

Zum Bestreichen:
4–5 EL Milch

Für die Füllung:
1 Dose Birnen (Abtropfgewicht 460 g)
1 Pck. Tortenguss, klar
250 ml (¼ l) Birnensaft aus der Dose

Zum Bestäuben:
Puderzucker

Zubereitungszeit: 45 Minuten, ohne Kühl- und Auftauzeit

Insgesamt: E: 63 g, F: 403 g, Kh: 490 g, kJ: 25078, kcal: 5995

1 Zum Vorbereiten Sahne in einem Topf aufkochen, von der Kochstelle nehmen, zerkleinerte Schokolade unterrühren, bis sie gelöst ist. Espresso- oder Cappuccinopulver unterrühren. Die Masse in eine Rührschüssel füllen, mit Klarsichtfolie zudecken, über Nacht in den Kühlschrank stellen.

Karamelltörtchen | 🗑️ 🗑️

Zum Kindergeburtstag – raffiniert

Für die Baisermasse:
3 Eiweiß (Größe M)
125 g Zucker
1 Pck. Vanillin-Zucker
60 g gemahlene Haselnusskerne
60 g abgezogene, gemahlene Mandeln
20 g gesiebte Speisestärke

Für die Füllung:
50 g Zucker
400 ml Milch
1 Pck. Gala Pudding-Pulver
Echt Karamell
1 TL Instant-Kaffeepulver
100 g Butter

Zum Garnieren:
gehobelte Haselnusskerne

Zum Bestäuben:
Puderzucker
Kakaopulver

Zubereitungszeit: 50 Minuten, ohne Abkühlzeit

Insgesamt: E: 48 g, F: 172 g, Kh: 288 g, kJ: 12468, kcal: 2976

1 Für die Baisermasse Eiweiß mit Handrührgerät mit Rührbesen auf höchster Stufe steif schlagen, der Schnee muss so fest sein, dass ein Messerschnitt sichtbar bleibt, nach und nach Zucker und Vanillin-Zucker unterschlagen. Haselnusskerne, Mandeln und Speisestärke mischen, unter den Eischnee heben.

2 Teig in einen Spritzbeutel mit Sterntülle füllen, 20 Plätzchen (Ø 6 – 7 cm) auf ein Backblech (gefettet, mit Backpapier belegt) spritzen. Backblech in den Backofen schieben.

Ober-/Unterhitze: etwa 140 °C (vorgeheizt)
Heißluft: etwa 120 °C (vorgeheizt)
Gas: etwa Stufe 1 (vorgeheizt)
Backzeit: 25 – 30 Minuten

3 Das Gebäck mit dem Backpapier auf einen Kuchenrost ziehen und erkalten lassen.

4 Für die Füllung Zucker in einem Topf bei schwacher Hitze schmelzen, bis er „hellbraun" ist. Von der Milch 3 Esslöffel abnehmen, Pudding-Pulver damit anrühren. Restliche Milch mit dem karamellisierten Zucker aufkochen, den Zucker unter Rühren auflösen. Kaffeepulver hinzufügen und unterrühren. Milch von der Kochstelle nehmen, angerührtes Pudding-Pulver einrühren, unter Rühren zum Kochen bringen und gut aufkochen lassen. Pudding mit der Butter vermengen und erkalten lassen, ab und zu umrühren.

5 Den Pudding in einen Spritzbeutel mit Sterntülle füllen. Die Hälfte der Baiserplätzchen auf der Unterseite mit dem Pudding bespritzen, restliche Plätzchen darauf setzen.

6 Törtchen mit einem dicken Puddingtupfen verzieren, mit Haselnusskernen garnieren und mit Puderzucker oder Kakao bestäuben.

Karamelltörtchen

Kartoffel-Mohn-Hörnchen

Kartoffel-Mohn-Hörnchen |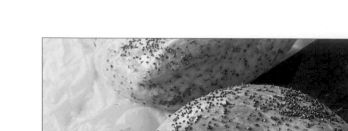

Gut vorzubereiten – preiswert

Für den Hefeteig:
500 g Kartoffeln, 125 g Butterschmalz
500 g Weizenmehl, 2 Pck. Trockenhefe
50 g gemahlene Mohnsamen
2 gestr. TL Salz
1 Msp. geriebene Muskatnuss
1 gestr. TL Paprikapulver edelsüß

Zum Bestreichen:
1 Eigelb, 1 EL Milch

Zum Bestreuen:
1 – 2 EL Mohnsamen

Zubereitungszeit: 45 Minuten, ohne
Teiggeh- und Abkühlzeit

Insgesamt: E: 87 g, F: 166 g, Kh: 460 g,
kJ: 16087, kcal: 3842

1 Für den Teig Kartoffeln waschen, mit Wasser bedeckt zugedeckt etwa 25 Minuten kochen, abgießen, pellen und heiß durch die
Kartoffelpresse drücken. Lauwarm abkühlen
lassen. Butterschmalz zerlassen und lauwarm
abkühlen lassen.

2 Mehl in eine Rührschüssel sieben, mit Trockenhefe sorgfältig vermischen. Kartoffelmas-
se, Butterschmalz, Mohnsamen, Salz und Gewürze hinzufügen.

3 Die Zutaten mit Handrührgerät mit Knethaken zunächst auf niedrigster, dann auf höchster Stufe in etwa 5 Minuten zu einem Teig
verarbeiten. Sollte er kleben, noch etwas Mehl
hinzufügen. Teig zugedeckt so lange an einem
warmen Ort stehen lassen, bis er sich sichtbar vergrößert hat.

4 Den Teig leicht mit Mehl bestäuben, aus
der Schüssel nehmen, auf der Arbeitsfläche
nochmals kurz durchkneten. Teig halbieren
und zu je 1 Rolle formen.

5 Rollen in jeweils 8 Stücke teilen. Jedes
Teigstück zu einer 15 cm langen Rolle formen, die an den Enden etwas dünner ist.
Rollen zu Hörnchen formen und auf Backbleche (mit Backpapier belegt) legen. Zugedeckt nochmals 20 Minuten an einem warmen Ort stehen lassen.

6 Zum Bestreichen Eigelb mit Milch verquirlen und auf die Hörnchen streichen. Mit etwas Mohn bestreuen. Die Backbleche nacheinander (bei Heißluft zusammen) in den
Backofen schieben.

Ober-/Unterhitze: etwa 200 °C (vorgeheizt)
Heißluft: etwa 180 °C (vorgeheizt)
Gas: Stufe 3 – 4 (vorgeheizt)
Backzeit: 20 – 25 Minuten pro Blech

7 Die Hörnchen mit dem Backpapier von
den Backblechen auf Kuchenroste ziehen,
erkalten lassen.

Kartoffel-Tomaten-Pizza | 🗑 🗑 ❄

Für Gäste

Für die Pizza:
750 g Kartoffeln
150 g durchwachsener Speck
500 g Tomaten

Zum Bestreuen:
¼ TL gerebelter Oregano
1 EL gehackte Petersilie
Knoblauchsalz
frisch gemahlener Pfeffer
100 g geriebener Käse

Zubereitungszeit: 45 Minuten

Insgesamt: E: 60 g, F: 115 g, Kh: 130 g, kJ: 7803, kcal: 1863

1 Für die Pizza Kartoffeln waschen, schälen, abspülen, in dünne Scheiben schneiden und zum Trocknen eine Zeit lang auf Küchenpapier legen.

2 Speck in kleine Würfel schneiden und in einer Pfanne auslassen. Kartoffelscheiben in 2 Portionen hinzugeben und etwa 5 Minuten unter gelegentlichem Wenden braten.

3 Tomaten waschen, abtrocknen, die Stängelansätze herausschneiden, die Tomaten in Scheiben schneiden und mit den Kartoffelscheiben vermengen. Die Zutaten gleichmäßig auf einem Backblech (gefettet) verteilen.

4 Oregano, Petersilie, Knoblauchsalz und Pfeffer darüber streuen. Pizza gleichmäßig mit Käse bestreuen. Das Backblech in den Backofen schieben.

Ober-/Unterhitze: 200–220 °C (vorgeheizt)
Heißluft: 180–200 °C (vorgeheizt)
Gas: etwa Stufe 4 (vorgeheizt)
Backzeit: etwa 25 Minuten

5 Backblech auf einen Kuchenrost stellen. Die Pizza in Stücke teilen und heiß servieren.

Kartoffel-Tomaten-Pizza

Kartoffelwaffeln | 🗑 ❄

einfach – herzhaft

für den Waffelteig:
70 g Butter oder Margarine
00 g Weizenmehl
gestr. TL Backpulver
gestr. TL Salz
00 ml Milch, 4 Eier (Größe M)
Pck. Kartoffelpüree-Pulver (für 3 Portionen bzw. 500 ml [½ l] Wasser)
frisch gemahlener Pfeffer
frisch geriebene Muskatnuss
Speiseöl für das Waffeleisen

Zubereitungszeit: etwa 45 Minuten

Insgesamt: E: 117 g, F: 235 g, Kh: 260 g, kJ: 15778, kcal: 3759

1 Für den Teig Butter oder Margarine in einer kleinen Pfanne zerlassen. Mehl, Backpulver und Salz mischen, in eine Rührschüssel sieben. Milch, Eier und flüssiges Fett mit Handrührgerät mit Rührbesen nacheinander unterrühren. Püreepulver unterrühren. Mit Pfeffer und Muskat abschmecken.

2 Waffeleisen erhitzen und mit Öl einpinseln. Teig portionsweise in das Waffeleisen füllen. Nacheinander 8–10 goldbraune Waffeln backen.

3 Waffeln nebeneinander auf einen Kuchenrost legen, damit sie kross bleiben.

Tipp: Als Beilage 1 Päckchen (250 g) Fleischsalat servieren.

Käsegebäck | 🗑

Für Gäste

Für den Knetteig:
125 g Weizenmehl
50 g fein gemahlener Weizenschrot
2 Eier (Größe M)
150 g geriebener Emmentaler-Käse
80 g Butter oder Margarine

Zum Bestreichen:
1 Eigelb

Zum Bestreuen:
Sesamsamen, gemahlener Mohn
geriebener Käse

Zubereitungszeit: 45 Minuten

Insgesamt: E: 89 g, F: 145 g, Kh: 124 g,
kJ: 9496, kcal: 2269

1 Für den Teig Mehl in eine Rührschüssel sieben. Weizenschrot, Eier, Käse und Butter oder Margarine hinzufügen. Die Zutaten mit Handrührgerät mit Knethaken zunächst kurz auf niedrigster, dann auf höchster Stufe gut durcharbeiten.

2 Anschließend auf einer bemehlten Arbeitsfläche zu einem glatten Teig verkneten. Sollte er kleben, ihn in Folie gewickelt eine Zeit lang kalt stellen.

3 Teig auf einer bemehlten Arbeitsfläche etwa ¹/₂ cm dick zu einem Rechteck ausrollen.

4 Aus dem Teig etwa 2 cm breite und 5 cm lange Streifen ausschneiden. Teigstreifen auf ein Backblech (mit Backpapier belegt) legen.

5 Teigstreifen mit verquirltem Eigelb bestreichen. Nach Belieben mit Sesamsamen, Mohn und Käse bestreuen.

6 Das Backblech in den Backofen schieben.

Ober-/Unterhitze: etwa 200 °C (vorgeheizt)
Heißluft: etwa 180 °C (vorgeheizt)
Gas: Stufe 3 – 4 (vorgeheizt)
Backzeit: etwa 10 Minuten

Tipp: Käsegebäck kann auch eingefroren werden. Das Gebäck zum Servieren antauen lassen und bei den oben angegebenen Temperaturen etwa 4 Minuten aufbacken. Dann sofort servieren, damit es schön kross ist.

Käsekuchen mit Erdbeerbelag | 🗑 🗑

Für Gäste – raffiniert

Für den Knetteig:
200 g Weizenmehl
50 g gesiebter Puderzucker
1 Ei (Größe M)
100 g Butter oder Margarine

Käsekuchen mit Erdbeerbelag

Für die Füllung:
500 g Schichtkäse
150 g gesiebter Puderzucker
4 Eigelb (Größe M)
abgeriebene Schale von 1 Bio-Zitrone
(unbehandelt, ungewachst)
4 Eiweiß (Größe M)
100 g zerlassene Butter

Für den Belag:
500 g Erdbeeren
75 g gesiebter Puderzucker
3 EL Zitronensaft
1 EL gehackte Minze
1 Pck. Tortenguss, rot
Erdbeersaft (mit Apfelsaft, Wein oder
Wasser auf 250 ml [¹/₄ l] aufgefüllt)

Zubereitungszeit: 50 Minuten, ohne Durchzieh- und Abkühlzeit

Insgesamt: E: 121 g, F: 232 g, Kh: 475 g,
kJ: 19560, kcal: 4677

1 Für den Teig Mehl in eine Rührschüssel sieben. Puderzucker, Ei und Butter oder Margarine hinzufügen. Die Zutaten mit Handrührgerät mit Knethaken zunächst kurz auf niedrigster, dann auf höchster Stufe gut durcharbeiten. Anschließend auf einer Arbeitsfläche zu einem glatten Teig verkneten. Sollte er kleben, ihn in Folie gewickelt eine Zeit lang kalt stellen. Zwei Drittel des Teiges auf dem Boden einer Springform (Ø 26 cm, Boden gefettet) ausrollen, Springformrand darumlegen.

2 Den Rest des Teiges zu einer Rolle formen, als Rand auf den Teigboden legen, so an die Form drücken, dass ein etwa 3 cm hoher Rand entsteht, den Teigboden mehrere Male mit einer Gabel einstechen.

3 Für die Füllung Schichtkäse mit 125 g Puderzucker, Eigelb und Zitronenschale gut verrühren. Eiweiß mit dem restlichen Puderzucker steif schlagen, unterheben und die Butter vorsichtig unterrühren. Die Masse auf den Teigboden geben, glatt streichen. Die Form auf dem Rost in den Backofen schieben.

Ober-/Unterhitze: etwa 180 °C (vorgeheizt)
Heißluft: etwa 160 °C (nicht vorgeheizt)
Gas: etwa Stufe 3 (nicht vorgeheizt)
Backzeit: etwa 70 Minuten

4 Den Kuchen 10 Minuten in der Form stehen lassen, dann aus der Form lösen und auf einem Kuchenrost erkalten lassen.

5 Für den Belag die Erdbeeren waschen, in einem Sieb abtropfen lassen, entstielen, halbieren oder in Scheiben schneiden, mit Puderzucker, Zitronensaft und Minze vorsichtig mischen und etwa 1 Stunde durchziehen lassen.

6 Die Erdbeeren wieder in ein Sieb geben, den Saft auffangen, Erdbeeren auf der Oberfläche des abgekühlten Käsekuchens verteilen. Erdbeersaft evtl. mit Apfelsaft oder Wein

auf 250 ml (¼ l) auffüllen. Aus Tortengusspulver und der abgemessenen Flüssigkeit nach Packungsanleitung einen Guss zubereiten, auf die Erdbeeren geben, erkalten lassen.

Tipp: Der Boden weicht nicht so schnell durch, wenn der Teigboden (ohne Füllung) 10 Minuten bei oben angegebener Backeinstellung vorgebacken wird.

Käsekuchen mit gemischtem Obst |

Gut vorzubereiten – fruchtig

Für den Rührteig:
150 g Butter oder Margarine
150 g Zucker, 1 Pck. Vanillin-Zucker
1 Prise Salz, 3 Eier (Größe M)
150 g Weizenmehl
2 gestr. TL Backpulver

Für die Käsemasse:
4 Eigelb (Größe M)
125 g Zucker, 2 Pck. Vanillin-Zucker
1 Pck. Pudding-Pulver
Vanille-Geschmack, 1 kg Magerquark
250 g Schmand oder Crème fraîche
4 Eiweiß (Größe M)

Für den Belag:
2 Dosen Fruchtcocktail
Abtropfgewicht je 500 g)
2 Pck. Tortenguss, klar
70 g Zucker
500 ml (½ l) Fruchtsaft aus der Dose

Zubereitungszeit: 45 Minuten, ohne Abkühlzeit

Insgesamt: E: 219 g, F: 237 g, Kh: 738 g, J: 26984, kcal: 6444

Für den Teig Butter oder Margarine mit Handrührgerät mit Rührbesen auf höchster Stufe geschmeidig rühren. Nach und nach Zucker, Vanillin-Zucker und Salz unterrühren.

Käsekuchen mit gemischtem Obst

So lange rühren, bis eine gebundene Masse entstanden ist. Eier nach und nach unterrühren (jedes Ei etwa ½ Minute). Mehl mit Backpulver mischen, sieben, portionsweise auf mittlerer Stufe unterrühren. Teig auf ein Backblech (30 x 40 cm, gefettet) streichen, einen Backrahmen darumstellen. Für die Käsemasse Eigelb mit Zucker und Vanillin-Zucker gut verrühren. Pudding-Pulver, Quark, Schmand oder Crème fraîche unterrühren. Eiweiß steif schlagen und unterheben. Die Käsemasse auf dem Teigboden verteilen und glatt streichen. Das Backblech in den Backofen schieben.

Ober-/Unterhitze: etwa 180 °C (vorgeheizt)
Heißluft: etwa 160 °C (nicht vorgeheizt)
Gas: Stufe 2 – 3 (nicht vorgeheizt)
Backzeit: etwa 40 Minuten

2 Das Backblech auf einen Kuchenrost stellen und den Kuchen erkalten lassen.

3 Für den Belag Fruchtcocktail in einem Sieb gut abtropfen lassen, Saft auffangen, 500 ml (½ l) davon abmessen. Den Fruchtcocktail auf dem Kuchen verteilen.

4 Aus Tortenguss, Zucker und dem abgemessenen Saft nach Packungsanleitung einen Guss zubereiten, über die Früchte geben und fest werden lassen. Den Backrahmen vorsichtig mit Hilfe eines Messers lösen und entfernen.

Käsekuchen mit Streuseln

Käsekuchen mit Streuseln | 🥤 🥤 ❄

Klassisch – beliebt

Für den Knetteig:
150 g Weizenmehl
¹/₂ gestr. TL Backpulver
75 g Zucker, 1 Pck. Vanillin-Zucker
1 Prise Salz, 1 Ei (Größe M)
75 g Butter oder Margarine

Für den Rand:
1 gestr. EL Weizenmehl

Für die Füllung:
750 g Magerquark
150 g Zucker
3 EL Zitronensaft
50 g Speisestärke
3 Eigelb (Größe M)
3 Eiweiß (Größe M)
200 ml Schlagsahne

Für die Streusel:
100 g Weizenmehl
75 g Zucker
1 Pck. Vanillin-Zucker
75 g Butter

Zum Verzieren:
50 g Zartbitterschokolade

Zubereitungszeit: 50 Minuten, ohne Abkühlzeit

Insgesamt: E: 162 g, F: 229 g, Kh: 610 g, kJ: 22349, kcal: 5338

1 Für den Teig Mehl mit Backpulver mischen, in eine Rührschüssel sieben. Zucker, Vanillin-Zucker, Salz, Ei und Butter oder Margarine hinzufügen. Die Zutaten mit Handrührgerät mit Knethaken zunächst kurz auf niedrigster, dann auf höchster Stufe gut durcharbeiten.

2 Anschließend auf der Arbeitsfläche zu einem glatten Teig verkneten. Sollte er kleben, ihn in Folie gewickelt eine Zeit lang kalt stellen.

3 Gut zwei Drittel des Teiges auf dem Boden einer Springform (Ø 28 cm, Boden gefettet) ausrollen. Springformrand darumstellen.

4 Unter den Rest des Teiges das Mehl kneten, zu einer Rolle formen, sie als Rand auf den Teigboden legen und so an die Form drücken, dass ein etwa 3 cm hoher Rand entsteht. Den Boden mehrmals mit einer Gabel einstechen. Form auf dem Rost in den Backofen schieben. Boden hellbraun vorbacken.

Ober-/Unterhitze: 200 – 220 °C (vorgeheizt)
Heißluft: 180 – 200 °C (vorgeheizt)
Gas: etwa Stufe 4 (vorgeheizt)
Backzeit: etwa 10 Minuten

5 Für die Füllung Quark mit Zucker, Zitronensaft, Speisestärke und Eigelb gut verrühren. Eiweiß steif schlagen. Sahne steif schlagen. Eiweiß und Sahne unter die Quarkmasse heben. Die Füllung gleichmäßig auf den vorgebackenen Boden streichen.

6 Für die Streusel Mehl in eine Rührschüssel sieben. Zucker, Vanillin-Zucker und Butter hinzufügen, mit Handrührgerät mit Rührbesen zu Streuseln von gewünschter Größe verarbeiten und gleichmäßig auf der Füllung verteilen. Die Form wieder auf dem Rost in den Backofen schieben.

Ober-/Unterhitze: etwa 180 °C (vorgeheizt)
Heißluft: etwa 160 °C (nicht vorgeheizt)
Gas: Stufe 2 – 3 (nicht vorgeheizt)
Backzeit: 70 – 80 Minuten

7 Den Kuchen nach der Backzeit (Backofen ausgeschaltet) noch etwa 15 Minuten bei geöffneter Backofentür im Backofen stehen lassen.

8 Die Form auf einen Kuchenrost stellen, Kuchen etwas abkühlen lassen. Kuchen aus der Form lösen und erkalten lassen.

9 Zum Verzieren Schokolade in kleine Stücke brechen, in einem kleinen Topf im Wasserbad bei schwacher Hitze zu einer geschmeidigen Masse verrühren. Die aufgelöste Schokolade in ein Pergamentpapiertütchen füllen, eine Spitze abschneiden, den Kuchen damit verzieren.

Käsekuchen ohne Boden |  ❄

Klassisch – einfach

Für den Rührteig:
125 g Butter, 225 g Zucker
1 Pck. Vanillin-Zucker
3 – 4 EL Zitronensaft
Schale von ½ Bio-Zitrone
(unbehandelt, ungewachst)
4 Eigelb (Größe M)
75 g Weizengrieß
1 Pck. Backpulver
1 Pck. Pudding-Pulver
Vanille-Geschmack
1 kg Magerquark
4 Eiweiß (Größe M)

Zubereitungszeit: 25 Minuten

Insgesamt: E: 166 g, F: 131 g, Kh: 390 g,
kJ: 14857 , kcal: 3546

1 Für den Teig Butter in einer Rührschüssel mit Handrührgerät mit Rührbesen auf höchster Stufe geschmeidig rühren. Nach und nach Zucker, Vanillin-Zucker, Zitronensaft und -schale hinzufügen. So lange rühren, bis eine gebundene Masse entstanden ist.

2 Eigelb nach und nach (jedes Eigelb knapp ½ Minute) unterrühren. Grieß mit Backpulver und Pudding-Pulver mischen, unter die Butter-Eigelb-Masse rühren. Zuletzt den Quark unterrühren. Eiweiß steif schlagen und vorsichtig unter die Masse heben.

3 Die Masse in eine Springform (Ø 26 cm, Boden gefettet) füllen, glatt streichen. Die Form auf dem Rost in den Backofen schieben.

Ober-/Unterhitze: etwa 180 °C (vorgeheizt)
Heißluft: etwa 160 °C (nicht vorgeheizt)
Gas: Stufe 2 – 3 (nicht vorgeheizt)
Backzeit: etwa 65 Minuten

4 Den Käsekuchen in der Form etwa 30 Minuten auf einem Kuchenrost stehen lassen. Dann den Rand mit Hilfe eines Messers lösen, den Kuchen vom Springformboden lösen, aber darauf erkalten lassen.

Käsekuchen ohne Boden

Käsekuchen vom Blech |

Einfach – schnell

Für den Knetteig:
1 Pck. (400 g) Grundmischung
Streuselteig
1 Ei (Größe M)
2 EL Milch
125 g Butter oder Margarine

Für den Belag:
500 g Schichtkäse
250 ml (¼ l) Schlagsahne
100 g Zucker
3 Eier (Größe M)
40 g Speisestärke

100 g Rosinen
50 g abgezogene, gestiftelte Mandeln
1 – 2 EL Zimt-Zucker

Zubereitungszeit: 35 Minuten

Insgesamt: E: 116 g, F: 241 g, Kh: 229 g,
kJ: 15514, kcal: 3706

1 Für den Teig die Grundmischung mit Ei, Milch und Butter oder Margarine nach Packungsanleitung zubereiten. Den Teig auf ein Backblech (30 x 40 cm, gefettet) geben und fest andrücken, einen Backrahmen darumstellen.

2 Für den Belag Schichtkäse mit Sahne, Zucker, Eiern und Speisestärke in einer Schüssel gut verrühren. Die Käsemasse auf den Teigboden geben und glatt streichen. Falls kein Backrahmen vorhanden ist, vor den Teig einen mehrfach geknickten Streifen Alufolie legen.

3 Rosinen und Mandeln auf der Käsemasse verteilen. Das Backblech in den Backofen schieben.

Ober-/Unterhitze: etwa 180 °C (vorgeheizt)
Heißluft: etwa 160 °C (nicht vorgeheizt)
Gas: Stufe 2 – 3 (nicht vorgeheizt)
Backzeit: etwa 35 Minuten

4 Das Backblech auf einen Kuchenrost stellen. Den Kuchen noch warm mit Zimt-Zucker bestreuen, erkalten lassen. Den Kuchen in beliebig große Stücke schneiden.

Käsekuchen vom Blech

Käse-Schinken-Hörnchen | 🗑 ❄

Für Kinder

Für den Quark-Öl-Teig:
300 g Weizenmehl
1 Pck. Backpulver
125 g Magerquark
4 EL Milch, 1 Ei (Größe M)
4 EL Speiseöl
1 gestr. TL Salz

Für die Füllung:
10 Scheiben gekochter Schinken
10 Scheiben mittelalter Gouda

Zum Bestreichen:
Kondensmilch

Zubereitungszeit: 40 Minuten

Insgesamt: E: 190 g, F: 192 g, Kh: 230 g, kJ: 15120, kcal: 3613

1 Für den Teig Mehl mit Backpulver mischen und in eine Rührschüssel sieben. Quark, Milch, Ei, Öl und Salz hinzufügen. Die Zutaten mit Handrührgerät mit Knethaken auf höchster Stufe in etwa 1 Minute verarbeiten (nicht zu lange, Teig klebt sonst).

2 Anschließend auf einer bemehlten Arbeitsfläche zu einem Rechteck ausrollen. 10 Quadrate von etwa 12 x 12 cm schneiden. Die Quadrate in Dreiecke schneiden.

3 Für die Füllung Schinken und Käse in Größe der Dreiecke schneiden, jedes Teigdreieck mit je 1 Käse- und Schinkenscheibe belegen. Die Teigecken zu Hörnchen aufrollen. Hörnchen auf ein Backblech (gefettet, mit Backpapier belegt) legen, mit Kondensmilch bestreichen. Backblech in den Backofen schieben.

Ober-/Unterhitze: 180 – 200 °C (vorgeheizt)
Heißluft: 160 – 180 °C (vorgeheizt)
Gas: etwa Stufe 3 (vorgeheizt)
Backzeit: etwa 20 Minuten

Käse-Schinken-Hörnchen

Käsestangen

Käsestangen | 🥛 🥛

Für Gäste – vollwertig

Für den Knetteig:
250 g Vollkorn-Weizenmehl
1 gestr. TL Backpulver
1/2 TL gemahlener Koriander oder
Kümmel
1 Prise Salz
200 g Magerquark
200 g Butter oder Margarine

Für die Füllung:
100 g gehobelter Emmentaler-Käse
Paprikapulver edelsüß

Zum Bestreichen:
1 Eigelb
1 – 2 EL Milch

Zum Bestreuen:
Kümmelsamen

Zubereitungszeit: 40 Minuten

Insgesamt: E: 86 g, F: 201 g, Kh: 166 g,
kJ: 12333, kcal: 2945

1 Für den Teig Mehl mit Backpulver mischen,
in eine Rührschüssel geben. Koriander oder
Kümmel, Salz, Quark und Butter oder Margarine hinzufügen. Die Zutaten mit Handrührgerät
mit Knethaken zunächst kurz auf niedrigster,
dann auf höchster Stufe gut durcharbeiten.

2 Anschließend auf der bemehlten Arbeitsfläche zu einem glatten Teig verkneten. Sollte er
kleben, ihn in Folie gewickelt eine Zeit lang
kalt stellen.

3 Den Teig auf einer bemehlten Arbeitsfläche
etwa 1/2 cm dick zu einem Rechteck ausrollen.

4 Auf der Hälfte der breiteren Seite den Käse

verteilen. Mit Paprika würzen. Leere Teighälfte
darüber klappen, mit der Teigrolle kräftig andrücken.

5 Teig in etwa 1 cm breite Streifen schneiden. Eigelb mit Milch verschlagen. Teigstreifen mit der Eigelbmilch bestreichen.

6 Streifen auf ein Backblech (mit Backpapier
belegt) legen, mit Kümmel bestreuen. Backblech in den Backofen schieben.

Ober-/Unterhitze: 180 – 200 °C (vorgeheizt)
Heißluft: 160 – 180 °C (vorgeheizt)
Gas: etwa Stufe 3 (vorgeheizt)
Backzeit: etwa 15 Minuten

Tipp: Warm zu einer Bouillon, kalt zu einem
Glas Wein reichen.

Käsetorte |

Klassisch – dauert länger

Für den Knetteig:
150 g Weizenmehl
40 g Zucker, 1 Pck. Vanillin-Zucker
100 g Butter oder Margarine

Für den Belag:
250 g Butter, 200 g Zucker
1 Pck. Vanillin-Zucker
7 Eigelb (Größe M)
1 Prise Salz
abgeriebene Schale von 1 Bio-Zitrone
(unbehandelt, ungewachst)
3 EL Zitronensaft
1 kg Magerquark
1 Pck. Käsekuchen-Hilfe
7 Eiweiß (Größe M)

Zubereitungszeit: 40 Minuten

Insgesamt: E: 185 g, F: 329 g, Kh: 416 g,
kJ: 23509, kcal: 5613,

1 Für den Teig Mehl in eine Rührschüssel sieben, Zucker, Vanillin-Zucker und Butter oder Margarine hinzufügen. Die Zutaten mit Handrührgerät mit Knethaken zunächst kurz auf niedrigster, dann auf höchster Stufe gut durcharbeiten.

2 Anschließend auf der Arbeitsfläche zu einem glatten Teig verkneten. Sollte er kleben, ihn in Folie gewickelt eine Zeit lang kalt stellen. Den Teig auf dem Boden einer Springform (Ø 28 cm, Boden gefettet) ausrollen.

3 Für den Belag Butter geschmeidig rühren, nach und nach Zucker, Vanillin-Zucker, Eigelb, Salz, Zitronenschale und -saft unterrühren. Nach und nach Quark mit Käsekuchen-Hilfe unter die Butter-Eigelb-Masse rühren.

4 Eiweiß steif schlagen, unter die Käsemasse heben. Masse auf dem Teigboden verteilen und glatt streichen. Die Form auf dem Rost in den Backofen schieben.

Ober-/Unterhitze: 160 – 180 °C (vorgeheizt)
Heißluft: 140 – 160 °C (nicht vorgeheizt)
Gas: etwa Stufe 2 (nicht vorgeheizt)
Backzeit: 70 – 80 Minuten

5 Die gebackene Torte noch 30 – 45 Minuten im ausgeschalteten Backofen bei etwas geöffneter Backofentür stehen lassen, erst dann herausnehmen und auf einen Kuchenrost stellen. Kuchen in der Form erkalten lassen, dann lösen.

Käsetorte

Katzenzungen |

Für Kinder

Für den Teig:
150 g Butter, 150 g Zucker
1 Pck. Vanillin-Zucker

Katzenzungen

150 g Weizenmehl
5 Eiweiß (Größe M)
1 EL gesiebter Puderzucker

200 g Halbbitter-Kuvertüre

Zubereitungszeit: 45 Minuten, ohne Abkühlzeit

Insgesamt: E: 47 g, F: 195 g, Kh: 392 g,
kJ: 15007, kcal: 3586

1 Für den Teig Butter mit Handrührgerät mit Rührbesen auf höchster Stufe geschmeidig rühren. Nach und nach Zucker und Vanillin-Zucker unterrühren. So lange rühren, bis eine gebundene Masse entstanden ist.

2 Mehl sieben, portionsweise auf mittlerer Stufe unterrühren. Eiweiß steif schlagen, mit Puderzucker unterheben. Den Teig in einen

Spritzbeutel mit Lochtülle füllen und in 5 cm großen Abständen 6 cm lange Stangen auf ein Backblech (gefettet, mit Backpapier belegt) spritzen. Das Backblech in den Backofen schieben.

Ober-/Unterhitze: etwa 180 °C (vorgeheizt)
Heißluft: etwa 160 °C (vorgeheizt)
Gas: Stufe 2 – 3 (vorgeheizt)
Backzeit: etwa 10 Minuten

3 Gebäck mit dem Backpapier vom Backblech ziehen, auf einem Kuchenrost erkalten lassen.

4 Kuvertüre in kleine Stücke hacken, in einem kleinen Topf im Wasserbad bei schwacher Hitze zu einer geschmeidigen Masse verrühren. Gebäck mit der Spitze hineintauchen, auf Backpapier legen, fest werden lassen.

Kirsch-Gewürz-Torte |

Einfach – zum Nachmittagskaffee

Für den Rührteig:
100 g Butter oder Margarine
125 g Zucker
1 Pck. Vanillin-Zucker
1 Prise Salz
2 Msp. gemahlene Nelken
1 Msp. geriebene Muskatnuss
½ TL gemahlener Zimt
2 Eier (Größe M)
150 g Weizenmehl
2 gestr. TL Backpulver
*1 Pck. Pudding-Pulver Schokoladen-
Geschmack*
1 – 2 EL Milch
50 g geriebene Zartbitterschokolade

Semmelbrösel für die Form

Für den Belag:
*1 Glas Sauerkirschen
(Abtropfgewicht 370 g)*
1 Pck. Tortenguss, rot
*20 g Zucker, 250 ml (¼ l)
Sauerkirschsaft aus dem Glas*

Zum Bestreichen:
500 ml (½ l) Schlagsahne
2 Pck. Sahnesteif
2 TL Zucker
1 Pck. Vanillin-Zucker

etwa 2 EL Raspelschokolade

Zubereitungszeit: 40 Minuten, ohne
Abkühlzeit

Insgesamt: E: 54 g, F: 276 g, Kh: 536 g,
J: 20884, kcal: 4989

1 Für den Teig Butter oder Margarine mit
Handrührgerät mit Rührbesen auf höchster
Stufe geschmeidig rühren. Nach und nach
Zucker, Vanillin-Zucker, Salz und Gewürze
unterrühren. So lange rühren, bis eine ge-
bundene Masse entstanden ist.

2 Eier nach und nach unterrühren (jedes Ei
etwa ½ Minute). Mehl mit Backpulver und

Pudding-Pulver mischen, sieben, abwechselnd
portionsweise mit der Milch auf mittlerer Stufe
unterrühren. Schokolade unterrühren.

3 Den Teig in eine Obstform (Ø 30 cm, gefettet, mit Semmelbröseln ausgestreut) füllen.
Form auf dem Rost in den Backofen schieben.

Ober-/Unterhitze: 180 – 200 °C (vorgeheizt)
Heißluft: 160 – 180 °C (vorgeheizt)
Gas: etwa Stufe 3 (vorgeheizt)
Backzeit: etwa 25 Minuten

4 Tortenboden sofort auf einen mit Backpapier belegten Kuchenrost stürzen und erkalten lassen.

5 Für den Belag Sauerkirschen zum Abtropfen in ein Sieb geben, Saft auffangen und
250 ml (¼ l) Saft abmessen.

6 Tortenguss mit Zucker und Kirschsaft
nach Packungsanleitung zubereiten, die
Kirschen unterrühren. Die Kirschmasse auf
dem Tortenboden verteilen.

7 Zum Bestreichen Sahne ½ Minute schlagen. Sahnesteif, Zucker und Vanillin-Zucker
mischen, einstreuen und die Sahne steif
schlagen.

8 Die Sahne bergartig auf die Kirschen streichen und mit Raspelschokolade bestreuen.

Kirsch-Gewürz-Torte

Kirsch-Pralinen-Torte

Kirsch-Pralinen-Torte | 🗑 🗑 🍶

Für Gäste – zum Verschenken

Zum Vorbereiten:
200 g Kirsch-Alkohol-Pralinen

Für den Teig:
250 g Butter oder Margarine
250 g Zucker
1 Pck. Vanillin-Zucker
4 Eier (Größe M)
400 g Weizenmehl
3 gestr. TL Backpulver
100 g nicht abgezogene, gemahlene Mandeln
100 g Vollmilch-Raspelschokolade

Für die Füllung:
600 ml Schlagsahne
3 Pck. Sahnesteif
100 g Kirsch-Alkohol-Pralinen

Zum Verzieren und Garnieren:
250 ml (¼ l) Schlagsahne
1 Pck. Sahnesteif
100 g Zartbitter-Raspelschokolade
einige eingelegte Amarena-Kirschen
oder Kirsch-Alkohol-Pralinen

Zubereitungszeit: 40 Minuten, ohne Abkühlzeit

Insgesamt: E: 133 g, F: 637 g, Kh: 918 g, kJ: 43501, kcal: 10396

1 Zum Vorbereiten Kirsch-Alkohol-Pralinen in einem kleinen Topf im Wasserbad schmelzen und etwas abkühlen lassen.

2 Für den Teig Butter oder Margarine mit Handrührgerät mit Rührbesen auf höchster Stufe geschmeidig rühren. Nach und nach Zucker und Vanillin-Zucker unterrühren. So lange rühren, bis eine gebundene Masse entstanden ist.

3 Eier nach und nach unterrühren (jedes Ei etwa ½ Minute). Mehl mit Backpulver mischen, sieben, portionsweise mit Mandeln, Raspelschokolade und der Pralinenmasse auf mittlerer Stufe unterrühren.

4 Einen Backrahmen (28 x 28 cm) auf ein Backblech (mit Backpapier belegt) stellen. Den Teig einfüllen, glatt streichen. Das Backblech in den Backofen schieben.

Ober-/Unterhitze: etwa 180 °C (vorgeheizt)
Heißluft: etwa 160 °C (vorgeheizt)
Gas: Stufe 2 – 3 (vorgeheizt)
Backzeit: etwa 25 Minuten

5 Das Backblech auf einen Kuchenrost stellen, Gebäck erkalten lassen. Den Backrahmen lösen und entfernen. Gebäck einmal waagerecht durchschneiden.

6 Für die Füllung Sahne ½ Minute schlagen, Sahnesteif einrieseln lassen, Sahne steif schlagen. Die Hälfte der Sahne beiseite stellen. Pralinen grob zerkleinern und unter die restliche Sahne heben. Gebäckboden mit der Pralinen-Sahne bestreichen, den oberen Boden darauf legen, mit der beiseite gestellten Sahne bestreichen.

7 Zum Verzieren Sahne mit Sahnesteif steif schlagen, in einen Spritzbeutel mit Lochtülle füllen, die Tortenoberfläche mit der Sahne verzieren.

8 Raspelschokolade an den Rand streuen. Die Tortenoberfläche mit Amarena-Kirschen oder Kirsch-Alkohol-Pralinen und Amarenaflüssigkeit garnieren.

Kirsch-Streusel-Kuchen | 🗑 ❄

Für Gäste – klassisch

Für die Füllung:
1 kg Sauerkirschen
100 g Zucker
250 ml ('/4 l) Kirschsaft von den Kirschen
25 g Speisestärke
4 EL Wasser
Zucker

Für den Knetteig:
150 g Weizenmehl
1 Msp. Backpulver
100 g Zucker
1 Pck. Vanillin-Zucker
1 Prise Salz
1 Ei (Größe M)
100 g Butter oder Margarine
1 gestr. EL Weizenmehl

Für die Streusel:
150 g Weizenmehl
100 g Zucker
1 Pck. Vanillin-Zucker
etwas gemahlener Zimt
100 g weiche Butter

Zubereitungszeit: 45 Minuten, ohne Kühlzeit

Insgesamt: E: 51 g, F: 178 g, Kh: 677 g, kJ: 19572, kcal: 4679

1 Für die Füllung Sauerkirschen waschen, in einem Sieb abtropfen lassen, entstielen, entsteinen und mit Zucker vermischt kurze Zeit zum Saft ziehen stehen lassen. Die Kirschen mit dem Saft in einem Topf kurz zum Kochen bringen, in einem Sieb abtropfen lassen. Den Saft auffangen, 250 ml ('/4 l) Saft abmessen, evtl. mit Wasser ergänzen.

2 Den Saft in einem kleinen Topf zum Kochen bringen. Speisestärke mit 4 Esslöffeln Saft verrühren und in die kochende, von der Kochstelle genommene Flüssigkeit einrühren. Nochmals kurz aufkochen lassen. Kirschen unterrühren. Masse kalt stellen, evtl. mit Zucker abschmecken.

3 Für den Knetteig Mehl mit Backpulver mischen, in eine Rührschüssel sieben. Zucker, Vanillin-Zucker, Salz, Ei und Butter oder Margarine hinzufügen. Die Zutaten mit Handrührgerät mit Knethaken zunächst kurz auf niedrigster, dann auf höchster Stufe gut durcharbeiten.

4 Anschließend auf einer bemehlten Arbeitsfläche zu einem glatten Teig verkneten, in Folie gewickelt etwa 30 Minuten kalt stellen. Zwei Drittel des Teiges auf dem Boden einer Springform (Ø 28 cm, gefettet) ausrollen, mehrmals mit einer Gabel einstechen, Springformrand darumlegen. Form auf dem Rost in den Backofen schieben und den Boden vorbacken.

Ober-/Unterhitze: etwa 200 °C (vorgeheizt)
Heißluft: etwa 180 °C (vorgeheizt)
Gas: Stufe 3 – 4 (vorgeheizt)
Backzeit: etwa 12 Minuten

5 Den Gebäckboden in der Form erkalten lassen. Restlichen Teig mit 1 Esslöffel Mehl verkneten und zu einer Rolle formen, sie als Rand auf den vorgebackenen Boden legen und so an die Form drücken, dass ein etwa 2 cm hoher Rand entsteht. Die Kirschfüllung auf dem Gebäckboden verteilen.

6 Für die Streusel Mehl in eine Rührschüssel sieben. Restliche Zutaten hinzufügen mit Handrührgerät mit Knethaken zu Streuseln von gewünschter Größe verarbeiten, gleichmäßig auf die Füllung streuen. Die Form auf dem Rost in den Backofen schieben und den Kuchen fertig backen.

Ober-/Unterhitze: etwa 200 °C (vorgeheizt)
Heißluft: etwa 180 °C (nicht vorgeheizt)
Gas: Stufe 3 – 4 (nicht vorgeheizt)
Backzeit: etwa 40 Minuten

7 Form auf einen Kuchenrost stellen. Kuchen aus der Form lösen und auf einem Kuchenrost erkalten lassen.

Kirsch-Streusel-Kuchen

Kirschstrudel | 🗑 🗑 🍶 ❄

Dauert länger

Für den Strudelteig:
400 g Weizenmehl
1 Prise Salz
100 ml Wasser
1 Ei (Größe M)
80 ml Speiseöl

Für die Füllung:
1 kg entsteinte Sauerkirschen
100 g Semmelbrösel oder Biskuitreste
150 g Zucker
100 g abgezogene, gehackte Mandeln
2 EL Kirschwasser

Zum Bestreichen:
30 g flüssige Butter

Zum Bestäuben:
Puderzucker

Zubereitungszeit: 50 Minuten, ohne Ruhezeit

Insgesamt: E: 64 g, F: 183 g, Kh: 557 g, kJ: 17999, kcal: 4295

1 Für den Teig Mehl in eine Rührschüssel sieben, Salz, Wasser, Ei und Öl hinzufügen. Die Zutaten mit Handrührgerät mit Knethaken zunächst kurz auf niedrigster, dann auf höchster Stufe gut durcharbeiten.

2 Anschließend auf der Arbeitsfläche zu einem glatten Teig verkneten, ihn auf Backpapier in einen heißen, trockenen Kochtopf (vorher Wasser darin kochen) legen, mit einem Deckel verschließen und etwa 30 Minuten ruhen lassen.

3 Für die Füllung Kirschen in eine Schüssel geben. Semmelbrösel oder Biskuitreste, Zucker, Mandeln und Kirschwasser hinzufügen. Die Zutaten miteinander vermischen.

4 Den Teig auf einem großen bemehlten Geschirrtuch ausrollen, dünn mit etwas von der Butter bestreichen, ihn dann mit den Händen zu einem Rechteck (70 x 50 cm) aus-

ziehen. Die Ränder, wenn sie dicker sind abschneiden.

5 Zwei Drittel der Teigplatte mit Butter bestreichen. Die Kirschmasse gleichmäßig darauf verteilen. Den Teig mit Hilfe des Tuches von der längeren Seite her, mit der Füllung beginnend, aufrollen. An den Enden gut zusammendrücken.

6 Strudel vorsichtig auf ein Backblech (mit Backpapier belegt) legen. Backblech in den Backofen schieben.

Ober-/Unterhitze: etwa 200 °C (vorgeheizt)
Heißluft: etwa 180 °C (nicht vorgeheizt)
Gas: Stufe 3 – 4 (nicht vorgeheizt)
Backzeit: 30 – 40 Minuten

7 Strudel vom Backblech lösen und auf einem Kuchenrost erkalten lassen.

8 Den Strudel vor dem Servieren mit Puderzucker bestäuben.

Kirschstrudel

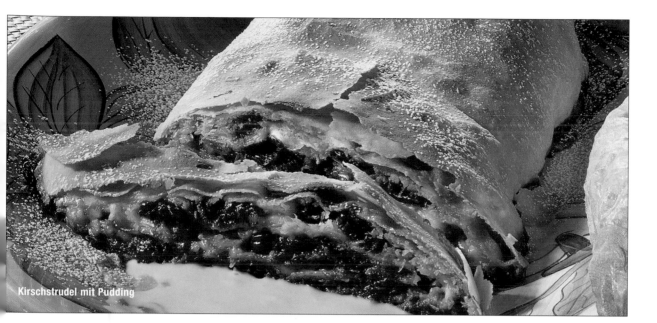

Kirschstrudel mit Pudding

Kirschstrudel mit Pudding | 🍮 🍮 🍮 ❄

Für Geübte

Zum Vorbereiten:
1 Pck. Pudding-Pulver
Vanille-Geschmack
40 g Zucker
500 ml (¹/₂ l) Milch
1 Ei (Größe M)
2 Gläser Sauerkirschen
(Abtropfgewicht je 370 g)

Für den Strudelteig:
250 g Weizenmehl
1 Prise Salz
125 ml (¹/₈ l) lauwarmes Wasser
5 EL Speiseöl

Zum Bestreichen:
70 g zerlassene Butter

Für die Füllung:
100 g Kokosraspel
100 g Zucker

Zum Bestreuen:
1 EL Semmelbrösel

Zubereitungszeit: 45 Minuten, ohne Ruhe-
und Abkühlzeit

Insgesamt: E: 63 g, F: 182 g, Kh: 544 g,
kJ: 17618, kcal: 4204

1 Zum Vorbereiten Pudding-Pulver mit Zucker mischen, mit 6 Esslöffeln der Milch und
dem Ei glatt rühren. Restliche Milch in einem
Topf zum Kochen bringen, von der Kochstelle
nehmen, angerührtes Pudding-Pulver einrühren. Pudding unter Rühren mindestens 1 Minute kochen lassen, in eine Schüssel geben,
sofort mit Klarsichtfolie zudecken. Pudding
erkalten lassen. Die Kirschen in einem Sieb
abtropfen lassen.

2 Für den Teig Mehl in eine Rührschüssel
sieben, Salz, Wasser und Öl hinzufügen. Die
Zutaten mit Handrührgerät mit Knethaken zunächst kurz auf niedrigster, dann auf höchster
Stufe gut durcharbeiten.

3 Anschließend auf der Arbeitsfläche zu einem
glatten Teig verkneten, ihn auf Backpapier in
einen heißen, trockenen Kochtopf (vorher Wasser darin kochen) legen, mit einem Deckel verschließen und etwa 30 Minuten ruhen lassen.

4 Den Teig auf einem großen bemehlten
Geschirrtuch ausrollen, dünn mit etwas von
der Butter bestreichen, ihn dann mit den
Händen zu einem Rechteck (70–50 cm) aus-

ziehen. Die Ränder, wenn sie dicker sind, abschneiden.

5 Für die Füllung Kirschen, Kokosraspel und
Zucker mischen. Zwei Drittel des Teiges mit
Semmelbröseln bestreuen und mit Pudding
bestreichen. Dabei einen etwa 3 cm breiten
Rand frei lassen. Kirschmasse darauf vertei-
len.

6 Den Teig mit Hilfe des Tuches von der gefüllten kurzen Seite her aufrollen, an den Enden gut zusammendrücken. Strudel auf ein
Backblech (gefettet, mit Backpapier belegt)
legen. Die Hälfte der restlichen Butter auf den
Strudel streichen. Das Backblech in den Backofen schieben. Den Strudel während des Backens mit der restlichen Butter bestreichen.

Ober-/Unterhitze: etwa 200 °C (vorgeheizt)
Heißluft: etwa 180 °C (nicht vorgeheizt)
Gas: Stufe 3–4 (nicht vorgeheizt)
Backzeit: 45–55 Minuten

7 Backblech auf einen Kuchenrost stellen.
Strudel vom Backblech lösen, darauf erkalten
lassen.

Tipp: Anstelle des großen 2 kleine Strudel
backen.

Kiwi-Stachelbeer-Kuchen

Kiwi-Stachelbeer-Kuchen | 🗑 🗑 🍶

Raffiniert

Für den Boden:
½ Pck. (225 g) TK-Blätterteig
2 EL Rum oder Weinbrand

Für den Belag:
1 Glas Stachelbeeren
(Abtropfgewicht 390 g)

Für den All-in-Teig:
150 g Weizenmehl
2 gestr. TL Backpulver
150 g Zucker
1 Pck. Vanillin-Zucker
4 Eier (Größe M)
150 g Butter oder Margarine
50 g frisch gemahlener Mohn

Für die Creme:
3 feste Kiwis
400 ml Stachelbeersaft
1 Pck. Galetta Cremedessert Vanille-
Geschmack (ohne Kochen)

Puderzucker zum Bestäuben

Zubereitungszeit: 50 Minuten, ohne
Auftau- und Kühlzeit

Insgesamt: E: 75 g, F: 239 g, Kh: 538 g,
kJ: 22069, kcal: 5274

1 Für den Boden Blätterteigplatten zugedeckt
bei Zimmertemperatur nach Packungsanleitung auftauen lassen.

2 Blätterteigplatten übereinander legen und
auf einem Backblech (30 x 40 cm, gefettet)
ausrollen. Teig mehrmals mit einer Gabel einstechen und etwa 20 Minuten kalt stellen.
Das Backblech in den Backofen schieben und
den Boden vorbacken.

Ober-/Unterhitze: etwa 220 °C (vorgeheizt)
Heißluft: etwa 200 °C (vorgeheizt)
Gas: Stufe 4 – 5 (vorgeheizt)
Backzeit: etwa 10 Minuten

3 Backblech auf einen Kuchenrost stellen.
Boden abkühlen lassen, mit Rum oder Weinbrand beträufeln.

4 Für den Belag Stachelbeeren in einem
Sieb abtropfen lassen, Saft auffangen.

5 Für den All-in-Teig Mehl mit Backpulver
mischen und in eine Rührschüssel sieben.
Zucker, Vanillin-Zucker, Eier, Butter oder Mar-

garine und Mohn hinzufügen. Die Zutaten in
2 Minuten mit Handrührgerät mit Rührbesen
auf höchster Stufe zu einem glatten Teig verarbeiten. Den Teig auf den vorgebackenen
Blätterteigboden streichen. Die Stachelbeeren
auf dem Teig verteilen. Backblech wieder in
den Backofen schieben.

Ober-/Unterhitze: etwa 180 °C (vorgeheizt)
Heißluft: etwa 160 °C (vorgeheizt)
Gas: Stufe 2 – 3 (vorgeheizt)
Backzeit: etwa 30 Minuten

6 Backblech auf einen Kuchenrost stellen.
Kuchen erkalten lassen.

7 Für die Creme Kiwis schälen, in Scheiben
schneiden, kurz in kochendem Wasser blanchieren, in einem Sieb abtropfen lassen
(Blanchierwasser auffangen), Kiwischeiben
erkalten lassen und pürieren.

8 Stachelbeersaft mit Blanchierwasser auf
400 ml auffüllen. Kiwipüree und Cremedessertpulver hinzufügen und nach Packungsanleitung zubereiten.

9 Creme mit einem Esslöffel als Kleckse
auf dem Kuchen verteilen. Mit Puderzucker
bestäuben.

Knetteig (Grundrezept) |

Klassisch

Für den Teig:
150 – 200 g Weizenmehl
½ – 1 gestr. TL Backpulver
75 – 25 g Zucker
1 Pck. Vanillin-Zucker
1 Prise Salz, 1 Ei (Größe M)
75 – 125 g Butter oder Margarine

Zubereitungszeit: 20 Minuten

Insgesamt: E: 27 g, F: 90 g, Kh: 238 g,
kJ: 8099, kcal: 1935

1 Für den Teig Mehl mit Backpulver mischen, in eine Rührschüssel sieben. Zucker, Vanillin-Zucker, Salz, Ei und Butter oder Margarine hinzufügen. Die Zutaten mit Handrührgerät mit Knethaken zunächst kurz auf niedrigster, dann auf höchster Stufe gut durcharbeiten.

2 Anschließend auf der bemehlten Arbeitsfläche zu einem glatten Teig verkneten.

3 Eine Rolle formen, Teig lässt sich so besser ausrollen. Sollte er kleben, ihn in Folie gewickelt eine Zeit lang kalt stellen.

4 Teig auf der sorgfältig von Teigresten befreiten bemehlten Arbeitsfläche ausrollen. Ab und zu mit einer Palette oder einem großen Messer vorsichtig von der Unterfläche lösen, um ein Ankleben oder Reißen zu verhindern.

5 Laut Rezeptanleitung weiter verarbeiten und backen.

Tipp: Knetteig ist roh und gebacken zum Tiefgefrieren geeignet.

Knöpfchen |

Für Kinder – einfach

Für den Knetteig:
250 g Weizenmehl
1 gestr. TL Backpulver
80 g Zucker
1 Pck. Vanillin-Zucker
3 Tropfen Bittermandel-Aroma
2 EL Milch oder Wasser
125 g Butter oder Margarine

Für den Guss:
100 g Halbbitter-Kuvertüre
1 TL Speiseöl

Zum Garnieren:
bunte Zuckerstreusel

Zubereitungszeit: 75 Minuten, ohne Abkühlzeit

Insgesamt: E: 31 g, F: 124 g, Kh: 320 g, kJ: 10888, kcal: 2600

1 Für den Teig Mehl und Backpulver mischen, in eine Rührschüssel sieben. Zucker, Vanillin-Zucker, Aroma, Milch oder Wasser und Butter oder Margarine hinzufügen. Die Zutaten mit Handrührgerät mit Knethaken zunächst kurz auf niedrigster, dann auf höchster Stufe gut durcharbeiten.

2 Anschließend auf der Arbeitsfläche zu einem glatten Teig verkneten. Sollte er kleben, ihn in Folie gewickelt eine Zeit lang kalt stellen.

3 Aus dem Teig etwa 1½ cm dicke Rollen formen, etwa ½ cm dicke Scheiben davon abschneiden, auf ein Backblech (mit Backpapier belegt) legen, etwas rund formen und mit dem Stiel eines Rührlöffels je Plätzchen 2 Löcher eindrücken. Das Backblech in den Backofen schieben.

Ober-/Unterhitze: 200 – 220 °C (vorgeheizt)
Heißluft: 180 – 200 °C (vorgeheizt)
Gas: etwa Stufe 4 (vorgeheizt)
Backzeit: etwa 10 Minuten

4 Die Plätzchen mit dem Backpapier vom Backblech ziehen und auf einem Kuchenrost erkalten lassen.

5 Für den Guss Kuvertüre in kleine Stücke hacken, mit dem Öl in einem kleinen Topf im Wasserbad bei schwacher Hitze zu einer geschmeidigen Masse verrühren. Von einem Teil der Plätzchen den Rand mit Kuvertüre bestreichen und mit Zuckerstreuseln bestreuen. Kuvertüre fest werden lassen.

Knöpfchen

Kokos-Bananen-Muffins |

Für Kinder

Zum Vorbereiten:
100 g Kokosraspel
1 Banane (etwa 75 g)
1 EL Zitronensaft

Für den Teig:
250 g Welzenmehl
2 gestr. TL Backpulver
1 Msp. Natron
100 g Kokossirup
2 Eier (Größe M)
75 ml Speiseöl
1 Becher (150 g) saure Sahne

Für den Guss:
125 g gesiebter Puderzucker
1 EL Zitronensaft
evtl. etwas Wasser

Zubereitungszeit: 25 Minuten, ohne Abkühlzeit

Insgesamt: E: 55 g, F: 200 g, Kh: 421 g, kJ: 15930, kcal: 3806

1 Zum Vorbereiten Kokosraspel in einer Pfanne ohne Fett rösten, etwas abkühlen lassen. Banane schälen, in kleine Stücke schneiden, mit Zitronensaft beträufeln.

2 Für den Teig Mehl mit Backpulver und Natron mischen, in eine Rührschüssel sieben. Kokossirup, Eier, Öl und saure Sahne hinzufügen. Kokosraspel (1 Esslöffel für den Guss zurücklassen) und Bananenstücke hinzufügen. Die Zutaten mit Handrührgerät mit Knethaken kurz auf niedrigster, dann auf höchster Stufe zu einem glatten Teig verarbeiten.

3 Den Teig in eine Muffinform (für 12 Muffins, gefettet) füllen und auf dem Rost in den Backofen schieben.

Ober-/Unterhitze: etwa 180 °C (vorgeheizt)
Heißluft: etwa 160 °C (vorgeheizt)
Gas: Stufe 2 – 3 (vorgeheizt)
Backzeit: etwa 30 Minuten

4 Die Muffins 10 Minuten in der Form stehen lassen, dann aus der Form lösen und auf einem Kuchenrost erkalten lassen.

5 Für den Guss Puderzucker mit Zitronensaft und Wasser zu einer dickflüssigen Masse verrühren. Die Muffins damit bestreichen, mit den zurückgelassenen Kokosraspeln bestreuen.

Tipp: Falls keine Muffinform vorhanden ist, können sie auch in 3-fach ineinander gestellten Papierbackförmchen gebacken werden. Kokossirup kann auch durch Kokosnusscreme (Cream of Coconut) ersetzt werden. Statt der Banane können Sie auch 75 g Rosinen nehmen, diese aber erst zuletzt unterheben.

Kokos-Bananen-Muffins

Kokoskränzchen

Kokoskränzchen | 🍶 🍶

Raffiniert – zum Weihnachtsfest

Für den Rührteig:
150 g Butter oder Margarine
100 g gesiebter Puderzucker
1 Pck. Vanillin-Zucker
3 Eigelb (Größe M)
250 g Weizenmehl
1 Msp. Backpulver

Für die Füllung:
3 Eiweiß (Größe M)
100 g Zucker
1 Pck. Vanillin-Zucker
abgeriebene Schale von 1 Bio-Zitrone
(unbehandelt, ungewachst)
200 g Kokosraspel

Zubereitungszeit: 60 Minuten

Insgesamt: E: 59 g, F: 266 g, Kh: 418 g,
kJ: 18398, kcal: 4395

1 Für den Rührteig Butter oder Margarine mit Handrührgerät mit Rührbesen auf höchster Stufe geschmeidig rühren. Nach und nach Puderzucker und Vanillin-Zucker unterrühren. So lange rühren, bis eine gebundene Masse entstanden ist.

2 Eigelb nach und nach unterrühren (jedes Eigelb knapp ¹/₂ Minute). Mehl mit Backpulver mischen, sieben, portionsweise auf mittlerer Stufe unterrühren. Den Teig in einen Spritzbeutel mit Sterntülle füllen, in Form von Kränzchen (Ø etwa 4 cm) auf ein Backblech (gefettet, mit Backpapier belegt) spritzen.

3 Für die Füllung Eiweiß mit Handrührgerät mit Rührbesen auf höchster Stufe steif schlagen, der Schnee muss so fest sein, dass ein Messerschnitt sichtbar bleibt, nach und nach Zucker, Vanillin-Zucker und Zitronenschale unterschlagen. Kokosraspel unterheben. Die Mitte jedes Teigkränzchens mit der Kokosmasse füllen. Das Backblech in den Backofen schieben.

Ober-/Unterhitze: 180 – 200 °C (vorgeheizt)
Heißluft: 160 – 180 °C (vorgeheizt)
Gas: etwa Stufe 3 (vorgeheizt)
Backzeit: etwa 15 Minuten

4 Die Plätzchen mit dem Backpapier vom Backblech ziehen. Plätzchen auf einem Kuchenrost erkalten lassen.

Kokoskuchen aus Thüringen

Kokoskuchen aus Thüringen | 🍮 🍮

Klassisch – für Gäste

Für den Hefeteig:
375 g Weizenmehl
1 Pck. Trockenhefe
50 g Zucker, 1 Prise Salz
1 Pck. Vanillin-Zucker
1 Ei (Größe M)
200 ml lauwarme Milch
50 g zerlassene lauwarme Butter
oder Margarine

Für den Belag:
200 g Butter
150 g Zucker
1 Pck. Vanillin-Zucker
200 g Kokosraspel
3 Eier (Größe M)

Zum Bestreichen:
20 g zerlassene Butter
150 ml heiße Milch

Zum Verzieren:
50 g aufgelöste Zartbitterschokolade

Zubereitungszeit: 35 Minuten, ohne Teiggeh- und Abkühlzeit

Insgesamt: E: 103 g, F: 405 g, Kh: 549 g, kJ: 26894, kcal: 6425

1 Für den Hefeteig Mehl in eine Rührschüssel sieben, mit Trockenhefe sorgfältig vermischen. Zucker, Salz, Vanillin-Zucker, Ei, Milch und Butter oder Margarine hinzufügen.

2 Die Zutaten mit Handrührgerät mit Knethaken zunächst auf niedrigster, dann auf höchster Stufe in etwa 5 Minuten zu einem Teig verarbeiten. Den Teig zugedeckt so lange an einem warmen Ort stehen lassen, bis er sich sichtbar vergrößert hat.

3 Für den Belag Butter in einem Topf zerlassen. Zucker und Vanillin-Zucker hinzufügen, unter Rühren schmelzen lassen. Die Kokosraspel hinzufügen, unter Rühren leicht bräunen. Die Masse erkalten lassen. Eier unterrühren.

4 Den Teig leicht mit Mehl bestäuben, aus der Schüssel nehmen und auf einer bemehlten Arbeitsfläche kurz durchkneten.

5 Teig auf einem Backblech (30 x 40 cm, gefettet) ausrollen, mit der zerlassenen Butter bestreichen. Vor den Teig ein mehrfach geknickten Streifen Alufolie legen. Den Belag auf den Teig streichen. Das Backblech in den Backofen schieben.

Ober-/Unterhitze: 200 – 220 °C (vorgeheizt)
Heißluft: 180 – 200 °C (vorgeheizt)
Gas: etwa Stufe 4 (vorgeheizt)
Backzeit: etwa 25 Minuten

6 Das Backblech auf einen Kuchenrost stellen. Den Kuchen sofort mit Milch bestreichen, erkalten lassen.

7 Zum Verzieren den Kuchen mit der Schokolade besprenkeln.

Kokos-Marzipan-Ecken | 🗑️ 🍾

Für Gäste

Für den Knetteig:
150 g Weizenmehl
¹/₂ gestr. TL Backpulver
65 g Zucker
1 Pck. Vanillin-Zucker
1 Ei (Größe M)
65 g Butter oder Margarine

Für den Belag:
200 g Marzipan-Rohmasse
3 EL Aprikosenkonfitüre
2 EL Apricot-Brandy
75 g Kokosraspel

Zubereitungszeit: 30 Minuten, ohne Abkühlzeit

Insgesamt: E: 54 g, F: 178 g, Kh: 317 g, kJ: 13515, kcal: 3228

1 Für den Teig Mehl mit Backpulver mischen, in eine Rührschüssel sieben. Zucker, Vanillin-Zucker, Ei und Butter oder Margarine hinzufügen. Die Zutaten mit Handrührgerät mit Knethaken zunächst kurz auf niedrigster, dann auf höchster Stufe gut durcharbeiten.

2 Anschließend auf einer bemehlten Arbeitsfläche zu einem glatten Teig verkneten. Sollte er kleben, ihn in Folie gewickelt eine Zeit lang kalt stellen.

3 Den Teig auf einem Backblech (gefettet) zu einem Rechteck von etwa 20 x 40 cm ausrollen. Vor den Teig einen mehrfach geknickten

Kokos-Marzipan-Ecken

Streifen Alufolie legen oder einen Backrahmen darumstellen.

4 Für den Belag Marzipan-Rohmasse mit der Konfitüre und dem Brandy zu einer geschmeidigen Masse verrühren. Die Masse gleichmäßig auf den Teig streichen und mit Kokosraspeln bestreuen (leicht andrücken). Das Backblech in den Backofen schieben.

Ober-/Unterhitze: 180–200 °C (vorgeheizt)
Heißluft: 160–180 °C (vorgeheizt)
Gas: etwa Stufe 3 (vorgeheizt)
Backzeit: etwa 20 Minuten

5 Das Backblech auf einen Kuchenrost stellen. Gebäck erkalten lassen.

6 Gebäck in Vierecke schneiden und diese nochmals halbieren, so dass Dreiecke entstehen.

Tipp: Statt Kokosraspel können auch 100 g gemahlene Haselnusskerne verwendet werden. Die Kokos-Marzipan-Ecken zusätzlich mit aufgelöster Schokolade besprenkeln oder die Ecken mit aufgelöster Schokolade bestreichen.

Kokos-Quark-Makronen | 🗑️

Einfach

Für den Teig:
4 Eiweiß (Größe M)
150 g Zucker
1 Pck. Vanillin-Zucker
4 Tropfen Bittermandel-Aroma
65 g Magerquark
200 g Kokosraspel

Zubereitungszeit: 40 Minuten

Insgesamt: E: 35 g, F: 124 g, Kh: 172 g, kJ: 8174, kcal: 1952

1 Für den Teig Eiweiß mit Handrührgerät mit Rührbesen auf höchster Stufe steif schlagen, der Schnee muss so fest sein, dass ein Messerschnitt sichtbar bleibt, nach und nach Zucker, Vanillin-Zucker und Aroma unterschlagen. Quark vorsichtig unterrühren, Kokosraspel unterheben.

2 Von der Masse mit 2 Teelöffeln walnussgroße Häufchen auf Backbleche (mit Backpapier belegt) setzen. Die Backbleche nacheinander (bei Heißluft zusammen) in den Backofen schieben.

Ober-/Unterhitze: etwa 160 °C (vorgeheizt)
Heißluft: etwa 140 °C (vorgeheizt)
Gas: Stufe 1–2 (vorgeheizt)
Backzeit: 15–20 Minuten pro Backblech

3 Makronen mit dem Backpapier vom Backblech ziehen (sie sollten sich noch etwas feucht anfühlen, da sie noch nachtrocknen) und auf einem Kuchenrost erkalten lassen. Sofort in gut schließende Dosen verpacken.

Tipp: Die Makronen nach Belieben mit aufgelöster Halbbitter-Kuvertüre besprenkeln oder die Unterseite damit bestreichen.

Konfettirolle | 🗑 🗑

Raffiniert

Für den Biskuitteig:
3 Eier (Größe M)
4 – 5 EL heißes Wasser
150 g Zucker, 1 Pck. Vanillin-Zucker
100 g Weizenmehl, 50 g Speisestärke
1 gestr. TL Backpulver

Für die Füllung:
200 g Marzipan-Rohmasse
Speisefarbe (rot, gelb, grün)
4 Blatt weiße Gelatine
500 ml ('/₂ l) Schlagsahne
2 EL Orangensaft
4 EL rotes Johannisbeergelee

Zubereitungszeit: 45 Minuten, ohne Kühlzeit

Insgesamt: E: 75 g, F: 247 g, Kh: 425 g, kJ: 18199, kcal: 4349

1 Für den Teig Eier und Wasser mit Handrührgerät mit Rührbesen auf höchster Stufe in 1 Minute schaumig schlagen. Zucker und Vanillin-Zucker mischen, in 1 Minute einstreuen, dann noch etwa 2 Minuten schlagen.

2 Mehl mit Speisestärke und Backpulver mischen, die Hälfte davon auf die Eiercreme sieben, kurz auf niedrigster Stufe unterrühren, den Rest des Mehlgemisches auf die gleiche Art unterarbeiten.

3 Den Teig auf ein Backblech (30 x 40 cm, gefettet, mit Backpapier belegt) streichen, an der offenen Seite des Backblechs das Papier unmittelbar vor dem Teig so zur Falte knicken, dass ein Rand entsteht. Das Backblech in den Backofen schieben und sofort backen.

Ober-/Unterhitze: 200 – 220 °C (vorgeheizt)
Heißluft: 180 – 200 °C (vorgeheizt)
Gas: etwa Stufe 4 (vorgeheizt)
Backzeit: 10 – 15 Minuten

4 Die Gebäckplatte sofort nach dem Backen auf ein mit Zucker bestreutes Stück Backpapier stürzen, mitgebackenes Backpapier mit kaltem Wasser bestreichen, vorsichtig, aber schnell abziehen. Gebäckplatte mit dem Backpapier aufrollen und erkalten lassen.

5 Für die Füllung Marzipan-Rohmasse in 3 gleiche Stücke teilen, jedes Stück mit etwas Speisefarbe einfärben, bleistiftdicke Rollen (40 – 45 cm lang) formen und mit Klarsichtfolie abdecken.

6 Gelatine nach Packungsanleitung einweichen, leicht ausdrücken. Sahne steif schlagen. Die leicht ausgedrückte Gelatine in einem kleinen Topf mit dem Orangensaft unter Rühren erwärmen (nicht kochen), bis sie völlig gelöst ist. Von der Sahne 3 Esslöffel abnehmen und mit dem Orangensaft-Gelatine-Gemisch verrühren. Dann Gelatinemasse zügig unter die restliche Sahne rühren.

7 Die Biskuitrolle vorsichtig auseinander rollen, mit Johannisbeergelee bestreichen und zwei Drittel der Sahne darauf streichen. Marzipanrollen auf die Länge der Rolle schneiden, in wechselnden Farben in Abständen von etwa 5 cm in die Sahne legen und etwas eindrücken.

8 Die Biskuitplatte von der längeren Seite her aufrollen, mit der restlichen Sahne bestreichen und mit Hilfe eines Tortengarnierkammes verzieren. Die restlichen Marzipanstücke in dünne Scheiben (Konfetti) schneiden, die Rolle damit garnieren und 1 – 2 Stunden kalt stellen.

Konfettirolle

Konfettitaler

Konfettitaler | 🗑 🍶

Einfach – gut vorzubereiten

Für den Rühr-Knetteig:
175 g Butter oder Margarine
125 g Zucker
1 Pck. Vanillin-Zucker
¹/₂ Fläschchen Rum-Aroma
250 g Weizenmehl
2 gestr. TL Backpulver

Zum Garnieren:
75 g Hagelzucker
50 g rote kandierte Kirschen

Zubereitungszeit: 65 Minuten

Insgesamt: E: 28 g, F: 146 g, Kh: 393 g, kJ: 13202, kcal: 3154

1 Für den Teig Butter oder Margarine mit Handrührgerät mit Rührbesen auf höchster Stufe geschmeidig rühren. Nach und nach Zucker, Vanillin-Zucker und Aroma hinzufügen. So lange rühren, bis eine gebundene Masse entstanden ist.

2 Mehl mit Backpulver mischen, sieben und zwei Drittel des Mehlgemisches portionsweise auf mittlerer Stufe unterrühren. Restliches Mehlgemisch auf einer bemehlten Arbeitsfläche unterkneten.

3 Aus dem Teig kirschgroße Kugeln formen, bis zur Hälfte in den Hagelzucker drücken, mit der Teighälfte nach unten nicht zu dicht nebeneinander auf ein Backblech (mit Backpapier belegt) legen. Teigtaler mit in Scheiben geschnittenen Kirschen garnieren. Das Backblech in den Backofen schieben.

Ober-/Unterhitze: 180 – 200 °C (vorgeheizt)
Heißluft: 160 – 180 °C (vorgeheizt)
Gas: etwa Stufe 3 (vorgeheizt)
Backzeit: 10 – 15 Minuten

4 Das Gebäck mit dem Backpapier vom Backblech ziehen und auf einem Kuchenrost erkalten lassen.

Tipp: Teigtaler mit Kirschen mit Stiel oder mit in Stifte geschnittenem Zitronat garnieren.

Kopenhagener

Kopenhagener | 🍰 🍰

Für Kinder

Für den Hefeteig:
500 g Weizenmehl
1 Pck. Trockenhefe
50 g Zucker
1 Pck. Vanillin-Zucker
1 Prise Salz
100 g zerlassene lauwarme Butter
2 Eier (Größe M)
125 ml (¹/₈ l) lauwarme Milch

75 g weiche Butter

Für die Füllung:
200 g Marzipan-Rohmasse
125 g abgezogene, gehackte Mandeln
75 g Zucker

Zum Aprikotieren:
4 EL Aprikosenkonfitüre
3 EL Wasser

Zubereitungszeit: 75 Minuten, ohne
Teiggeh- und Abkühlzeit

Insgesamt: E: 128 g, **F:** 303 g, **Kh:** 649 g,
kJ: 25591, **kcal:** 6113

1 Für den Teig Mehl in eine Rührschüssel
sieben, mit der Trockenhefe sorgfältig vermischen. Zucker, Vanillin-Zucker, Salz, Butter,
Eier und Milch hinzufügen. Die Zutaten mit
Handrührgerät mit Knethaken zunächst auf
niedrigster, dann auf höchster Stufe in etwa
5 Minuten zu einem Teig verarbeiten.

2 Teig an einem warmen Ort so lange gehen
lassen, bis er sich sichtbar vergrößert hat. Ihn
dann auf einer bemehlten Arbeitsfläche nochmals kurz durchkneten. Teig zu einem Rechteck (etwa 40 x 60 cm) ausrollen und mit Butter bestreichen.

3 Für die Füllung Marzipan-Rohmasse in
kleine Würfel schneiden. Marzipan, Mandeln
und Zucker mit Handrührgerät mit Rührbesen
gut verrühren, Masse gleichmäßig auf dem
Teig verteilen.

4 Teig von der kürzeren Seite her fest aufrollen, mit einem scharfen Messer etwa 2 cm
dicke Scheiben abschneiden und auf Backbleche (gefettet, mit Backpapier belegt) legen,
mit einer Schere mehrfach einschneiden.

5 Teigscheiben nochmals so lange an einem
warmen Ort gehen lassen, bis sie sich sichtbar vergrößert haben. Die Backbleche nacheinander (bei Heißluft zusammen) in den
Backofen schieben.

Ober-/Unterhitze: etwa 180 °C (vorgeheizt)
Heißluft: etwa 160 °C (vorgeheizt)
Gas: Stufe 2 – 3 (vorgeheizt)
Backzeit: 10 – 15 Minuten pro Backblech

6 Die Gebäckstücke mit dem Backpapier
von den Backblechen ziehen. Gebäckstücke
auf einem Kuchenrost erkalten lassen.

7 Zum Aprikotieren Konfitüre durch ein Sieb
streichen, in einem kleinen Topf mit Wasser
verrühren, kurz aufkochen lassen. Das Gebäck
noch heiß damit bestreichen, erkalten lassen.

Tipp: Für die Füllung anstelle des Marzipans
einen Pudding aus 400 ml Milch, 60 g Zucker und 1 Päckchen Pudding-Pulver nach
Packungsanleitung zubereiten. Zuletzt 125 g
gehackte Mandeln unterheben. Oder 300 g
gemahlene Haselnusskerne, 3 Eier, 80 g Zucker und 3 Esslöffel Wasser verrühren. Die
Kopenhagener damit füllen.

Korinthenbrötchen | 🗑 🗑 ❄

Für Kinder

Für den Hefeteig:
250 g Weizenmehl, ¹/₂ Pck. Trockenhefe
25 g Zucker, 1 Pck. Vanillin-Zucker
1 Prise Salz, 1 Ei (Größe M)
75 ml lauwarme Milch
50 g zerlassene lauwarme Butter
oder Margarine, 75 g Korinthen

Zum Bestreichen:
Kondensmilch

Zubereitungszeit: 25 Minuten, ohne
Teiggehzeit

Insgesamt: E: 39 g, F: 51 g, Kh: 269 g,
kJ: 7438, kcal: 1778

1 Für den Teig Mehl in eine Rührschüssel
sieben, mit Trockenhefe sorgfältig vermischen. Zucker, Vanillin-Zucker, Salz, Ei, Milch
und Butter oder Margarine hinzufügen.

2 Die Zutaten mit Handrührgerät mit Knethaken zunächst auf niedrigster, dann auf höchster Stufe in etwa 5 Minuten zu einem Teig verarbeiten. Korinthen unterkneten. Den Teig
zugedeckt so lange an einem warmen Ort stehen lassen, bis er sich sichtbar vergrößert hat.

3 Den Teig leicht mit Mehl bestäuben, aus
der Schüssel nehmen und auf der Arbeitsfläche kurz durchkneten, zu einer 30 cm langen
Rolle formen. Rolle in etwa 2 cm dicke Scheiben schneiden, zu Brötchen formen und auf
ein Backblech (mit Backpapier belegt) legen.

Nochmals zugedeckt so lange an einem warmen Ort gehen lassen, bis sie sich sichtbar
vergrößert haben.

4 Teigbrötchen mit Kondensmilch bestreichen. Das Backblech in den Backofen schieben.

Ober-/Unterhitze: 200 – 220 °C (vorgeheizt)
Heißluft: 180 – 200 °C (vorgeheizt)
Gas: etwa Stufe 4 (vorgeheizt)
Backzeit: etwa 15 Minuten

5 Die Brötchen mit dem Backpapier vom
Backblech ziehen und auf einem Kuchenrost
erkalten lassen.

Kosakentaler | 🗑 🗑

Raffiniert – dauert länger

Für den Knetteig:
300 g Weizenmehl
¹/₂ gestr. TL Backpulver, 100 g Zucker
1 Pck. Vanillin-Zucker, 3 EL Milch
150 g Butter oder Margarine

Für die Füllung:
150 g Nuss-Nougat

50 g gemahlene Haselnusskerne

Zubereitungszeit: 75 Minuten, ohne
Abkühlzeit

Insgesamt: E: 53 g, F: 199 g, Kh: 421 g,
kJ: 15897, kcal: 3799

1 Für den Teig Mehl mit Backpulver mischen
und in eine Rührschüssel sieben. Zucker, Vanillin-Zucker, Milch und Butter oder Margarine
hinzufügen. Die Zutaten mit Handrührgerät
mit Knethaken zunächst kurz auf niedrigster,
dann auf höchster Stufe gut durcharbeiten.

2 Anschließend auf einer bemehlten Arbeitsfläche zu einem glatten Teig verkneten. Sollte
er kleben, ihn in Folie gewickelt eine Zeit lang
kalt stellen.

3 Den Teig auf der leicht bemehlten Arbeitsfläche dünn ausrollen, Plätzchen (Ø etwa 4 cm)
ausstechen und auf Backbleche (gefettet, mit
Backpapier belegt) legen. Die Backbleche
nacheinander (bei Heißluft zusammen) in den
Backofen schieben.

Ober-/Unterhitze: etwa 200 °C (vorgeheizt)
Heißluft: etwa 180 °C (vorgeheizt)
Gas: Stufe 3 – 4 (vorgeheizt)
Backzeit: 8 – 10 Minuten pro Backblech

4 Die Plätzchen sofort mit dem Backpapier
auf Kuchenrost ziehen und erkalten lassen.

5 Für die Füllung Nuss-Nougat in einem kleinen Topf im Wasserbad bei schwacher Hitze
zu einer geschmeidigen Masse verrühren. Die
Hälfte der Plätzchen auf der Unterseite damit
bestreichen.

6 Die restlichen Plätzchen mit der Unterseite
darauf legen, gut andrücken. Die herausgedrückte Füllung am Rand verstreichen. Dann
die Plätzchen mit dem Rand durch die Haselnusskerne rollen und die Füllung fest werden
lassen.

Kosakentaler

Kranzkuchen mit Mohn | 🍮 ❄

Raffiniert – für Gäste

Zum Vorbereiten:
250 g Butter
1 Dose Aprikosenhälften
(Abtropfgewicht 240 g)
50 g rote Belegkirschen

Für den Rührteig:
200 g Zucker, 1 Prise Salz
5 Eier (Größe M), 500 g Weizenmehl
1 Pck. Backpulver, 10 EL Milch
1 geh. EL Speisestärke
1 Pck. (250 g) Mohnback

Zubereitungszeit: etwa 50 Minuten, ohne Abkühlzeit

Insgesamt: E: 122 g, F: 286 g, Kh: 745 g, kJ: 25757, kcal: 6153

1 Zum Vorbereiten Butter in einem Topf zerlassen, bräunen, in eine Rührschüssel geben und abkühlen lassen. Aprikosenhälften in ei-

Kranzkuchen mit Mohn

nem Sieb abtropfen lassen und würfeln. Belegkirschen ebenfalls in Würfel schneiden.

2 Für den Teig die wieder fest gewordene Butter mit Handrührgerät mit Rührbesen auf höchster Stufe geschmeidig rühren. Nach und nach Zucker und Salz unterrühren. So lange rühren, bis eine gebundene Masse entstanden ist.

3 Eier nach und nach unterrühren (jedes Ei etwa ½ Minute). Mehl mit Backpulver mischen, sieben, portionsweise abwechselnd mit der Milch auf mittlerer Stufe unterrühren.

4 Drei Viertel des Teiges in eine Springform mit Rohrboden (Ø 26 cm, gefettet) füllen. Speisestärke, Mohnback, Aprikosen- und Kirschenwürfel unter den Rest des Teiges rühren. Den Mohnteig auf dem Teig in der Form verteilen, eine Gabel spiralförmig durch die Teigschichten ziehen. Die Form auf dem Rost in den Backofen schieben.

Ober-/Unterhitze: etwa 180 °C (vorgeheizt)
Heißluft: etwa 160 °C (nicht vorgeheizt)
Gas: Stufe 2 – 3 (nicht vorgeheizt)
Backzeit: etwa 60 Minuten

5 Den Kuchen 10 Minuten in der Form stehen lassen, dann auf einen mit Backpapier belegten Kuchenrost stürzen und erkalten lassen.

Tipp: Gebräunte Butter kann durch die gleiche Menge nicht zerlassener ungebräunter Butter oder Margarine ersetzt werden. Durch gebräunte Butter schmeckt der Kuchen intensiver nach Butter.

Kräuterbrötchen | 🍮 🍮 ❄

Gut vorzubereiten – pikant

Für den Hefeteig:
250 g Weizenmehl (Type 550)
250 g Weizenmehl (Type 1050)
1 Pck. Trockenhefe, 1 TL Zucker
knapp 2 TL Salz, frisch gemahlener
Pfeffer, 3 EL Speiseöl, 250 ml (¼ l) lauwarmes Wasser, 2 EL gehackte Petersilie, 2 EL fein geschnittener Schnittlauch, 1 EL gehackter Dill

Zum Bestreichen:
1 Eigelb, 1 EL Wasser

Zubereitungszeit: 35 Minuten, ohne Teiggehzeit

Insgesamt: E: 63 g, F: 43 g, Kh: 355 g, kJ: 9096, kcal: 2173

1 Für den Teig Mehl in eine Rührschüssel sieben. Mit der Trockenhefe sorgfältig vermischen. Zucker, Salz, Pfeffer, Speiseöl und Wasser hinzufügen.

2 Die Zutaten mit Handrührgerät mit Knethaken zunächst auf niedrigster, dann auf höchster Stufe in etwa 5 Minuten zu einem glatten Teig verarbeiten. Zuletzt Petersilie, Schnittlauch und Dill unterkneten. Den Teig an einem warmen Ort so lange stehen lassen, bis er sich sichtbar vergrößert hat.

3 Teig aus der Schüssel nehmen, auf einer bemehlten Arbeitsfläche nochmals kurz durchkneten.

4 Den Teig in 12 gleich große Stücke teilen, zu Brötchen formen, auf ein Backblech (mit Backpapier belegt) legen. Die Teigbrötchen nochmals

so lange an einem warmen Ort gehen lassen, bis sie sich sichtbar vergrößert haben.

5 Die Oberfläche der Brötchen kreuzweise etwa 1 cm tief einschneiden (nicht drücken).

6 Zum Bestreichen Eigelb mit Wasser verschlagen, die Brötchen damit bestreichen. Das Backblech in den Backofen schieben.

Ober-/Unterhitze: 180 – 200 °C (vorgeheizt)
Heißluft: 160 – 180 °C (vorgeheizt)
Gas: etwa Stufe 3 (vorgeheizt)
Backzeit: etwa 25 Minuten

7 Die Brötchen vom Backpapier lösen und auf einem Kuchenrost erkalten lassen.

Krokant (Grundrezept) |

Schnell

Für den Krokant:
2 Msp. Butter
100 g abgezogene, gehackte Mandeln
100 g gehackte Haselnusskerne
125 g Zucker

Zubereitungszeit: 20 Minuten, ohne Abkühlzeit

Insgesamt: E: 34 g, F: 119 g, Kh: 140 g, kJ: 7749, kcal: 1850

1 Für den Krokant Butter, Mandeln, Haselnusskerne und Zucker unter Rühren so lange erhitzen, bis der Krokant genügend gebräunt ist. Den Krokant auf ein Stück Backpapier legen und erkalten lassen.

Tipp: Krokant mit 100 g aufgelöster Schokolade mischen, mit 2 Esslöffeln kleine Häufchen auf ein Stück Backpapier setzen, fest werden lassen.

Krokantbissen |

Gut vorzubereiten – einfach

Für die Krokantmasse:
20 g Butter
60 g Zucker
125 g abgezogene, gehackte Mandeln
100 g Zartbitterschokolade
5 EL Schlagsahne

Zubereitungszeit: 20 Minuten, ohne Kühlzeit

Insgesamt: E: 34 g, F: 139 g, Kh: 117 g, kJ: 8197, kcal: 1958

1 Für die Krokantmasse Butter und Zucker in einer Pfanne so lange erhitzen, bis die Masse leicht gebräunt und der Zucker gelöst ist. Mandeln hinzufügen, unter Rühren erhitzen, bis der Krokant genug gebräunt ist. Auf ein Backblech (30 x 40 cm, gefettet, mit Backpapier belegt) geben und kalt stellen.

2 Die Krokantmasse in kleine Stücke zerstoßen. Schokolade in kleine Stücke brechen, mit Sahne in einem kleinen Topf im heißen Wasserbad glatt rühren, etwas abkühlen lassen und den Krokant unterrühren.

3 Von der Masse mit einem Esslöffel Häufchen abstechen, auf Alufolie setzen und im Kühlschrank fest werden lassen. Die Krokantbissen in Zellophantüten verpacken oder in verschlossenen Glas- oder Porzellangefäßen kühl aufbewahren.

Tipp: Zum Verfeinern des Krokantes zusätzlich 2 Esslöffel Aprikot-Brandy mit der Sahne verrühren und unter die Krokantmasse rühren.

Krokantbissen schmecken gut gekühlt am besten.

Krokantbissen

Krokantplätzchen |

Beliebt – einfach

Für den Knetteig:
300 g Weizenmehl
1 gestr. TL Backpulver, 100 g Zucker
1 Pck. Vanillin-Zucker, 1 Ei (Größe M)
150 g Butter oder Margarine

Zum Bestreichen:
etwas Schlagsahne

Zum Wälzen:
100 g Haselnuss-Krokant

Zum Verzieren:
helle Kuchenglasur

Zum Garnieren:
etwa 100 g abgezogene,
halbierte Mandeln

Zubereitungszeit: 80 Minuten, ohne Abkühlzeit

Insgesamt: E: 65 g, F: 201 g, Kh: 429 g, kJ: 16886, kcal: 4033

1 Für den Teig Mehl und Backpulver mischen, in eine Rührschüssel sieben. Zucker, Vanillin-Zucker, Ei und Butter oder Margarine hinzufügen. Die Zutaten mit Handrührgerät mit Knethaken zunächst kurz auf niedrigster, dann auf höchster Stufe gut durcharbeiten.

2 Anschließend auf einer Arbeitsfläche zu einem glatten Teig verkneten. Sollte er kleben, ihn in Folie gewickelt eine Zeit lang kalt stellen.

3 Aus dem Teig etwa 3 cm dicke Rollen formen, mit Sahne bestreichen, in dem Krokant wälzen und kalt stellen, bis der Teig fest geworden ist. Die Rollen in Scheiben schneiden, auf ein Backblech (mit Backpapier belegt) legen. Das Backblech in den Backofen schieben.

Ober-/Unterhitze: 200 – 220 °C (vorgeheizt)
Heißluft: 180 – 200 °C (vorgeheizt)
Gas: etwa Stufe 4 (vorgeheizt)
Backzeit: 8 – 10 Minuten

4 Die Plätzchen mit dem Backpapier vom Backblech ziehen und auf einem Kuchenrost erkalten lassen.

5 Zum Verzieren die Kuchenglasur nach Packungsanleitung auflösen. Etwas davon in die Mitte jedes Plätzchens geben und mit je einer Mandelhälfte belegen.

Krokantplätzchen

Krokanttorte aus Nussmischung | 🥛 🥛 🍶

Dauert länger

Für den Krokant:
100 g geschälte Haselnusskerne
100 g Walnusskerne
250 g gesiebter Puderzucker

Für den Biskuitteig:
3 Eigelb (Größe M)
1 EL heißes Wasser
50 g Zucker
1 Pck. Bourbon-Vanille-Zucker
100 g Zwieback, 4 Eiweiß (Größe M)

Für die Füllung:
400 g frische verlesene Himbeeren
200 g Johannisbeergelee
1 EL Himbeergeist
500 ml (½ l) Schlagsahne
1 Pck. Sahnesteif

Zum Garnieren:
100 g Halbbitter-Kuvertüre
100 g Himbeeren

Zubereitungszeit: 65 Minuten, ohne Kühlzeit

Insgesamt: E: 86 g, F: 297 g, Kh: 624 g, kJ: 23912, kcal: 5710

1 Für den Krokant Haselnusskerne grob hacken. Ein Backblech mit Öl bestreichen. Puderzucker in einem Topf bei schwacher Hitze zum Schmelzen bringen (erst wenn er zu schmelzen beginnt umrühren). So lange rühren, bis goldbrauner Karamell entstanden ist. Topf auf ein feuchtes kaltes Tuch stellen, Haselnusskerne unterrühren. Masse auf das Backblech streichen und erkalten lassen.

2 Krokantmasse mit einer Teigrolle zerstoßen, bis ein nicht zu feiner Krokant entsteht. Zwei Stück Backpapier in der Größe eines Backblechs ausschneiden. Auf jedem Bogen mit dem Springformrand einen Kreis (Ø 26 cm) markieren.

3 Für den Teig Eigelb mit Wasser mit Handrührgerät mit Rührbesen auf höchster Stufe in 1 Minute schaumig schlagen. Zucker und Vanille-Zucker mischen, in einer Minute einstreuen, dann noch etwa 2 Minuten schlagen.

4 Zwieback in einen Gefrierbeutel füllen, den Beutel verschließen, mit der Teigrolle fein zerbröseln. Zwiebackbrösel mit der Hälfte des Krokants mischen (2 Esslöffel zum Garnieren beiseite stellen).

5 Eiweiß steif schlagen, die Hälfte davon unter die Eigelbmasse ziehen, erst die Krokant-Zwieback-Mischung, dann restlichen Eischnee unterheben. Den Teig auf die 2 Kreise streichen (Ränder gleichmäßig). Jeden Bogen auf je ein Backblech ziehen. Die Backbleche nacheinander (bei Heißluft zusammen) in den Backofen schieben.

Ober-/Unterhitze: etwa 220 °C (vorgeheizt)
Heißluft: etwa 200 °C (vorgeheizt)
Gas: Stufe 4 – 5 (vorgeheizt)
Backzeit: 8 – 10 Minuten pro Backblech

6 Die Böden vom Backpapier lösen und einzeln auf einem Kuchenrost erkalten lassen. Einen Gebäckboden auf eine Tortenplatte legen und mit den Himbeeren belegen. Johannisbeergelee mit dem Himbeergeist in einem kleinen Topf unter Rühren aufkochen. Die Himbeeren damit bestreichen.

7 Sahne mit Sahnesteif steif schlagen. Zwei Drittel der Sahne auf den Himbeerboden streichen. Zweiten Boden darauf legen. Tortenoberfläche und -rand mit der restlichen Sahne bestreichen. Torte kalt stellen.

8 Zum Garnieren Kuvertüre in kleine Stücke hacken, in einem kleinen Topf im Wasserbad bei schwacher Hitze zu einer geschmeidigen Masse verrühren und auf Backpapier 1 – 2 mm dick verstreichen. Kuvertüre fest werden lassen. Anschließend in große Stücke brechen. Den Tortenrand damit belegen.

9 Die Mitte der Tortenoberfläche mit Himbeeren belegen und mit Krokant bestreuen.

Krokanttorte aus Nussmischung

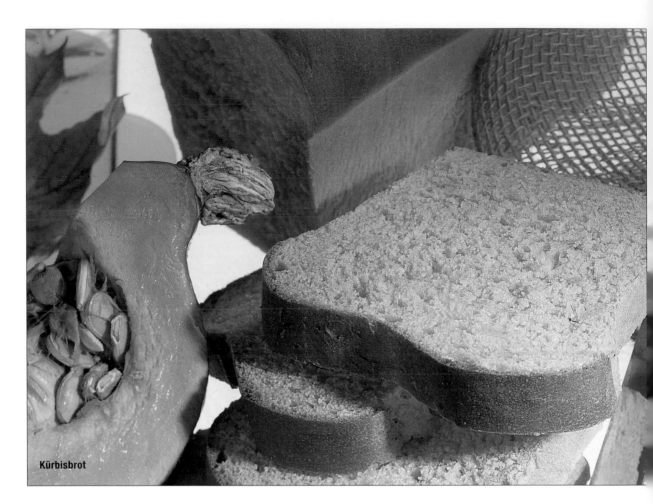

Kürbisbrot

Kürbisbrot | 🗑 🗑 ❄

Preiswert

Zum Vorbereiten:
300 g Kürbisfruchtfleisch
3 – 4 EL Wasser

Für den Hefeteig:
500 g Weizenmehl (Type 550)
1 Pck. Trockenhefe
2 EL flüssiger Honig
3 EL lauwarme Milch
100 ml Speiseöl
1 gestr. TL Salz

Zubereitungszeit: 55 Minuten, ohne Abkühl- und Teiggehzeit

Insgesamt: E: 61 g, F: 107 g, Kh: 405 g, kJ: 12387, kcal: 2960

1 Zum Vorbereiten Kürbisfruchtfleisch klein schneiden, mit Wasser unter Rühren 2 – 3 Minuten andünsten, das Kürbisfleisch pürieren und erkalten lassen.

2 Für den Teig Mehl in eine Rührschüssel sieben, mit Trockenhefe sorgfältig vermischen. Honig, Milch, Öl, Salz und Kürbispüree hinzufügen.

3 Die Zutaten mit Handrührgerät mit Knethaken zunächst auf niedrigster, dann auf höchster Stufe in etwa 5 Minuten zu einem Teig verarbeiten. Den Teig zugedeckt so lange an einem warmen Ort stehen lassen, bis er sich sichtbar vergrößert hat.

4 Teig aus der Schüssel nehmen, auf einer bemehlten Arbeitsfläche nochmals kurz durchkneten, zu einem länglichen Laib formen und in eine Kasten- oder Brotbackform (30 x 11 cm, gefettet) legen. Den Teig nochmals so lange an einem warmen Ort gehen lassen, bis er sich sichtbar vergrößert hat.

5 Brot der Länge nach etwa 1 cm tief einschneiden. Die Form auf dem Rost in den Backofen schieben.

Ober-/Unterhitze: etwa 200 °C (vorgeheizt)
Heißluft: etwa 180 °C (vorgeheizt)
Gas: Stufe 3 – 4 (vorgeheizt)
Backzeit: 25 – 30 Minuten

6 Brot aus der Form lösen, auf einen Kuchenrost legen und erkalten lassen.

Tipp: Zusätzlich die Form mit Kürbiskernen ausstreuen.

Kürbis-Frischkäse-Torte |

Preiswert

Für den Knetteig:

175 g Weizenmehl
½ gestr. TL Backpulver
75 g Zucker
1 Pck. Vanillin-Zucker
1 Prise Salz
1 Ei (Größe M)
75 g Butter oder Margarine

Für die Füllung:

500 g Doppelrahm-Frischkäse
90 g Zucker
4 Eier (Größe M)
40 g Speisestärke
300 g gewürfeltes frisches Kürbisfruchtfleisch
50 g geröstete, gesalzene Erdnusskerne

Zubereitungszeit: 45 Minuten, ohne Abkühlzeit

Insgesamt: E: 83 g, F: 172 g, Kh: 308 g, kJ: 13521, kcal: 3228

1 Für den Teig Mehl mit Backpulver mischen, in eine Rührschüssel sieben. Zucker, Vanillin-Zucker, Salz, Ei und Butter oder Margarine hinzufügen. Die Zutaten mit Handrührgerät mit Knethaken zunächst kurz auf niedrigster, dann auf höchster Stufe gut durcharbeiten.

2 Anschließend auf einer bemehlten Arbeitsfläche zu einem glatten Teig verkneten. Sollte er kleben, ihn in Folie gewickelt eine Zeit lang kalt stellen und den Boden vorbacken.

3 Zwei Drittel des Teiges auf dem Boden einer Springform (Ø 26 cm, gefettet) ausrollen. Den Springformrand darumstellen. Die Form auf dem Rost in den Backofen schieben und den Boden vorbacken.

Ober-/Unterhitze: etwa 180 °C (vorgeheizt)
Heißluft: etwa 160 °C (vorgeheizt)
Gas: Stufe 2–3 (vorgeheizt)
Backzeit: etwa 10 Minuten

4 Die Form auf einen Kuchenrost stellen, Boden etwas abkühlen lassen.

5 Aus dem restlichen Teig eine Rolle formen, sie als Rand auf den Boden legen und so an die Form drücken, dass ein etwa 2 cm hoher Rand entsteht.

6 Für die Füllung Frischkäse, Zucker, Eier, Speisestärke, Kürbiswürfel und Erdnusskerne in einer Schüssel verrühren. Die Masse auf dem vorgebackenen Boden verteilen. Die Form wieder auf dem Rost in den Backofen schieben und die Torte fertigbacken.

Ober-/Unterhitze: etwa 180 °C (vorgeheizt)
Heißluft: etwa 160 °C (nicht vorgeheizt)
Gas: Stufe 2–3 (nicht vorgeheizt)
Backzeit: etwa 55 Minuten

7 Die Form auf einen Kuchenrost stellen, Torte aus der Form lösen und auf dem Kuchenrost erkalten lassen.

Kürbis-Frischkäse-Torte

Kürbis-Muffins und -Waffeln |

(6 Muffins und 6 – 8 Waffeln)

Raffiniert

Für den Teig:
150 g Maismehl
150 g Weizenmehl
1 Pck. Backpulver
100 g Farinzuckcr
1 Becher (150 g) Naturjoghurt
2 EL Zitronensaft
3 Eier (Größe M)
100 ml Kürbiskernöl
1 Prise Salz
200 g geraspelter frischer Kürbis

Für die Waffeln:
150 ml Buttermilch

Zum Ausbacken:
Speckschwarte oder Speiseöl

Zubereitungszeit: 30 Minuten, ohne Abkühlzeit

Insgesamt: E: 66 g, F: 152 g, Kh: 338 g, kJ: 13019, kcal: 3109

1 Für den Teig Maismehl, Weizenmehl und Backpulver in einer Rührschüssel mischen. Farinzucker, Joghurt, Zitronensaft, Eier, Öl und Salz hinzufügen. Die Zutaten mit Handrührgerät mit Knethaken zunächst kurz auf niedrigster, dann auf höchster Stufe gut durcharbeiten. Gut ausgedrückte Kürbisraspel unterheben.

2 Die Hälfte des Teiges in eine Muffinform (für 6 Muffins gefettet, bemehlt) geben. Die Form auf dem Rost in den Backofen schieben.

Ober-/Unterhitze: etwa 180 °C (vorgeheizt)
Heißluft: etwa 160 °C (vorgeheizt)
Gas: Stufe 2 – 3 (vorgeheizt)
Backzeit: etwa 25 Minuten

3 Die Muffins 10 Minuten stehen lassen, dann aus der Form lösen und auf einem Kuchenrost erkalten lassen.

4 Für die Waffeln restlichen Teig mit der Buttermilch verrühren und 6 – 8 Waffeln daraus backen. Dafür den Teig in nicht zu großen Portionen in ein gut erhitztes, mit Speckschwarte oder Speiseöl gefettetes Waffeleisen füllen. Die Waffeln goldbraun backen, einzeln auf einem Kuchenrost erkalten lassen.

Tipp: Die Waffeln mit einem Chutney servieren. Die Muffins können auch mit Guss serviert werden. Für den Guss 100 g Puderzucker sieben, mit 1 – 2 Esslöffeln Wasser oder Zitronensaft zu einer dickflüssigen Masse verrühren. Die Muffins damit überziehen und mit 50 g Kürbisraspeln bestreuen oder mit halbierten Kürbiskernen garnieren. Die Muffins schmecken lauwarm am besten.

Kürbis-Muffins und -Waffeln

Kürbistarte

Kürbistarte | 🗑 🗑 ❄

Etwas teurer – für Gäste

Für den Knetteig:
175 g Weizenmehl
1 Msp. Backpulver
1/2 gestr. TL Salz
1/4 gestr. TL Pfeffer
1 Becher (150 g) Crème fraîche
75 g Butter oder Margarine

für den Belag:
1 Papaya
1 kg Kürbis (vorbereitet,
gewürfelt, etwa 600 g)
50 g Pinienkerne
75 g geschälte Kürbiskerne

für den Guss:
200 ml Schlagsahne
3 Eier (Größe M)
1 gestr. TL Speisestärke
Salz, Pfeffer, Muskatnuss

Zubereitungszeit: 45 Minuten, ohne
Abkühlzeit

Insgesamt: E: 94 g, F: 252 g, Kh: 201 g,
KJ: 15234, kcal: 3636

1 Für den Teig Mehl mit Backpulver mischen, in eine Rührschüssel sieben. Salz, Pfeffer, Crème fraîche und Butter oder Margarine hinzufügen. Die Zutaten mit Handrührgerät mit Knethaken zunächst kurz auf niedrigster, dann auf höchster Stufe gut durcharbeiten.

2 Anschließend auf einer bemehlten Arbeitsfläche zu einem glatten Teig verkneten. Sollte er kleben, ihn in Folie gewickelt eine Zeit lang kalt stellen.

3 Zwei Drittel des Teiges zu einer runden Platte ausrollen, in eine Tarteform (Ø 30 cm, gefettet) legen, den Rand leicht andrücken. Teigboden mehrfach mit einer Gabel einstechen. Die Form auf dem Rost in den Backofen schieben und den Boden vorbacken.

Ober-/Unterhitze: etwa 200 °C (vorgeheizt)
Heißluft: etwa 180 °C (vorgeheizt)
Gas: Stufe 3 – 4 (vorgeheizt)
Backzeit: 15 – 20 Minuten

4 Die Form auf einen Kuchenrost stellen. Den Boden in der Form abkühlen lassen.

5 Restlichen Teig zu einer Rolle formen, sie als Rand auf den Boden legen und so an die Form drücken, dass ein etwa 2 cm hoher Rand entsteht.

6 Für den Belag Papaya halbieren, entkernen, Fruchtfleisch herauslösen und in etwa 1 cm kleine Papayawürfel schneiden. Die Papayawürfel mit den vorbereiteten Kürbiswürfeln, Pinien- und Kürbiskernen vermischen und auf dem Gebäckboden verteilen.

7 Für den Guss Sahne, Eier, Speisestärke, Salz, Pfeffer und Muskat gut verrühren und auf den Belag gießen. Die Form wieder auf dem Rost in den Backofen schieben und die Tarte **bei gleicher Temperatur** in etwa **45 Minuten** fertig backen.

8 Die Form auf einen Kuchenrost stellen, Tarte etwas abkühlen lassen. Lauwarm servieren.

Tipp: Tarte in der Form einfrieren, auftauen lassen, bei 180 °C etwa 15 Minuten aufbacken.

Lachs-Brotpizza | 🗑 🗑 ❄

Für Gäste

Für den Brotteig:
400 g Weizenmehl
1 Pck. Trockenhefe
300 ml heißes Wasser
20 g Butter oder Margarine
¹/₂ gestr. TL Zucker
¹/₂ gestr. TL Salz

Zum Bestreuen:
30 g geschälte Kürbiskerne

Zum Bestreichen:
*1 Becher (125 g) Crème fraîche mit
frischen Kräutern*

Für den Belag:
150 g geräucherte Lachsscheiben
50 g Lachskaviar (aus dem Glas)
*2 in Ringe geschnittene
Frühlingszwiebeln*

Zubereitungszeit: 35 Minuten,
ohne Teiggehzeit

Insgesamt: E: 97 g, F: 106 g, Kh: 305 g,
kJ: 11129, kcal: 2660

1 Für den Teig Mehl in eine Rührschüssel
sieben, mit Trockenhefe sorgfältig vermischen.
Wasser, Butter oder Margarine, Zucker und
Salz hinzufügen.

2 Die Zutaten mit Handrührgerät mit Knethaken zunächst auf niedrigster, dann auf
höchster Stufe in etwa 5 Minuten zu einem
Teig verarbeiten. Den Teig zugedeckt so lange an einem warmen Ort stehen lassen, bis
er sich sichtbar vergrößert hat.

3 Den gegangenen Teig leicht mit Mehl bestäuben, aus der Schüssel nehmen, auf einer
bemehlten Arbeitsfläche nochmals kurz
durchkneten und zu einer runden Platte
(Ø etwa 40 cm) ausrollen.

4 Teigplatte auf ein Backblech (mit Backpapier belegt) legen und am Rand 2–3 cm
breit mit Wasser bestreichen. In gleichmäßi-
gen Abständen nur den bestrichenen Rand

sechsmal halbmondförmig nach innen schlagen, so dass ein wellenförmiger Rand entsteht.

5 Teigrand wieder mit Wasser bestreichen,
mit Kürbiskernen bestreuen. Teigplatte nochmals so lange an einem warmen Ort gehen
lassen, bis sie sich sichtbar vergrößert hat.
Das Backblech in den Backofen schieben.

Ober-/Unterhitze: etwa 200 °C (vorgeheizt)
Heißluft: etwa 180 °C (vorgeheizt)
Gas: Stufe 3–4 (vorgeheizt)
Backzeit: 20–25 Minuten

6 Pizzaboden vom Backpapier lösen und auf
einem Kuchenrost erkalten lassen.

7 Die Mitte des Pizzabodens mit Crème
fraîche bestreichen.

8 Für den Belag Lachs und Kaviar dekorativ
auf der Crème fraîche verteilen, Zwiebelringe
darauf streuen.

Lachs-Brotpizza

Lachstarte

Lachstarte | 🗑

Für Gäste

Für den Knetteig:
200 g Weizenmehl (Type 550)
1 gestr. TL Salz
2–3 EL kaltes Wasser
150 g Butter oder Margarine

Für den Belag:
1 Glas Kapern (Abtropfgewicht 60 g)
2 Becher (je 150 g) Crème fraîche
1 Ei (Größe M), 1 Prise Salz
Cayennepfeffer

Zum Garnieren:
¹/₂ Bund Dill
200 g gebeizter Lachs
(in dünnen Scheiben)

Zubereitungszeit: 55 Minuten, ohne
Kühlzeit.

Insgesamt: E: 76 g, F: 225 g, Kh: 158 g,
kJ: 13904, kcal: 3325

1 Für den Teig Mehl in eine Rührschüssel
sieben. Salz, Wasser und Butter oder Margarine hinzufügen. Die Zutaten mit Handrührgerät
mit Knethaken zunächst kurz auf niedrigster,
dann auf höchster Stufe gut durcharbeiten.

2 Anschließend auf einer bemehlten Arbeitsfläche zu einem glatten Teig verkneten. Teig
in Folie gewickelt 1 Stunde kalt stellen.

3 Für den Belag Kapern in einem Sieb gut
abtropfen lassen. Crème fraîche, Ei, Salz
und Cayennepfeffer verrühren. Masse abschmecken.

4 Teig auf der bemehlten Arbeitsfläche zu
einer runden Platte (Ø etwa 32 cm) ausrollen.
Teigplatte in eine Tarteform (Ø etwa 28 cm,

gefettet) legen. Teigboden mit einer Gabel
mehrfach einstechen und mit Kapern belegen. Crème-fraîche-Masse darauf verteilen.
Die Form auf dem Rost in den Backofen
schieben.

Ober-/Unterhitze: etwa 200 °C (vorgeheizt)
Heißluft: etwa 180 °C (vorgeheizt)
Gas: Stufe 3–4 (vorgeheizt)
Backzeit: etwa 30 Minuten

5 Form auf einen Kuchenrost stellen und
etwas abkühlen lassen.

6 Dill abspülen, trockenschütteln und in kleine Zweige zupfen. Lauwarme Tarte mit Lachs
und Dill belegen.

Beigabe: Lachstarte mit einem frischen
Salat aus Feldsalat und Orangenfilets servieren.

Landbrot

Landbrot | 🏺 🏺

Gut vorzubereiten – für Gäste

Für den Hefeteig:
250 g Weizenmehl (Type 1050)
250 g Vollkorn-Roggenmehl
1 Pck. Trockenhefe
1 gestr. TL Zucker
2 gestr. TL Salz
frisch gemahlener Pfeffer
4 EL Speiseöl
250 ml (¼ l) lauwarmes Wasser
1 Pck. (125 g) Sauerteig (Reformhaus)
50 g Sonnenblumenkerne

Zubereitungszeit: 25 Minuten, ohne
Teiggehzeit

Insgesamt: E: 87 g, F: 105 g, Kh: 379 g,
kJ: 12364, kcal: 2952

1 Für den Teig Weizen- und Roggenmehl in eine Rührschüssel geben, mit der Trockenhefe sorgfältig vermischen. Zucker, Salz, Pfeffer, Öl und Wasser hinzufügen. Die Zutaten mit Handrührgerät mit Knethaken zunächst auf niedrigster, dann auf höchster Stufe verrühren.

2 Den Sauerteig hinzufügen, alles in etwa 5 Minuten zu einem glatten Teig verarbeiten und an einem warmen Ort zugedeckt so lange stehen lassen, bis er sich sichtbar vergrößert hat.

3 Den Teig aus der Schüssel nehmen, auf einer bemehlten Arbeitsfläche die Sonnenblumenkerne unterkneten. Den Teig nochmals kurz durchkneten und ein rundes Brot formen. Den Brotteig auf ein Backblech (gefettet, mit Backpapier belegt) legen, nochmals zugedeckt

so lange an einem warmen Ort stehen lassen, bis er sich sichtbar vergrößert hat.

4 Die Teigoberfläche mit einem scharfen Messer kreuzweise etwa 1 cm tief einschneiden, mit Wasser bestreichen, mit Weizenmehl bestäuben. Das Backblech in den Backofen schieben.

Ober-/Unterhitze: etwa 200 °C (vorgeheizt)
Heißluft: etwa 180 °C (nicht vorgeheizt)
Gas: Stufe 3 – 4 (nicht vorgeheizt)
Backzeit: etwa 50 Minuten

Tipp: Das Brot bleibt in Folie verpackt etwa 3 Tage frisch.
Das Landbrot kann auch ohne Sauerteig zubereitet werden, dann jedoch 2 Päckchen Trockenhefe verwenden.

Lauchkuchen | 🗑 ❄

Preiswert

Für den Knetteig:
250 g Weizenmehl
1 Msp. Backpulver
1/2 TL Salz, 1 Prise Zucker
125 g Butter oder Margarine

Für den Belag:
100 g durchwachsener Speck
1 kg Porree (Lauch)
Salz, Pfeffer
200 g Frühlingsquark, 3 Eier (Größe M)

Zubereitungszeit: 40 Minuten,
ohne Abkühlzeit

Insgesamt: E: 85 g, F: 201 g, Kh: 223 g,
kJ: 13355, kcal: 3189

1 Für den Teig Mehl mit Backpulver mischen, in eine Rührschüssel sieben. Salz, Zucker und Butter oder Margarine hinzufügen. Die Zutaten mit Handrührgerät mit Knethaken zunächst kurz auf niedrigster, dann auf höchster Stufe gut durcharbeiten.

2 Anschließend auf der bemehlten Arbeitsfläche zu einem glatten Teig verkneten. Sollte er kleben, ihn in Folie gewickelt eine Zeit lang kalt stellen.

3 Zwei Drittel des Teiges auf dem Boden einer Springform (Ø 28 cm, Boden gefettet) ausrollen, den Springformrand darumstellen. Die Form auf dem Rost in den Backofen schieben und den Boden vorbacken.

Ober-/Unterhitze: etwa 200 °C (vorgeheizt)
Heißluft: etwa 180 °C (vorgeheizt)
Gas: Stufe 3 – 4 (vorgeheizt)
Backzeit: etwa 10 Minuten

4 Die Form auf einen Kuchenrost stellen, Boden etwas abkühlen lassen.

5 Restlichen Teig zu einer Rolle formen, sie als Rand auf den Boden legen, so an die Form drücken, dass ein 2 – 3 cm hoher Rand entsteht.

6 Für den Belag Speck in Würfel schneiden und in einem großen Topf auslassen. Porree putzen, das dunkle Grün bis auf etwa 10 cm entfernen, Porree in dünne Ringe schneiden, gründlich waschen, in einem Sieb abtropfen lassen, in dem Speckfett etwa 10 Minuten dünsten, mit Salz und Pfeffer würzen und abkühlen lassen.

7 Frühlingsquark mit Eiern verrühren und unter die Speck-Porree-Masse rühren. Die Masse auf den vorgebackenen Boden geben und glatt streichen. Die Form wieder auf dem Rost in den Backofen schieben und den Kuchen fertig backen.

Ober-/Unterhitze: etwa 200 °C (vorgeheizt)
Heißluft: etwa 180 °C (nicht vorgeheizt)
Gas: Stufe 3 – 4 (nicht vorgeheizt)
Backzeit: etwa 40 Minuten

8 Die Form 10 Minuten auf einen Kuchenrost stellen, etwas abkühlen lassen, dann den Kuchen aus der Form lösen und heiß servieren.

Tipp: Den Lauchkuchen in kleinen Tortelettformen (Ø etwa 12 cm) etwa 25 Minuten backen.

Lauchkuchen

Laugengebäck | 🗑 🗑

Klassisch

Für den Hefeteig:
375 g Weizenmehl
1 Pck. (42 g) frische Hefe
1 TL Zucker
250 ml (¹/₄ l) lauwarmes Wasser
1 TL Salz

Für die Lauge:
1 l Wasser
30 g Natron (kein Soda oder
Ätznatron verwenden!)

Zum Bestreuen:
Hagelsalz, Kümmel, geriebener Gouda

Zubereitungszeit: 30 Minuten, ohne Teiggehzeit

Insgesamt: E: 50 g, F: 11 g, Kh: 276 g, kJ: 6204, kcal: 1483

1 Für den Teig Mehl in eine Schüssel sieben. In die Mitte eine Vertiefung eindrücken. Hefe hineinbröckeln, Zucker und etwas Wasser hinzufügen. Mit einer Gabel vorsichtig verrühren und etwa 10 Minuten gehen lassen.

2 Restliches Wasser und Salz hinzugeben. Die Zutaten mit Handrührgerät mit Knethaken zunächst auf niedrigster, dann auf höchster Stufe in etwa 5 Minuten zu einem Teig verarbeiten. Den Teig zugedeckt so lange an einem warmen Ort gehen lassen, bis er sich sichtbar vergrößert hat.

3 Den Teig auf einer mit Mehl bestäubten Arbeitsfläche nochmals kurz durchkneten und in 10 Stücke teilen.

4 Teigstücke zu 40 cm langen Rollen formen und zu Brezeln schlingen.

5 Für die Lauge Wasser in einem hohen Topf aufkochen, den Topf von der Kochstelle nehmen und Natron langsam einrühren (die Lauge sprudelt).

6 Die Brezeln mit Hilfe einer Teigkarte auf eine Schaumkelle legen, 10 Sekunden in die Lauge tauchen. Die Schaumkelle dabei schwenken, damit das Teigstück schwimmt.

7 Die Brezeln auf der Schaumkelle abtropfen lassen, auf ein Backblech (mit Backpapier belegt) legen. Nach Belieben mit Salz, Kümmel oder Käse bestreuen. Das Backblech in den Backofen schieben.

Ober-/Unterhitze: etwa 200 °C (vorgeheizt)
Heißluft: etwa 180 °C (vorgeheizt)
Gas: Stufe 3–4 (vorgeheizt)
Backzeit: 15–20 Minuten

8 Die Brezeln mit dem Backpapier vom Backblech ziehen, auf einen Kuchenrost legen. Brezeln warm oder kalt servieren.

Tipp: Der Laugenteig kann auch zu Stangen (Teigstücke dann zu 12–15 cm langen Rollen formen), Ringen (wie Stangen, dann an den Enden zusammendrücken) oder Brötchen (Teigstücke zu Bällchen formen) weiterverarbeitet werden. Laugenbrötchen vor dem Backen mit einem scharfen Messer 1 cm tief einschneiden.

Laugengebäck

Lebkuchen

Lebkuchen | 🥛 🥛

Gut vorzubereiten

Für den Lebkuchenteig:
75 g flüssiger Honig
2 EL Schlagsahne
35 g Butter oder Margarine
100 g Weizenmehl
1 gestr. TL Backpulver
1 TL Lebkuchengewürz
35 g fein gehackte Vollmilchschokolade
100 g gemahlene Haselnusskerne

Zum Bestreichen:
100 g Halbbitter-Kuvertüre

Zum Garnieren:
etwa 35 abgezogene,
halbierte Mandeln

Zubereitungszeit: 60 Minuten, ohne Abkühlzeit

Insgesamt: E: 37 g, F: 168 g, Kh: 220 g, kJ: 10969, kcal: 2620

1 Für den Teig Honig, Sahne und Butter oder Margarine in einem Topf erwärmen, zerlassen und abkühlen lassen. Mehl und Backpulver mischen, in eine Rührschüssel sieben, mit Lebkuchengewürz, Schokolade und Haselnusskernen vermischen. Honig-Sahne-Masse hinzufügen. Die Zutaten mit Handrührgerät mit Knethaken zunächst kurz auf niedrigster, dann auf höchster Stufe gut durcharbeiten.

2 Anschließend auf einer bemehlten Arbeitsfläche zu einem glatten Teig verkneten. Sollte er kleben, ihn in Folie gewickelt eine Zeit lang kalt stellen. Teig auf der bemehlten Arbeits-

fläche knapp ¹/₂ cm dick ausrollen. Plätzchen ausstechen (Ø 3 – 4 cm, etwa 35 Stück), auf ein Backblech (mit Backpapier belegt) legen. Backblech in den Backofen schieben.

Ober-/Unterhitze: 180 – 200 °C (vorgeheizt)
Heißluft: 160 – 180 °C (vorgeheizt)
Gas: etwa Stufe 3 (vorgeheizt)
Backzeit: etwa 10 Minuten

3 Lebkuchen mit dem Backpapier vom Backblech ziehen, auf einem Kuchenrost erkalten lassen.

4 Zum Bestreichen Kuvertüre in Stücke schneiden, in einem kleinen Topf im Wasserbad bei schwacher Hitze zu einer geschmeidigen Masse verrühren. Plätzchenoberfläche damit bestreichen. Mit je einer Mandelhälfte garnieren.

Lebkuchenwaffeln

Lebkuchenwaffeln | 🗑

(12 Stück)

Schnell – raffiniert

Für den Rührteig:
150 g Butter oder Margarine
50 g flüssiger Honig
150 g Zucker
1 Pck. Vanillin-Zucker
3 gestr. TL Lebkuchengewürz
1 Prise Salz
4 Eier (Größe M)
350 g Weizenmehl
4 gestr. TL Backpulver
250 ml (¹/₄ l) Milch

Zum Bestäuben:
Puderzucker

Zubereitungszeit: 15 Minuten

Insgesamt: E: 78 g, F: 162 g, Kh: 492 g,
kJ: 16173, kcal: 3863

1 Für den Teig Butter oder Margarine mit Handrührgerät mit Rührbesen auf höchster Stufe geschmeidig rühren. Nach und nach Honig, Zucker, Vanillin-Zucker und Lebkuchengewürz unterrühren. Eier nach und nach unterrühren (jedes Ei etwa ¹/₂ Minute).

2 Mehl mit Backpulver mischen, sieben, portionsweise abwechselnd mit der Milch auf mittlerer Stufe unterrühren. Den Teig in nicht zu großen Portionen in ein gut erhitztes, gefettetes Waffeleisen füllen. Die Waffeln goldbraun backen, einzeln auf einen Kuchenrost legen. Waffeln mit Puderzucker bestäubt servieren.

Tipp: Die noch warmen Waffeln mit einer Kugel Walnusseis und warmen Zimtpflaumen servieren.

Abwandlung: Zusätzlich 1 Päckchen Finesse Orangenfrucht und 25 g gesiebtes Kakaopulver unter den Teig rühren. Dann die Waffeln mit Orangenfilets und steif geschlagener Sahne servieren.

Leinsamen-Sesam-Brot | ⬛ ⬛ ❄

Vollwertig – gut vorzubereiten

Zum Vorbereiten:
50 g Leinsamen
50 g Sesamsamen

Für den Hefeteig:
300 g Weizenkörner
150 g Dinkelkörner
1 TL Anissamen
25 g Weizenkeime
25 g Weizenkleie
2 Pck. Trockenhefe, 1 TL Meersalz
1 TL flüssiger Honig
etwa 375 ml (³/₈ l) lauwarmes Wasser

Zubereitungszeit: 50 Minuten, ohne Abkühl- und Teiggehzeit

Insgesamt: E: 89 g, F: 53 g, Kh: 308 g, kJ: 9166, kcal: 2191

1 Zum Vorbereiten Leinsamen und Sesamsamen in einer Pfanne ohne Fett leicht rösten, abkühlen lassen.

2 Für den Hefeteig Weizen, Dinkel und Anis fein mahlen. Weizenkeime, -kleie und Trockenhefe hinzufügen. Die Zutaten gut vermischen. Salz, Honig und Wasser hinzufügen.

3 Alle Zutaten mit Handrührgerät mit Knethaken zunächst auf niedrigster, dann auf höchster Stufe in etwa 5 Minuten zu einem glatten Teig verarbeiten. Die Leinsamen-Sesam-Mischung (2 Esslöffel zum Bestreuen zurücklassen) unterkneten.

4 Den Teig zugedeckt an einem warmen Ort so lange stehen lassen, bis er sich sichtbar vergrößert hat. Ihn dann auf einer bemehlten Arbeitsfläche nochmals kurz durchkneten und zu einer Rolle formen.

5 Die Teigrolle mit Wasser bestreichen, mit der zurückgelassenen Leinsamen-Sesam-Mischung bestreuen.

6 Brotteig in eine Kastenform (30 x 11 cm, gefettet) legen, etwas andrücken. Den Brotteig in der Form zugedeckt nochmals so lange gehen lassen, bis er sich sichtbar vergrößert hat.

7 Die Oberfläche mit einem scharfen Messer längs etwa 1 cm tief einschneiden (nicht drücken!). Die Form auf dem Rost in den Backofen schieben.

Ober-/Unterhitze: etwa 200 °C (vorgeheizt)
Heißluft: etwa 180 °C (nicht vorgeheizt)
Gas: Stufe 3 – 4 (nicht vorgeheizt)
Backzeit: etwa 50 Minuten

Tipp: Während des Backens eine Schale mit heißem Wasser auf den Boden des Backofens stellen, damit die Kruste schön kross wird.

Leipziger Lerchen, einfach | ⬛ ⬛ ❄

Leipziger Lerchen, einfach

Schnell

Für den Teig:
100 g Yufka-Teigblätter

Für die Füllung:
2 EL Aprikosenkonfitüre
120 g Marzipan-Rohmasse
50 g abgezogene, gemahlene Mandeln
50 g Zucker
1 Eiweiß (Größe M)

evtl. Puderzucker

Zubereitungszeit: 20 Minuten

Insgesamt: E: 35 g, F: 70 g, Kh: 179 g, kJ: 6474, kcal: 1546

1 Aus den Teigblättern Kreise (Ø 10 cm) schneiden, in gefettete Förmchen (Ø 8 cm) legen.

2 Für die Füllung knapp ¹/₂ Teelöffel Konfitüre auf den Teig in jedes Förmchen geben.

3 Marzipan klein schneiden, in eine Rührschüssel geben, mit Mandeln, Zucker und Eiweiß mit Handrührgerät mit Rührbesen verrühren. Die Masse mit Hilfe eines Spritzbeutels mit großer Lochtülle in die Förmchen spritzen. Die Förmchen auf dem Rost in den Backofen schieben.

Ober-/Unterhitze: 180 – 200 °C (vorgeheizt)
Heißluft: 160 – 180 °C (vorgeheizt)
Gas: etwa Stufe 3 (vorgeheizt)
Backzeit: etwa 25 Minuten

4 Das Gebäck noch etwa 5 Minuten in den Förmchen stehen lassen, dann lösen und auf einem Kuchenrost erkalten lassen. Nach Belieben mit Puderzucker bestäuben.

Lemon-Tarte | 🗑 🗑

Raffiniert – gut vorzubereiten –
exotisch

Für den Knetteig:
150 g Weizenmehl
1 Msp. Backpulver
1 Prise Salz
25 g Zucker
1 Ei (Größe M)
100 g Butter oder Margarine
50 g geröstete Kokosraspel

Für den Belag:
4 Eigelb (Größe M)
2 Eier (Größe M)
20 g Speisestärke
150 ml Zitronensaft
100 ml Limettensirup
50 ml Wasser
abgeriebene Schale und Saft
von 1 Bio-Limette
(unbehandelt, ungewachst)
100 g Zucker
1 Pck. Vanillin-Zucker
150 g Butter

Nach Belieben:
grüne Speisefarbe

Zum Bestreuen:
25 g geröstete Kokosraspel

Zubereitungszeit: 50 Minuten, ohne
Kühlzeit

Insgesamt: E: 58 g, F: 295 g, Kh: 355 g,
kJ: 18592, kcal: 4442

Lemon-Tarte

1 Für den Teig Mehl mit Backpulver mischen, in eine Rührschüssel sieben. Salz, Zucker, Ei und Butter oder Margarine hinzufügen. Die Zutaten mit Handrührgerät mit Knethaken zunächst kurz auf niedrigster, dann auf höchster Stufe gut durcharbeiten, Kokosraspel unterkneten.

2 Anschließend auf einer bemehlten Arbeitsfläche zu einem glatten Teig verkneten. Sollte er kleben, ihn in Folie gewickelt eine Zeit lang kalt stellen.

3 Zwei Drittel des Teiges zu einer runden Platte ausrollen und den Boden einer Tarteform (Ø 30 cm, gefettet) damit auslegen. Restlichen Teig zu einer Rolle formen, als Rand auf den Boden legen und so an die Form drücken, dass ein etwa 1½ cm hoher Rand entsteht. Boden mehrmals mit einer Gabel einstechen. Die Form auf dem Rost in den Backofen schieben.

Ober-/Unterhitze: etwa 200 °C (vorgeheizt)
Heißluft: etwa 180 °C (vorgeheizt)
Gas: Stufe 3 – 4 (vorgeheizt)
Backzeit: etwa 20 Minuten

4 Die Form auf einen Kuchenrost stellen. Das Gebäck in der Form erkalten lassen.

5 Für den Belag Eigelb und Eier verquirlen. Speisestärke mit Zitronensaft glatt rühren, mit Limettensirup, Wasser, Limettenschale und -saft, Zucker und Vanillin-Zucker zu der Eiermasse geben. Die Masse mit Butter in einen Topf geben, unter ständigem Schlagen aufkochen lassen, nach Belieben mit Speisefarbe einfärben.

6 Den Belag auf den vorgebackenen Boden streichen. Die Tarte etwa 2 Stunden kalt stellen.

7 Die Tarte vor dem Servieren mit Kokosraspeln bestreuen.

Liegnitzer Bomben |

Klassisch – für das Weihnachtsfest

Für den Teig:
200 g flüssiger Honig oder Sirup
125 g Zucker, 1 Prise Salz
65 g Butter oder Margarine
2 EL Milch, 2 Eier (Größe M)
¼ Fläschchen Zitronen-Aroma
etwas gemahlener Kardamom
½ gestr. TL gemahlene Nelken
1 schwach geh. TL gemahlener Zimt
250 g Weizenmehl
25 g Kakaopulver
3 gestr. TL Backpulver
65 g Korinthen
65 g abgezogene, gehackte Mandeln
65 g gewürfeltes Zitronat (Sukkade)

Zum Aprikotieren:
175 g Aprikosenkonfitüre
2 EL Wasser

Für den Guss:
etwa 200 g Halbbitter-Kuvertüre

Zubereitungszeit: 60 Minuten, ohne Kühlzeit

Insgesamt: E: 82 g, F: 122 g, Kh: 834 g, kJ: 20556, kcal: 4911

1 Für den Teig Honig oder Sirup mit Zucker, Salz, Butter oder Margarine und Milch in einem Topf langsam erwärmen, zerlassen, in eine Rührschüssel geben, kalt stellen.

2 Unter die fast erkaltete Masse mit Handrührgerät mit Rührbesen auf höchster Stufe Eier, Aroma, Kardamom, Nelken und Zimt rühren. Mehl mit Kakao und Backpulver mischen, sieben, portionsweise auf mittlerer Stufe unterrühren. Korinthen, Mandeln und Zitronat auf mittlerer Stufe unterrühren.

3 Die Backringe auf ein Backblech (gefettet) stellen. Den Teig in die Ringe einfüllen. Das Backblech in den Backofen schieben.

Ober-/Unterhitze: 180 – 200 °C (vorgeheizt)
Heißluft: 160 – 180 °C (vorgeheizt)
Gas: Stufe 3 – 4 (vorgeheizt)
Backzeit: 10 – 15 Minuten

4 Das Gebäck sofort nach dem Backen aus den Ringen lösen und auf einem Kuchenrost erkalten lassen.

5 Zum Aprikotieren Konfitüre durch ein Sieb streichen, mit Wasser in einem kleinen Topf unter Rühren aufkochen. Das erkaltete Gebäck dünn damit bestreichen.

6 Für den Guss Kuvertüre in kleine Stücke hacken, in einem kleinen Topf im Wasserbad bei schwacher Hitze zu einer geschmeidigen Masse verrühren, das Gebäck damit überziehen. Guss fest werden lassen.

Tipp: Falls keine Backringe vorhanden sind, lassen sich Backförmchen für Liegnitzer Bomben auf einfache Weise herstellen: Alufolie so legen, dass 12-mal ein 15 cm langes Stück Folie aufeinander liegt, auf das oberste Stück Folie 2 Kreise von jeweils 15 cm Durchmesser nebeneinander aufzeichnen, so ausschneiden, dass 24 runde Folienblätter entstehen. Diese Folienblätter einzeln mit der blanken Seite auf den Boden eines umgedrehten Bechers (z. B. Joghurtbecher) legen. Die überstehende Folie fest andrücken, so dass Förmchen mit einem gleichmäßig hohen Rand entstehen, Förmchen auf ein Backblech stellen.

Liegnitzer Bomben

Linsen-Curry-Dreiecke |

Für Gäste – raffiniert – pikant

Für den Knetteig:
250 g Weizenmehl
100 ml lauwarmes Wasser
1 Eigelb (Größe M)
3 EL Speiseöl
$^1/_2$ TL Salz

Für die Füllung:
1 Stange (100 g) Porree (Lauch)

70 g Cabanossi
150 g Linsen mit Suppengrün
(aus der Dose)
1 EL Speiseöl
1 – 2 TL Curry
Salz
gemahlener Pfeffer

Zum Frittieren:
1 l Speiseöl

Zubereitungszeit: 60 Minuten, ohne
Abkühlzeit

Insgesamt: E: 59 g, F: 335 g, Kh: 214 g,
kJ: 17909, kcal: 4278

1 Für den Teig Mehl in eine Rührschüssel
sieben. Wasser, Eigelb, Öl und Salz hinzufügen. Die Zutaten mit Handrührgerät mit
Knethaken zunächst kurz auf niedrigster,
dann auf höchster Stufe gut durcharbeiten.

2 Anschließend auf einer bemehlten Arbeitsfläche zu einem glatten Teig verkneten. Sollte
er kleben, ihn in Folie gewickelt 1 Stunde kalt
stellen.

3 Für die Füllung Porree putzen, waschen
und in dünne Ringe schneiden. Cabanossi
fein würfeln. Linsen in einem Sieb kalt abspülen und abtropfen lassen.

4 Porreeringe in einer Pfanne mit Öl andünsten. Cabanossi dazugeben und kurz
mitdünsten. Curry darüber streuen und mit
andünsten. Linsen unterheben. Füllung mit
Salz und Pfeffer würzen, abkühlen lassen.

5 Teig auf einer bemehlten Arbeitsfläche
nochmals kurz durchkneten. Teig halbieren.
Teighälften nacheinander auf einem mit Mehl
bestreuten Küchentuch zu einem Rechteck
(etwa 35 x 54 cm) ausrollen und in 6 Streifen
(etwa 9 x 35 cm) schneiden. Ränder mit Wasser bestreichen.

6 Auf das untere Ende jedes Teigstreifens
2 Teelöffel Füllung geben. Rechtes Teigende
mit der Spitze nach links über die Füllung
klappen, so dass ein Dreieck entsteht. Dreieck zickzackartig in den restlichen Teig wickeln. Ränder fest andrücken.

7 Zum Frittieren Öl auf 170 – 180 °C erhitzen. Dreiecke darin portionsweise etwa 8 Mi
nuten goldbraun frittieren. Mit einer Schaum
kelle herausheben und auf einem mit Küchen
papier belegten Kuchenrost abtropfen lassen
Dazu schmeckt z. B. Mango-Chutney.

Linsen-Curry-Dreiecke

Linzer Torte | 🗑 🗑 ❄

Klassisch

Für den Knetteig:
200 g Weizenmehl
1 gestr. TL Backpulver
125 g Zucker
1 Pck. Vanillin-Zucker
2 Tropfen Bittermandel-Aroma
1 Msp. gemahlene Nelken
1 gestr. TL gemahlener Zimt
1 Prise Salz
$\frac{1}{2}$ Eigelb (Größe M)
1 Eiweiß (Größe M)
125 g Butter oder Margarine
125 g unabgezogene, gemahlene Mandeln

100 g Himbeerkonfitüre
$\frac{1}{2}$ Eigelb
1 TL Milch

Zubereitungszeit: 45 Minuten

Insgesamt: E: 55 g, F: 177 g, Kh: 350 g, kJ: 14117, kcal: 3372

1 Für den Teig Mehl mit Backpulver mischen, in eine Rührschüssel sieben. Zucker, Vanillin-Zucker, Aroma, Nelken, Zimt, Salz, Eigelb, Eiweiß, Butter oder Margarine und Mandeln hinzufügen. Die Zutaten mit Handrührgerät mit Knethaken zunächst kurz auf niedrigster, dann auf höchster Stufe gut durcharbeiten.

2 Anschließend auf einer bemehlten Arbeitsfläche zu einem glatten Teig verkneten. Sollte er kleben, ihn in Folie gewickelt eine Zeit lang kalt stellen.

3 Knapp die Hälfte des Teiges zu einer Platte in der Größe einer Springform (Ø 28 cm) ausrollen und 16 – 20 Streifen daraus rädern.

4 Den restlichen Teig auf dem Boden der Springform (Ø 26 cm, Boden gefettet) ausrol-

len, mit Himbeerkonfitüre bestreichen, dabei am Rand etwa 1 cm Teig frei lassen. Die Teigstreifen gitterförmig über die Konfitüre legen, auch den Rand belegen.

5 Eigelb mit Milch verschlagen, die Teigstreifen damit bestreichen. Die Form auf dem Rost in den Backofen schieben.

Ober-/Unterhitze: 180 – 200 °C (vorgeheizt)
Heißluft: 160 – 180 °C (vorgeheizt)
Gas: etwa Stufe 3 (vorgeheizt)
Backzeit: 25 – 30 Minuten

6 Kuchen aus der Form lösen und auf einem Kuchenrost erkalten lassen.

Tipp: Dieses Rezept kann auch auf einem Backblech zubereitet werden, dafür jedoch die Zutaten verdoppeln. Nach dem Backen das Gebäck in kleine Stücke schneiden. In Alufolie verpackt bleibt das Gebäck etwa 5 Tage frisch.

Linzer Torte

Litschi-Pflaumen-Torte | 🥛 🥛 🍶

Etwas teurer – gut vorzubereiten

Für den Knetteig:
175 g Weizenmehl
1 Msp. Backpulver
75 g Zucker
1 Pck. Vanillin-Zucker
1 EL Wasser
125 g Butter oder Margarine

Für den Belag:
2 Dosen Litschis
(Abtropfgewicht je 255 g)
2 Pck. Pudding-Pulver Vanille-
Geschmack
50 g Zucker
500 ml ($^1/_2$ l) Pflaumenwein (Asialaden)
125 ml ($^1/_8$ l) Litschisaft aus den Dosen

Für den Guss:
2 Pck. Tortenguss, klar
20 g Zucker
500 ml ($^1/_2$ l) Litschisaft aus den Dosen
(evtl. mit Wasser auffüllen)

Zubereitungszeit: 55 Minuten, ohne
Abkühlzeit

Insgesamt: E: 25 g, F: 107 g, Kh: 575 g,
kJ: 15174, kcal: 3624

1 Für den Teig Mehl mit Backpulver mischen, in eine Rührschüssel sieben. Zucker, Vanillin-Zucker, Wasser und Butter oder Margarine hinzufügen. Die Zutaten mit Handrührgerät mit Knethaken zunächst kurz auf niedrigster, dann auf höchster Stufe gut durcharbeiten. Anschließend auf der Arbeitsfläche zu einem glatten Teig verkneten. Sollte er kleben, ihn in Folie gewickelt eine Zeit lang kalt stellen.

2 Zwei Drittel des Teiges auf dem Boden einer Springform (Ø 26 cm, Boden gefettet) ausrollen und mehrmals mit einer Gabel einstechen. Springformrand darumlegen. Die Form auf dem Rost in den Backofen schieben und den Boden vorbacken.

Ober-/Unterhitze: etwa 180 °C (vorgeheizt)
Heißluft: etwa 160 °C (vorgeheizt)
Gas: Stufe 2 – 3 (vorgeheizt)
Backzeit: 15 – 20 Minuten

3 Die Form auf einen Kuchenrost stellen. Den restlichen Teig zu einer Rolle formen, sie als Rand auf den vorgebackenen Boden legen, so an die Form drücken, dass ein etwa 3 cm hoher Rand entsteht.

4 Für den Belag die Litschis zum Abtropfen in ein Sieb geben (Saft auffangen). Aus Pudding-

Pulver, Zucker, Pflaumenwein und Litschisaft nach Packungsanleitung, aber mit den hier angegebenen Zutaten einen Pudding zubereiten. Den Pudding auf dem vorgebackenen Boden verteilen. Die Form wieder auf dem Rost in den Backofen schieben und den Boden fertig backen.

Ober-/Unterhitze: etwa 180 °C (vorgeheizt)
Heißluft: etwa 160 °C (nicht vorgeheizt)
Gas: Stufe 3 – 4 (nicht vorgeheizt)
Backzeit: etwa 45 Minuten

5 Den Kuchen anschließend noch 10 Minuten im ausgeschalteten Backofen stehen lassen, dann die Form auf einen Kuchenrost stellen. Kuchen erkalten lassen.

6 Die Litschis (nach Belieben halbieren) nebeneinander auf den Belag legen.

7 Für den Guss aus Tortengusspulver, Zucker und Saft nach Packungsanleitung einen Tortenguss zubereiten, vorsichtig über die Litschis verteilen. Guss fest werden lassen.

8 Vor dem Verzehr Torte aus der Form lösen

Löffelbiskuits | 🥛 🥛

Klassisch

Für den Biskuitteig:
2 Eier (Größe M)
50 g Zucker
1 Pck. Vanillin-Zucker
50 g Weizenmehl
30 g Speisestärke
1 gestr. TL Backpulver

Zubereitungszeit: 30 Minuten

Insgesamt: E: 21 g, F: 14 g, Kh: 119 g,
kJ: 2989, kcal: 714

1 Für den Teig Eier, Zucker und Vanillin-Zucker mit Handrührgerät mit Rührbesen auf höchster Stufe in 1 Minute schaumig schlagen.

2 Mehl mit Speisestärke und Backpulver mischen, auf die Eiercreme sieben und kurz auf niedrigster Stufe unterrühren.

3 Den Teig in einen Spritzbeutel (mit Lochtülle) füllen und in Form von Löffelbiskuits (nicht zu groß, Teig geht noch auf) auf ein Backblech (gefettet, bemehlt) spritzen. Das Backblech in den Backofen schieben.

Ober-/Unterhitze: 180 – 200 °C (vorgeheizt)
Heißluft: 160 – 180 °C (vorgeheizt)
Gas: etwa Stufe 3 (vorgeheizt)
Backzeit: etwa 10 Minuten

4 Das Gebäck vom Backblech lösen und auf einem Kuchenrost erkalten lassen.

Tipp: Die Hälfte der Löffelbiskuits mit aufgelöstem Nuss-Nougat bestreichen. Mit der anderen Hälfte belegen. Die Gebäckenden in aufgelöste Schokolade tauchen, fest werden lassen.

Lüneburger Buchweizentorte | 🍶 🍶 ❄

Für Gäste – einfach

Für den Biskuitteig:
6 Eier (Größe M)
100 g Zucker
1 Pck. Vanillin-Zucker
100 g Buchweizenmehl
100 g Speisestärke
3 gestr. TL Backpulver

Zum Bestreichen:
300 g Preiselbeerkonfitüre
500 ml (¹/₂ l) Schlagsahne
2 Pck. Sahnesteif

Zum Garnieren:
eingelegte Preiselbeeren

Zubereitungszeit: 75 Minuten, ohne Abkühlzeit

Insgesamt: E: 68 g, F: 198 g, Kh: 375 g, kJ: 15483, kcal: 3700

1 Für den Teig Eier mit Handrührgerät mit Rührbesen auf höchster Stufe in 1 Minute schaumig schlagen. Zucker und Vanillin-Zucker mischen und in 1 Minute einstreuen, dann noch etwa 2 Minuten schlagen.

2 Mehl, Speisestärke und Backpulver mischen. Die Hälfte davon auf die Eiercreme sieben und kurz auf niedrigster Stufe unterrühren. Den Rest des Mehlgemisches auf die gleiche Weise unterarbeiten.

3 Den Teig in eine Springform (Ø 28 cm, Boden gefettet, mit Backpapier belegt) füllen. Form auf dem Rost in den Backofen schieben.

Ober-/Unterhitze: 180 – 200 °C (vorgeheizt)
Heißluft: 160 –180 °C (nicht vorgeheizt)

Gas: etwa Stufe 3 (nicht vorgeheizt)
Backzeit: 30 – 35 Minuten

4 Den Biskuitboden aus der Form lösen, auf einen Kuchenrost stürzen, mitgebackenes Backpapier abziehen, Boden erkalten lassen, zweimal waagerecht durchschneiden. Die Böden mit Preiselbeerkonfitüre bestreichen und zu einer Torte zusammensetzen.

5 Die Sahne mit Sahnesteif steif schlagen. Den Tortenrand und die -oberfläche mit Sahne bestreichen. Mit einem Löffel Verzierungen eindrücken. Die Tortenmitte mit Preiselbeeren garnieren, evtl. mit Tortenguss andicken.

Tipp: Anstelle der Preiselbeerkonfitüre kann auch Pflaumenmus genommen werden. Sahnetuffs auf die Tortenoberfläche spritzen und mit je 1 Preiselbeere garnieren.

Lüneburger Buchweizentorte

Macadamia-Ananas-Kuchen | 🗑 ❄

Einfach – gut vorzubereiten

Zum Vorbereiten:
*1 Dose Ananasstücke
(Abtropfgewicht 265 g)
125 g geröstete, ungesalzene
Macadamianusskerne*

Für den Teig:
*2 Eier (Größe M), 3 EL Ananassaft
100 g Zucker, 150 g Weizenmehl*

*2 TL Backpulver
100 g Kokosraspel*

Zubereitungszeit: 30 Minuten

Insgesamt: E: 57 g, F: 101 g, Kh: 272 g,
kJ: 9616, kcal: 2296

1 Zum Vorbereiten Ananasstücke in einem
Sieb gut abtropfen lassen, evtl. etwas klein
schneiden. Nusskerne grob hacken.

2 Für den Teig Eier und Saft mit Handrührgerät mit Rührbesen auf höchster Stufe 1 Minute schaumig schlagen. Zucker nach und
nach einstreuen, Eimasse weitere 2 Minuten
schlagen.

3 Mehl, Backpulver, Kokosraspel, Ananasstücke und Nusskerne mischen, portionsweise unterrühren. Telg In elne Kastenform (I I x 20 cm,
gefettet, mit Backpapier ausgelegt) füllen. Die
Form auf dem Rost in den Backofen schieben.

Ober-/Unterhitze: etwa 180 °C (vorgeheizt)
Heißluft: etwa 160 °C (nicht vorgeheizt)
Gas: Stufe 2 – 3 (nicht vorgeheizt)
Backzeit: etwa 45 Minuten

4 Kuchen 10 Minuten in der Form stehen
lassen, dann auf einen mit Backpapier belegten Kuchenrost legen, mitgebackenes Backpapier abziehen. Kuchen erkalten lassen.

Macadamia-Ananas-Kuchen

Macadamiaplätzchen, gefüllt | 🗑 🗑

Für Gäste – einfach

Zum Vorbereiten:
150 g Macadamianüsse (ohne Salz)

Für den Knetteig:
*300 g Weizenmehl
100 g Zucker, 1 Prise Salz
1 geh. TL gemahlener Zimt
6 Tropfen Bittermandel-Aroma
1 Eigelb (Größe M), 200 g Butter*

Zum Bestreichen:
*¹/₂ Eiweiß
1 – 2 EL Hagebuttenmark*

Zum Bestäuben:
2 – 3 EL Puderzucker

Zubereitungszeit: 100 Minuten,
ohne Kühlzeit

Insgesamt: E: 58 g, F: 271 g, Kh: 358 g,
kJ: 17779, kcal: 4248

1 Zum Vorbereiten Macadamianüsse mit
einem Küchentuch leicht abtupfen, um evtl.
restliche Schalen zu entfernen. 50 g fein hacken, den Rest halbieren und beiseite stellen.

2 Für den Teig Mehl in eine Rührschüssel
sieben. Zucker, Salz, Zimt, Aroma, Eigelb, Butter und gehackte Macadamianüsse hinzufügen. Die Zutaten mit Handrührgerät mit Knethaken zunächst kurz auf niedrigster, dann auf
höchster Stufe gut durcharbeiten.

3 Anschließend auf einer bemehlten Arbeitsfläche zu einem glatten Teig verkneten. Den
Teig in Folie gewickelt 30 Minuten kalt stellen.

4 Den Teig portionsweise auf der bemehlten
Arbeitsfläche etwa ¹/₂ cm dick ausrollen.

Plätzchen ausstechen und vorsichtig auf ein
Backblech (mit Backpapier belegt) legen. Eiweiß verschlagen. Die Hälfte der Teigplätzchen mit Eiweiß bestreichen und mit je drei
Macadamianusshälften belegen. Das Backblech in den Backofen schieben.

Ober-/Unterhitze: etwa 200 °C (vorgeheizt)
Heißluft: etwa 180 °C (vorgeheizt)
Gas: Stufe 3 – 4 (vorgeheizt)
Backzeit: etwa 10 Minuten

5 Plätzchen mit dem Backpapier vom Backblech ziehen und auf einem Kuchenrost erkalten lassen.

6 Die Plätzchen ohne Macadamianusshälften mit Hagebuttenmark bestreichen. Je ein
mit Macadamianüssen belegtes Plätzchen
darauf legen. Plätzchen mit Puderzucker
bestäuben.

Madeleines |

Klassisch – für Kinder

Für den Rührteig:
250 g Butter oder Margarine
250 g Zucker, 1 Prise Salz
1 Pck. Finesse Orangenfrucht
5 Eier (Größe M), 250 g Weizenmehl
1 Msp. Backpulver

30 g zerlassene Butter

Nach Belieben:
50 g aufgelöste Zartbitterschokolade
etwas Puderzucker

Zubereitungszeit: 35 Minuten,
ohne Abkühlzeit

Insgesamt: E: 46 g, F: 280 g, Kh: 280 g,
kJ: 16396, kcal: 3917

1 Für den Teig Butter oder Margarine mit Handrührgerät mit Rührbesen auf höchster Stufe geschmeidig rühren, nach und nach Zucker, Salz und Orangenfrucht unterrühren. So lange rühren, bis eine gebundene Masse entstanden ist. Eier nach und nach unterrühren (jedes Ei etwa 1/2 Minute). Mehl mit Backpulver mischen, sieben, portionsweise auf mittlerer Stufe unterrühren.

2 Madeleine-Förmchen mit zerlassener Butter sehr gut fetten, den Teig in die Förmchen füllen (dürfen nur zu drei Viertel gefüllt sein). Die Förmchen auf ein Backblech setzen. Das Backblech in den Backofen schieben.

Ober-/Unterhitze: 180 – 200 °C (vorgeheizt)
Heißluft: 160 – 180 °C (vorgeheizt)
Gas: etwa Stufe 3 (vorgeheizt)
Backzeit: etwa 15 Minuten

3 Das Gebäck aus den Förmchen lösen und auf einem Kuchenrost erkalten lassen.

4 Nach Belieben die Enden der Madeleines in aufgelöste Schokolade tauchen oder mit Puderzucker bestäuben.

Tipp: Sie können den Teig auch in kleinen Papierbackförmchen backen, ergibt etwa 25 Stück. Backzeit etwa 25 Minuten bei gleicher Temperatur.

Madeleines

Maisbrot mit Pfefferschoten und Erdnüssen |

Gut vorzubereiten – für Gäste

250 g Maisgrieß
125 g Weizenmehl
1 Pck. Backpulver
1 TL Salz, 1 EL brauner Zucker
1 gestr. TL gemahlener Zimt
1 gestr. TL gemahlener Pfeffer
1/2 gestr. TL gerebelter Thymian
1/2 gestr. TL geriebene Muskatnuss
5 Eier (Größe M)
1 gestr. EL grüne entkernte Peperonistreifen
100 g geraspelter Cheddar-Käse

80 g zerlassene Butter
50 g gehackte, gesalzene Erdnusskerne

Zubereitungszeit: 30 Minuten

Insgesamt: E: 116 g, F: 158 g, Kh: 321 g,
kJ: 13751, kcal: 3288

1 Maisgrieß, Mehl und Backpulver in einer Rührschüssel mischen. Salz, Zucker und Gewürze hinzufügen. Eier mit Handrührgerät mit Rührbesen unterrühren. Peperonistreifen, Käse, Butter und Erdnusskerne unterrühren.

2 Einen Backrahmen (25 x 25 cm) auf ein Backblech (gefettet, mit Backpapier belegt) stellen. Den Teig hineinfüllen und glatt streichen. Das Backblech in den Backofen schieben.

Ober-/Unterhitze: etwa 180 °C (vorgeheizt)
Heißluft: etwa 160 °C (nicht vorgeheizt)
Gas: Stufe 2 – 3 (nicht vorgeheizt)
Backzeit: etwa 35 Minuten

3 Den Backrahmen vorsichtig mit einem Messer lösen und entfernen. Das Maisbrot auf einen Kuchenrost legen und erkalten lassen, anschließend in Scheiben schneiden.

Makronen mit Pinienkernen |

Etwas teurer

Für die Baisermasse:
5 Eiweiß (Größe M)
150 g Zucker
50 g gesiebter Puderzucker
Mark von 1 Vanilleschote
1 gestr. TL gemahlener Zimt
150 g abgezogene, gehackte Mandeln
50 g Speisestärke

Zum Bestreuen:
etwa 150 g Pinienkerne

Zubereitungszeit: 65 Minuten

Insgesamt: E: 86 g, F: 157 g, Kh: 275 g, kJ: 12580, kcal: 3004

1 Für die Baisermasse Eiweiß mit Handrührgerät mit Rührbesen auf höchster Stufe steif schlagen, der Schnee muss so fest sein, dass ein Messerschnitt sichtbar bleibt, nach und nach Puderzucker unterschlagen. Mark der Vanilleschote, Zimt und Mandeln vorsichtig unterheben. Speisestärke auf die Baisermasse sieben und unterheben.

2 Die Masse in einen Spritzbeutel mit Lochtülle füllen, walnussgroße Tuffs auf Backbleche (gefettet, mit Backpapier belegt) spritzen. Die

Tuffs mit Pinienkernen bestreuen. Die Backbleche nacheinander (bei Heißluft zusammen) in den Backofen schieben.

Ober-/Unterhitze: etwa 160 °C (vorgeheizt)
Heißluft: etwa 140 °C (vorgeheizt)
Gas: Stufe 1 – 2 (vorgeheizt)
Backzeit: 25 – 30 Minuten pro Backblech

3 Die Makronen mit dem Backpapier von den Backblechen ziehen, auf Kuchenrosten erkalten lassen.

4 Makronen in gut schließenden Dosen aufbewahren.

Makronenplätzchen |

Für das Weihnachtsfest

Für den Knetteig:
250 g Weizenmehl
$^1/_2$ gestr. TL Backpulver
75 g Zucker
1 Pck. Vanillin-Zucker
3 Eigelb (Größe M)
125 g Butter oder Margarine

Für den Belag:
3 Eiweiß (Größe M)
175 g Zucker
1 geh. Msp. gemahlener Zimt

200 g abgezogene, gemahlene Mandeln
2 Tropfen Bittermandel-Aroma

Zubereitungszeit: 50 Minuten

Insgesamt: E: 87 g, F: 228 g, Kh: 455 g, kJ: 18559, kcal: 4433

1 Für den Teig Mehl mit Backpulver mischen und in eine Rührschüssel sieben. Zucker, Vanillin-Zucker, Eigelb und Butter oder Margarine hinzufügen. Die Zutaten mit Handrührgerät mit Knethaken zunächst kurz auf niedrigster, dann auf höchster Stufe gut durcharbeiten.

2 Anschließend auf einer bemehlten Arbeitsfläche zu einem glatten Teig verkneten. Sollte er kleben, ihn in Folie gewickelt eine Zeit lang kalt stellen.

3 Den Teig dünn ausrollen, mit einer runden, gezackten Form (Ø etwa 4 cm) Plätzchen ausstechen und auf ein Backblech (gefettet, mit Backpapier belegt) legen.

4 Für den Belag Eiweiß mit Handrührgerät mit Rührbesen auf höchster Stufe steif schlagen. Der Schnee muss so fest sein, dass ein Messerschnitt sichtbar bleibt. Nach und nach Zucker unterschlagen. Zimt, Mandeln und Aroma vorsichtig unterheben.

5 Die Masse in einen Spritzbeutel mit Sterntülle füllen und je einen Tuff auf die Teigplätzchen spritzen. Das Backblech in den Backofen schieben.

Ober-/Unterhitze: etwa 180 °C (vorgeheizt)
Heißluft: etwa 160 °C (vorgeheizt)
Gas: Stufe 2 – 3 (vorgeheizt)
Backzeit: etwa 12 Minuten

6 Das Gebäck vom Backblech lösen und auf einem Kuchenrost erkalten lassen.

Makronenplätzchen

Makronentorte | 🗑️ 🗑️ 🍾

Dauert länger – etwas teurer

Für den Teig:
5 Eier (Größe M)
125 g Zucker
1 Pck. Finesse Geriebene
Zitronenschale
1 Prise Salz
75 g Weizenmehl
75 g Speisestärke
50 g zerlassene abgekühlte Butter

Für die Füllung:
400 g Marzipan-Rohmasse
100 g gesiebter Puderzucker
250 g Aprikosenkonfitüre
4 EL Rum

Für den Belag:
200 g Marzipan-Rohmasse
2 Eigelb (Größe M)
50 g gesiebter Puderzucker
1 EL Rum

Zum Aprikotieren:
200 g Aprikosenkonfitüre
3 EL Wasser

Zubereitungszeit: 60 Minuten,
ohne Abkühl- und Wartezeit

Makronentorte

Insgesamt: E: 137 g, F: 297 g, Kh: 925 g,
kJ: 30493, kcal: 7281

1 Für den Teig Eier, Zucker, Zitronenschale und Salz in eine Schüssel geben, im heißen Wasserbad mit Handrührgerät mit Rührbesen auf höchster Stufe so lange schlagen, bis eine cremige Masse entstanden ist (etwa 4 Minuten).

2 Die Schüssel aus dem Wasserbad nehmen und die Masse weiterschlagen, bis sie kalt ist. Mehl mit Speisestärke mischen, sieben und unterheben, Butter unterrühren.

3 Den Teig in eine Springform (Ø 28 cm, Boden gefettet, mit Backpapier belegt) füllen und glatt streichen. Die Form auf dem Rost in den Backofen schieben.

Ober-/Unterhitze: etwa 180 °C (vorgeheizt)
Heißluft: etwa 160 °C (nicht vorgeheizt)
Gas: Stufe 2 – 3 (nicht vorgeheizt)
Backzeit: etwa 40 Minuten

4 Boden aus der Form lösen, auf einen Kuchenrost stürzen, mitgebackenes Backpapier entfernen. Boden erkalten lassen, zweimal waagerecht durchschneiden.

5 Für die Füllung Marzipan-Rohmasse mit Puderzucker, Konfitüre und Rum zu einer geschmeidigen Masse verrühren.

6 Zwei Drittel der Marzipanmasse auf die Böden streichen und zu einer Torte zusammensetzen. Tortenoberfläche und -rand mit der restlichen Marzipanmasse bestreichen.

7 Für den Belag Marzipan-Rohmasse mit Eigelb, Puderzucker und Rum zu einer spritzfähigen Masse verrühren, in einen Spritzbeutel mit Sterntülle füllen. Die Tortenoberfläche damit verzieren. Die Torte bei Zimmertemperatur etwa 30 Minuten stehen lassen, damit die Marzipanmasse antrocknen kann.

8 Die Torte unter den vorgeheizten Grill schieben und goldbraun werden lassen.

9 Zum Aprikotieren Konfitüre durch ein Sieb streichen, mit Wasser in einem kleinen Topf unter Rühren etwas einkochen lassen. Die etwas abgekühlte Torte damit bestreichen.

Tipp: Für den Belag nur frisches Eigelb verwenden, das nicht älter als 5 Tage ist (Legedatum beachten!).

Makronentorte auf Knetteigboden | 🗑 🗑 🍶

Einfach

Für den Knetteig:
125 g Weizenmehl
1 EL Zucker, 1 Pck. Vanillin-Zucker
1 Prise Salz, 2 Eigelb (Größe M)
75 g Butter oder Margarine

Für den Belag:
1 Glas Mirabellen (Abtropfgewicht 350 g)

Für die Makronenmasse:
3 Eiweiß (Größe M)
150 g Zucker
1 Pck. Amaretto-Bittermandel-Aroma
1 EL Speisestärke
250 g abgezogene, gemahlene Mandeln

Zum Verzieren:
1 EL Johannisbeer- oder Himbeergelee

Zubereitungszeit: 35 Minuten

Insgesamt: E: 82 g, F: 207 g, Kh: 334 g, kJ: 15761, kcal: 3764

1 Für den Teig Mehl in eine Rührschüssel sieben. Zucker, Vanillin-Zucker, Salz, Eigelb und Butter oder Margarine hinzufügen. Die Zutaten mit Handrührgerät mit Knethaken zunächst kurz auf niedrigster, dann auf höchster Stufe gut durcharbeiten.

2 Anschließend auf einer bemehlten Arbeitsfläche zu einem glatten Teig verkneten. Sollte er kleben, ihn in Folie gewickelt eine Zeit lang kalt stellen.

3 Teig auf dem Boden einer Springform (Ø 26 cm, Boden gefettet) ausrollen und mehrmals mit einer Gabel einstechen. Einen Springformrand darumlegen.

4 Für den Belag Mirabellen in einem Sieb gut abtropfen lassen und entsteinen.

5 Für die Makronenmasse Eiweiß sehr steif schlagen, Zucker nach und nach unterschlagen, Aroma und die mit Speisestärke gemischten Mandeln vorsichtig unterrühren. Die Makronenmasse auf den Teigboden geben und glatt streichen. Mirabellen darauf legen.

6 Zum Verzieren Gelee in ein Pergamentpapiertütchen füllen, eine kleine Spitze abschneiden und dekorativ auf die Torte spritzen. Die Form auf dem Rost in den Backofen schieben.

Ober-/Unterhitze: 160 – 180 °C (vorgeheizt)
Heißluft: 140 – 160 °C (nicht vorgeheizt)
Gas: etwa Stufe 2 (nicht vorgeheizt)
Backzeit: 40 – 50 Minuten

7 Torte nach dem Backen aus der Form lösen und auf einem Kuchenrost erkalten lassen.

Makronentorte auf Knetteigboden

Malakoff-Torte | 🗑 🗑 🍾

Gut vorzubereiten – für Gäste

Für die Creme:
150 g Butter oder Margarine
125 g feinkörniger Zucker
1 Pck. Vanillin-Zucker, 3 Eigelb (Größe M)
150 g abgezogene, gemahlene Mandeln
125 ml (⅛ l) Schlagsahne

Für den Boden:
250 ml (¼ l) Milch, 1 Pck. Vanillin-Zucker
3–4 EL Rum, 250 g Löffelbiskuits

Zum Bestreichen:
500 ml (½ l) Schlagsahne
2 TL Zucker, 2 Pck. Sahnesteif

Zum Garnieren:
einige kandierte Veilchen

Zubereitungszeit: 40 Minuten, ohne Kühlzeit

Insgesamt: E: 76 g, F: 357 g, Kh: 324 g, kJ: 21491, kcal: 5133

1 Für die Creme Butter oder Margarine mit Handrührgerät mit Rührbesen auf höchster Stufe geschmeidig rühren. Nach und nach Zucker und Vanillin-Zucker hinzufügen. So lange rühren, bis eine gebundene Masse entstanden ist. Eigelb nach und nach unterrühren (jedes Eigelb knapp ½ Minute). Mandeln und Sahne auf mittlerer Stufe unterrühren.

2 Für den Boden Milch mit Vanillin-Zucker und Rum verrühren. Die Löffelbiskuits kurz in der Milchmischung wenden.

3 Einen Springformrand (Ø 26 cm) auf eine Tortenplatte setzen. Die Hälfte der Löffelbiskuits hineinlegen, die Hälfte der Creme darauf streichen. Die restlichen Löffelbiskuits und die restliche Creme darauf geben, glatt streichen. Torte 3–4 Stunden kalt stellen.

4 Zum Bestreichen Sahne mit Zucker und Sahnesteif steif schlagen. Springformrand lösen und entfernen.

5 Tortenoberfläche und -rand mit der Sahne bestreichen. In die Tortenoberfläche mit einem Teelöffel kleine „Krater" eindrücken. Mit Veilchen garnieren.

Malakoff-Torte

Malzkräcker | 🗑

Preiswert – für Gäste – gut vorzubereiten

Für den Knetteig:
200 g Roggenmehl (Type 1150)
200 g Weizenmehl (Type 550)
1 Pck. Sauerteig-Extrakt (15 g, Reformhaus)
½ gestr. TL gemahlener Koriander
1 gestr. TL Salz
200 ml lauwarmes Wasser
2 EL Obstessig
50 g Gerstenmalz (Reformhaus)

Zubereitungszeit: 2 Stunden, ohne Kühlzeit

Insgesamt: E: 45 g, F: 7 g, Kh: 308 g, kJ: 6567, kcal: 1569

1 Für den Teig Roggen- und Weizenmehl, Sauerteig-Extrakt, Koriander und Salz in einer Rührschüssel mischen. Wasser, Essig und Gerstenmalz hinzufügen. Die Zutaten mit Handrührgerät mit Knethaken zunächst kurz auf niedrigster, dann auf höchster Stufe gut durcharbeiten.

2 Anschließend auf der bemehlten Arbeitsfläche zu einem glatten Teig verkneten. Den Teig in Folie gewickelt etwa 60 Minuten kalt stellen.

3 Den Teig auf der bemehlten Arbeitsfläche nochmals kurz durchkneten und in mehreren Portionen sehr dünn (etwa 1 mm) ausrollen. Den Teig mit einem Teigrädchen oder Pizzaschneider in Rechtecke von etwa 3 x 4 cm schneiden und auf Backbleche (gefettet, mit Backpapier belegt) legen. Backbleche nacheinander (bei Heißluft zusammen) in den Backofen schieben.

Ober-/Unterhitze: etwa 180 °C (vorgeheizt)
Heißluft: etwa 160 °C (vorgeheizt)
Gas: Stufe 2–3 (vorgeheizt)
Backzeit: 10–15 Minuten pro Backblech

4 Gebäck vom Backpapier nehmen und auf einem Kuchenrost erkalten lassen.

Mandarinenomeletts | 🗑 🗑 🗑

Für Gäste

Für den Teig:
3 Eier (Größe M)
60 g Zucker
1 Pck. Vanillin-Zucker
50 g Weizenmehl
50 g Speisestärke
100 g zerlassene abgekühlte Butter

Zum Bestäuben:
Puderzucker

Für die Füllung:
2 gestr. TL Gelatine, weiß
3 EL kaltes Wasser
1 Dose Mandarinenspalten
(Abtropfgewicht 235 g)
2 EL Zitronensaft
2 EL Mandarinensaft
20 g Zucker
375 ml (³/₈ l) Schlagsahne

Zubereitungszeit: 60 Minuten,
ohne Kühlzeit

Insgesamt: E: 38 g, F: 213 g, Kh: 260 g,
kJ: 13423, kcal: 3209

Als Vorarbeit: 30 cm breite Alufolie so falzen, dass 7 mal ein 15 cm langes Stück aufeinander liegt. Zwei Kreise von jeweils 15 cm Durchmesser nebeneinander aufzeichnen, ausschneiden, so dass 14 runde Folienblätter entstehen, diese über den Boden einer Konservendose (Ø etwa 10 cm) legen, so dass Förmchen mit einem 2 cm hohen Rand entstehen.

1 Für den Teig Eier, Zucker und Vanillin-Zucker in eine Rührschüssel geben, im Wasserbad mit Handrührgerät mit Rührbesen auf höchster Stufe in 1 Minute schaumig schlagen, Schüssel aus dem Wasserbad nehmen, die Masse in etwa 5 Minuten kalt schlagen.

2 Mehl mit Speisestärke mischen, auf die Eiercreme sieben, kurz auf niedrigster Stufe unterrühren, dabei Butter nach und nach hinzufügen.

3 Den Teig auf die gut gefetteten Folienförmchen verteilen, auf ein Backblech stellen, in den Backofen schieben.

Ober-/Unterhitze: 200–220 °C (vorgeheizt)
Heißluft: 180–200 °C (vorgeheizt)
Gas: etwa Stufe 4 (vorgeheizt)
Backzeit: 10–15 Minuten

4 Die Omeletts sofort nach dem Backen aus den Förmchen lösen, zur Hälfte leicht überschlagen (am besten über einen Rühr-

löffel), erkalten lassen, leicht mit Puderzucker bestäuben.

5 Für die Füllung Gelatine nach Packungsanleitung quellen lassen und auflösen. Mandarinen abtropfen lassen, Saft auffangen, 2 Esslöffel abmessen. Zitronen- und Mandarinensaft und Zucker unter Rühren auflösen, Gelatine unterrühren. Sahne fast steif schlagen, in einen Spritzbeutel geben und in die Omeletts spritzen. Mit Mandarinenspalten garnieren.

Mandarinenomeletts

Mandelbögen |

Für die Weihnachtsbäckerei

Für den Teig:
160 g abgezogene, gemahlene Mandeln
1 ¹/₂ geh. EL Weizenmehl
3 Eiweiß (Größe M)
1 Prise Salz, 150 g feiner Zucker
1 Pck. Vanillin-Zucker
1 Msp. gemahlener Zimt
1 Eigelb (Größe M)

Zum Bestreuen:
40 g abgezogene, gehobelte Mandeln
oder 40 g gehackte Pistazienkerne
oder 40 g Hagelzucker

Zubereitungszeit: 45 Minuten

Insgesamt: E: 55 g, F: 112 g, Kh: 184 g,
kJ: 8810, kcal: 2103

1 Für den Teig Mandeln mit Mehl mischen. Eiweiß mit Salz in einer Rührschüssel mit Handrührgerät mit Rührbesen sehr steif schlagen. Zucker, Vanillin-Zucker und Zimt nach und nach unterrühren.

2 Die Mandel-Mehl-Mischung und das Eigelb hinzufügen. So lange rühren, bis eine gebundene Masse enstanden ist.

3 Die Masse in einen Spritzbeutel mit Lochtülle füllen und auf ein Backblech (gefettet, mit Backpapier belegt) in großen Abständen walnussgroße Kugeln spritzen, mit Mandeln, Pistazien oder Hagelzucker bestreuen. Das Backblech in den Backofen schieben.

Ober-/Unterhitze: etwa 180 °C (vorgeheizt)
Heißluft: etwa 160 °C (vorgeheizt)
Gas: Stufe 2–3 (vorgeheizt)
Backzeit: 8–10 Minuten

4 Das Backblech auf einen Kuchenrost stellen, die Plätzchen einzeln, schnell vom Backpapier lösen, sofort über einer Teigrolle zu Bögen biegen. Bögen auf einem Kuchenrost erkalten lassen.

Tipp: Die Mandelbögen mit heller oder dunkler Kuvertüre verzieren.

Mandelbögen

Mandelbrot | ❄

Gut vorzubereiten

Für den Quark-Öl-Teig:
300 g Weizenmehl
1 Pck. Backpulver
125 g Magerquark
3 EL Milch, 5–6 EL Speiseöl
1 Ei (Größe M)
1 Prise Salz
60 g Zucker, 1 Pck. Vanillin-Zucker

Kondensmilch zum Bestreichen

Für die Füllung:
175 g abgezogene, gemahlene
Mandeln
100 g gesiebter Puderzucker
1 Ei (Größe M), 1 TL Rosenwasser
2 Tropfen Bittermandel-Aroma

50 g gehackte Haselnusskerne

Zubereitungszeit: 30 Minuten

Insgesamt: E: 107 g, F: 214 g, Kh: 403 g,
kJ: 17592, kcal: 4201

1 Für den Teig Mehl mit Backpulver mischen, in eine Rührschüssel sieben. Restliche Zutaten hinzufügen, mit Handrührgerät mit Knethaken auf höchster Stufe in etwa 1 Minute zu einem Teig verarbeiten (nicht zu lange, Teig klebt sonst).

2 Anschließend auf einer bemehlten Arbeitsfläche zu einer Rolle formen und zu einem Rechteck (etwa 30 x 50 cm) ausrollen (die kurze Rechteckseite muss der Länge der Kastenform entsprechen), dünn mit Kondensmilch bestreichen.

3 Für die Füllung Mandeln mit Puderzucker mischen, Ei, Rosenwasser und Aroma unterrühren. Mandelmasse auf den Teig geben. Haselnusskerne darüber streuen, etwas andrücken.

4 Teig von der kürzeren Seite her aufrollen, in eine Kastenform (30 x 11 cm, gefettet) legen, mit einem Messer eine Zickzacklinie etwa ¹/₂ cm tief in die Teigoberfläche einschneiden. Die Form auf dem Rost in den Backofen schieben.

Ober-/Unterhitze: etwa 180 °C (vorgeheizt)
Heißluft: etwa 160 °C (nicht vorgeheizt)
Gas: Stufe 2–3 (nicht vorgeheizt)
Backzeit: etwa 45 Minuten

5 Das Brot aus der Form lösen, auf einem Kuchenrost erkalten lassen.

Mandelgusstorte | 🗑

Einfach

Für den Teig:
*150 g TK-Blätterteig
(2 rechteckige Platten)*

1 EL Semmelbrösel zum Bestreuen

Für den Belag:
*300 g TK-Himbeeren oder
Johannisbeeren
1 gestr. EL Speisestärke*

Für den Guss:
*3 Eigelb (Größe M)
100 g Zucker
¹/₂ Pck. Finesse Geriebene
Zitronenschale
100 g abgezogene, gemahlene Mandeln
3 Eiweiß (Größe M)*

Puderzucker zum Bestäuben

Zubereitungszeit: 40 Minuten,
ohne Auftau- und Ruhezeit

Insgesamt: E: 54 g, F: 112 g, Kh: 213 g,
kJ: 9056, kcal: 2164

1 Für den Teig Blätterteig zugedeckt nach
Packungsanleitung auftauen lassen. Teigplatten übereinander legen, auf einem Springformboden (Ø 26 cm, gefettet) ausrollen. Teig
mehrmals mit einer Gabel einstechen. Teig
20 Minuten ruhen lassen. Einen Springformrand
darumstellen. Die Form auf dem Rost in den
Backofen schieben und den Teig vorbacken.

Ober-/Unterhitze: etwa 180 °C (vorgeheizt)
Heißluft: etwa 160 °C (vorgeheizt)
Gas: Stufe 2–3 (vorgeheizt)
Backzeit: etwa 10 Minuten

2 Die Form auf einen Kuchenrost stellen. Den
Boden mit Semmelbröseln bestreuen.

3 Für den Belag die gefrorenen Himbeeren
oder Johannisbeeren so auf dem Boden verteilen, dass am Rand 1 cm frei bleibt. Speisestärke darüber streuen.

4 Für den Guss Eigelb mit Zucker schaumig
schlagen. Zitronenschale und Mandeln unterrühren. Das Eiweiß steif schlagen, unter die
Eigelbmasse heben. Die Masse auf den Früchten verteilen. Die Form wieder auf dem Rost in
den Backofen schieben und die Torte fertig
backen.

Ober-/Unterhitze: etwa 180 °C (vorgeheizt)
Heißluft: etwa 160 °C (nicht vorgeheizt)
Gas: Stufe 2–3 (nicht vorgeheizt)
Backzeit: 35–40 Minuten

5 Die Torte aus der Form lösen und auf
einem Kuchenrost erkalten lassen. Torte mit
Puderzucker bestäuben.

Mandelgusstorte

Mandelkuchen mit Schokolade | 🍮 ❄️

Klassisch – gut vorzubereiten

Für den Rührteig:
250 g Butter oder Margarine
200 g Zucker, 1 Pck. Vanillin-Zucker
1 Prise Salz, 5 Eier (Größe M)
3 Tropfen Bittermandel-Aroma
200 g Weizenmehl
50 g Speisestärke
1 gestr. TL Backpulver
150 g Zartbitterschokolade
150 g abgezogene, gemahlene Mandeln

Zubereitungszeit: 35 Minuten

Insgesamt: E: 104 g, F: 365 g, Kh: 492 g, kJ: 24774, kcal: 5919

1 Für den Teig Butter oder Margarine mit Handrührgerät mit Rührbesen auf höchster Stufe geschmeidig rühren. Nach und nach Zucker, Vanillin-Zucker, Salz und Aroma hinzufügen. So lange rühren, bis eine gebundene Masse entstanden ist.

2 Eier nach und nach unterrühren (jedes Ei etwa ¹/₂ Minute). Mehl mit Speisestärke und Backpulver mischen, sieben, portionsweise auf mittlerer Stufe unterrühren.

3 Schokolade in kleine Stücke schneiden, mit den Mandeln unter den Teig heben. Teig in eine Kastenform (30 x 11 cm, gefettet, mit Backpapier belegt) füllen. Die Form auf dem Rost in den Backofen schieben.

Ober-/Unterhitze: 160 – 180 °C (vorgeheizt)
Heißluft: 150 – 160 °C (nicht vorgeheizt)
Gas: etwa Stufe 2 (nicht vorgeheizt)
Backzeit: 65 – 75 Minuten

4 Den Kuchen mit dem Backpapier aus der Form nehmen, auf einem Kuchenrost erkalten lassen. Backpapier entfernen.

Mandel-Mokkacreme-Torte | 🍮 🍮

Raffiniert – Für Gäste

Für den Biskuitteig:
1 EL Instant-Kaffeepulver
75 ml heißes Wasser
3 Eier (Größe M)
100 g Zucker
1 Pck. Bourbon Vanille-Zucker
100 g Semmelbrösel
100 g abgezogene, gemahlene Mandeln
¹/₂ gestr. TL Backpulver

Für die Füllung:
6 Blatt weiße Gelatine
325 ml Wasser, 125 g Zucker
2 gehäufte EL Instant-Kaffeepulver
500 ml (¹/₂ l) Schlagsahne

Zubereitungszeit: 45 Minuten, ohne Kühlzeit

Insgesamt: E: 73 g, F: 231 g, Kh: 327 g, kJ: 15977, kcal: 3818

1 Für den Teig Instant-Kaffeepulver in heißem Wasser auflösen. Eier in eine Rührschüssel geben und mit dem Kaffee mit Handrührgerät mit Rührbesen auf höchster Stufe in 1 Minute schaumig schlagen. Zucker und Vanille-Zucker mischen, in 1 Minute einstreuen, noch 2 Minuten weiter schlagen.

2 Semmelbrösel mit Mandeln und Backpulver mischen und unter die Eiercreme heben. Den Teig in eine Springform (Ø 26 cm, Boden gefettet, mit Backpapier belegt) füllen, glatt streichen. Die Form auf dem Rost in den Backofen schieben.

Ober-/Unterhitze: etwa 180 °C (vorgeheizt)
Heißluft: etwa 160 °C (vorgeheizt)
Gas: Stufe 2 – 3 (vorgeheizt)
Backzeit: etwa 25 Minuten

3 Boden aus der Form lösen, auf einen mit Backpapier belegten Kuchenrost stürzen, mitgebackenes Backpapier vorsichtig abziehen. Boden erkalten lassen, einmal waagerecht durchschneiden.

4 Für die Füllung Gelatine in kaltem Wasser nach Packungsanleitung einweichen. 100 ml Wasser mit Zucker in einem kleinen Topf zum Kochen bringen und etwa 2 Minuten einkochen. Restliches Wasser (225 ml) erhitzen, Instant-Kaffeepulver unterrühren, auflösen und zu der Zuckerlösung geben. Gelatine ausdrücken und unter Rühren in der Kaffeelösung vollständig auflösen, kalt stellen. Wenn die Masse anfängt dicklich zu werden (3 Teelöffel davon abnehmen, in ein Pergamentpapiertütchen füllen und beiseite legen). Sahne steif schlagen und unterheben.

5 Den unteren Tortenboden auf eine Tortenplatte legen, einen Tortenring darumlegen. Gut die Hälfte der Kaffee-Sahne darauf geben, glatt streichen und mit dem oberen Tortenboden bedecken. Restliche Kaffee-Sahne darauf verteilen. Mit der Kaffeemasse aus dem Pergamentpapiertütchen verzieren.

6 Torte 2 Stunden kalt stellen, Tortenring lösen und entfernen. Nach Belieben den Rand mit Mandeln bestreuen.

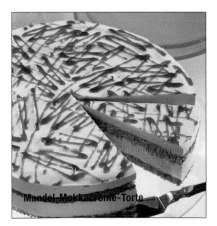
Mandel-Mokkacreme-Torte

Mandelringe

Mandelringe |

Preiswert – gut vorzubereiten – für
Kinder

Für den Knetteig:
375 g Weizenmehl
2 Pck. Vanillin-Zucker
5 EL Buttermilch
250 g Butter oder Margarine

Zum Bestreichen:
1 Eigelb, 1 EL Milch

Zum Bestreuen:
75 g Zucker
1/2 TL gemahlener Zimt
50 g abgezogene, gehackte Mandeln

Zubereitungszeit: 70 Minuten

Insgesamt: E: 57 g, F: 242 g, Kh: 376 g,
kJ: 17031, kcal: 4069

1 Für den Teig Mehl in eine Rührschüssel
sieben. Vanillin-Zucker, Buttermilch und Butter
oder Margarine hinzufügen. Die Zutaten mit
Handrührgerät mit Knethaken zunächst kurz
auf niedrigster, dann auf höchster Stufe gut
durcharbeiten.

2 Anschließend auf der bemehlten Arbeitsfläche zu einem glatten Teig verkneten. Sollte
er kleben, ihn in Folie gewickelt eine Zeit lang
kalt stellen.

3 Den Teig auf der bemehlten Arbeitsfläche
nochmals kurz durchkneten, etwa 1/2 cm dick
ausrollen und mit einer runden gezackten
Form (Ø etwa 7 cm) Plätzchen ausstechen.
Die Plätzchen in der Mitte nochmals aussteche-
chen (Ø etwa 3 cm), so dass Ringe entstehen.
Die Teigringe auf ein Backblech (gefettet, mit
Backpapier belegt) legen. Mit den Teigresten
ebenso verfahren.

4 Zum Bestreichen Eigelb und Milch verschlagen. Die Teigringe mit der Eigelbmilch
bestreichen.

5 Zum Bestreuen Zucker und Zimt mischen.
Die Teigringe mit der Zucker-Zimt-Mischung
und den Mandeln bestreuen. Das Backblech
in den Backofen schieben.

Ober-/Unterhitze: 180 – 200 °C (vorgeheizt)
Heißluft: 160 – 180 °C (vorgeheizt)
Gas: etwa Stufe 3 (vorgeheizt)
Backzeit: etwa 12 Minuten

6 Die Mandelringe vom Backblech lösen
und auf einem Kuchenrost erkalten lassen.

Tipp: Die Buttermilch kann auch durch
100 g Crème fraîche oder saure Sahne
ersetzt werden.

Mandelsplittertrüffel |

Gut vorzubereiten

Für die Trüffelmasse:
125 g Butter
2 geh. EL gesiebter Puderzucker
250 g Halbbitter-Kuvertüre
5 EL Mandellikör
75 g geröstete Mandelsplitter

Für den Guss:
150 g Vollmilch-Kuvertüre

30 g weiße Raspelschokolade

Zubereitungszeit: 60 Minuten, ohne Kühlzeit

Insgesamt: E: 26 g, F: 260 g, Kh: 276 g, kJ: 15668, kcal: 3744

1 Für die Trüffelmasse Butter und Puderzucker mit Handrührgerät mit Rührbesen auf höchster Stufe geschmeidig rühren.

2 Kuvertüre in Stücke hacken, in einem kleinen Topf im Wasserbad bei schwacher Hitze zu einer geschmeidigen Masse verrühren, etwas abkühlen lassen (die Kuvertüre sollte flüssig, jedoch nicht mehr zu warm sein).

3 Mandellikör mit der Kuvertüre unter die Buttermasse rühren. Die Masse in einen Spritzbeutel mit Lochtülle füllen und auf Pergamentpapier oder in kleine Pralinen-förmchen spritzen.

4 Auf jedes Häufchen einige Mandelsplitter drücken und die Trüffel im Kühlschrank erkalten lassen.

5 Für den Guss Vollmilch-Kuvertüre in Stücke hacken, in einem kleinen Topf im Wasserbad bei schwacher Hitze geschmeidig rühren, die Trüffel damit überziehen und mit Raspelschokolade bestreuen.

Tipp: Mandelsplittertrüffel in eine Geschenk-dose füllen. Dose in Zellophan verpackt verschenken.

Mandelsplittertrüffel

Mandelstollen |

Zum Verschenken – gut vorzubereiten

Für den Knetteig:
500 g Weizenmehl
3 gestr. TL Backpulver
100 g Zucker, 2 Pck. Vanillin-Zucker
1/2 TL Finesse Geriebene Zitronenschale

Mandelstollen

1 Prise Salz, 2 Eier (Größe M)
1 Eiweiß (Größe M)
250 ml (1/4 l) Milch
100 g Butter
100 g abgezogene, gemahlene Mandeln

Zum Bestreichen:
1 Eigelb

Zum Bestreuen:
50 g Zucker
50 g abgezogene, gestiftelte Mandeln

Zubereitungszeit: 35 Minuten

Insgesamt: E: 114 g, F: 195 g, Kh: 555 g, kJ: 19547, kcal: 4669

1 Für den Teig Mehl mit Backpulver mischen, in eine Rührschüssel sieben. Zucker, Vanillin-Zucker, Zitronenschale, Salz, Eier, Eiweiß, Milch und Butter hinzufügen. Die Zutaten mit Handrührgerät mit Knethaken zunächst kurz auf niedrigster, dann auf höchster Stufe gut durcharbeiten.

2 Anschließend mit den Mandeln auf der bemehlten Arbeitsfläche zu einem glatten Teig verkneten. Sollte er kleben, ihn in Folie gewickelt eine Zeit lang kalt stellen.

3 Aus dem Teig 3 kleine Stollen formen. Diese auf ein Backblech (mit Backpapier belegt) legen und mit verschlagenem Eigelb bestreichen. Stol-len mit Zucker und Mandeln bestreuen. Das Backblech in den Backofen schieben.

Ober-/Unterhitze: etwa 180 °C (vorgeheizt)
Heißluft: etwa 160 °C (nicht vorgeheizt)
Gas: Stufe 2 – 3 (nicht vorgeheizt)
Backzeit: 30 – 40 Minuten

4 Die Stollen vom Backpapier lösen und auf einem Kuchenrost erkalten lassen.

Tipp: Stollenteig zu Rollen formen, mit einer Teigrolle der Länge nach je eine Vertiefung eindrücken. Die linke Seite zur Hälfte auf die rechte Seite schlagen. Den mittleren Teil mit den Händen nachformen.

Mandeltorte mit Feigen | 🗑 🗑

Etwas aufwändiger

Für den Biskuitteig:
3 Eier (Größe M)
1 Pck. Vanillin-Zucker
150 g brauner Zucker
100 g Semmelbrösel
150 g abgezogene, gemahlene Mandeln

Semmelbrösel für die Form

Zum Bestreuen:
40 g abgezogene, gehobelte Mandeln

Für die Füllung:
5 EL Pink Grapefruitmarmelade
5 frische Feigen (etwa 500 g)
¹/₂ Kiwi

Zubereitungszeit: 60 Minuten, ohne Abkühlzeit

Insgesamt: E: 80 g, F: 124 g, Kh: 359 g, kJ: 12798, kcal: 3058

1 Für den Teig Eier mit Handrührgerät mit Rührbesen auf höchster Stufe in 1 Minute schaumig schlagen. Zucker und Vanillin-Zucker mischen, in 1 Minute einstreuen, dann noch etwa 2 Minuten schlagen.

2 Semmelbrösel und Mandeln mischen, die Hälfte davon auf die Eiercreme geben, kurz auf niedrigster Stufe unterrühren. Restliches Semmelbrösel-Mandel-Gemisch auf die gleiche Weise unterarbeiten.

3 Den Teig in 3 Teile teilen und jeweils auf den Boden einer Springform (Ø 26 cm, Boden gefettet, mit Semmelbröseln ausgestreut)

Mandeltorte mit Feigen

streichen, je ein Drittel der Mandeln darüber streuen. Springformrand darumlegen. Die Formen nacheinander (bei Heißluft zusammen) auf dem Rost in den Backofen schieben.

Ober-/Unterhitze: etwa 180 °C (vorgeheizt)
Heißluft: etwa 160 °C (vorgeheizt)
Gas: Stufe 2 – 3 (vorgeheizt)
Backzeit: etwa 15 Minuten pro Boden

4 Die Formen auf je einen Kuchenrost stellen, etwas abkühlen lassen. Anschließend vom Springformboden lösen und erkalten

lassen. Einen Boden auf eine Tortenplatte legen.

5 Für die Füllung den unteren Boden mit 2 Esslöffeln der Marmelade bestreichen.

6 Feigen waschen, trockenreiben, in dünne Scheiben schneiden und die mittleren Scheiben (etwa 8 Stück) beiseite legen.

7 Die Hälfte der Feigenscheiben auf den unteren Boden legen, mit dem zweiten Boden bedecken, wieder mit 2 Esslöffeln Marmelade

bestreichen, mit Feigenscheiben belegen und mit dem oberen Boden bedecken.

8 Kiwi schälen, in Scheiben schneiden und den oberen Boden mit den beiseite gelegten Feigen- und Kiwischeiben garnieren.

9 Die restliche Marmelade (evtl. durch ein Sieb streichen) in einem kleinen Topf unter Rühren zum Kochen bringen. Die Früchte damit bestreichen.

Tipp: Nach Belieben kann statt Kiwi auch Pink Grapefruit verwendet werden.

Mandelzungen |

Für das Weihnachtsfest

Für die Baisermasse:
3 Eiweiß (Größe M)
125 g Zucker
30 g Weizenmehl
1 EL Kakaopulver
100 g nicht abgezogene,
gemahlene Mandeln
60 g zerlassene abgekühlte Butter
oder Margarine

Zum Bestreichen:
100 g Nuss-Nougat

Für den Guss:
50 g dunkle Speisefettglasur

Zubereitungszeit: 65 Minuten, ohne Abkühlzeit

Insgesamt: E: 44 g, F: 131 g, Kh: 261 g, kJ: 10237, kcal: 2446

1 Für den Teig Eiweiß mit Handrührgerät mit Rührbesen auf höchster Stufe fast steif schlagen. Nach und nach Zucker unterschlagen.

2 Mehl mit Kakao mischen, auf den Eischnee sieben und unterziehen. Mandeln

und Butter oder Margarine auf niedrigster Stufe unterrühren.

3 Die Mandelmasse in einen Spritzbeutel mit Lochtülle füllen. Streifen (3 – 4 cm lang) auf ein Backblech (gefettet, mit Backpapier belegt) spritzen. Das Backblech in den Backofen schieben.

Ober-/Unterhitze: 180 – 200 °C (vorgeheizt)
Heißluft: 160 – 180 °C (vorgeheizt)
Gas: etwa Stufe 3 (vorgeheizt)
Backzeit: etwa 12 Minuten

4 Die Plätzchen mit dem Backpapier vom Backblech ziehen, auf einem Kuchenrost erkalten lassen.

5 Zum Bestreichen Nuss-Nougat in einem kleinen Topf im Wasserbad bei schwacher Hitze zu einer geschmeidigen Masse verrühren. Die Hälfte der Plätzchen damit bestreichen, mit den restlichen Plätzchen bedecken.

6 Für den Guss Fettglasur in einem kleinen Topf im Wasserbad bei schwacher Hitze zu einer geschmeidigen Masse verrühren. Die Plätzchen mit den Enden hineintauchen, auf Backpapier trocknen lassen.

Mandelzungen

Mangoldpäckchen |  🗑 🗑 🗑

Für Gäste – raffiniert

Für den Knetteig:
250 g Weizenmehl
100 ml lauwarmes Wasser
1 Eigelb (Größe M)
3 EL Speiseöl, ¹/₂ gestr. TL Salz

Zum Bestreichen:
Speiseöl

Für die Füllung:
350 g Mangold, 200 g Möhren
1 mittelgroße Zwiebel
2 EL Speiseöl, 1 Prise Salz
1 Prise gemahlener Pfeffer
1 Prise Cayennepfeffer
200 g Hähnchenbrustfilet
6 EL Semmelbrösel

Zubereitungszeit: 70 Minuten,
ohne Kühlzeit

Insgesamt: E: 92 g, F: 72 g, Kh: 245 g,
kJ: 8750, kcal: 2092

1 Für den Teig Mehl in eine Rührschüssel sieben. Wasser, Eigelb, Öl und Salz hinzufügen. Die Zutaten mit Handrührgerät mit Knethaken zunächst kurz auf niedrigster, dann auf höchster Stufe gut durcharbeiten.

2 Anschließend auf einer bemehlten Arbeitsfläche zu einem glatten Teig verkneten. Den Teig in Folie gewickelt 1 Stunde kalt stellen.

3 Für die Füllung Mangold putzen, mehrmals waschen, abtropfen lassen und Stiele herausschneiden. Stiele evtl. abziehen und würfeln. Blattgrün in schmale Streifen schneiden. Möhren putzen, schälen, waschen. Zwiebel abziehen. Möhren und Zwiebel in Würfel schneiden.

4 Zwiebelwürfel in erhitztem Öl in einer Pfanne glasig dünsten. Mangoldstiel- und Möhrenwürfel hinzufügen und 5 Minuten dünsten. Mangoldgrün hinzufügen und kurz mit andünsten. Gemüse mit Salz, Pfeffer und Cayennepfeffer würzen, abkühlen lassen.

5 Hähnchenbrustfilet kalt abspülen, trockentupfen, in kleine Würfel schneiden und unter das Gemüse heben.

6 Teig auf der bemehlten Arbeitsfläche nochmals gut durchkneten. Den Teig halbieren, die Teighälften jeweils nacheinander auf einem mit Mehl bestreuten Geschirrtuch zu einem dünnen Rechteck (etwa 42 x 56 cm) ausrollen und mit Öl bestreichen.

7 Die Teigrechtecke in Quadrate (etwa 14 x 14 cm) schneiden. In die Mitte jedes Quadrates Semmelbrösel streuen und etwa 2 Teelöffel der Füllung darauf geben. Teigrän-

der wellenartig über die Füllung legen, so dass Teigpäckchen entstehen und die Teigränder leicht andrücken.

8 Päckchen auf zwei Backbleche (gefettet, mit Backpapier belegt) legen. Backbleche nacheinander (bei Heißluft zusammen) in den Backofen schieben.

Ober-/Unterhitze: etwa 200 °C (vorgeheizt)
Heißluft: etwa 180 °C (vorgeheizt)
Gas: Stufe 3 – 4 (vorgeheizt)
Backzeit: etwa 25 Minuten pro Backblech

Tipp: Joghurt dazureichen.

Mangoldpäckchen

Maracujatorte | ☷ ☷ ☷ 🍾

Raffiniert – etwas teurer

Für den Knetteig:
100 g Weizenmehl
10 g Kakaopulver
1 Msp. Backpulver
40 g Zucker, 1 Pck. Vanillin-Zucker
80 g Butter oder Margarine

Für den Biskuitteig:
2 Eier (Größe M)
1 EL heißes Wasser
50 g Zucker, 1 Pck. Vanillin-Zucker
40 g Weizenmehl
20 g Speisestärke
¹/₂ gestr. TL Backpulver

Zum Bestreichen:
2 EL Aprikosenkonfitüre

Für die Füllung:
6 Blatt weiße Gelatine
500 ml (¹/₂ l) Schlagsahne
2 Becher (je 150 g) Crème fraîche
50 g Zucker
125 ml (¹/₈ l) Weißwein
300 g Maracuja oder Passionsfrucht
gut 3 EL Orangensaft
2 EL Zucker

Zum Bestreichen:
2 EL Aprikosenkonfitüre

Zum Bestreuen:
3 EL abgezogene, gehobelte, gebräunte
Mandeln

Zum Garnieren:
1 Bio-Limette (unbehandelt, unge-
wachst), in feine Streifen oder Schei-
ben geschnitten

Zubereitungszeit: 90 Minuten,
ohne Quell- und Kühlzeit

Insgesamt. E: 100 g, F: 345 g, Kh: 410 g,
J: 22709, kcal: 5427

1 Für den Knetteig Mehl, Kakao und Backpulver mischen, in eine Rührschüssel sieben.
Zucker, Vanillin-Zucker und Butter oder
Margarine hinzufügen. Die Zutaten mit Handrührgerät mit Knethaken zunächst kurz auf
niedrigster, dann auf höchster Stufe gut durcharbeiten.

2 Anschließend auf der bemehlten Arbeitsfläche zu einem glatten Teig verkneten, sollte
er kleben, ihn in Folie gewickelt eine Zeit lang
kalt stellen.

3 Den Teig auf dem Boden einer Springform
(Ø 26 cm, Boden gefettet) ausrollen und mehrmals mit einer Gabel einstechen. Springformrand darumlegen. Form auf dem Rost in den
Backofen schieben.

Ober-/Unterhitze: 200 – 220 °C (vorgeheizt)
Heißluft: 180 – 200 °C (vorgeheizt)
Gas: etwa Stufe 4 (vorgeheizt)
Backzeit: etwa 15 Minuten

4 Den Boden sofort nach dem Backen vom
Springformboden lösen, aber darauf erkalten
lassen.

5 Für den Biskuitteig Eier und Wasser mit
Handrührgerät mit Rührbesen auf höchster
Stufe in 1 Minute schaumig schlagen. Zucker
mit Vanillin-Zucker mischen, in 1 Minute einstreuen, dann noch etwa 2 Minuten schlagen.

6 Mehl mit Speisestärke und Backpulver
mischen, auf die Eiercreme sieben, kurz auf
niedrigster Stufe unterrühren. Den Teig in eine
Springform (Ø 26 cm, Boden gefettet, mit
Backpapier belegt) füllen. Die Form auf dem
Rost in den Backofen schieben.

Ober-/Unterhitze: 180 – 200 °C (vorgeheizt)
Heißluft: 160 – 180 °C (vorgeheizt)
Gas: Stufe 3 – 4 (vorgeheizt)
Backzeit: etwa 20 Minuten

7 Den Biskuitboden aus der Form lösen, auf
einen Kuchenrost stürzen, mitgebackenes
Backpapier abziehen, Boden erkalten lassen.
Den Knetteigboden auf eine Tortenplatte legen,
mit Konfitüre bestreichen, mit dem Biskuitboden bedecken, einen Tortenring darumstellen.

Maracujatorte

8 Für die Füllung Gelatine in kaltem Wasser
nach Packungsanleitung einweichen. Sahne
steif schlagen (etwas Sahne beiseite stellen).
Crème fraîche, Zucker und Wein verrühren,
unter die Sahne rühren.

9 Eingeweichte Gelatine ausdrücken, unter
Rühren erwärmen (nicht kochen), bis sie völlig gelöst ist, leicht abkühlen lassen. Die Hälfte der Gelatine unter die Sahnecreme rühren,
in den Tortenring füllen und glatt streichen,
2 Stunden kalt stellen.

10 Maracuja oder Passionsfrucht halbieren,
das Fruchtfleisch mit den Kernen herausheben, durch ein feines Sieb streichen, so dass
die Kerne zurückbleiben. Orangensaft und Zu-
cker mit der Fruchtmasse verrühren, restliche
Gelatinelösung nochmals erwärmen, unter die
Maracuja-Orangen-Masse rühren, auf die
Sahnecreme geben und fest werden lassen.

11 Den Tortenring mit Hilfe eines Messers
lösen und entfernen. Den Gebäckrand zuerst
mit Konfitüre, dann mit Sahne bestreichen
und mit Mandeln bestreuen. Die Torte mit
Limettenstreifen oder -scheiben garnieren.

Margaretenkuchen | 🗑 🍶 ❄

Einfach

Für den Teig:
350 g Butter oder Margarine
300 g Zucker
1 Pck. Vanillin-Zucker
4 Eier (Größe M)
2 EL Wasser oder Weinbrand oder
Orangenlikör
350 g Weizenmehl
2 gestr. TL Backpulver

Zum Aprikotieren:
2 EL Aprikosenkonfitüre
2 EL Wasser

Zubereitungszeit: 25 Minuten

Insgesamt: E: 71 g, F: 287 g, Kh: 584 g, kJ: 23596, kcal: 5637

1 Für den Teig Butter oder Margarine mit Handrührgerät mit Rührbesen auf höchster Stufe geschmeidig rühren. Nach und nach Zucker und Vanillin-Zucker unterrühren.

So lange rühren, bis eine gebundene Masse entstanden ist.

2 Eier nach und nach unterrühren (jedes Ei etwa ½ Minute). Wasser oder Weinbrand oder Orangenlikör unterrühren. Mehl mit Backpulver mischen, sieben, portionsweise auf mittlerer Stufe unterrühren.

3 Den Teig in eine Rosettenform (Ø 28 cm, gefettet) füllen. Die Form auf dem Rost in den Backofen schieben.

Ober-/Unterhitze: 180 – 200 °C (vorgeheizt)
Heißluft: 160 – 180 °C (nicht vorgeheizt)
Gas: etwa Stufe 3 (nicht vorgeheizt)
Backzeit: 50 – 60 Minuten

4 Den Kuchen aus der Form lösen und auf einen mit Backpapier belegten Kuchenrost stürzen.

5 Zum Aprikotieren Konfitüre durch ein Sieb streichen, mit Wasser in einem kleinen Topf unter Rühren zum Kochen bringen. Den Ku-

chen sofort damit bestreichen und erkalten lassen.

Tipp: Der Kuchen kann auch in einer Springform mit Rohrboden (Ø 28 cm) gebacken werden.

Margaretenkuchen

Marmorkuchen | 🗑 🍶 ❄

Klassisch

Für den Rührteig:
300 g Butter oder Margarine
275 g Zucker, 1 Pck. Vanillin-Zucker
1 Fläschchen Rum-Aroma
1 Prise Salz, 5 Eier (Größe M)
375 g Weizenmehl
4 gestr. TL Backpulver
etwa 3 EL Milch, 20 g Kakaopulver
20 g Zucker, 2 – 3 EL Milch

Puderzucker zum Bestäuben

Zubereitungszeit: 25 Minuten, ohne Abkühlzeit

Insgesamt: E: 87 g, F: 287 g, Kh: 612 g, kJ: 23309, kcal: 5568

1 Für den Teig Butter oder Margarine mit Handrührgerät mit Rührbesen auf höchster Stufe geschmeidig rühren, nach und nach Zucker, Vanillin-Zucker, Aroma und Salz unterrühren. So lange rühren, bis eine gebundene Masse entstanden ist. Eier nach und nach unterrühren (jedes Ei etwa ½ Minute).

2 Mehl mit Backpulver mischen, sieben und abwechselnd portionsweise mit Milch auf mittlerer Stufe unterrühren (nur so viel Milch verwenden, dass der Teig schwer reißend von einem Löffel fällt). Zwei Drittel des Teiges in eine Napfkuchenform (Ø etwa 24 cm, gefettet) füllen.

3 Kakao sieben, mit Zucker und Milch unter den restlichen Teig rühren, so dass er wieder schwer reißend vom Löffel fällt.

4 Den dunklen Teig auf dem hellen Teig verteilen, mit einer Gabel spiralförmig durch die Teigschichten ziehen, damit ein Marmormuster entsteht. Form auf dem Rost in den Backofen schieben.

Ober-/Unterhitze: 180 – 200 °C (vorgeheizt)
Heißluft: 160 – 180 °C (nicht vorgeheizt)
Gas: etwa Stufe 3 (nicht vorgeheizt)
Backzeit: 50 – 65 Minuten

5 Den Kuchen 10 Minuten in der Form stehen lassen, dann auf einen Kuchenrost stürzen und erkalten lassen.

6 Den Kuchen mit Puderzucker bestäuben.

Maronentorte | 🍨 🍨 🍾

Raffiniert

Für den Biskuitteig:
4 Eier (Größe M)
200 g Zucker, 1 Pck. Vanillin-Zucker
4 Tropfen Rum-Aroma
435 g Maronenpüree (aus der Dose)
50 g Weizenmehl, 1 Msp. Backpulver
100 g abgezogene, gemahlene Mandeln

Für die Füllung:
600 – 750 ml Schlagsahne
2 Pck. Sahnesteif
1 Pck. Bourbon-Vanille-Zucker

Zum Bestäuben:
Puderzucker

Zubereitungszeit: 40 Minuten,
ohne Abkühlzeit

Insgesamt: E: 85 g, F: 290 g, Kh: 473 g,
kJ: 21088, kcal: 5038

1 Für den Teig Eier mit Handrührgerät mit Rührbesen auf höchster Stufe in 1 Minute schaumig schlagen. Zucker und Vanillin-Zucker mischen, in 1 Minute einstreuen, dann noch etwa 2 Minuten schlagen. Aroma und Maronenpüree unterrühren.

2 Mehl mit Backpulver mischen, auf die Eiercreme sieben, kurz auf niedrigster Stufe unterrühren, Mandeln unterheben. Aus dem Teig 3 Böden backen. Jeweils ein Drittel des Teiges in eine Springform (Ø 26 cm, Boden gefettet, bemehlt) füllen und glatt streichen.

3 Die Formen nacheinander (bei Heißluft zusammen) auf dem Rost in den Backofen schieben.

Ober-/Unterhitze: 180 – 200 °C (vorgeheizt)
Heißluft: 160 – 180 °C (vorgeheizt)
Gas: etwa Stufe 3 (vorgeheizt)
Backzeit: etwa 20 Minuten pro Boden

4 Die Böden aus den Formen lösen, einzeln auf einem Kuchenrost erkalten lassen. Einen Boden in 16 Tortenstücke schneiden.

5 Für die Füllung Sahne mit Sahnesteif und Vanille-Zucker steif schlagen. Zwei Drittel der Sahne in einen Spritzbeutel mit Sterntülle füllen. Restliche Sahne auf den unteren Boden streichen (am Rand spritzen), mit dem zweiten Boden bedecken. Diesen von der Mitte aus zum Rand hin mit 16 Tütchen bespritzen.

6 Tortenstücke schräg daran legen, mit restlicher Sahne verzieren. Vor dem Servieren mit Puderzucker bestäuben.

Maronentorte

Marsala-Orangen-Kuchen | 🗑 🍾 ❄

Einfach – gut vorzubereiten

Zum Vorbereiten:
*1 Bio-Orange
(unbehandelt, ungewachst)*

Für den Rührteig:
*250 g Butter oder Margarine
250 g Zucker, 1 Pck. Vanillin-Zucker
1 Prise Salz, 4 Eier (Größe M)
200 g Weizenmehl, 100 g Speisestärke
1/2 gestr. TL Backpulver*

Zum Tränken:
*4 EL Marsala (italienischer
Dessertwein)*

Für den Guss:
250 g gesiebter Puderzucker

Zubereitungszeit: etwa 45 Minuten,
ohne Abkühlzeit

Insgesamt: E: 56 g, F: 237 g, Kh: 751 g,
kJ: 22909, kcal: 5472

1 Zum Vorbereiten Orange gründlich waschen, trockentupfen und die Schale mit einem Zestenreißer in schmale Streifen schneiden. Orange halbieren, Saft auspressen. Saft und Orangenschalenstreifen beiseite stellen.

2 Für den Teig Butter oder Margarine mit Handrührgerät mit Rührbesen auf höchster Stufe geschmeidig rühren. Nach und nach Zucker, Vanillin-Zucker und Salz unterrühren. So lange rühren, bis eine gebundene Masse entstanden ist.

3 Eier nach und nach unterrühren (jedes Ei etwa 1/2 Minute). Mehl mit Speisestärke und Backpulver mischen, sieben, portionsweise auf mittlerer Stufe unterrühren.

4 Teig in eine Kastenform (30 x 11 cm, gefettet, bemehlt) füllen und glatt streichen. Die Form auf dem Rost in den Backofen schieben.

Ober-/Unterhitze: etwa 180 °C (vorgeheizt)
Heißluft: etwa 160 °C (nicht vorgeheizt)
Gas: Stufe 2 – 3 (nicht vorgeheizt)
Backzeit: etwa 60 Minuten

5 Kuchen 10 Minuten in der Form stehen lassen, dann aus der Form lösen, auf einen mit Backpapier belegten Kuchenrost stürzen, Kuchen wieder umdrehen, etwas abkühlen lassen.

6 Kuchenoberfläche mehrmals mit einem Holzstäbchen einstechen. 4 Esslöffel von dem beiseite gestellten Orangensaft abnehmen. Restlichen Saft und Marsala mischen, auf den Kuchen träufeln. Kuchen erkalten lassen.

7 Für den Guss Puderzucker mit dem abgenommenen Orangensaft glatt rühren. Kuchen mit dem Guss überziehen und fest werden lassen. Mit den Orangenschalenstreifen garnieren.

Marsala-Orangen-Kuchen

Marzipan-Aprikosen-Konfekt | 🗑

Für Gäste – einfach

Für die Marzipan-Aprikosen-Stangen:
*200 g Marzipan-Rohmasse
100 g getrocknete, gewürfelte,
ungeschwefelte Aprikosen*

*100 g Zartbitterschokolade
20 g Kokosfett*

Zubereitungszeit: 25 Minuten,
ohne Kühlzeit

Insgesamt: E: 37 g, F: 123 g, Kh: 182 g,
kJ: 8660, kcal: 2069

1 Für die Stangen Marzipan-Rohmasse mit Aprikosen auf einer Arbeitsfläche verkneten, zu einer dünnen Rolle formen und in 16 Stücke schneiden, die Stücke zu Stangen formen.

2 Schokolade in Stücke brechen, mit Kokosfett in einem kleinen Topf im Wasserbad bei schwacher Hitze schmelzen, Marzipan-Stangen damit überziehen.

3 Sobald der Guss beginnt fest zu werden, mit einer Gabel ein Muster in die Stangen drücken, kalt stellen.

Marzipan-Espresso-Torte | 🍶 🍶

Für Gäste

Für den Biskuitteig:
2 Eier (Größe M)
40 g Zucker
70 g Weizenmehl
10 g Speisestärke

Für die Füllung:
250 ml (¼ l) Milch
½ Pck. Pudding-Pulver
Schokoladen-Geschmack
3 EL Zucker, 3 TL Espressopulver
125 g weiche Butter

3 EL Aprikosenkonfitüre

Für den Belag:
200 g Marzipan-Rohmasse
50 g gesiebter Puderzucker

Zum Garnieren:
einige Mokkaschokoladentäfelchen
etwas Aprikosenkonfitüre

1 TL Kakaopulver zum Bestäuben

Zubereitungszeit: 50 Minuten,
ohne Abkühlzeit

Insgesamt: E: 61 g, F: 200 g, Kh: 378 g,
J: 15304, kcal: 3654

1 Für den Teig Eier mit Handrührgerät mit Rührbesen auf höchster Stufe in 1 Minute schaumig schlagen, Zucker in 1 Minute einstreuen, dann noch etwa 2 Minuten schlagen. Mehl mit Speisestärke mischen, auf die Eiercreme sieben, kurz auf niedrigster Stufe unterrühren.

2 Den Teig in eine Springform (Ø 18 cm, Boden gefettet, mit Backpapier belegt) füllen. Die Form auf dem Rost in den Backofen schieben.

Ober-/Unterhitze: 180–200 °C (vorgeheizt)
Heißluft: 160–180 °C (vorgeheizt)
Gas: Stufe 3–4 (vorgeheizt)
Backzeit: 25–30 Minuten

3 Den Tortenboden aus der Form lösen, auf einen Kuchenrost stürzen, mitgebackenes Backpapier abziehen, Boden erkalten lassen, einmal waagerecht durchschneiden.

4 Für die Füllung von der Milch 5 Esslöffel abnehmen, mit Pudding-Pulver und Zucker anrühren. Restliche Milch in einem Topf zum Kochen bringen, von der Kochstelle nehmen, Pudding-Pulver einrühren und nochmals gut aufkochen lassen. Espressopulver unterrühren. Pudding kalt stellen, ab und zu umrühren.

5 Butter geschmeidig rühren, Pudding esslöffelweise darunter geben (darauf achten, dass Butter und Pudding Zimmertemperatur haben, da die Creme sonst gerinnt).

6 Die Creme auf den unteren Tortenboden streichen, den oberen Boden darauf legen und andrücken. Konfitüre erwärmen. Die Tortenoberfläche damit bestreichen.

7 Für den Belag Marzipan-Rohmasse mit Puderzucker verkneten, zwischen Klarsichtfolie ausrollen, als Marzipandecke über die Torte legen. Den Rand vorsichtig andrücken. Überstehendes Marzipan abschneiden.

8 Zum Garnieren Schokoladentäfelchen mit etwas Konfitüre an den Tortenrand setzen. Die Tortenoberfläche mit Kakao bestäuben.

Tipp: Die Torte kann auch in einer Springform (Ø 26 cm) gebacken werden, dafür benötigt man die doppelte Rezeptmenge.

Marzipan-Espresso-Torte

Marzipan-Krokant-Torte | 🗑 🗑 🗑 🍶

Dauert länger – etwas teurer

Für den Krokant:
1 Msp. Butter
60 g Zucker
125 g abgezogene, gehackte Mandeln

Für den Biskuitteig:
5 Eier (Größe M)
125 g Zucker, 1 Pck. Vanillin-Zucker
75 g Weizenmehl, 75 g Speisestärke
50 g zerlassene abgekühlte Butter

Für die Füllung:
500 ml (½ l) Milch
½ aufgeschnittene Vanilleschote
60 – 70 g Zucker, 1 Prise Salz
50 g Speisestärke, 6 Eigelb (Größe M)
100 g weiche Butter
100 g Pistazienkerne
200 g Marzipan-Rohmasse
4 EL Amaretto-Likör

Zubereitungszeit: 80 Minuten,
ohne Kühlzeit

Insgesamt: E: 149 g, F: 397 g, Kh: 560 g,
kJ: 28360, kcal: 6773

1 Für den Krokant Butter, Zucker und Mandeln unter Rühren so lange erhitzen, bis die Masse genügend gebräunt ist. Masse auf ein Stück Alufolie geben, erkalten lassen und zerkleinern.

2 Für den Teig Eier mit Handrührgerät mit Rührbesen auf höchster Stufe in 1 Minute schaumig schlagen. Zucker und Vanillin-Zucker mischen, in 1 Minute einstreuen, dann noch 2 Minuten schlagen.

3 Mehl mit Speisestärke mischen, die Hälfte davon auf die Eiercreme sieben, kurz auf niedrigster Stufe unterrühren. Restliches Mehlgemisch auf die gleiche Weise unterarbeiten.

4 Ein Viertel der Krokantmasse und Butter unterheben. Den Teig in eine Springform (Ø 26 cm, Boden gefettet, mit Backpapier belegt) füllen und glatt streichen. Die Form auf dem Rost in den Backofen schieben.

Ober-/Unterhitze: 180 – 200 °C (vorgeheizt)
Heißluft: 160 – 180 °C (vorgeheizt)
Gas: etwa Stufe 3 (vorgeheizt)
Backzeit: etwa 30 Minuten

5 Den Tortenboden aus der Form lösen, auf einen Kuchenrost stürzen, mitgebackenes Backpapier abziehen. Tortenboden erkalten lassen, zweimal waagerecht durchschneiden.

6 Für die Füllung Milch (3 Esslöffel zum Anrühren der Speisestärke abnehmen) mit Vanilleschote, Zucker und Salz in einem Topf zum Kochen bringen. Speisestärke mit der abgenommenen Milch verrühren, Eigelb unterrühren. Vanilleschote entfernen. Angerührte Speisestärke in die kochende Milch rühren, unter Rühren aufkochen lassen.

7 Topf von der Kochstelle nehmen, Butter unterrühren, Pudding erkalten lassen, ab und zu durchrühren oder sofort Klarsichtfolie auf den Pudding legen und erkalten lassen.

8 Von den Pistazienkernen 18 – 24 Kerne beiseite legen, die restlichen Kerne fein mahlen. Den Pudding mit der Hälfte der Marzipan-Rohmasse, 3 Esslöffeln Amaretto und der Hälfte der gemahlenen Pistazienkerne mit Handrührgerät mit Rührbesen auf höchster Stufe geschmeidig rühren.

9 Ein Viertel der Puddingcreme beiseite stellen. Mit der restlichen Creme die 3 Tortenböden bestreichen, zu einer Torte zusammensetzen, kalt stellen. Restliche Marzipan-Rohmasse mit 1 Esslöffel der gemahlenen Pistazienkerne, 1 Esslöffel des zerstoßenen Krokants und dem restlichem Amaretto verkneten, zu einer Rolle formen, in 16 Stücke schneiden. Je eine Kugel daraus formen.

10 Tortenoberfläche und -rand mit der beiseite gestellten Creme bestreichen. Restlichen Krokant mit restlichen gemahlenen Pistazienkernen mischen, die Tortenoberfläche damit bestreuen. Auf der Tortenoberfläche 16 Tortenstücke markieren, mit den Marzipankugeln garnieren.

11 Die beiseite gelegten Pistazienkerne halbieren, in die Marzipankugeln stecken.

12 Die Torte etwa 2 Stunden kalt stellen.

Marzipan-Krokant-Torte

Marzipan-Rosenkuchen | 🗑 🗑 ❄

Klassisch – für Kinder

Für den Quark-Öl-Teig:
400 g Weizenmehl
1 Pck. und 2 gestr. TL Backpulver
200 g Magerquark
6 EL Milch
125 ml (⅛ l) Speiseöl
1 Ei (Größe M), 75 g Zucker
1 Pck. Vanillin-Zucker
1 Prise Salz

Für die Füllung:
200 g Marzipan-Rohmasse
50 g weiche Butter
5 EL Aprikosenkonfitüre
1 ½ EL Zitronensaft
100 g abgezogene, gemahlene Mandeln

Für den Guss:
1 geh. EL Aprikosenkonfitüre

1 EL Wasser
1 – 2 TL Zitronensaft

Zubereitungszeit: 65 Minuten

Insgesamt: E: 125 g, F: 303 g, Kh: 556 g, kJ: 23936, kcal: 5717

1 Für den Teig Mehl mit Backpulver mischen und in eine Rührschüssel sieben. Quark, Milch, Öl, Ei, Zucker, Vanillin-Zucker und Salz hinzufügen. Die Zutaten mit Handrührgerät mit Knethaken auf höchster Stufe in etwa 1 Minute zu einem Teig verarbeiten (nicht zu lange, Teig klebt sonst). Anschließend auf einer bemehlten Arbeitsfläche zu einer Rolle formen. Den Teig zu einem Rechteck (etwa 50 x 40 cm) ausrollen.

2 Für die Füllung Marzipan-Rohmasse und Butter mit Handrührgerät mit Rührbesen verrühren, auf den Teig streichen.

3 Konfitüre mit Zitronensaft und Mandeln verrühren, auf der Marzipanmasse verteilen. Den Teig von der längeren Seite her aufrollen, in 15 gleich große Scheiben schneiden.

4 Die Teigscheiben in eine Springform (Ø 26 cm, Boden gefettet) setzen. Die Form auf dem Rost in den Backofen schieben.

Ober-/Unterhitze: 180 – 200 °C (vorgeheizt)
Heißluft: etwa 160 °C (nicht vorgeheizt)
Gas: etwa Stufe 3 (nicht vorgeheizt)
Backzeit: 35 – 40 Minuten

5 Die Form auf einen Kuchenrost stellen. Für den Guss Konfitüre durch ein Sieb streichen, in einem Topf mit Wasser aufkochen, Zitronensaft unterrühren. Kuchenoberfläche sofort damit bestreichen. Kuchen aus der Form lösen und auf dem Kuchenrost erkalten lassen.

Marzipan-Rosenkuchen

Mehrkornbrot | 🗑 ❄

Raffiniert – gut vorzubereiten

Für den Hefeteig:
500 g Vollkorn-Dinkelmehl
1 Pck. (42 g) frische Hefe
1 gestr. TL Zucker
400 ml lauwarmes Wasser
2 gestr. TL Salz
150 g Vollmilchjoghurt
100 g Hirseflocken (Reformhaus)
40 g Leinsamen
1 gestr. TL gemahlener Kümmel

Zubereitungszeit: etwa 50 Minuten,
ohne Teiggehzeit

Insgesamt: E: 92 g, F: 34 g, Kh: 398 g,
kJ: 10068, kcal: 2403

1 Für den Teig Mehl in eine Schüssel geben.
In die Mitte eine Vertiefung drücken. Hefe hineinbröckeln, Zucker und etwas Wasser hinzufügen. Mit einer Gabel vorsichtig verrühren
und etwa 10 Minuten gehen lassen.

2 Salz, Joghurt, Hirseflocken, Leinsamen,
Kümmel und restliches Wasser hinzufügen.
Die Zutaten mit l landrührgerät mit Knethaken
zunächst auf niedrigster, dann auf höchster
Stufe in etwa 5 Minuten zu einem Teig verar-
beiten. Den Teig zugedeckt an einem warmen
Ort so lange stehen lassen, bis er sich sicht-
bar vergrößert hat.

3 Teig aus der Schüssel nehmen, auf einer
bemehlten Arbeitsfläche nochmals kurz durchkneten, zu einer Rolle (etwa 24 cm Länge) formen und in eine Kastenform (25 x 11 cm, gefettet) legen. Teigrolle zugedeckt nochmals so
lange an einem warmen Ort gehen lassen,
bis sie sich sichtbar vergrößert hat.

4 Die Form auf dem Rost in den Backofen
schieben.

Ober-/Unterhitze: etwa 200 °C (vorgeheizt)
Heißluft: etwa 180 °C (nicht vorgehelzt)
Gas: etwa Stufe 3 (nicht vorgeheizt)
Backzeit: etwa 60 Minuten

5 Das Brot aus der Form lösen, auf einen
Kuchenrost stürzen, wieder umdrehen. Brot
auf dem Kuchenrost erkalten lassen.

Tipp: Dinkelmehl kann durch Vollkorn-
Weizenmehl ersetzt werden.

Mehrkornbrot

Mirabellentorte | 🗑

Für Gäste – schnell – einfach

Für den Rührteig:
100 g Butter oder Margarine
100 g Zucker, 1 Pck. Vanillin-Zucker
1 Prise Salz, 2 Eier (Größe M)
130 g Weizenmehl
1 gestr. TL Backpulver

Für die Form:
30 g abgezogene, gemahlene Mandeln

Für den Belag:
1 – 2 Dosen Mirabellen
(Abtropfgewicht je 370 g)

Für den Guss:
1 Pck. Tortenguss, klar
250 ml ('/4 l) Mirabellensaft
aus den Dosen

Zum Bestreuen:
50 g abgezogene, gehobelte Mandeln

Zum Garnieren:
100 g Marzipan-Rohmasse
gesiebter Puderzucker
einige Tropfen grüne Speisefarbe
50 g Hagelzucker

Zubereitungszeit: 35 Minuten,
ohne Abkühlzeit

Insgesamt: E: 62 g, F: 176 g, Kh: 498 g,
kJ: 16697, kcal: 3989

1 Für den Teig Butter oder Margarine mit Handrührgerät mit Rührbesen auf höchster Stufe geschmeidig rühren. Nach und nach Zucker, Vanillin-Zucker und Salz unterrühren. So lange rühren, bis eine gebundene Masse entstanden ist.

2 Eier nach und nach unterrühren (jedes Ei etwa 1/2 Minute). Mehl mit Backpulver mischen, sieben, portionsweise auf mittlerer Stufe unterrühren.

3 Den Teig in eine Obstbodenform (Ø 26 cm, gefettet, mit Mandeln ausgestreut) füllen und

glatt streichen. Die Form auf dem Rost in den Backofen schieben.

Ober-/Unterhitze: etwa 200 °C (vorgeheizt)
Heißluft: etwa 180 °C (vorgeheizt)
Gas: Stufe 3 – 4 (vorgeheizt)
Backzeit: 20 – 25 Minuten

4 Den Tortenboden aus der Form lösen, auf einen Kuchenrost stürzen, erkalten lassen.

5 Für den Belag Mirabellen abtropfen lassen, den Saft dabei auffangen und 250 ml ('/4 l)

abmessen, evtl. mit Wasser auffüllen. Mirabellen auf dem Tortenboden verteilen.

6 Für den Guss aus Tortengusspulver und Saft nach Packungsanleitung einen Guss zubereiten und auf das Obst geben. Den Tortenrand mit Mandeln bestreuen.

7 Zum Garnieren Marzipan-Rohmasse mit Puderzucker verkneten, mit Speisefarbe grün einfärben. Kleine Blätter formen, die Torte mit Blättern und Hagelzucker garnieren.

Mirabellentorte

Mohnkuchen |  🗑 🗑 ❄

Für Gäste

Für den Knetteig:
175 g Weizenmehl
1 Msp. Backpulver, 65 g Zucker
1 Pck. Vanillin-Zucker, 2 EL Wasser
100 g Butter oder Margarine

1 gestr. EL Weizenmehl für den Rand

Für die Füllung:
150 g ganze Mohnsamen
4 Eigelb (Größe M)
1 EL warmes Wasser, 150 g Zucker
5 Tropfen Zitronen-Aroma
1 Prise Salz, 4 Eiweiß (Größe M)

50 g Speisestärke
30 g Rosinen
50 g gewürfeltes Zitronat (Sukkade)

Zubereitungszeit: 80 Minuten

Insgesamt: E: 65 g, F: 149 g, Kh: 418 g,
kJ: 14160, kcal: 3383

1 Für den Teig Mehl mit Backpulver mischen, in eine Rührschüssel sieben. Zucker, Vanillin-Zucker, Wasser und Butter oder Margarine hinzufügen. Die Zutaten mit Handrührgerät mit Knethaken zunächst kurz auf niedrigster, dann auf höchster Stufe gut durcharbeiten. Anschließend auf der bemehlten Arbeitsfläche

zu einem glatten Teig verkneten. Sollte er kleben, ihn in Folie gewickelt eine Zeit lang kalt stellen.

2 Zwei Drittel des Teiges auf dem Boden einer Springform (Ø 26 cm, gefettet) ausrollen. Springformrand darumlegen. Den Teigboden mehrmals mit der Gabel einstechen. Die Form auf dem Rost in den Backofen schieben und den Boden vorbacken.

Ober-/Unterhitze: 200 – 220 °C (vorgeheizt)
Heißluft: 180 – 200 °C (vorgeheizt)
Gas: etwa Stufe 4 (vorgeheizt)
Backzeit: etwa 10 Minuten

3 Die Form auf einen Kuchenrost stellen, etwas abkühlen lassen. Restlichen Teig auf der Arbeitsfläche mit 1 Esslöffel Mehl verkneten, zu einer Rolle formen, sie als Rand auf den Teigboden legen, so an die Form drücken, dass ein etwa 3 cm hoher Rand entsteht.

4 Für die Füllung Mohn mahlen. Eigelb und Wasser mit Handrührgerät mit Rührbesen auf höchster Stufe schaumig schlagen. Zwei Drittel des Zuckers nach und nach einstreuen. So lange schlagen, bis eine cremige Masse entstanden ist. Aroma und Salz unterrühren.

5 Eiweiß steif schlagen, unter ständigem Schlagen nach und nach den restlichen Zucker hinzugeben. Eischnee auf die Eigelbcreme geben, Speisestärke darüber sieben. Rosinen, Zitronat und den Mohn darauf streuen, alles vorsichtig unter die Eigelbcreme ziehen (nicht rühren).

6 Die Masse auf den vorgebackenen Boden füllen und glatt streichen. Die Form wieder auf dem Rost in den Backofen schieben und den Kuchen fertig backen.

Ober-/Unterhitze: etwa 180 °C (vorgeheizt)
Heißluft: etwa 160 °C (nicht vorgeheizt)
Gas: Stufe 2 – 3 (nicht vorgeheizt)
Backzeit: etwa 45 Minuten

7 Den Kuchen aus der Form lösen und auf einem Kuchenrost erkalten lassen.

Mohnkuchen

Mohnkuchen mit Streuseln | 🗑 🗑 ❄

Klassisch – dauert länger

Für den Hefeteig:
375 g Weizenmehl
1 Pck. Trockenhefe
50 g Zucker, 1 Pck. Vanillin-Zucker
1 Prise Salz, 1 Ei (Größe M)
200 ml lauwarme Milch
50 g zerlassene abgekühlte Butter
oder Margarine

Für den Belag:
500 g frisch gemahlener Mohn
400 ml kochende Milch
125 g Zucker
1 Pck. Vanillin-Zucker
4 Tropfen Zitronen-Aroma
1/2 gestr. TL gemahlener Zimt

75 g zerlassene Butter
75 g Rosinen

Für die Streusel:
200 g Weizenmehl
100 g Zucker
1 Pck. Vanillin-Zucker
1 Msp. gemahlener Zimt
100 g Butter (in Flöckchen)

Zubereitungszeit: 90 Minuten,
ohne Teiggeh- und Quellzeit

Insgesamt: E: 189 g, F: 433 g, Kh: 885 g,
kJ: 35620, kcal: 8509

1 Für den Teig Mehl in eine Rührschüssel
sieben, mit Trockenhefe sorgfältig vermischen.

Übrige Zutaten hinzufügen. Die Zutaten mit
Handrührgerät mit Knethaken zunächst auf
niedrigster, dann auf höchster Stufe in etwa
5 Minuten zu einem Teig verarbeiten.

2 Den Teig zugedeckt so lange an einem
warmen Ort gehen lassen, bis er sich sichtbar
vergrößert hat.

3 Für den Belag Mohn mit kochender Milch
übergießen, verrühren, so lange quellen lassen, bis eine geschmeidige Masse entstanden ist.

4 Mohn mit Zucker, Vanillin-Zucker, Aroma
und Zimt verrühren, mit Butter zu einer
streichfähigen Masse verrühren. Rosinen
unterheben, die Masse etwas abkühlen lassen.

5 Den Teig leicht mit Mehl bestäuben, aus
der Schüssel nehmen, auf einer bemehlten
Arbeitsfläche nochmals kurz durchkneten.
Den Teig auf einem Backblech (30 x 40 cm,
gefettet) ausrollen, einen Backrahmen darumstellen (oder in einer Fettfangschale
[30 x 40 cm] ausrollen). Die Mohnmasse
gleichmäßig auf den Teig streichen.

6 Für die Streusel Mehl in eine Rührschüssel sieben, mit Zucker, Vanillin-Zucker und
Zimt mischen. Butter hinzufügen. Alle Zutaten
mit Handrührgerät mit Knethaken zu Streuseln von gewünschter Größe verarbeiten,
gleichmäßig auf der Mohnmasse verteilen.

7 Vor den Teig einen mehrfach geknickten
Streifen Alufolie legen. Den Teig nochmals so
lange an einem warmen Ort gehen lassen,
bis er sich sichtbar vergrößert hat. Das Backblech in den Backofen schieben.

Ober-/Unterhitze: 200 – 220 °C (vorgeheizt)
Heißluft: 180 – 200 °C (nicht vorgeheizt)
Gas: etwa Stufe 4 (nicht vorgeheizt)
Backzeit: etwa 45 Minuten

8 Das Backblech auf einen Kuchenrost stellen, den Kuchen erkalten lassen.

Mohnkuchen mit Streuseln

Möhren-Nuss-Torte | 🗑 🗑 ❄

Raffiniert – gut vorzubereiten – zum Osterfest

Für den Biskuitteig:
6 Eier (Größe M), 3 EL Zitronensaft
300 g Zucker, 1 Pck. Vanillin-Zucker
100 g Weizenmehl, 1 Msp. Backpulver
etwas abgeriebene Zitronenschale von
1 Bio-Zitrone (unbehandelt,
ungewachst)
600 g geschälte, fein geraspelte Möhren
100 g gemahlene Haselnusskerne
300 g gehackte Haselnusskerne

Zum Aprikotieren:
100 g Aprikosenkonfitüre
3 EL Wasser

Für die Marzipandecke:
200 g Marzipan-Rohmasse
50 g gesiebter Puderzucker

Für den Guss:
250 g gesiebter Puderzucker
4 EL Zitronensaft

Marzipan-Möhren nach Belieben

Zubereitungszeit: 40 Minuten,
ohne Abkühlzeit

Insgesamt: E: 146 g, F: 366 g, Kh: 918 g,
kJ: 32453, kcal: 7749

1 Für den Teig Eier und Zitronensaft mit Handrührgerät mit Rührbesen auf höchster Stufe in 1 Minute schaumig schlagen. Zucker und Vanillin-Zucker mischen, in 1 Minute einstreuen, dann noch etwa 2 Minuten schlagen.

2 Mehl mit Backpulver mischen, die Hälfte davon auf die Eiercreme sieben, kurz auf niedrigster Stufe unterrühren, den Rest des Mehlgemisches auf die gleiche Art unterarbeiten. Zitronenschale, Möhrenraspel, gemahlene und gehackte Haselnusskerne unterheben. Den Teig in eine Springform (Ø 28 cm, Boden gefettet, mit Backpapier belegt) füllen und glatt streichen.

3 Die Form auf dem Rost in den Backofen schieben.

Ober-/Unterhitze: 180 – 200 °C (vorgeheizt)
Heißluft: 160 – 180 °C (nicht vorgeheizt)
Gas: etwa Stufe 3 (nicht vorgeheizt)
Backzeit: etwa 60 Minuten

4 Die Torte aus der Form lösen, auf einen Kuchenrost stürzen, mitgebackenes Backpapier abziehen. Torte erkalten lassen.

5 Zum Aprikotieren Konfitüre durch ein Sieb streichen, mit Wasser in einem kleinen Topf unter Rühren etwas einkochen lassen. Torte damit bestreichen.

6 Für die Marzipandecke Marzipan-Rohmasse mit Puderzucker verkneten, auf einer mit Puderzucker bestäubten Arbeitsfläche ausrollen, daraus 1 Platte für die Tortenoberfläche und einen Streifen in Höhe des Tortenrandes schneiden. Die Torte damit be- und umlegen.

7 Für den Guss Puderzucker mit Zitronensaft zu einer dickflüssigen Masse verrühren. Die Torte damit überziehen.

8 Nach Belieben mit Marzipan-Möhren garnieren.

Mohrenwaffeln (Harte Waffeln) | 🗑

Einfach

Für den Rührteig:
250 g Butter oder Margarine
125 g Zucker, 1 Pck. Vanillin-Zucker
4 Eigelb (Größe M)
150 g Weizenmehl, 25 g Kakaopulver
1 Pck. Pudding-Pulver Schokoladen-Geschmack
2 gestr. TL Backpulver
200 ml Schlagsahne
100 g abgezogene, gemahlene Mandeln
4 Eiweiß (Größe M)

etwas Speiseöl oder Margarine

etwas Puderzucker zum Bestäuben

Zubereitungszeit: 40 Minuten,
ohne Abkühlzeit

Insgesamt: E: 69 g, F: 295 g, Kh: 317 g,
kJ: 18287, kcal: 4368

1 Für den Teig Butter oder Margarine mit Handrührgerät mit Rührbesen auf höchster Stufe geschmeidig rühren. Nach und nach Zucker und Vanillin-Zucker unterrühren. So lange rühren, bis eine gebundene Masse entstanden ist.

2 Eigelb nach und nach unterrühren (jedes Eigelb knapp ½ Minute). Mehl mit Kakao, Pudding-Pulver und Backpulver mischen, sieben und portionsweise abwechselnd mit

Mohrenwaffeln (Harte Waffeln)

der Sahne auf mittlerer Stufe unterrühren. Mandeln unterrühren. Eiweiß steif schlagen und unterheben.

3 Den Teig in nicht zu großen Portionen (etwa 2 Esslöffel) in die Mitte des gut erhitzten

gefetteten Waffeleisens geben. Die Waffeln goldbraun backen, einzeln auf einem Kuchenrost erkalten lassen, mit Puderzucker bestäuben.

Tipp: Dazu schmeckt geschlagene Sahne mit etwas Eierlikör verfeinert.

Mokkabohnen I 🥤🥤🍶

Zum Verschenken

Für die Bohnenmasse:
250 g Halbbitter-Kuverüre
50 g weiche Butter, 50 g Nuss-Nougat
80 g gesiebter Puderzucker
10 g Instant-Kaffeepulver
50 ml Weinbrand

Für den Guss:
100 g Vollmilch-Kuvertüre

Zum Garnieren:
100 g Mokkabohnen

Zubereitungszeit: 45 Minuten, ohne Kühlzeit

Insgesamt: E: 44 g, F: 119 g, Kh: 351 g, kJ: 11929, kcal: 2851

1 Für die Bohnenmasse Kuvertüre in Stücke hacken, in einem kleinen Topf im Wasserbad bei schwacher Hitze geschmeidig rühren.

2 Butter mit Handrührgerät mit Rührbesen auf höchster Stufe geschmeidig rühren. Nougat und Puderzucker hinzufügen und gut verrühren.

3 Kaffeepulver mit Weinbrand verrühren, mit der aufgelösten Kuvertüre unter die Nougatmasse rühren.

4 Ein Backblech mit Backpapier belegen, die Masse in einen Spritzbeutel mit großer Lochtülle füllen, bohnenförmig auf das Backblech spritzen und kalt stellen.

5 Für den Guss Vollmilch-Kuvertüre in einem kleinen Topf im Wasserbad bei schwacher Hitze zu einer geschmeidigen Masse verrühren, die Nougatbohnen damit überziehen.

6 Zum Garnieren auf je eine Nougatbohne eine Mokkabohne setzen.

Mokkabohnen

Mokka-Eierlikör-Eistorte | 🗑 🗑 🗑 ❄ 🍾

Dauert länger

Für den Knetteig:
150 g Weizenmehl, 1 Msp. Backpulver
50 g Zucker, 1 Pck. Vanillin-Zucker
100 g Butter oder Margarine

Für die Baisermasse:
4 Eiweiß (Größe M)
200 g feinkörniger Zucker

Für das Eis:
1 l Schlagsahne, 3 Pck. Sahnesteif
2 Pck. Vanillin-Zucker
4 EL Eierlikör, 1 EL kaltes Wasser
2 TL Instant-Kaffeepulver

Zum Bestreichen:
3 EL Johannisbeergelee

Kakaopulver zum Bestäuben

Zubereitungszeit: 60 Minuten,
ohne Gefrierzeit

Insgesamt: E: 60 g, F: 397 g, Kh: 501 g,
kJ: 25244, kcal: 6034

1 Für den Teig Mehl mit Backpulver mischen und in eine Rührschüssel sieben. Übrige Zutaten hinzufügen, mit Handrührgerät mit Knethaken zunächst kurz auf niedrigster, dann auf höchster Stufe gut durcharbeiten. Anschließend auf einer bemehlten Arbeitsfläche zu einem glatten Teig verkneten. Sollte er kleben, ihn in Folie gewickelt eine Zeit lang kalt stellen.

2 Teig auf dem Boden einer Springform (Ø 28 cm, gefettet) ausrollen. Den Springformrand darumlegen. Form auf dem Rost in den Backofen schieben.

Ober-/Unterhitze: 200 – 220 °C (vorgeheizt)
Heißluft: 180 – 200 °C (vorgeheizt)
Gas: etwa Stufe 4 (vorgeheizt)
Backzeit: etwa 15 Minuten

3 Den Tortenboden sofort vom Springformboden lösen, aber darauf erkalten lassen.

4 Für die Baisermasse Eiweiß mit Handrührgerät mit Rührbesen auf höchster Stufe steif schlagen, nach und nach Zucker unterschlagen. 3 Esslöffel der Baisermasse in einen Spritzbeutel mit Lochtülle füllen und beiseite stellen.

5 Backpapier auf Backbleche legen, 3 Kreise (Ø 28 cm) vorzeichnen, den inneren Kreis mit einem Ring der Baisermasse ausspritzen, dann die ganze Fläche mit der Baisermasse ausstreichen. Aus der restlichen Baisermasse kleine Motive (z. B. Kreise, Dreiecke oder Herzen) mit auf das Backpapier spritzen. Bleche nacheinander (bei Heißluft zusammen) in den Backofen schieben.

Ober-/Unterhitze: 100 – 120 °C (vorgeheizt)
Heißluft: 80 – 110 °C (vorgeheizt)
Gas: etwa Stufe 1 (vorgeheizt)
Backzeit: etwa 75 Minuten pro Boden

6 Nach 30 Minuten Backzeit Backofen ausschalten, Böden noch etwa 20 Minuten im Backofen stehen lassen (gilt nur für Gas). Baiserböden und -motive vom Backpapier lösen und auf einem Kuchenrost erkalten lassen.

7 Für das Eis Sahne mit Sahnesteif und Vanillin-Zucker in 2 Portionen steif schlagen. Unter ein Viertel der Sahne Eierlikör rühren. Kaffeepulver im Wasser auflösen und unter ein Drittel der restlichen Sahne rühren.

8 Den Knetteigboden mit Gelee bestreichen, mit einem Baiserboden bedecken, mit der Eierlikörsahne bestreichen, mit dem zweiten Baiserboden bedecken, mit der Mokkasahne bestreichen und mit dem dritten Boden bedecken. Diesen mit der Hälfte der restlichen Sahne bestreichen.

9 Die restliche Sahne in einen Spritzbeutel mit Lochtülle füllen, den Tortenrand damit verzieren. Torte im Gefrierfach (am besten über Nacht) gefrieren lassen.

10 Die Torte etwa 1 ½ Stunden vor dem Verzehr aus dem Gefrierfach nehmen, kurz vor dem Verzehr mit den Baisermotiven garnieren und mit Kakao bestäuben.

Mokka-Eierlikör-Eistorte

Mokkatrüffel | 🗑

Als Geschenk – gut vorzubereiten

Zum Vorbereiten:
125 g Vollmilch-Kuvertüre
150 g Halbbitter-Kuvertüre
75 g Nuss-Nougat

Für die Trüffelmasse:
125 ml (¹/₈ l) Schlagsahne
4 EL Instant-Kaffeepulver
50 g Butter

Außerdem:
etwa 55 Pralinen-Förmchen

etwa 55 Mokkabohnen

Zubereitungszeit: 60 Minuten,
ohne Kühlzeit

Insgesamt: E: 28 g, F: 196 g, Kh: 197 g,
kJ: 11447, kcal: 2736

Mokkatrüffel

1 Zum Vorbereiten Kuvertüren klein hacken
und Nuss-Nougat klein schneiden.

2 Für die Trüffelmasse Sahne in einem
Topf zum Kochen bringen, von der Koch-
stelle nehmen. Kaffeepulver darin auflösen.
Kuvertüre-, Nuss-Nougat-Stückchen und
Butter hinzufügen.

3 Die Zutaten mit einem Schneebesen so
lange rühren, bis eine glänzende einheitliche
Masse entstanden ist, etwas abkühlen lassen.

4 Wenn die Masse anfängt fest zu werden,
mit Handrührgerät mit Rührbesen hellcremig
aufschlagen, sofort in einen Spritzbeutel mit
Stern- oder Lochtülle füllen und Tuffs in die
Pralinen-Förmchen spritzen. Sollte die Masse zu fest werden, kann sie im Wasserbad
geschmeidig gerührt werden.

5 Jeden Tuff mit einer Mokkabohne garnieren. Trüffel kalt stellen. Die Trüffel in gut
schließenden Dosen kühl aufbewahren.

Mozartkugeln | 🗑 🗑 🍾

Zum Verschenken – für Gäste

Für die Mozartkugelmasse:
200 g Nuss-Nougat
200 g Marzipan-Rohmasse
2 EL Kirschwasser
40 g fein gehackte Pistazienkerne
125 g gesiebter Puderzucker

Mozartkugeln

Für den Guss:
150 g Halbbitter-Kuvertüre
2 TL Speiseöl

Zubereitungszeit: 40 Minuten,
ohne Kühlzeit

Insgesamt: E: 55 g, F: 149 g, Kh: 432 g,
kJ: 14339, kcal: 3427

1 Für die Mozartkugeln Nougat in kleine Würfel (1¹/₂ x 1¹/₂ cm) schneiden, zu Kugeln formen und kalt stellen.

2 Marzipan-Rohmasse mit Handrührgerät mit
Rührbesen geschmeidig rühren, Kirschwasser
und Pistazienkerne hinzufügen und verrühren.

3 Die Masse auf einer Arbeitsfläche mit Puderzucker verkneten, zu einer etwa 2 cm dicken Rolle formen und in so viele Stücke
schneiden, wie Nougatkugeln vorhanden sind.

4 Die Marzipanstücke auf der mit Puderzucker bestäubten Arbeitsfläche flach auseinander drücken. Die Nougatkugeln darauf legen,
die Marzipanmasse darüber zusammenschlagen, an den Rändern gut andrücken und zu
Kugeln formen.

5 Für den Guss Kuvertüre in kleine Stücke
hacken, mit dem Öl in einem kleinen Topf im
Wasserbad bei schwacher Hitze zu einer
geschmeidigen Masse verrühren. Die Mozartkugeln mit 2 Gabeln hineintauchen, zum
Trocknen auf einen Kuchenrost oder auf
Backpapier setzen (bei Verwendung von
Backpapier die Mozartkugeln evtl. noch einmal umsetzen, damit sie keine „Füßchen"
bekommen).

6 Die Mozartkugeln in Zellophantüten verpacken oder in verschlossenen Glas- oder Porzellangefäßen kühl aufbewahren.

Muffins | 🗑 🗑 ❄

Für Kinder

Für den Hefeteig:
500 g Weizenmehl, 1 Pck. Trockenhefe
50 g Zucker, ¹/₂ TL Salz
250 ml (¹/₄ l) lauwarme Milch oder
Schlagsahne
50 g zerlassene Butter

Zum Bestreichen:
1 Eigelb (Größe M), 1 EL Milch

Zubereitungszeit: 45 Minuten, ohne
Teiggehzeit

Insgesamt: E: 68 g, F: 61 g, Kh: 422 g,
kJ: 11030, kcal: 2636

1 Für den Teig Mehl in eine Rührschüssel
sieben und mit der Trockenhefe sorgfältig
vermischen. Zucker, Salz, Milch oder Sahne
und Butter hinzufügen. Die Zutaten mit Handrührgerät mit Knethaken zunächst auf niedrigster, dann auf höchster Stufe in etwa
5 Minuten zu einem glatten Teig verarbeiten.
Zugedeckt an einem warmen Ort so lange stehen lassen, bis er sich sichtbar vergrößert hat.

2 Aus dem Teig mit bemehlten Händen
12 gleich große Kugeln formen (Ø etwa 4 cm).
Die Teigkugeln in eine Muffinform (für 12 Muffins, gut gefettet) setzen.

3 Zum Bestreichen Eigelb mit Milch verschlagen, die Muffins mit der Eigelbmilch bestreichen, nochmals so lange an einem warmen
Ort gehen lassen, bis sie sich sichtbar vergrößert haben. Die Form auf dem Rost in den
Backofen schieben.

Ober-/Unterhitze: etwa 180 °C (vorgeheizt,
untere Einschubleiste)
Heißluft: etwa 160 °C (vorgeheizt)
Gas: Stufe 2–3 (vorgeheizt,
untere Einschubleiste)
Backzeit: etwa 20 Minuten

4 Muffins aus den Förmchen nehmen und
noch warm servieren.

Tipp: Wenn Sie keine Muffinförmchen besitzen, können Sie auch Auflaufförmchen
(Ø 7,5 cm) oder zwei bis drei ineineinander
gestellte Papierbackförmchen verwenden.
Tiefgefrorene Muffins nach dem Auftauen
nochmals 5 Minuten im vorgeheizten
Backofen bei 180 °C aufbacken.

Muffins

Mundbrötchen | 🗑 🗑 ❄

Für Kinder

Für den Hefeteig:
300 g Weizenmehl
1 Pck. Trockenhefe
1 gestr. TL Salz, 1 gestr. TL Zucker
etwa 200 ml lauwarmes Wasser
1 EL Speiseöl

Mundbrötchen

Zum Bestreichen:
1 Ei
1 Prise Salz

Zubereitungszeit: 40 Minuten,
ohne Teiggehzeit

Insgesamt: E: 43 g, F: 22 g, Kh: 267 g,
kJ: 5655, kcal: 1351

1 Für den Teig Mehl in eine Rührschüssel
sieben, mit Trockenhefe sorgfältig vermischen. Salz, Zucker, Wasser und Öl hinzufügen. Die Zutaten mit Handrührgerät mit
Knethaken zunächst kurz auf niedrigster,
dann auf höchster Stufe in etwa 5 Minuten
zu einem glatten Teig verarbeiten.

2 Den Teig zugedeckt an einem warmen Ort
so lange stehen lassen, bis er sich sichtbar
vergrößert hat. Ihn leicht mit Mehl bestäuben, aus der Schüssel nehmen, auf einer
bemehlten Arbeitsfläche nochmals kurz
durchkneten.

3 Teig zu einer Rolle formen, in 12 Stücke
schneiden und zu Brötchen formen. Teigstücke
auf ein Backblech (gefettet) legen, mit einem
scharfen Messer die Oberfläche kreuzweise
etwa 1 cm tief einschneiden (nicht drücken).
Nochmals so lange an einem warmen Ort
gehen lassen, bis sie sich sichtbar vergrößert
haben.

4 Zum Bestreichen Ei mit Salz verschlagen,
die Brötchen damit bestreichen. Das Backblech in den Backofen schieben.

Ober-/Unterhitze: etwa 200 °C (vorgeheiz
Heißluft: etwa 180 °C (vorgeheizt)
Gas: Stufe 3–4 (vorgeheizt)
Backzeit: etwa 20 Minuten

5 Die Brötchen während des Backens evtl. nochmals mit dem verschlagenen Ei bestreichen.

6 Die Brötchen vom Backblech nehmen und auf einem Kuchenrost erkalten lassen.

Tipp: Um zu verhindern, dass die Mundbrötchen zu braun werden, sie gegen Ende der Backzeit mit Backpapier zudecken.

Müslistangen | 🗑 🗑 ❄

Vollwertig – für Kinder

Zum Vorbereiten:
150 g Früchtemüsli
(ohne Zuckerzusatz)
300 ml kochend heiße Milch

Für den Hefeteig:
400 g Weizenkörner
1 TL Korianderkörner
1 Pck. Trockenhefe
1 gestr. TL Meersalz
2 TL flüssiger Honig
200 g Magerquark
40 g weiche Butter

Zum Bestreichen:
2 – 3 EL Milch

Zum Bestreuen:
etwa 30 g gehobelte
Haselnusskerne

Zubereitungszeit: 75 Minuten, ohne Quell- und Teiggehzeit

Insgesamt: E: 112 g, F: 90 g, Kh: 369 g, kJ: 12069, kcal: 2883

1 Zum Vorbereiten Müsli in eine Schüssel geben, mit Milch übergießen und etwa 30 Minuten quellen lassen.

2 Für den Teig Weizen- und Korianderkörner fein mahlen, in eine Rührschüssel geben, mit Trockenhefe sorgfältig vermischen. Salz, Honig, Quark, Butter und den Müslibrei hinzufügen.

3 Die Zutaten mit Handrührgerät mit Knethaken zunächst auf niedrigster, dann auf höchster Stufe in etwa 5 Minuten zu einem glatten Teig verarbeiten, evtl. noch Milch hinzufügen.

4 Den Teig zugedeckt so lange an einem warmen Ort stehen lassen, bis er sich sichtbar

vergrößert hat. Ihn leicht mit Mehl bestäuben, aus der Schüssel nehmen, auf einer bemehlten Arbeitsfläche nochmals kurz durchkneten, zu einer Rolle formen und in etwa 15 Stücke schneiden.

5 Die Teigstücke zu etwa 15 cm langen Stangen formen, mit Milch bestreichen. Mit Haselnusskernen bestreuen und auf ein Backblech (gefettet, mit Backpapier belegt) legen. Teigstangen nochmals so lange an einem warmen Ort gehen lassen, bis sie sich sichtbar vergrößert haben. Das Backblech in den Backofen schieben.

Ober-/Unterhitze: etwa 200 °C (vorgeheizt)
Heißluft: etwa 180 °C (vorgeheizt)
Gas: Stufe 3 – 4 (vorgeheizt)
Backzeit: 25 – 30 Minuten

6 Die Müslistangen vom Backblech nehmen und auf einem Kuchenrost erkalten lassen.

Müslistangen

Muttertags-Erdbeertorte | 🗑 🍶

Raffiniert

Für den All-in-Teig:
65 g Weizenmehl
1 ¹/₂ gestr. TL Backpulver
65 g Zucker, 1 Pck. Vanillin-Zucker
2 Eier (Größe M)
65 g Butter oder Margarine

Zum Tränken:
2 EL Wasser, 1 gut geh. EL Zucker
2 EL Himbeergeist

Für den Belag:
12 Blatt weiße Gelatine
150 g Zucker
6 EL kaltes Wasser
Saft von 1 Zitrone
500 g frische Erdbeeren oder
2 Pck. (je 300 g) TK-Erdbeeren
500 ml (¹/₂ l) Schlagsahne

Zum Bestreichen und Verzieren:
250 ml (¹/₄ l) Schlagsahne
1 Pck. Sahnesteif

Zum Garnieren:
Erdbeeren, Minzeblättchen

Zubereitungszeit: 45 Minuten,
ohne Kühlzeit

Insgesamt: E: 62 g, F: 302 g, Kh: 346 g,
kJ: 18950, kcal: 4532

1 Für den Teig Mehl mit Backpulver mischen und in eine Rührschüssel sieben. Zucker, Vanillin-Zucker, Eier und Butter oder Margarine hinzufügen. Die Zutaten in 2 Minuten mit Handrührgerät mit Rührbesen auf höchster Stufe zu einem glatten Teig verarbeiten.

2 Den Teig in eine Springform (Ø 26 cm, Boden gefettet, mit Backpapier belegt) füllen. Die Form auf dem Rost in den Backofen schieben.

Ober-/Unterhitze: 180 – 200 °C (vorgeheizt)
Heißluft: 160 – 180 °C (vorgeheizt)
Gas: etwa Stufe 3 (vorgeheizt)
Backzeit: 20 – 30 Minuten

3 Boden aus der Form lösen, auf einen Kuchenrost stürzen, mitgebackenes Backpapier abziehen, Boden erkalten lassen. Boden auf eine Tortenplatte legen. Einen Tortenring oder den gesäuberten Springformrand darumstellen.

4 Zum Tränken Wasser mit Zucker in einem kleinen Topf aufkochen lassen. Himbeergeist unterrühren. Den Tortenboden damit tränken.

5 Für den Belag Gelatine in kaltem Wasser nach Packungsanleitung einweichen, leicht ausdrücken. Die ausgedrückte Gelatine unter Rühren erwärmen (nicht kochen), bis sie völlig gelöst ist. Gelatine leicht abkühlen lassen.

6 Erdbeeren waschen, in einem Sieb abtropfen lassen, entstielen, TK-Erdbeeren auftauen lassen. Erdbeeren im Mixer pürieren, Zucker und Zitronensaft unterrühren. Gelatinelösung hinzufügen. Die Erdbeermasse kalt stellen.

7 Sahne steif schlagen. Sobald die Erdbeermasse anfängt dicklich zu werden, Sahne unterrühren. Die Masse auf den Boden geben, glatt streichen. Torte 2 Stunden kalt stellen. Tortenring oder Springformrand vorsichtig mit Hilfe eines Messers lösen.

8 Zum Bestreichen und Verzieren Sahne mit Sahnesteif steif schlagen. Etwas von der Sahne in einen Spritzbeutel mit Sterntülle füllen. Tortenoberfläche und -rand mit der restlichen Sahne bestreichen. Sahnetuffs auf die Torte spritzen. Mit Erdbeeren und Minzeblättchen garnieren.

Muttertags-Erdbeertorte

Muzenmandeln |

Klassisch

Für den Knetteig:
500 g Weizenmehl
2 gestr. TL Backpulver
150 g Zucker, 1 Prise Salz
3 – 4 Tropfen Bittermandel-Aroma
¹/₂ Fläschchen Rum-Aroma
3 Eier (Größe M)
150 g Butter oder Margarine

Zum Ausbacken:
1 kg Ausbackfett

Zum Bestreuen:
Zucker oder Zucker und Zimt

Puderzucker zum Bestäuben

Zubereitungszeit: 55 Minuten,
ohne Abkühlzeit

Insgesamt: E: 78 g, F: 448 g, Kh: 552 g,
kJ: 28441, kcal: 6794

1 Für den Teig Mehl mit Backpulver mischen, in eine Rührschüssel sieben. Zucker, Salz, Aromen, Eier und Butter oder Margarine hinzufügen. Die Zutaten mit Handrührgerät mit Knethaken zunächst kurz auf niedrigster, dann auf höchster Stufe gut durcharbeiten.

2 Anschließend auf einer bemehlten Arbeitsfläche zu einem glatten Teig verkneten. Sollte er kleben, ihn in Folie gewickelt eine Zeit lang kalt stellen.

3 Teig auf der bemehlten Arbeitsfläche etwa 1 cm dick ausrollen. Muzenmandeln mit einer Muzenmandelform ausstechen oder mit zwei Teelöffeln formen.

4 Zum Ausbacken Fett in einem Topf erhitzen, den Teig schwimmend in dem siedendem Fett goldgelb backen. Muzenmandeln mit einer Schaumkelle herausnehmen.

5 Muzenmandeln auf einem Kuchenrost gut abtropfen lassen, noch heiß in Zucker oder in einer Zucker-Zimt-Mischung werden, erkalten lassen. Muzenmandeln mit Puderzucker bestäuben.

Muzenmandeln

Muzen, Rheinische |

Klassisch

Für den Teig:
50 g Butterschmalz
40 g Zucker
1 TL Vanillin-Zucker
1 Prise Salz
1 Ei (Größe M)
2 EL Rum, 250 g Weizenmehl

Zum Ausbacken:
1 kg Butterschmalz

2 EL Puderzucker zum Bestäuben

Zubereitungszeit: 45 Minuten,
ohne Abkühlzeit

Insgesamt: E: 35 g, F: 207 g, Kh: 251 g,
kJ: 13287, kcal: 3174

1 Für den Teig Butterschmalz zerlassen, in eine Rührschüssel geben, lauwarm abkühlen lassen. Schmalz mit Handrührgerät mit Rührbesen auf höchster Stufe geschmeidig rühren.

2 Nach und nach Zucker, Vanillin-Zucker und Salz unterrühren. So lange rühren, bis eine gebundene Masse entstanden ist. Ei und Rum unterrühren. Mehl sieben, die Hälfte des Mehls unterrühren. Restliches Mehl unterkneten.

3 Den Teig auf einer bemehlten Arbeitsfläche etwa 3 mm dick ausrollen und in 7 cm große Rauten schneiden.

4 Zum Ausbacken Butterschmalz in einem Topf erhitzen, die Muzen portionsweise von beiden Seiten in 1 – 2 Minuten goldbraun ausbacken. Muzen auf Küchenpapier abtropfen lassen. Noch warm mit Puderzucker bestäuben.

Tipp: Statt in Butterschmalz in Kokosfett ausbacken.

Muzen, Rheinische

Napfkuchen, fein |

Für Kinder

Für den Rührteig:
350 g Butter oder Margarine
300 g Zucker, 1 Pck. Vanillin-Zucker
4 Eier (Größe M)
350 g Weizenmehl
50 g Speisestärke
2 gestr. TL Backpulver

Für den Guss:
100 g Zartbitterschokolade
1 EL Speiseöl

Zubereitungszeit: 30 Minuten,
ohne Abkühlzeit

Insgesamt: E: 78 g, F: 362 g, Kh: 658 g,
kJ: 26734, kcal: 6387

1 Für den Teig Butter oder Margarine mit Handrührgerät mit Rührbesen auf höchster Stufe geschmeidig rühren. Nach und nach Zucker und Vanillin-Zucker unterrühren. So lange rühren, bis eine gebundene Masse entstanden ist.

2 Eier nach und nach unterrühren (jedes Ei etwa ½ Minute). Mehl mit Speisestärke und Backpulver mischen, sieben, portionsweise auf mittlerer Stufe unterrühren.

3 Den Teig in eine Napfkuchenform (Ø 24 cm, gefettet) füllen, glatt streichen.

4 Die Form auf dem Rost in den Backofen schieben.

Ober-/Unterhitze: 180–200 °C (vorgeheizt)
Heißluft: 160–180 °C (nicht vorgeheizt)
Gas: etwa Stufe 3 (nicht vorgeheizt)
Backzeit: etwa 60 Minuten

5 Den Kuchen 10 Minuten in der Form stehen lassen, aus der Form lösen und auf einen Kuchenrost stürzen. Kuchen erkalten lassen.

6 Für den Guss Schokolade in kleine Stücke brechen, mit Öl in einem kleinen Topf im Wasserbad bei schwacher Hitze zu einer geschmeidigen Masse verrühren. Den Kuchen damit überziehen. Guss fest werden lassen.

Tipp: Der Kuchen kann mit dem Guss eingefroren werden, dann eingepackt auftauen lassen, uneingepackt schwitzt die Schokolade und wird grau.

Napfkuchen, fein

Napfkuchen, gefüllt |

Zum Verschenken

Für den Rührteig:
300 g Butter oder Margarine
250 g Zucker
1 Pck. Vanillin-Zucker
5 Eier (Größe M)
250 g Weizenmehl
125 g Speisestärke
2 gestr. TL Backpulver

Für die Füllung:
250 g gemahlene, leicht geröstete Haselnusskerne
75 g Zucker
1 Ei (Größe M)
3 EL Rum, 4 EL Wasser

Für den Guss:
100 g Zartbitterschokolade
etwas Kokosfett

Zum Verzieren:
30 g gesiebter Puderzucker
etwas Wasser

Zum Garnieren:
Liebesperlen

Zubereitungszeit: 60 Minuten,
ohne Abkühlzeit

Insgesamt: E: 118 g, F: 486 g, Kh: 709 g,
kJ: 33559, kcal: 8016

1 Für den Teig Butter oder Margarine mit Handrührgerät mit Rührbesen auf höchster Stufe geschmeidig rühren. Nach und nach Zucker und Vanillin-Zucker unterrühren. So lange rühren, bis eine gebundene Masse entstanden ist.

2 Eier nach und nach unterrühren (jedes Ei etwa ½ Minute). Mehl mit Speisestärke und Backpulver mischen, sieben, portionsweise auf mittlerer Stufe unterrühren. Den Teig in eine Napfkuchenform (Ø 22 cm, gefettet) füllen.

3 Für die Füllung Haselnusskerne mit Zucker, Ei, Rum und Wasser verrühren, auf den Teig geben, mit einer Gabel spiralförmig durch den Teig ziehen, damit ein Marmormuster entsteht.

4 Die Form auf dem Rost in den Backofen schieben.

Ober-/Unterhitze: 180–200 °C (vorgeheizt)
Heißluft: 160–180 °C (nicht vorgeheizt)
Gas: etwa Stufe 3 (nicht vorgeheizt)
Backzeit: 70–80 Minuten

5 Den Kuchen 10 Minuten in der Form stehen lassen, dann aus der Form lösen und auf einen Kuchenrost stürzen. Kuchen erkalten lassen.

6 Für den Guss Schokolade in kleine Stücke brechen, mit Kokosfett in einem kleinen Topf im Wasserbad bei schwacher Hitze zu einer geschmeidigen Masse verrühren. Den Kuchen damit überziehen, fest werden lassen.

7 Zum Verzieren Puderzucker mit Wasser zu einer dickflüssigen Masse verrühren. Den Kuchen mit dem Guss verzieren und mit Liebesperlen garnieren. Guss trocknen lassen.

Tipp: Für Kinder den Kuchen ohne Rum zubereiten. Anstelle des Rums zusätzlich 3 Esslöffel Wasser oder 3 Esslöffel Apfelsaft verwenden.

Napfkuchen, gefüllt

Napfkuchen mit Kirschen und Schokolade |

Titelrezept - Einfach

Für den Rührteig:
1 Glas Sauerkirschen
(Abtropfgewicht 360 g)
225 g Butter oder Margarine
225 g Zucker
1 Pck. Vanillin-Zucker
1 Prise Salz
¹/₂ Fläschchen Zitronen-Aroma
5 Eier (Größe M)
375 g Weizenmehl
3 gestr. TL Backpulver
150 g Raspelschokolade

Zum Bestäuben:
etwas Puderzucker

Zubereitungszeit: 30 Minuten

Insgesamt: E: 92 g, F: 265 g, Kh: 671 g, kJ: 22802, kcal: 5444

1 Für den Teig Kirschen in einem Sieb gut abtropfen lassen. Butter oder Margarine mit Handrührgerät mit Rührbesen auf höchster Stufe geschmeidig rühren. Nach und nach Zucker, Vanillin-Zucker, Salz und Aroma unterrühren. So lange rühren, bis eine gebundene Masse entstanden ist.

2 Eier nach und nach unterrühren (jedes Ei etwa 1/2 Minute). Mehl mit Backpulver mischen, sieben und in 2 Portionen kurz auf mittlerer Stufe unterrühren.

3 Ein Drittel des Teiges in eine Napfkuchenform (Ø 24 cm, gefettet, gemehlt) geben und glatt streichen. Sauerkirschen mit Küchenpapier trockentupfen, mit etwas Mehl bestäuben, unter die Hälfte des restlichen Teiges heben und auf dem Teig in der Form verstreichen. Raspelschokolade kurz unter den restlichen Teig rühren, auf den Kirschteig geben und glatt streichen. Die Form auf dem Rost in den Backofen schieben.

Ober-/Unterhitze: etwa 180 °C (vorgeheizt)
Heißluft: etwa 160 °C (nicht vorgeheizt)
Gas: Stufe 2 – 3 (nicht vorgeheizt)
Backzeit: etwa 60 Minuten

4 Den Kuchen etwa 10 Minuten in der Form stehen lassen, dann auf einen mit Backpapier belegten Kuchenrost stürzen. Kuchen erkalten lassen und mit Puderzucker bestäuben.

Napoleon-Krapferl |

Gut vorzubereiten – für Gäste

Für das Baiser:
2 Eiweiß (Größe M)
250 g gesiebter Puderzucker
1 Pck. Vanillin-Zucker
300 g gemahlene Haselnusskerne

Zum Bestreuen:
150 g gemahlene Haselnusskerne

Für die Füllung:
100 g Kokosfett
50 g Puderzucker
30 g Kakaopulver
1 Pck. Vanillin-Zucker
3 Tropfen Bittermandel-Aroma
einige Tropfen Rum-Aroma
1 frisches Ei (Größe M)

Für den Guss:
100 g dunkle Kuchenglasur

Zum Garnieren:
50 g Haselnusskerne

Zubereitungszeit: 75 Minuten,
ohne Kühlzeit

Insgesamt: E: 95 g, F: 424 g, Kh: 430 g,
kJ: 26859, kcal: 6405

1 Für das Baiser Eiweiß mit Handrührgerät
mit Rührbesen auf höchster Stufe steif schlagen. Der Schnee muss so fest sein, dass ein
Messerschnitt sichtbar bleibt. Puderzucker
mit Vanillin-Zucker mischen, nach und nach
unter den Eischnee schlagen. Die Hälfte der
Haselnusskerne unterrühren. Restliche Haselnusskerne mit Handrührgerät mit Knethaken
unterarbeiten.

2 Den Teig auf einer dick mit Haselnusskerr-
nen bestreuten Arbeitsfläche etwa 3 mm dick
ausrollen. Mit einer runden Ausstechform
(Ø etwa 4 cm) Plätzchen ausstechen und auf
Backbleche (gefettet, mit Backpapier belegt)
legen. Backbleche nacheinander (bei Heißluft
zusammen) in den Backofen schieben.

Ober-/Unterhitze: 120 – 140 °C (vorgeheizt)
Heißluft: 100 – 120 °C (vorgeheizt)
Gas: etwa Stufe 1 (vorgeheizt)
Backzeit: etwa 20 Minuten pro Backblech

3 Die Plätzchen vom Backpapier lösen und
auf einem Kuchenrost erkalten lassen.

4 Für die Füllung Kokosfett zerlassen, etwas
abkühlen lassen. Puderzucker mit Kakao mischen, in eine Rührschüssel sieben. Vanillin-
Zucker und Aromen hinzufügen. Nach und
nach Kokosfett und Ei unterrühren. Die Masse
kalt stellen.

5 Für den Guss Kuchenglasur in einem kleinen Topf nach Packungsanleitung auflösen.
Die Hälfte der Plätzchen damit bestreichen.
Jeweils mit einem Haselnusskern garnieren.
Sobald die Füllung etwas fest geworden ist,
die restlichen Plätzchen auf der Unterseite
damit bestreichen. Die garnierten Plätzchen
darauf legen, etwas andrücken. Plätzchen
in einer gut schließenden Dose kühl aufbewahren.

Tipp: Für Kinder anstelle des Rum-Aromas,
Butter-Vanille-Aroma verwenden. Die Krapferl
schmecken nussiger, wenn die Haselnusskerr-
ne in einer Pfanne ohne Fett oder auf dem
Backblech geröstet werden. Haselnusskerne
auf dem Backblech im vorgeheizten Backofen
bei 200 °C 6 – 8 Minuten rösten, zwischendurch mit einer Teigkarte wenden. Haselnusskerne nicht zu dunkel rösten, sie schmecken
sonst bitter.

Napoleon-Krapferl

Nektarinenkuchen mit Toffee | 🗑 🗑

Nektarinenkuchen mit Toffee

1 Für die Füllung Nektarinen waschen, halbieren, entsteinen. Fruchtfleisch in Spalten schneiden. Wasser, Zucker, Zimtstange und Zitronenschale in einem Topf erhitzen, bis der Zucker geschmolzen ist. Nektarinenspalten hinzufügen. 3–5 Minuten ohne Deckel kochen lassen. Nektarinen wenden und weitere 3 Minuten ohne Deckel kochen lassen.

2 Nektarinen mit der Schaumkelle herausheben, abtropfen lassen und beiseite legen. Zitronenschale und Zimtstange entfernen. Sirup etwa 10 Minuten ohne Deckel einkochen lassen, bis er eine rosa Farbe hat und dicklich wird. Sirup sofort auf ein mit Backpapier belegtes Backblech gießen und trocknen lassen.

3 Für den Teig Butter oder Margarine mit Handrührgerät mit Rührbesen auf höchster Stufe geschmeidig rühren. Zucker und Salz nach und nach unterrühren. So lange rühren, bis eine gebundene Masse entstanden ist.

4 Eier nach und nach unterrühren (jedes Ei etwa ½ Minute). Mehl und Backpulver mischen, sieben, portionsweise auf mittlerer Stufe unterrühren. Teig in eine Springform (Ø 22 cm, gefettet) füllen. Die Form auf dem Rost in den Backofen schieben.

Ober-/Unterhitze: etwa 180 °C (vorgeheizt)
Heißluft: etwa 160 °C (nicht vorgeheizt)
Gas: Stufe 2–3 (nicht vorgeheizt)
Backzeit: etwa 45 Minuten

5 Kuchen 5 Minuten in der Form stehen lassen, dann aus der Form lösen und auf einem Kuchenrost erkalten lassen. Kuchen einmal waagerecht durchschneiden.

6 Den unteren Boden auf eine Tortenplatte legen. Nektarinen darauf verteilen. Mit dem oberen Boden bedecken.

7 Getrockneten Sirup in Stücke brechen, vom Backpapier lösen. Sirupstücke auf den Kuchen setzen. Nach Belieben mit Mandarinen garnieren.

Raffiniert – für Gäste

Für die Füllung:
3 Nektarinen (etwa 500 g)
500 ml (½ l) Wasser
200 g Zucker, 1 Zimtstange
Schale von ½ Bio-Zitrone
(unbehandelt, ungewachst)

Für den Rührteig:
150 g Butter oder Margarine
120 g Zucker

1 Prise Salz, 2 Eier (Größe M)
250 g Weizenmehl
2 gestr. TL Backpulver

Nach Belieben zum Garnieren:
Mandarinen

Zubereitungszeit: 50 Minuten, ohne Trocken- und Abkühlzeit

Insgesamt: E: 47 g, F: 140 g, Kh: 573 g, kJ: 16083, kcal: 3840

Nikolausstiefel

Nikolausstiefel | 🗑 🗑

Zum Weihnachtsfest – für Kinder

Für den Teig:
125 g flüssiger Honig
50 g Zucker
1 Pck. Vanillin-Zucker
60 g Butter oder Margarine
1 Eigelb (Größe M)
1 Msp. gemahlener Zimt
1 Msp. gemahlene Nelken
250 g Weizenmehl
2 gestr. TL Backpulver
1 gestr. TL Kakaopulver

Für den Guss:
100 g gesiebter Puderzucker
etwas Wasser

Zum Garnieren:
Gebäckschmuck
Belegkirschen
abgezogene, halbierte Mandeln

Zubereitungszeit: 50 Minuten,
ohne Kühlzeit

Insgesamt: E: 35 g, F: 68 g, Kh: 449 g,
kJ: 10920, kcal: 2609

1 Für den Teig Honig mit Zucker, Vanillin-Zucker und Butter oder Margarine in einem Topf langsam erwärmen, zerlassen, in eine Rührschüssel geben, kalt stellen. Unter die fast erkaltete Masse mit Handrührgerät mit Rührbesen auf höchster Stufe Eigelb, Zimt und Nelken rühren.

2 Mehl mit Backpulver und Kakao mischen, sieben. Zwei Drittel davon auf mittlerer Stufe unterrühren. Den Teigbrei mit restlichem Mehlgemisch auf der bemehlten Arbeitsfläche zu einem glatten Teig verkneten.

3 Den Teig etwa ½ cm dick ausrollen. Stiefel von gewünschter Größe (am besten nach Papierschablone) ausschneiden. Aus dem restlichen Teig Plätzchen ausstechen. Teigstücke auf ein Backblech (gefettet, mit Backpapier belegt) legen. Das Backblech in den Backofen schieben.

Ober-/Unterhitze: 180 – 200 °C (vorgeheizt)
Heißluft: 160 – 180 °C (vorgeheizt)
Gas: etwa Stufe 3 (vorgeheizt)
Backzeit: 10 – 15 Minuten, je nach Größe

4 Stiefel und Plätzchen sofort mit dem Backpapier vom Backblech ziehen und auf einem Kuchenrost erkalten lassen.

5 Für den Guss Puderzucker mit Wasser zu einer spritzfähigen Masse verrühren. Die Stiefel und die Plätzchen mit dem Guss verzieren. Mit Gebäckschmuck, Belegkirschen und Mandeln garnieren.

Abwandlung: Anstelle eines Honigteiges kann auch ein Nussteig zubereitet werden. Dafür 300 g Weizenmehl, 1 gestrichenen Teelöffel Backpulver, 150 g Zucker, 1 Päckchen Vanillin-Zucker, 2 Esslöffel Milch, 150 g Butter oder Margarine und 200 g gemahlene Haselnusskerne oder abgezogene, gemahlene Mandeln in eine Rührschüssel geben. Die Zutaten mit Handrührgerät mit Knethaken zunächst kurz auf niedrigster, dann auf höchster Stufe gut durcharbeiten. Anschließend auf einer bemehlten Arbeitsfläche zu einem glatten Teig verkneten. Den Teig wie ab Punkt 3 beschrieben, weiter verarbeiten.

Tipp: Das Gebäck ist in gut schließenden Dosen 2 – 3 Wochen haltbar.

Nougatkaros |

Für Gäste – dauert länger

Für den Knetteig:
250 g Weizenmehl
½ gestr. TL Backpulver
75 g Zucker
1 Pck. Vanillin-Zucker
1 Ei (Größe M)
200 g Butter oder Margarine
150 g gemahlene, leicht geröstete
Haselnusskerne

Für die Füllung:
200 g Nuss-Nougat

Für den Guss:
50 – 75 g Halbbitter-Kuvertüre

Zubereitungszeit: 30 Minuten,
ohne Abkühlzeit

Insgesamt: E: 78 g, F: 325 g, Kh: 446 g
kJ: 21672, kcal: 5179

1 Für den Teig Mehl mit Backpulver mischen, in eine Rührschüssel sieben. Zucker, Vanillin-Zucker, Ei und Butter oder Margarine hinzufügen. Die Zutaten mit Handrührgerät mit Knethaken zunächst kurz auf niedrigster, dann auf höchster Stufe gut durcharbeiten.

2 Anschließend auf einer bemehlten Arbeitsfläche mit den Haselnusskernen zu einem glatten Teig verkneten. Sollte er kleben, ihn in Folie gewickelt eine Zeit lang kalt stellen.

3 Teig portionsweise auf der bemehlten Arbeitsfläche dünn ausrollen, in Quadrate von etwa 3 x 3 cm schneiden. Teigstücke auf Backbleche (gefettet, mit Backpapier belegt) legen. Backbleche nacheinander (bei Heißluft zusammen) in den Backofen schieben.

Ober-/Unterhitze: etwa 180 °C (vorgeheizt)
Heißluft: etwa 160 °C (vorgeheizt)
Gas: Stufe 2 – 3 (vorgeheizt)
Backzeit: 8 – 10 Minuten pro Backblech

4 Die Plätzchen vom Backpapier lösen und auf einem Kuchenrost erkalten lassen.

5 Für die Füllung Nuss-Nougat nach Packungsanleitung auflösen. Die Hälfte der Plätzchen auf der Unterseite damit bestreichen. Die übrigen Plätzchen mit der Unterseite darauf legen.

6 Für den Guss Kuvertüre in kleine Stücke hacken, in einem kleinen Topf im Wasserbad bei schwacher Hitze zu einer geschmeidigen Masse verrühren. Die Plätzchen jeweils mit einer Ecke hineintauchen. Kuvertüre fest werden lassen.

Nougatpralinen |

Zum Verschenken – für Gäste

Für die Pralinenmasse:
125 ml (⅛ l) Schlagsahne
250 g Halbbitter-Kuvertüre
150 g Nuss-Nougat
30 g Butter
2 EL Erdnussbutter

Außerdem:
Papier-Pralinen-Förmchen

Zum Bestreuen:
2 EL gehackte Pistazienkerne

Zubereitungszeit: 40 Minuten,
ohne Kühlzeit

Insgesamt: E: 50 g, F: 151 g, Kh: 283 g,
kJ: 11631, kcal: 2781

1 Für die Pralinenmasse Sahne in einem kleinen Topf aufkochen lassen, Kuvertüre hacken, unter Rühren darin auflösen. Den Topf von der Kochstelle nehmen. Die Masse in eine Rührschüssel geben. Nuss-Nougat, Butter und Erdnussbutter unterrühren.

2 Den Topf in eine Schüssel mit Eiswasser stellen. Die Masse mit Handrührgerät mit Rührbesen so lange schlagen, bis sie schaumig und kalt ist.

3 Die Masse in einen Spritzbeutel mit Sterntülle füllen, in Papier-Pralinen-Förmchen spritzen. Mit Pistazienkernen bestreuen. Pralinen fest werden lassen. Gut gekühlt servieren.

Tipp: Nach Belieben zusätzlich 1 – 2 Esslöffel Weinbrand oder Sherry unter die Pralinenmasse rühren. Nougatpralinen sind gekühlt etwa 3 Wochen haltbar.

Nougatpralinen

Nougatrauten |

Einfach – schnell

Für die Nougatmasse:
200 g Nuss-Nougat
3 EL Weinbrand
100 g Marzipan-Rohmasse
100 g geriebene Halbbitter-Kuvertüre

60 g Puderzucker zum bestäuben

Zubereitungszeit: 30 Minuten,
ohne Kühlzeit

Insgesamt: E: 37 g, F: 96 g, Kh: 288 g,
kJ: 9591, kcal: 2293

1 Für die Nougatmasse Nuss-Nougat, Weinbrand, Marzipan-Rohmasse und Kuvertüre mit Handrührgerät mit Knethaken zunächst kurz auf niedrigster, dann auf höchster Stufe gut durcharbeiten.

2 Anschließend auf einer Arbeitsfläche zu einer glatten Masse verkneten. Masse auf der mit Puderzucker bestäubten Arbeitsfläche

etwa 1 cm dick ausrollen. Mit einem Messer in kleine Rauten schneiden.

3 Nougatrauten 12 – 24 Stunden im Kühlschrank fest werden lassen.

4 Nougatrauten zur Hälfte mit Puderzucker bestäuben.

Nougatstangen |

Für Gäste – für Kinder

Für den Rührteig:
225 g Butter oder Margarine
100 g gesiebter Puderzucker
1 Pck. Vanillin-Zucker
2 Msp. gemahlener Zimt
3 Eigelb (Größe M), 200 g Weizenmehl
40 g Kakaopulver, 1 gestr. TL Backpulver
125 g gemahlene, geröstete
Haselnusskerne

Für die Füllung:
100 g Nuss-Nougat

Für den Guss:
150 g Zartbitterschokolade
2 TL Speiseöl

Zubereitungszeit: 80 Minuten,
ohne Abkühlzeit

Insgesamt: E: 76 g, F: 371 g, Kh: 409 g,
kJ: 22771, kcal: 5440

1 Für den Teig Butter oder Margarine mit Handrührgerät mit Rührbesen auf höchster Stufe geschmeidig rühren. Nach und nach Puderzucker, Vanillin-Zucker und Zimt unterrühren. So lange rühren, bis eine gebundene Masse entstanden ist.

2 Eigelb nach und nach unterrühren (jedes Eigelb knapp ¹/₂ Minute). Mehl mit Kakao und Backpulver mischen, sieben, portionsweise auf mittlerer Stufe unterrühren. Zuletzt Haselnusskerne unterrühren.

3 Den Teig in kleinen Portionen in einen Spritzbeutel mit großer Sterntülle füllen. Etwa 4 cm lange Streifen auf Backbleche (gefettet, mit Backpapier belegt) spritzen. Backbleche nacheinander (bei Heißluft zusammen) in den Backofen schieben.

Ober-/Unterhitze: etwa 180 °C (vorgeheizt)
Heißluft: etwa 160 °C (vorgeheizt)
Gas: Stufe 2 – 3 (vorgeheizt)
Backzeit: 8 – 10 Minuten pro Backblech

4 Die Plätzchen mit dem Backpapier vom Backblech ziehen und auf einem Kuchenrost erkalten lassen.

5 Für die Füllung Nuss-Nougat nach Packungsanleitung auflösen. Die Hälfte der Plätzchen auf der Unterseite damit bestreichen. Die übrigen Plätzchen mit der Unterseite darauf legen, gut andrücken.

6 Für den Guss Schokolade in kleine Stücke brechen, mit dem Speiseöl in einem kleinen Topf im Wasserbad bei schwacher Hitze zu einer geschmeidigen Masse verrühren. Die Plätzchenenden hineintauchen, Schokolade fest werden lassen.

Tipp: Den Teig in den Fleischwolf mit Sternvorsatz geben.

Nougatstangen

Nougat-Tuffs |

Für Kinder – gut vorzubereiten

Für den Rührteig:
175 g Butter oder Margarine
150 g gesiebter Puderzucker
1 Pck. Vanillin-Zucker
3 Eigelb (Größe M)
225 g Weizenmehl
1 Msp. Backpulver
1 geh. EL Kakaopulver

Für die Füllung:
150–200 g Nuss-Nougat

Zum Garnieren:
50 g Halbbitter-Kuvertüre
1 TL Speiseöl

Zum Bestreuen:
30 g gehackte Pistazienkerne

Zubereitungszeit: 90 Minuten,
ohne Abkühlzeit

Insgesamt: E: 60 g, F: 241 g, Kh: 467 g,
kJ: 18403, kcal: 4398

1 Für den Teig Butter oder Margarine mit Handrührgerät mit Rührbesen auf höchster Stufe geschmeidig rühren. Nach und nach Puderzucker und Vanillin-Zucker unterrühren. So lange rühren, bis eine gebundene Masse entstanden ist.

2 Eigelb nach und nach unterrühren (jedes Eigelb knapp ½ Minute). Mehl mit Backpulver und Kakao mischen, sieben, portionsweise auf mittlerer Stufe unterrühren.

3 Teig portionsweise in einen Spritzbeutel mit großer Sterntülle füllen. Tuffs (Ø etwa 2 cm) auf Backbleche (gefettet, mit Backpapier belegt) spritzen. Backbleche nacheinander (bei Heißluft zusammen) in den Backofen schieben.

Ober-/Unterhitze: 180 – 200 °C (vorgeheizt)
Heißluft: 160 – 180 °C (vorgeheizt)
Gas: etwa Stufe 3 (vorgeheizt)
Backzeit: 10 – 12 Minuten pro Backblech

4 Die Plätzchen vom Backpapier lösen und auf einem Kuchenrost erkalten lassen.

5 Für die Füllung Nuss-Nougat nach Packungsanleitung auflösen. Die Hälfte der Plätzchen auf der Unterseite damit bestreichen. Die übrigen Plätzchen mit der Unterseite darauf legen.

6 Zum Garnieren Kuvertüre in kleine Stücke hacken, mit dem Speiseöl in einem kleinen Topf im Wasserbad bei schwacher Hitze zu einer geschmeidigen Masse verrühren. Mit einem Teelöffel Tupfen auf die Plätzchen setzen. Sofort mit Pistazienkernen bestreuen. Kuvertüre fest werden lassen.

Nougat-Tuffs

Nürnberger Elisenlebkuchen |

**(Teig für etwa 40 Oblaten,
Ø etwa 6 cm)**

Zu Weihnachten

Für den Teig:
*2 Eier (Größe M), 200 g Farin-Zucker
1 Pck. Vanillin-Zucker
1 Msp. gemahlene Nelken
¹/₂ Fläschchen Rum-Aroma
1 – 2 Tropfen Zitronen-Aroma
125 g nicht abgezogene, gemahlene
Mandeln, 1 Msp. Backpulver
75 g fein gewürfeltes Orangeat
oder Zitronat (Sukkade)
75 – 125 g gemahlene Haselnusskerne*

Für den hellen Guss:
*150 g gesiebter Puderzucker
1 – 2 EL Wasser*

Für den dunklen Guss:
*75 g Zartbitterschokolade
10 g Kokosfett*

Zubereitungszeit: 60 Minuten

Insgesamt: E: 60 g, F: 177 g, Kh: 467 g,
kJ: 15998, kcal: 3820

1 Für den Teig Eier mit Handrührgerät mit Rührbesen auf höchster Stufe in 1 Minute schaumig schlagen. Farin-Zucker und Vanillin-Zucker mischen, in 1 Minute einstreuen, dann noch etwa 2 Minuten schlagen. Nelken und Aromen unterrühren.

2 Mandeln mit Backpulver mischen, mit Orangeat oder Zitronat und so viel Haselnusskernen kurz auf niedrigster Stufe unter die Eiercreme rühren, dass der Teig noch streichfähig ist.

Nürnberger Elisenlebkuchen

3 Gut einen gehäuften Teelöffel Teig auf jede Oblate geben. Mit einem in Wasser getauchten Messer bergförmig auf die ganze Oblate streichen und auf Backbleche legen. Backbleche nacheinander (bei Heißluft zusammen) in den Backofen schieben.

Ober-/Unterhitze: 120 – 140 °C (vorgeheizt)
Heißluft: 100 – 120 °C (vorgeheizt)
Gas: etwa Stufe 1 (vorgeheizt)
Backzeit: 25 – 30 Minuten pro Backblech

4 Das Gebäck vom Backblech nehmen und auf einen Kuchenrost legen.

5 Für den hellen Guss Puderzucker mit Wasser zu einer dickflüssigen Masse verrühren. Die Hälfte des Gebäcks noch warm damit bestreichen, fest werden lassen.

6 Für den dunklen Guss Schokolade in Stücke brechen, in einem kleinen Topf im Wasserbad bei schwacher Hitze zu einer geschmeidigen Masse verrühren. Restliches Gebäck damit bestreichen, fest werden lassen.

Nürnberger Lebkuchen |

Dauert länger – zu Weihnachten

Für den Lebkuchenteig:
*175 g flüssiger Honig oder Sirup
50 g Zucker, 1 Prise Salz
2 EL Speiseöl, 2 EL Wasser
1 Eigelb (Größe M)
1 geh. TL Kakaopulver
6 Tropfen Zitronen-Aroma
1 Msp. gemahlene Nelken
1 Msp. gemahlener Zimt
250 g Weizenmehl
3 gestr. TL Backpulver
75 g abgezogene, gemahlene Mandeln
75 g gemahlene Haselnusskerne
50 g gewürfeltes Zitronat (Sukkade)
75 g getrocknete Aprikosen (in Stücke
geschnitten)*

Für den Guss:
*125 g gesiebter Puderzucker
1 Eiweiß (Größe M)
oder 2 – 3 EL Wasser*

Zum Bestreuen:
Bunt-Zucker

Zubereitungszeit: 90 Minuten,
ohne Abkühlzeit

Insgesamt: E: 57 g, F: 93 g, Kh: 595 g,
kJ: 14861, kcal: 3551

1 Für den Teig Honig oder Sirup, Zucker, Salz, Öl und Wasser in einem Topf langsam erwärmen, zerlassen. Die Masse in eine Rührschüssel geben und etwas erkalten lassen.

2 Unter die fast erkaltete Masse mit Handrührgerät mit Rührbesen auf mittlerer Stufe Eigelb, Kakao, Aroma, Nelken und Zimt rühren. Mehl mit Backpulver mischen, sieben. Zwei Drittel des Mehlgemisches portionsweise auf mittlerer Stufe unterrühren.

3 Den Teig auf einer bemehlten Arbeitsfläche mit restlichem Mehlgemisch, Mandeln, Haselnusskernen, Zitronat und Aprikosen verkneten. Teig ¹/₂ cm dick ausrollen, Rechtecke von 9 x 6 cm ausrädern oder mit einem Förmchen Plätzchen (Ø 6 cm) ausstechen. Teigplätzchen auf Backbleche (gefettet, mit Backpapier belegt) legen. Backbleche nacheinander (bei Heißluft zusammen) in den Backofen schieben.

Ober-/Unterhitze: 180–200 °C (vorgeheizt)
Heißluft: 160–180 °C (vorgeheizt)
Gas: etwa Stufe 3 (vorgeheizt)
Backzeit: 15–20 Minuten pro Backblech

4 Das Gebäck mit dem Backpapier vom Backblech ziehen und auf einem Kuchenrost erkalten lassen.

5 Für den Guss Puderzucker mit verquirltem Eiweiß oder Wasser zu einer dickflüssigen Masse verrühren. Gebäck dünn mit dem Guss bestreichen, mit Bunt-Zucker bestreuen. Guss trocknen lassen

Tipp: Das Gebäck in gut schließenden Dosen aufbewahren, zwischen den einzelnen Gebäcklagen je 1 Bogen Backpapier legen. Falls das Gebäck hart geworden ist, ein Stück Brot dazulegen.

Nuss-Blätterteig-Brezeln I

Raffiniert

Für den Teig:
2 Pck. (je 450 g) TK-Blätterteig

Für die Füllung:
100 g gemahlene, geröstete Haselnusskerne
100 g Marzipan-Rohmasse
1 Ei (Größe M)
4 EL Rum
1 Prise Salz
1 Msp. gemahlener Zimt
1 Pck. Finesse Geriebene Zitronenschale

Zum Bestreichen:
1 Eigelb
1 EL Milch

Für den Belag:
150 g grob gehackte Haselnusskerne

Zum Bestäuben:
Puderzucker

Zubereitungszeit: 45 Minuten, ohne Auftau- und Ruhezeit

Insgesamt: E: 78 g, F: 315 g, Kh: 211 g, kJ: 17647, kcal: 4216

1 Für den Teig Blätterteigplatten nebeneinander zugedeckt bei Zimmertemperatur auftauen lassen.

2 Für die Füllung Haselnusskerne, Marzipan-Rohmasse, Ei, Rum, Salz, Zimt und Zitronenschale zu einer streichfähigen Masse verrühren.

3 Blätterteig (je 6 Scheiben) aufeinander legen, auf einer bemehlten Arbeitsfläche zu je einem Rechteck (30 x 25 cm) ausrollen. Mit Wasser bestreichen. Ein Teigrechteck mit der Nussmasse bestreichen. Das zweite Teigrechteck darauf legen und leicht andrücken. Zugedeckt etwa 10 Minuten ruhen lassen.

4 Teigrechteck mit einem scharfen Messer von der Längsseite her in sechs 5 cm breite Streifen schneiden. Aus den Teigstreifen zuerst eine Spirale drehen, dann jeweils zur Brezel zusammenlegen.

5 Zum Bestreichen Eigelb und Milch verschlagen, die Oberseite der Brezeln damit bestreichen. Haselnusskerne darauf drücken. Die Brezeln dicht nebeneinander (mit den Nüssen nach oben) auf ein Backblech (mit Backpapier belegt) legen. Teigbrezeln etwa 10 Minuten ruhen lassen. Das Backblech in den Backofen schieben.

Ober-/Unterhitze: etwa 220 °C (vorgeheizt)
Heißluft: etwa 200 °C (vorgeheizt)
Gas: Stufe 4–5 (vorgeheizt)
Backzeit: 15–20 Minuten

6 Brezeln mit dem Backpapier vom Backblech ziehen und auf einen Kuchenrost legen.

7 Die Brezeln noch warm mit Puderzucker bestäuben, dann erkalten lassen.

Tipp: Für Kinder anstelle des Rums Orangensaft verwenden.

Nuss-Blätterteig-Brezeln

Nussflorentiner |

Für Kinder

Für die Nussmasse:
300 g Haselnusskerne
50 g flüssiger Honig
150 g Zucker
250 ml (¼ l) Schlagsahne
100 g abgezogene, gehobelte Mandeln
abgeriebene Schale von 1 Bio-Zitrone
(unbehandelt, ungewachst)
etwas gemahlener Zimt
30 g Weizenmehl

Für den Guss:
200 g Halbbitter-Kuvertüre

Zubereitungszeit: 75 Minuten,
ohne Abkühlzeit

Insgesamt: E: 88 g, F: 331 g, Kh: 409 g,
kJ: 21598, kcal: 5159

1 Für die Nussmasse Haselnusskerne auf
ein Backblech (gefettet, mit Backpapier
belegt) legen. Das Backblech in den Backofen schieben. Haselnusskerne rösten.

Ober-/Unterhitze: 200 – 220 °C (vorgeheizt)
Heißluft: 180 – 200 °C (vorgeheizt)
Gas: etwa Stufe 4 (vorgeheizt)
Röstzeit: 8 – 12 Minuten

2 Die gerösteten Haselnusskerne in einen
Durchschlag schütten, die Häutchen mit den
Händen abreiben.

3 Honig mit Zucker und Sahne in einen Topf
geben, zum Kochen bringen und 3 – 5 Minuten
kochen lassen. Geröstete Haselnusskerne,
Mandeln, Zitronenschale, Zimt und Mehl

Nussflorentiner

unterrühren. Masse unter Rühren einmal aufkochen lassen, von der Kochstelle nehmen.
Die Masse mit einem Esslöffel in die Mulden
eines Florentiner-Bleches geben (je Florentiner etwa 1 ½ Esslöffel).

4 Die Hände mit Milch anfeuchten und die
Masse mit angefeuchteten Händen etwas
breit drücken, dabei die ganzen Haselnusskerne gleichmäßig verteilen. Das Florentiner-
Blech in den Backofen schieben.

Ober-/Unterhitze: etwa 180 °C (vorgeheizt)
Heißluft: etwa 160 °C (vorgeheizt)
Gas: Stufe 2 – 3 (vorgeheizt)
Backzeit: etwa 20 Minuten

5 Florentiner-Blech auf einen Küchenrost
stellen. Florentiner etwa 10 Minuten abkühlen
lassen, aus den Mulden nehmen und auf dem
Kuchenrost erkalten lassen.

6 Für den Guss Kuvertüre in kleine Stücke
hacken, in einem kleinen Topf im Wasserbad
bei schwacher Hitze zu einer geschmeidigen
Masse verrühren. Die Unterseite der Florentiner damit bestreichen. Kuvertüre fest werden lassen.

Tipp: Die Florentinermasse kann auch auf vor-
gebackene Mürbeteigtaler (Ø etwa 10 cm) gestrichen und anschließend gebacken werden.

Nusskipferln |

Klassisch

Für den Knetteig:
300 g Weizenmehl
100 g gesiebter Puderzucker
1 Pck. Vanillin-Zucker
1 Prise Salz
1 Ei (Größe M)
100 g gemahlene, leicht
geröstete Haselnusskerne
200 g Butter oder Margarine

Zum Bestreuen:
50 g gesiebter Puderzucker
1 Pck. Vanillin-Zucker

Zubereitungszeit: 80 Minuten

Insgesamt: E: 55 g, F: 236 g, Kh: 398 g,
kJ: 17015, kcal: 4065

1 Für den Teig Mehl in eine Rührschüssel
sieben. Restliche Zutaten hinzufügen und mit
Handrührgerät mit Knethaken zunächst kurz

auf niedrigster, dann auf höchster Stufe gut
durcharbeiten. Anschließend auf einer
bemehlten Arbeitsfläche zu einem glatten
Teig verkneten. Sollte er kleben, ihn in Folie
gewickelt eine Zeit lang kalt stellen.

2 Den Teig portionsweise zu bleistiftdicken
Rollen formen, in 6 cm lange Streifen schnei-
den. An den Enden etwas dünner rollen. Die
Teigkipferln auf Backbleche (mit Backpapier
belegt) legen. Backbleche nacheinander (bei
Heißluft zusammen) in den Backofen schieben.

Ober-/Unterhitze: 180 – 200 °C (vorgeheizt)
Heißluft: 160 – 180 °C (vorgeheizt)
Gas: etwa Stufe 3 (vorgeheizt)
Backzeit: etwa 10 Minuten pro Backblech

3 Die Kipferln mit dem Backpapier vom Backblech ziehen.

4 Zum Bestreuen Puderzucker mit Vanillin-Zucker mischen. Die Kipferln sofort damit

bestreuen. Kipferln auf einem Kuchenrost erkalten lassen.

Nuss- oder Kokosecken |

Gut vorzubereiten – für Kinder

Für den Knetteig:
225 g Weizenmehl
1 gestr. TL Backpulver
100 g Zucker, 1 Pck. Vanillin-Zucker
1 Prise Salz
1 Ei (Größe M)
100 g Butter oder Margarine

Zum Bestreichen:
2 – 3 EL Aprikosenkonfitüre

Für den Belag:
150 g Butter
150 g Zucker
1 Pck. Vanillin-Zucker
3 EL Wasser
100 g gemahlene Haselnusskerne
200 g gehobelte Haselnusskerne oder
200 g Kokosraspel

Für den Guss:
100 g Halbbitter-Kuvertüre
etwas Kokosfett

Zubereitungszeit: 70 Minuten,
ohne Abkühlzeit

Insgesamt: E: 84 g, F: 417 g, Kh: 577 g,
J: 27580, kcal: 6587

1 Für den Teig Mehl mit Backpulver mischen, in eine Rührschüssel sieben. Zucker, Vanillin-Zucker, Salz, Ei und Butter oder Margarine hinzufügen. Die Zutaten mit Handrührgerät mit Knethaken zunächst kurz auf niedrigster, dann auf höchster Stufe gut durcharbeiten.

2 Anschließend auf der bemehlten Arbeitsfläche zu einem glatten Teig verkneten. Sollte er kleben, ihn in Folie gewickelt eine Zeit lang kalt stellen.

3 Teig auf einem Backblech (30 x 40 cm, gefettet) ausrollen, mit Konfitüre bestreichen.

4 Für den Belag Butter, Zucker, Vanillin-Zucker und Wasser in einem kleinen Topf erwärmen, zerlassen. Gemahlene und gehobelte Haselnusskerne oder Kokosraspel unterrühren, etwas abkühlen lassen.

5 Die Masse gleichmäßig auf dem Teig verteilen. Vor den Teig einen mehrfach geknickten Streifen Alufolie legen, so dass ein Rand entsteht. Das Backblech in den Backofen schieben.

Ober-/Unterhitze: 180 – 200 °C (vorgeheizt)
Heißluft: 160 – 180 °C (vorgeheizt)
Gas: etwa Stufe 3 (vorgeheizt)
Backzeit: etwa 30 Minuten

6 Das Backblech auf einen Kuchenrost stellen. Gebäck etwas abkühlen lassen. Anschließend in Quadrate (8 x 8 cm) schneiden. Diese so in Hälften teilen, dass Dreiecke entstehen.

7 Für den Guss Kuvertüre in Stücke hacken, zusammen mit dem Kokosfett in einem kleinen Topf im Wasserbad zu einer geschmeidigen Masse verrühren. Die beiden spitzen Ecken in den Guss tauchen, fest werden lassen.

Tipp: Für Mini-Gebäck Nussecken in Quadrate (4 x 4 cm) schneiden, so halbieren, dass Dreiecke entstehen.

Nuss- oder Kokosecken

Nusskuchen |  ❄

Klassisch – einfach

Für den Rührteig:
150 g Butter oder Margarine
100 g Zucker, 1 Pck. Vanillin-Zucker
1 Prise Salz
1 Tropfen Bittermandel-Aroma
2 Eier (Größe M), 125 g Weizenmehl
1/2 gestr. TL Backpulver
2 EL Rum
50 g gemahlene Haselnusskerne

Zum Bestäuben:
Puderzucker

Zubereitungszeit: 20 Minuten,
ohne Abkühlzeit

Insgesamt: E: 50 g, F: 230 g, Kh: 327 g,
kJ: 15610, kcal: 3730

1 Für den Teig Butter oder Margarine mit
Handrührgerät mit Rührbesen auf höchster
Stufe geschmeidig rühren. Nach und nach
Zucker, Vanillin-Zucker, Salz und Aroma unterrühren. So lange rühren, bis eine gebundene Masse entstanden ist. Eier nach und
nach unterrühren (jedes Ei etwa 1/2 Minute).

2 Mehl mit Backpulver mischen, sieben, abwechselnd portionsweise mit dem Rum auf
mittlerer Stufe unterrühren. Haselnusskerne
unterheben.

3 Den Teig in eine Gugelhupfform (Ø 16 cm,
gefettet) füllen, glatt streichen. Die Form auf
dem Rost in den Backofen schieben.

Ober-/Unterhitze: etwa 160 °C (vorgeheizt)
Heißluft: etwa 140 °C (nicht vorgeheizt)
Gas: Stufe 1 – 2 (nicht vorgeheizt)
Backzeit: etwa 60 Minuten

4 Den Kuchen 10 Minuten in der Form stehen lassen, dann aus der Form lösen und auf
einen Kuchenrost stürzen. Kuchen erkalten
lassen. Mit Puderzucker bestäuben.

Tipp: Der Nusskuchen kann auch in einer
größeren Gugelhupfform (Ø 24 cm) gebacken
werden. Dafür die Zutaten verdoppeln. Den
Kuchen mit einem Schokoladenguss überziehen. Dafür 150 g Vollmilch-Kuvertüre in kleine Stücke hacken, mit 1 Teelöffel Speiseöl in
einem kleinen Topf im Wasserbad bei schwacher Hitze zu einer geschmeidigen Masse
verrühren. Den Kuchen damit überziehen.
Zusätzlich mit 50 g aufgelöster Halbbitter-
Kuvertüre besprenkeln. Guss fest werden
lassen.

Nusskuchen

Nusskuchen, einmal anders |

Hält sich länger – interessant

Zum Vorbereiten:
100 g Pekannusskerne
150 g gemahlene Haselnusskerne

Für den Biskuitteig:
4 Eiweiß (Größe M)
175 g Zucker, 4 Eigelb (Größe M)
1 Pck. Vanillin-Zucker
250 ml ('/4 l) Nussöl,
z. B. Haselnussöl, Walnussöl
200 g Weizenmehl
1 Pck. Backpulver

1 EL Kakaopulver

Zum Aprikotieren:
200 g Sauerkirsch- oder
Aprikosenkonfitüre, 1 EL Wasser

Für den Guss:
200 g Halbbitter-Kuvertüre
1 EL Speiseöl

Zum Garnieren:
50 g Pekannusskerne

Zubereitungszeit: 25 Minuten,
ohne Abkühlzeit

Insgesamt: E: 111 g, F: 483 g, Kh: 645 g,
kJ: 31947, kcal: 7630

1 Zum Vorbereiten die Pekannusskerne fein hacken. Haselnusskerne in einer Pfanne ohne Fett leicht rösten.

2 Für den Teig Eiweiß mit der Hälfte des Zuckers steif schlagen. Eigelb mit dem restlichen Zucker und Vanillin-Zucker mit Handrührgerät mit Rührbesen auf höchster Stufe in etwa 5 Minuten schaumig schlagen. Eischnee zusammen mit den Nusskernen auf die Eigelbcreme geben und vorsichtig unterheben. Nussöl hinzufügen und unterrühren.

Nusskuchen, einmal anders

3 Mehl mit Backpulver mischen, auf die Eiermasse sieben und vorsichtig unterheben. Unter die Hälfte des Teiges Kakao rühren.

4 Den Teig mit einem Esslöffel abwechselnd in Klecksen in eine Kastenform (25 x 11 cm, gefettet, gemehlt) füllen. Die Form auf dem Rost in den Backofen schieben.

Ober-/Unterhitze: etwa 180 °C (vorgeheizt)
Heißluft: etwa 160 °C (nicht vorgeheizt)
Gas: Stufe 2 – 3 (nicht vorgeheizt)
Backzeit: 60 – 70 Minuten

5 Kuchen 10 Minuten in der Form stehen lassen, dann auf einen Kuchenrost stürzen.

6 Zum Aprikotieren Konfitüre durch ein Sieb streichen, in einem kleinen Topf mit dem Wasser aufkochen. Den heißen Kuchen damit bestreichen. Kuchen erkalten lassen.

7 Für den Guss Kuvertüre in kleine Stücke hacken, mit dem Öl in einem kleinen Topf im Wasserbad bei schwacher Hitze zu einer geschmeidigen Masse verrühren. Den Kuchen mit dem Guss überziehen und mit Pekannusskernen garnieren

Nussmarzipan |

Einfach

Für die Masse:
200 g Marzipan-Rohmasse
geh. EL gesiebter Puderzucker
TL Nusslikör, 40 g gemahlene
geröstete Haselnusskerne

Zum Bestreichen:
75 g Vollmilch-Kuvertüre
75 g Halbbitter-Kuvertüre

Zum Garnieren:
Haselnusskerne

Zubereitungszeit: 35 Minuten

Insgesamt: E: 34 g, F: 100 g, Kh: 168 g,
kJ: 7406, kcal: 1770

1 Für die Masse Marzipan-Rohmasse mit Puderzucker, Likör und Haselnusskernen gut verkneten. Die Masse auf einer mit Puderzucker bestäubten Arbeitsfläche etwa 1 cm dick ausrollen und in kleine Rechtecke schneiden.

2 Zum Bestreichen Kuvertüre in kleine Stücke hacken, getrennt in einem kleinen Topf im Wasserbad bei schwacher Hitze zu einer

geschmeidigen Masse verrühren. Die Hälfte des Nussmarzipans mit Vollmilch-, die andere Hälfte mit Halbbitter-Kuvertüre bestreichen.

3 Zum Garnieren je einen Haselnusskern in Halbbitter-Kuvertüre tauchen, auf die Mitte einer hellen Praline in die noch feuchte Kuvertüre stecken. Mit der restlichen Vollmilch-Kuvertüre die dunklen Pralinen verzieren.

Tipp: Für Kinder Nussmarzipan ohne Nusslikör zubereiten.

Nuss-Marzipan-Törtchen | 🗑 🗑 🍶

Für Gäste

Für den Rührteig:
100 g Butter oder Margarine
100 g Marzipan-Rohmasse
75 g Zucker
1 Pck. Bourbon-Vanille-Zucker
¹/₂ Fl. Rum-Aroma
4 Eier (Größe M)
100 g Weizenmehl

1 TL Backpulver
50 g gehackte Haselnusskerne
100 g gemahlene Haselnusskerne

Außerdem:
etwa 40 Papier-Backförmchen

Zum Garnieren:
100 g Marzipan-Rohmasse
150 g gesiebter Puderzucker

rote, gelbe und grüne Speisefarben

¹/₂ TL gemahlener Zimt
1 TL Wasser

Zubereitungszeit: 35 Minuten,
ohne Abkühlzeit

Insgesamt: E: 88 g, F: 273 g, Kh: 406 g,
kJ: 19132, kcal: 4569

1 Für den Teig Butter oder Margarine und Marzipan-Rohmasse in einer Rührschüssel mit Handrührgerät mit Rührbesen auf höchster Stufe geschmeidig rühren. Nach und nach Zucker und Vanille-Zucker unterrühren. So lange rühren, bis eine gebundene Masse entstanden ist. Rum-Aroma unterrühren.

2 Eier nach und nach unterrühren (jedes Ei etwa ¹/₂ Minute). Mehl und Backpulver mischen, sieben, portionsweise abwechselnd mit den gehackten und gemahlenen Haselnusskernen auf mittlerer Stufe unterrühren. Den Teig in dreifach ineinander gestellte Papier-Backförmchen füllen und auf ein Backblech setzen. Das Backblech in den Backofen schieben.

Ober-/Unterhitze: etwa 180 °C (vorgeheizt)
Heißluft: 160 °C (vorgeheizt)
Gas: Stufe 2 – 3 (vorgeheizt)
Backzeit: etwa 25 Minuten

3 Die Förmchen vom Backblech nehmen und auf einem Kuchenrost erkalten lassen.

4 Zum Garnieren Marzipan-Rohmasse mit 50 g Puderzucker verkneten. Die Masse dritteln und mit Speisefarbe unterschiedlich einfärben. Die eingefärbte Marzipanmasse nebeneinander auf eine mit Puderzucker bestäubte Arbeitsfläche legen und etwa 3 mm dick ausrollen. Mit einem Teigrädchen Streifen ausschneiden.

5 Restlichen Puderzucker mit Zimt und Wasser zu einer streichfähigen Masse verrühren. Die Törtchen damit bestreichen, mit den Marzipanstreifen belegen. Guss fest werden lasse

Nuss-Marzipan-Törtchen

Nussmöppchen |

Preiswert

Für den Rühr-Knetteig:
150 g Butter oder Margarine
175 g Zucker
1 Pck. Vanillin-Zucker
¹/₂ Fläschchen Rum-Aroma
1 Ei (Größe M)
250 g Weizenmehl
2 gestr. TL Backpulver
150 g Weizengrieß
100 g gemahlene Haselnusskerne

Zum Belegen:
100 g Haselnusskerne

Für den Guss:
50 g Zartbitterschokolade
etwas Speiseöl

Zubereitungszeit: 60 Minuten,
ohne Abkühlzeit

Insgesamt: E: 82 g, F: 294 g, Kh: 520 g,
kJ: 21912, kcal: 5233

1 Für den Teig Butter oder Margarine mit Handrührgerät mit Rührbesen auf höchster Stufe geschmeidig rühren. Nach und nach Zucker, Vanillin-Zucker und Aroma unterrühren. So lange rühren, bis eine gebundene Masse entstanden ist.

2 Ei unterrühren (etwa ¹/₂ Minute). Mehl mit Backpulver mischen, sieben. Zwei Drittel des Mehlgemisches portionsweise auf mittlerer Stufe unterrühren.

3 Den Teigbrei auf einer bemehlten Arbeitsfläche mit dem restlichen Mehlgemisch, Grieß und Haselnusskernen verkneten. Sollte er kleben, ihn in Folie gewickelt eine Zeit lang kalt stellen.

4 Teig in kleinen Portionen zu Rollen (Ø 2 cm) formen, in etwa ¹/₂ cm dicke Scheiben schneiden. Diese zu Kugeln formen und auf ein Backblech (mit Backpapier belegt) legen. In jede Kugel einen Haselnusskern leicht eindrücken. Das Backblech in den Backofen schieben.

Ober-/Unterhitze: etwa 180 °C (vorgeheizt)
Heißluft: etwa 160 °C (vorgeheizt)
Gas: Stufe 2 – 3 (vorgeheizt)
Backzeit: etwa 15 Minuten

5 Die Nussmöppchen mit dem Backpapier vom Backblech ziehen und auf einem Kuchenrost erkalten lassen.

6 Für den Guss Schokolade in kleine Stücke brechen, mit dem Öl in einem kleinen Topf im Wasserbad bei schwacher Hitze zu einer geschmeidigen Masse verrühren. Die Nussmöppchen damit besprenkeln, fest werden lassen.

Nussmöppchen

Nuss-Nougat-Kranz |

Für Geübte

Für den Biskuitteig:
5 Eier (Größe M)
3 EL heißes Wasser
125 g Zucker
1 Pck. Bourbon-Vanille-Zucker
125 g Weizenmehl
1 Msp. Backpulver

Zum Bestreichen:
100 g Aprikosenkonfitüre
3 EL Wasser

Für die Füllung:
700 ml Schlagsahne
1 Pck. Sahnesteif
150 g weiches Nuss-Nougat
1 Pck. Finesse Orangenfrucht

Zum Garnieren und Verzieren:
150 g weiße Kuvertüre
50 g Zartbitterschokolade

Zubereitungszeit: 60 Minuten,
ohne Kühlzeit

Insgesamt: E: 101 g, F: 364 g, Kh: 524 g,
kJ: 24811, kcal: 5931

1 Für den Teig Eier und Wasser mit Handrührgerät mit Rührbesen auf höchster Stufe in
1 Minute schaumig schlagen. Zucker und Vanille-Zucker mischen, in 1 Minute einstreuen,
dann noch etwa 2 Minuten schlagen.

2 Mehl mit Backpulver mischen, die Hälfte
davon auf die Eiercreme sieben, kurz auf niedrigster Stufe unterrühren. Den Rest des Mehlgemisches auf die gleiche Weise unterarbeiten. Den Teig in eine Kranzform (Ø 26 cm,
gefettet, gemehlt) füllen. Die Form auf dem
Rost in den Backofen schieben.

Ober-/Unterhitze: etwa 180 °C (vorgeheizt)
Heißluft: etwa 160 °C (vorgeheizt)
Gas: Stufe 2 – 3 (vorgeheizt)
Backzeit: etwa 30 Minuten

3 Den Kranz 10 Minuten in der Form stehen
lassen, aus der Form lösen, auf ein mit Zucker bestreutes Stück Backpapier stürzen,
auf einem Kuchenrost erkalten lassen. Kranz
zweimal waagerecht durchschneiden.

4 Zum Bestreichen Konfitüre mit Wasser in
einem kleinen Topf unter Rühren aufkochen,
den mittleren Kranzboden damit bestreichen.

5 Für die Füllung Sahne mit Sahnesteif steif
schlagen. Nuss-Nougat und Orangenfrucht
unterrühren.

6 Den unteren und mittleren Kranzboden mit
der Hälfte der Sahne-Nougat-Creme bestreichen. Oberen Kranzboden darauf legen. Kranz
ganz mit der restlichen Sahne-Nougat-Creme
bestreichen, kalt stellen.

7 Zum Garnieren und Verzieren Kuvertüre
mit einem Sparschäler hobeln. Den Kranz
damit garnieren. Schokolade in kleine Stücke
brechen, in einem kleinen Topf im Wasserbad
bei schwacher Hitze zu einer geschmeidigen
Masse verrühren. Den Kranz damit besprenkeln, fest werden lassen.

Nuss-Nougat-Kranz

Nuss- oder Mandelkranz I 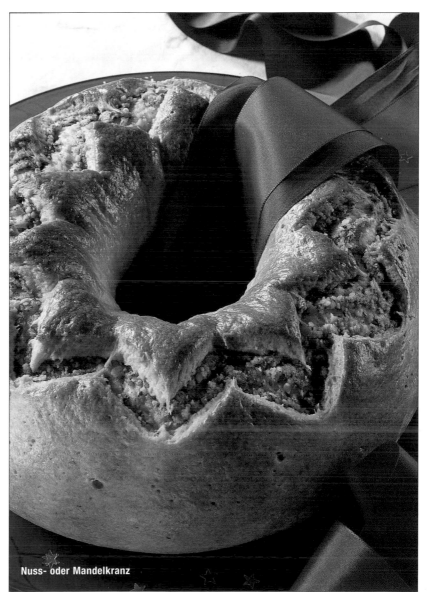 ❄

Gut vorzubereiten

Für den Quark-Öl-Teig:
300 g Weizenmehl
1 Pck. Backpulver
150 g Magerquark
6 EL Milch
6 EL Speiseöl
75 g Zucker
1 Pck. Vanillin-Zucker
1 Prise Salz

Für die Füllung:
200 g gemahlene Haselnusskerne oder
abgezogene, gemahlene Mandeln
100 g Zucker
4–5 Tropfen Bittermandel-Aroma
1 Eiweiß (Größe M)
¹/₂ Eigelb (Größe M)
3–4 EL Wasser

Zum Bestreichen:
¹/₂ Eigelb
1 EL Milch

Zubereitungszeit: 40 Minuten

Insgesamt: F: 89 g, F: 208 g, Kh: 434 g,
KJ: 17185, kcal: 4103

1 Für den Teig Mehl mit Backpulver mischen, in eine Rührschüssel sieben. Quark, Milch, Öl, Zucker, Vanillin-Zucker und Salz hinzufügen. Die Zutaten mit Handrührgerät mit Knethaken auf höchster Stufe in etwa 1 Minute zu einem Teig verarbeiten (nicht zu lange, Teig klebt sonst).

2 Anschließend auf einer bemehlten Arbeitsfläche zu einer Rolle formen, diese zu einem Rechteck von etwa 35 x 45 cm ausrollen.

3 Für die Füllung Haselnusskerne oder Mandeln, Zucker, Aroma, Eiweiß, Eigelb und Wasser mit Handrührgerät mit Rührbesen zu einer geschmeidigen Masse verrühren. Die Masse auf das Teigrechteck streichen. Von der längeren Seite her aufrollen und als Kranz auf ein Backblech (gefettet, mit Backpapier belegt) legen.

4 Zum Bestreichen Eigelb und Milch verschlagen. Den Teigkranz damit bestreichen, etwa ¹/₂ cm tief sternförmig einschneiden. Das Backblech in den Backofen schieben.

Ober-/Unterhitze: 180–200 °C (vorgeheizt)
Heißluft: 160–180 °C (nicht vorgeheizt)
Gas: etwa Stufe 3 (nicht vorgeheizt)
Backzeit: 30–40 Minuten

5 Den Kranz mit dem Backpapier vom Backblech ziehen und auf einem Kuchenrost erkalten lassen.

Back-Tipp: Wenn Quark-Öl-Teig zu weich wird, liegt es daran, dass der Quark zu feucht ist. Der im Handel angebotene Quark hat eine unterschiedliche Feuchtigkeit. Deshalb sollte der Quark vor der Teigzubereitung einige Zeit in einem Sieb abtropfen oder in einem Mulltuch ausgepresst werden, damit er möglichst trocken wird. Auf keinen Fall sollte noch Mehl in den Teig gegeben werden, da das Gebäck dann nicht genügend aufgeht. Quark-Öl-Teig-Gebäck sollte nicht zu lange backen, weil es dadurch trocken wird. Wie Hefeteig-Gebäck schmeckt es frisch am besten.

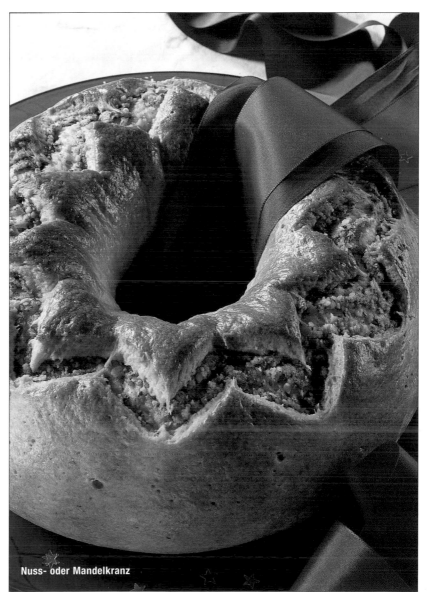
Nuss- oder Mandelkranz

Nuss-Pudding-Torte | 🗑 🗑 🍶

Für Gäste – gut vorzubereiten

Für den Schüttelteig:
200 g Butter
100 g Marzipan-Rohmasse
200 g Weizenmehl
1 Pck. Pudding-Pulver
Vanille-Geschmack
3 gestr. TL Backpulver
200 g Zucker
1 Pck. Vanillin-Zucker
4 Eier (Größe M)
1 Pck. Jamaica-Rum-Aroma
100 ml Schlagsahne
150 g gemahlene, geröstete
Haselnusskerne

Für die Puddingcreme:
1 ¹/₂ Pck. Pudding-Pulver
Vanille-Geschmack, 75 g Zucker
750 ml (³/₄ l) Milch
50 g weiche Butter

Zum Bestreichen:
400 ml Schlagsahne
2 Pck. Sahnesteif

Zum Besprenkeln und Garnieren:
100 g zerlassene Zartbitterschokolade
12 Schoko-Meeresfrüchte

Zubereitungszeit: 45 Minuten,
ohne Abkühlzeit

Insgesamt: E: 134 g, F: 595 g, Kh: 691 g,
kJ: 37299, kcal: 8909

1 Für den Teig Butter mit Marzipan-Rohmasse in einem kleinen Topf zerlassen. Mehl mit Pudding-Pulver und Backpulver mischen, in eine verschließbare Schüssel (3-Liter-Inhalt) sieben, mit Zucker und Vanillin-Zucker mischen. Eier, Rum, Sahne und Butter-Marzipan-Mischung hinzufügen, den Deckel fest verschließen.

2 Mehrmals (insgesamt 15–30 Sekunden) kräftig schütteln, so dass alle Zutaten gut vermischt sind, Haselnusskerne hinzugeben. Alles mit einem Schneebesen oder Rührlöffel

nochmals sorgfältig durchrühren, damit vor allem trockene Zutaten vom Rand mit untergerührt werden.

3 Teig in eine Springform (Ø 26 cm, Boden gefettet, mit Backpapier belegt) füllen und glatt streichen. Form auf dem Rost in den Backofen schieben.

Ober-/Unterhitze: etwa 180 °C (vorgeheizt)
Heißluft: etwa 160 °C (nicht vorgeheizt)
Gas: Stufe 2–3 (nicht vorgeheizt)
Backzeit: etwa 45 Minuten

4 Form 10 Minuten auf einen Kuchenrost stellen, Gebäckboden aus der Form lösen und auf dem Kuchenrost erkalten lassen, zweimal waagerecht durchschneiden.

5 Für die Puddingcreme aus Pudding-Pulver, Zucker und Milch nach Packungsanleitung einen Pudding zubereiten, Butter unter den heißen Pudding rühren.

6 Den unteren Gebäckboden auf eine Platte legen. Die Hälfte der Puddingcreme darauf streichen. Den mittleren Gebäckboden darauf legen und mit der restlichen Puddingcreme bestreichen. Mit dem oberen Gebäckboden bedecken. Torte erkalten lassen.

7 Zum Bestreichen Sahne mit Sahnesteif steif schlagen, Tortenoberfläche und -rand damit bestreichen. Torte mit der Schokolade besprenkeln, fest werden lassen. Mit den Schoko-Meeresfrüchten garnieren.

Nuss-Pudding-Torte

Nussringe |

Vollwertig – einfach

Für den Knetteig:
280 g Weizenvollkornmehl
110 g gemahlene Haselnusskerne
1 Msp. Bourbon-Vanille-Zucker
1 Ei (Größe M)
150 g flüssiger Honig
150 g Butter oder Margarine

Zum Bestreichen:
1 Eigelb, 1 EL Milch

Zubereitungszeit: 75 Minuten

Insgesamt: E: 57 g, F: 206 g, Kh: 347 g,
kJ: 14992, kcal: 3582

1 Für den Teig Mehl mit Haselnusskernen mischen, in eine Rührschüssel geben. Vanille-Zucker, Ei, Honig und Butter oder Margarine hinzufügen. Die Zutaten mit Handrührgerät mit Knethaken zunächst kurz auf niedrigster, dann auf höchster Stufe gut durcharbeiten.

2 Anschließend auf einer bemehlten Arbeitsfläche zu einem glatten Teig verkneten. Sollte er kleben, ihn in Folie gewickelt eine Zeit lang kalt stellen.

3 Den Teig auf einer bemehlten Arbeitsfläche etwa ½ cm dick ausrollen, mit einem Plätzchenausstecher Ringe ausstechen. Teigringe auf Backbleche (gefettet, mit Backpapier belegt) legen.

4 Zum Bestreichen Eigelb mit Milch verschlagen, Teigringe damit bestreichen. Backbleche nacheinander (bei Heißluft zusammen) in den Backofen schieben.

Ober-/Unterhitze: 180 – 200 °C (vorgeheizt)
Heißluft: 160 – 180 °C (vorgeheizt)
Gas: etwa Stufe 3 (vorgeheizt)
Backzeit: etwa 10 Minuten pro Backblech

5 Das Gebäck mit dem Backpapier vom Backblech ziehen und auf einem Kuchenrost erkalten lassen.

Tipp: Für Kinder die Nussringe nach dem Erkalten mit einem Puderzuckerguss bestreichen und mit Liebesperlen bestreuen.

Nussrosetten |

Vollwertig

Für den Hefeteig:
50 g zerlassene abgekühlte Butter
oder Margarine, 130 g flüssiger Honig
60 g gemahlene Haselnusskerne
4 EL Cointreau (Orangenlikör)
abgeriebene Schale von 1 Bio-Zitrone
(unbehandelt, ungewachst)
1 Pck. Bourbon-Vanille-Zucker
1 Prise Meersalz, 2 Eier (Größe M)
130 g Weizen-Vollkornmehl
1 Pck. Trockenhefe
etwa 2 EL lauwarme Milch

Zum Bestreichen:
50 g aufgelöste Halbitter-Kuvertüre

Zubereitungszeit: 85 Minuten,
ohne Kühl- und Teiggehzeit

Insgesamt: E: 45 g, F: 96 g, Kh: 215 g,
kJ: 8660, kcal: 2069

1 Für den Teig Butter oder Margarine und Honig mit Handrührgerät mit Rührbesen auf höchster Stufe gut verrühren.

2 Haselnusskerne, Orangenlikör, Zitronenschale, Vanille-Zucker, Meersalz und Eier hinzufügen.

3 Mehl mit Trockenhefe sorgfältig mischen, zusammen mit Milch zu der Fett-Honig-Mischung geben. Die Zutaten mit Handrührgerät mit Knethaken auf höchster Stufe in etwa 5 Minuten zu einem Teig verarbeiten und zugedeckt im Kühlschrank durchkühlen lassen.

Nussrosetten

4 Teig portionsweise in eine Gebäckpresse geben. Auf ein Backblech (gefettet, mit Backpapier belegt) Rosetten spritzen, die Rosetten etwa 15 Minuten an einem warmen Ort gehen lassen. Das Backblech in den Backofen schieben.

Ober-/Unterhitze: 200 – 220 °C (vorgeheizt)
Heißluft: 180 – 200 °C (vorgeheizt)
Gas: etwa Stufe 4 (vorgeheizt)
Backzeit: etwa 25 Minuten

5 Die Rosetten mit dem Backpapier vom Backblech auf einen Kuchenrost ziehen, erkalten lassen.

6 Die Unterseite der Rosetten mit Kuvertüre bestreichen, fest werden lassen.

Tipp: Den Teig durch den Fleischwolf mit Spezialvorsatz drehen, als S-Formen, Stangen oder Kränze auf ein Backblech (gefettet, mit Backpapier belegt) legen und die Enden der gebackenen Plätzchen in aufgelöste Schokolade tauchen.

Nuss-Schnitten

Nuss-Schnitten | 🗑 🗑 ❄

Klassisch

Für den Biskuitteig:
6 Eier (Größe M)
150 g Zucker
1 Pck. Vanillin-Zucker
1 Prise Salz
¹/₂ TL gemahlener Zimt
1 geh. EL gesiebtes Weizenmehl
1 gestr. TL Backpulver
250 g gemahlene Haselnusskerne

Für die Füllung:
750 ml (³/₄ l) Schlagsahne
1 TL Zucker
1 Pck. Vanillin-Zucker
3 Pck. Sahnesteif
100 g Zartbitterschokolade

Borkenschokolade
Haselnusskerne oder
Walnusskernhälften

Zubereitungszeit: 50 Minuten,
ohne Kühlzeit

Insgesamt: E: 111 g, F: 476 g, Kh: 324 g,
kJ: 26039, kcal: 6222

1 Für den Teig Eier mit Handrührgerät mit Rührbesen auf höchster Stufe in 1 Minute schaumig schlagen. Zucker, Vanillin-Zucker, Salz und Zimt mischen, in 1 Minute einstreuen, dann noch etwa 2 Minuten schlagen.

2 Mehl mit Backpulver und Haselnusskernen mischen, die Hälfte davon auf die Eiercreme geben, kurz auf niedrigster Stufe unterrühren. Den Rest des Mehl-Haselnuss-Gemisches auf die gleiche Weise unterarbeiten. Den Teig auf ein Backblech (30 x 40 cm, gefettet, mit Backpapier belegt) streichen. An der offenen Seite des Backbleches das Papier unmittelbar vor dem Teig zur Falte knicken, so dass ein Rand entsteht. Das Backblech in den Backofen schieben.

Ober-/Unterhitze: etwa 200 °C (vorgeheizt)
Heißluft: etwa 180 °C (vorgeheizt)
Gas: Stufe 3 – 4 (vorgeheizt)
Backzeit: 12 – 15 Minuten

3 Die Gebäckplatte sofort auf ein mit Zucker bestreutes Stück Backpapier stürzen. Mitgebackenes Backpapier mit kaltem Wasser bestreichen, vorsichtig, aber schnell abziehen. Die Gebäckplatte erkalten lassen, halbieren.

4 Für die Füllung Sahne mit Zucker, Vanillin-Zucker und Sahnesteif steif schlagen. Schokolade sehr fein schneiden und unter gut die Hälfte der Sahne heben. Schokoladensahne auf eine Gebäckplatte streichen. Mit der zweiten Gebäckplatte bedecken.

5 Die Hälfte der restlichen Sahne in einen Spritzbeutel mit Sterntülle füllen. Die Gebäckoberfläche mit der restlichen Sahne bestreichen. Mit einem Messer gleich große Stücke markieren. Die markierten Stücke mit der Sahne aus dem Spritzbeutel verzieren. Mit Borkenschokolade und Haselnuss- oder Walnusskernen garnieren. Gebäck 2 Stunden kalt stellen, erst dann die markierten Nuss-Schnitten schneiden.

Nuss-Stäbchen |

Einfach

Für den Rühr-Knetteig:
250 g Butter oder Margarine
150 g gesiebter Puderzucker
1 Pck. Vanillin-Zucker
1 Ei (Größe M)
¹/₂ TL gemahlener Zimt
1 Pck. Finesse Geriebene
Zitronenschale
250 g gemahlene, geröstete
Haselnusskerne
250 g Weizenmehl

Zum Besprenkeln:
75 g Speisefettglasur oder
Halbbitter-Kuvertüre

Zubereitungszeit: 90 Minuten,
ohne Abkühlzeit

Insgesamt: E: 74 g, F: 396 g, Kh: 408 g,
kJ: 23750 , kcal: 5673

1 Für den Teig Butter oder Margarine mit
Handrührgerät mit Rührbesen auf höchster
Stufe geschmeidig rühren. Nach und nach
Puderzucker und Vanillin-Zucker unterrühren.
So lange rühren, bis eine gebundene Masse
entstanden ist. Ei etwa ¹/₂ Minute unterrühren. Zimt, Zitronenschale, Haselnusskerne
und etwa die Hälfte des gesiebten Mehls
unterrühren.

2 Teigbrei mit dem restlichen gesiebten
Mehl auf einer bemehlten Arbeitsfläche zu
einem glatten Teig verkneten. Sollte er kleben, ihn in Folie gewickelt eine Zeit lang kalt
stellen. Aus dem Teig gut bleistiftdicke Rollen
formen und in etwa 5 cm lange Stücke
schneiden. Die Teigrollen auf Backbleche
(gefettet, mit Backpapier belegt) legen.

3 Die Backbleche nacheinander (bei Heißluft
zusammen) in den Backofen schieben.

Ober-/Unterhitze: etwa 200 °C (vorgeheizt)
Heißluft: etwa 180 °C (vorgeheizt)
Gas: Stufe 3 – 4 (vorgeheizt)
Backzeit: 10 – 15 Minuten pro Backblech

4 Das Gebäck mit dem Backpapier von den
Backblechen ziehen und auf Kuchenrosten
erkalten lassen.

5 Zum Besprenkeln Speisefettglasur nach
Packungsanleitung auflösen oder Kuvertüre in
kleine Stücke hacken, in einem kleinen Topf
im Wasserbad bei schwacher Hitze zu einer
geschmeidigen Masse verrühren. Das Gebäck
damit besprenkeln, fest werden lassen.

Tipp: Nach Belieben den Teig portionsweise
durch einen Fleischwolf mit Gebäckvorsatz in
Sternform drehen und in 5 cm lange Stücke
schneiden. Dafür den Teig vorher kurz kalt
stellen. Das fertige Spritzgebäck mit den Enden in aufgelöste Kuvertüre tauchen. Das Gebäck ist 3 – 4 Wochen haltbar.

Nuss-Stäbchen

Nuss-Stangen |

Weihnachtlich

Für den Knetteig:
200 g Weizenmehl
40 g Zucker
1 Pck. Vanillin-Zucker
1 Prise Salz
2 Eigelb (Größe M)
100 g Butter oder Margarine

Für den Belag:
125 ml (¹/₈ l) Wasser
100 g Zucker
400 g gemahlene Haselnusskerne
4 EL Rum

Für den Guss:
200 g gesiebter Puderzucker
etwa 1 ¹/₂ Eiweiß

Zubereitungszeit: 75 Minuten,
ohne Kühlzeit

Insgesamt: E: 91 g, F: 345 g, Kh: 533 g,
kJ: 24713, kcal: 5900

Nuss-Stangen

1 Für den Teig Mehl in eine Rührschüssel sieben. Zucker, Vanillin-Zucker, Salz, Eigelb und Butter oder Margarine hinzufügen. Die Zutaten mit Handrührgerät mit Knethaken zunächst kurz auf niedrigster, dann auf höchster Stufe gut durcharbeiten.

2 Anschließend auf der bemehlten Arbeitsfläche zu einem glatten Teig verkneten. Sollte er kleben, ihn in Folie gewickelt eine Zeit lang kalt stellen.

3 Den Teig zu einem Rechteck von etwa 40 x 30 cm ausrollen.

4 Für den Belag Wasser mit Zucker in einem kleinen Topf zum Kochen bringen. So lange köcheln lassen, bis der Zucker gelöst ist, von der Kochstelle nehmen. Haselnusskerne mit dem Rum unterrühren. Die Nussmasse etwas abkühlen lassen, dann auf den Teig streichen.

5 Für den Guss Puderzucker mit Eiweiß zu einer dickflüssigen Masse verrühren und auf die Nussmasse streichen. Das Teigrechteck mit einem spitzen Messer in etwa 6 x 1 ¹/₂ cm große Streifen schneiden. Teigstreifen auf Backbleche (gefettet, mit Backpapier belegt) legen. Backbleche nacheinander (bei Heißluft zusammen) in den Backofen schieben.

Ober-/Unterhitze: etwa 180 °C (vorgeheizt)
Heißluft: etwa 160 °C (vorgeheizt)
Gas: Stufe 2 – 3 (vorgeheizt)
Backzeit: 12 – 15 Minuten pro Backblech

6 Das Gebäck mit dem Backpapier von den Backblechen auf Kuchenroste ziehen, erkalten lassen.

Nuss-Strudel-Torte |

Dauert länger

Für den Strudelteig:
250 g Weizenmehl
100 ml lauwarmes Wasser
1 Eigelb (Größe M)
3 EL neutrales Speiseöl

Für die Füllung:
100 g gemahlene Haselnusskerne
30 g abgezogene, gehobelte Mandeln
70 g gehackte Pekan- oder

Walnusskerne
70 g gehobelte Haselnusskerne
200 g Nuss-Nougat
30 g Butter

Zum Bestreichen:
6 EL Kondensmilch
1 Pck. Vanillin-Zucker
20 g zerlassene Butter

Zubereitungszeit: 90 Minuten,
ohne Ruhe- und Abkühlzeit

Insgesamt: E: 92 g, F: 332 g, Kh: 383 g,
kJ: 21234, kcal: 5074

1 Für den Teig Mehl in eine Rührschüssel sieben. Wasser, Eigelb und Öl hinzufügen. Die Zutaten mit Handrührgerät mit Knethaken zunächst kurz auf niedrigster, dann auf höchster Stufe gut durcharbeiten.

2 Anschließend auf der bemehlten Arbeitsfläche zu einem glatten Teig verkneten, ihn auf Backpapier in einen heißen, trockenen

Kochtopf (vorher Wasser darin kochen) legen, mit einem Deckel verschließen und etwa 30 Minuten ruhen lassen.

3 Für die Füllung gemahlene Haselnusskerne und gehobelte Mandeln in einer Pfanne ohne Fett hellbraun rösten. Pekan- oder Walnusskerne mit den Haselnusskernen zu den gebräunten Haselnusskernen und Mandeln geben, abkühlen lassen.

4 Nuss-Nougat in kleine Stücke schneiden, mit der Butter in einem kleinen Topf im Wasserbad bei schwacher Hitze zu einer geschmeidigen Masse verrühren, abkühlen lassen. Nuss-Nougat mit den gerösteten Nusskernen und Mandeln vermengen.

5 Teig halbieren. Eine Hälfte auf der bemehlten Arbeitsfläche zu einem Rechteck (etwa 50 x 70 cm) ausrollen und in eine Springform (Ø 26 cm, gefettet) legen, andrücken. Restteig überlappen lassen.

6 Restlichen Teig dritteln. Jedes Drittel zu einer runden Platte (Ø 28 cm) ausrollen. Teigplatten mit Hilfe der Teigrolle auf ein Stück Backpapier aufrollen.

7 Zum Bestreichen Kondensmilch mit Vanillin-Zucker verrühren. Den Teigboden in der Form damit bestreichen.

8 Aufgerollte Teigplatten nacheinander in der Form wieder abrollen lassen, dabei die

Ränder an die Form drücken. Jeweils etwas von der Füllung auf jede Platte streichen.

9 Überlappenden Teig (vom Boden) faltenartig über die Füllung klappen. Mit Butter bestreichen. Die Form auf dem Rost in den Backofen schieben.

Ober-/Unterhitze: etwa 200 °C (vorgeheizt)
Heißluft: etwa 180 °C (nicht vorgeheizt)
Gas: etwa Stufe 3 (nicht vorgeheizt)
Backzeit: 45 – 55 Minuten

10 Den Kuchen aus der Form lösen und auf einem Kuchenrost erkalten lassen.

Nusstorte | 🗑 🍾 ❄

Für Gäste

Für den Biskuitteig:
5 Eier (Größe M)
3 – 4 EL heißes Wasser
150 g Zucker, 1 Pck. Vanillin-Zucker
3 Tropfen Bittermandel-Aroma
150 g gemahlene Haselnusskerne
100 g fein geriebener Zwieback
1 Pck. Garant-Grießspeise
3 gestr. TL Backpulver

Für die Füllung:
4 Blatt weiße Gelatine
500 ml (½ l) Schlagsahne
4 EL Weinbrand
50 g gesiebter Puderzucker
3 gestr. TL Kakaopulver

Zum Bestreuen:
75 g Raspelschokolade

Zubereitungszeit: 45 Minuten, ohne Abkühlzeit

Insgesamt: E: 94 g, F: 303 g, Kh: 418 g, kJ: 21048, kcal: 5029

1 Für den Teig Eier und Wasser mit Handrührgerät mit Rührbesen auf höchster Stufe in 1 Minute schaumig schlagen. Zucker, Vanillin-Zucker und Aroma mischen, in 1 Minute einstreuen, dann noch etwa 2 Minuten schlagen.

2 Haselnusskerne mit Zwieback, Grießspeise und Backpulver mischen, die Hälfte davon auf die Eiercreme geben, kurz auf niedrigster Stufe unterrühren, den Rest des Gemisches auf die gleiche Weise unterarbeiten.

3 Den Teig in eine Springform (Ø 28 cm, Boden gefettet, mit Backpapier belegt) füllen. Die Form auf dem Rost in den Backofen schieben.

Ober-/Unterhitze: 180 – 200 °C (vorgeheizt)
Heißluft: 160 – 180 °C (vorgeheizt)
Gas: etwa Stufe 3 (vorgeheizt)
Backzeit: etwa 30 Minuten

4 Den Biskuitboden aus der Form lösen, auf einen Kuchenrost stürzen, mitgebackenes Backpapier abziehen. Biskuitboden erkalten lassen, einmal waagerecht durchschneiden.

5 Für die Füllung Gelatine in kaltem Wasser nach Packungsanleitung einweichen, leicht ausdrücken. Die ausgedrückte Gelatine in einem kleinen Topf unter Rühren erwärmen (nicht kochen), bis sie völlig gelöst ist, leicht abkühlen lassen.

6 Sahne fast steif schlagen, die Gelatine mit Weinbrand und Puderzucker hinzufügen, Sahne vollkommen steif schlagen. 3 gehäufte Esslöffel Sahne in einen Spritzbeutel füllen, unter die restliche Sahne Kakao rühren.

7 Den unteren Biskuitboden mit ⅔ der Kakaosahne bestreichen, den oberen Boden darauf legen, leicht andrücken. Tortenrand und -oberfläche mit der restlichen Kakaosahne bestreichen. Den Rand mit Raspelschokolade bestreuen. Die Tortenoberfläche mit der Sahne aus dem Spritzbeutel verzieren.

Tipp: Anstelle des Garant-Grießpulvers 50 g Instant Grieß verwenden. Statt mit Gelatine und Weinbrand kann die Füllung mit 2 Päckchen Sahnesteif zubereitet werden.

Nusstorte, gefüllt |

Für Gäste – schnell

Für den Biskuitteig:
4 Eier (Größe M)
2 EL Orangensaft
200 g Zucker
1 Pck. Vanillin-Zucker
150 g Weizenmehl
¹/₂ gestr. TL Backpulver

Für die Füllung:
125 g weiche Butter
125 g gesiebter Puderzucker
1 Pck. Bourbon-Vanille-Zucker
200 g fein gehackte Walnusskerne

Zum Bestreichen:
3 – 4 EL Aprikosenkonfitüre

Für den Guss:
2 EL Orangensaft
120 g gesiebter Puderzucker
1 Pck. Bourbon-Vanille-Zucker

Nach Belieben zum Garnieren und Verzieren:
Walnusskerne
in Streifen geschnittene Orangenschale
aufgelöste Zartbitterschokolade

Zubereitungszeit: 45 Minuten,
ohne Abkühlzeit

Insgesamt: E: 60 g, F: 64 g, Kh: 413 g,
kJ: 10516, kcal: 2510

1 Für den Teig Eier und Orangensaft mit Handrührgerät mit Rührbesen auf höchster Stufe in 1 Minute schaumig schlagen. Zucker und Vanillin-Zucker mischen, in 1 Minute einstreuen, dann noch etwa 2 Minuten schlagen.

2 Mehl mit Backpulver mischen, die Hälfte davon auf die Eiercreme sieben, kurz auf niedrigster Stufe unterrühren, restliches Mehlgemisch auf die gleiche Weise unterarbeiten. Den Teig in eine Springform (Ø 26 cm, Boden gefettet, mit Backpapier belegt) füllen und glatt streichen. Die Form auf dem Rost in den Backofen schieben.

Ober-/Unterhitze: etwa 180 °C (vorgeheizt)
Heißluft: etwa 160 °C (vorgeheizt)
Gas: Stufe 2 – 3 (vorgeheizt)
Backzeit: etwa 30 Minuten

3 Den Biskuitboden nach dem Backen auf einen mit Backpapier belegten Kuchenrost stürzen, mitgebackenes Backpapier vorsichtig abziehen. Biskuitboden erkalten lassen, zweimal waagerecht durchschneiden.

4 Für die Füllung Butter schaumig rühren. Nach und nach Puderzucker und Vanille-Zucker unterrühren. Zuletzt Walnusskerne unterrühren.

5 Den unteren Boden auf eine Platte legen, die Hälfte der Walnusscreme darauf streichen, den mittleren Boden darauf legen, restliche Walnusscreme darauf streichen, mit dem oberen Boden bedecken und gut andrücken.

6 Zum Bestreichen Konfitüre durch ein Sieb streichen. Tortenoberfläche und -rand damit bestreichen.

7 Für den Guss Orangensaft mit Puderzucker und Vanille-Zucker zu einer dickflüssigen Masse verrühren, die Torte damit überziehen.

8 Nach Belieben mit Walnusskernen und Orangenschale garnieren. Mit aufgelöster Zartbitterschokolade besprenkeln, fest werden lassen.

Nusstorte, gefüllt

Nusswaffeln | 🍶 🍶

Vollwertig

Für den Teig:
125 g Weizen, fein gemahlen
1 gestr. TL Backpulver
125 g gemahlene Haselnusskerne
75 g Birnen-Dattel-Kraut (Reformhaus)
1 Prise Salz
3 Eier (Größe M)
150 g saure Sahne
75 g zerlassene abgekühlte Butter
1 säuerlicher Apfel

Zubereitungszeit: 60 Minuten

Insgesamt: E: 61 g, F: 177 g, Kh: 159 g,
kJ: 10808, kcal: 2582

1 Für den Teig Weizen mit Backpulver mischen, in eine Rührschüssel geben. Haselnusskerne, Birnen-Dattel-Kraut, Salz, Eier, saure Sahne und Butter oder Margarine hinzufügen. Die Zutaten mit Handrührgerät mit Knethaken zunächst kurz auf niedrigster, dann auf höchster Stufe gut durcharbeiten.

2 Apfel schälen, vierteln, entkernen, grob raspeln, unter den Teig rühren. Den Teig in nicht zu großen Mengen in ein gut erhitztes, gefettetes Waffeleisen füllen, goldbraun backen. Waffeln einzeln auf einem Kuchenrost erkalten lassen

Beigabe: Mit Honig oder Ahornsirup gesüßte, geschlagene Schlagsahne.

Nusswaffeln

Obst-Nuss-Torte | 🗑

Für Kinder – einfach

Für den Knetteig:
150 g Weizenmehl
1 gestr. TL Backpulver
50 g Zucker
1 Pck. Vanillin-Zucker
1 Ei (Größe M)
75 g gemahlene Haselnusskerne
100 g Butter oder Margarine

Für die Form:
40 g abgezogene,
gemahlene Mandeln

Für den Belag:
600 – 700 g vorbereitetes
Beerenobst (z. B. Erdbeeren,
Himbeeren, Brombeeren)

Zum Bestreichen:
3 geh. EL Beerenkonfitüre

Zum Bestreuen:
30 g abgezogene, gehackte Mandeln

Zubereitungszeit: 35 Minuten,
ohne Abkühlzeit

Insgesamt: E: 48 g, F: 156 g, Kh: 284 g,
kJ: 11852, kcal: 2833

1 Für den Teig Mehl mit Backpulver mischen, in
eine Rührschüssel sieben. Zucker, Vanillin-Zucker, Ei, Haselnusskerne und Butter oder Margarine hinzufügen. Die Zutaten mit Handrührgerät mit Knethaken zunächst kurz auf niedrigster, dann auf höchster Stufe gut durcharbeiten.

2 Anschließend auf der bemehlten Arbeitsfläche zu einem glatten Teig verkneten. Sollte
er kleben, ihn in Folie gewickelt eine Zeit lang
kalt stellen.

3 Den Teig zu einer Platte (Ø 30 cm) ausrollen. Teigplatte in eine Obstkuchenform

(Ø 28 cm, gefettet, mit Mandeln ausgestreut)
legen, gut andrücken. Den Teigboden mehrmals mit einer Gabel einstechen. Die Form
auf dem Rost in den Backofen schieben.

Ober-/Unterhitze: 180 – 200 °C (vorgeheizt)
Heißluft: 160 – 180 °C (vorgeheizt)
Gas: etwa Stufe 3 (vorgeheizt)
Backzeit: 15 – 20 Minuten

4 Den Gebäckboden sofort auf einen
Kuchenrost stürzen und erkalten lassen.

5 Gebäckboden auf eine Tortenplatte legen.
Das Beerenobst auf dem Gebäckboden
verteilen.

6 Zum Bestreichen Konfitüre durch ein Sieb
streichen, in einem kleinen Topf unter Rühren
etwas einkochen lassen. Das Obst und den
Gebäckrand damit bestreichen. Den Gebäckrand mit Mandeln bestreuen.

Obst-Nuss-Torte

Obsttarte |

Für Gäste

Für den Knetteig:
200 g Weizenmehl
1 Pck. Vanillin-Zucker
1 Prise Salz, 1 Ei (Größe M)
100 g Butter oder Margarine

Zum Blindbacken:
Hülsenfrüchte, z. B. Erbsen

Für die Mandelmasse:
4 Eier (Größe M), 100 g Zucker
2 gestr. EL Speisestärke
6 Tropfen Zitronen-Aroma
60 g abgezogene, gemahlene Mandeln

Für den Belag:
250 g Aprikosen, 2 Birnen
100 g grüne Weintrauben

Zum Bestreichen:
2 – 3 EL Aprikosenkonfitüre

Zubereitungszeit: 65 Minuten,
ohne Abkühlzeit

Insgesamt: E: 77 q, F: 151 q, Kh: 381 q,
kJ: 14059, kcal: 3360

Obsttarte

1 Für den Teig Mehl in eine Rührschüssel sieben. Vanillin-Zucker, Salz, Ei und Butter oder Margarine hinzufügen. Die Zutaten mit Handrührgerät mit Knethaken zunächst kurz auf niedrigster, dann auf höchster Stufe gut durcharbeiten.

2 Anschließend auf der bemehlten Arbeitsfläche zu einem glatten Teig verkneten. Sollte er kleben, ihn in Folie gewickelt eine Zeit lang kalt stellen.

3 Den Teig auf der bemehlten Arbeitsfläche zu einer Platte ausrollen (Ø 30 cm) und in eine Tarteform (Ø 26 cm, gefettet) legen, am Rand etwa 2 cm hochziehen. Teigboden mehrmals mit einer Gabel einstechen, mit Backpapier belegen, mit Hülsenfrüchten füllen. Die Form auf dem Rost in den Backofen schieben und den Teig goldgelb vorbacken.

Ober-/Unterhitze: 180 – 200 °C (vorgeheizt)
Heißluft: 160 – 180 °C (vorgeheizt)
Gas: etwa Stufe 3 (vorgeheizt)
Backzeit: etwa 15 Minuten

4 Die Form auf einen Kuchenrost stellen. Hülsenfrüchte und Backpapier entfernen. Den Boden abkühlen lassen.

5 Für die Mandelmasse Eier mit Zucker verschlagen. Speisestärke, Aroma und Mandeln unterrühren. Die Masse auf den vorgebackenen Boden streichen.

6 Für den Belag Aprikosen waschen, abtrocknen, halbieren, entsteinen. Birnen schälen, vierteln, entkernen, in Spalten schneiden. Weintrauben waschen, trockentupfen, entstielen, halbieren, entkernen. Das Obst auf der Mandelmasse verteilen. Die Form wieder auf dem Rost in den Backofen schieben und die Tarte fertig backen.

Ober-/Unterhitze: 180 – 200 °C (vorgeheizt)
Heißluft: 160 – 180 °C (vorgeheizt)
Gas: etwa Stufe 3 (vorgeheizt)
Backzeit: 15 – 20 Minuten

7 Die Form auf einen Kuchenrost stellen.

8 Zum Bestreichen Konfitüre in einem kleinen Topf unter Rühren aufkochen. Die Tarte sofort damit bestreichen.

Tipp: Mit angeschlagener Sahne servieren.

Obsttörtchen |

Klassisch

Für den Rührteig:
150 g Butter oder Margarine
150 g Zucker, 1 Pck. Vanillin-Zucker
1 Prise Salz
4 Eier (Größe M)
200 g Weizenmehl
1 gestr. TL Backpulver

Zum Bestreuen:
1 Pck. Sahnesteif

Für den Belag:
750 g vorbereitetes Obst, z. B. Erd-
beeren, Himbeeren, Heidelbeeren,
Weintrauben und Brombeeren, Zucker
oder Obst aus dem Glas oder aus der
Dose, z. B. Aprikosen, Pfirsiche,
Sauerkirschen, Stachelbeeren und
Mandarinen

Für den Guss:
1 Pck. Tortenguss
30 g Zucker
250 ml (¹/₄ l) Wasser oder Fruchtsaft

Nach Belieben zum Verzieren und
Garnieren:
200 ml Schlagsahne
1 Pck. Sahnesteif
einige Johannisbeerrispen

Zubereitungszeit: 65 Minuten,
ohne Abkühlzeit

Insgesamt: E: 63 g, F: 216 g, Kh: 473 g,
kJ: 18632, kcal: 4453

1 Für den Teig Teig Butter oder Margarine
mit Handrührgerät mit Rührbesen auf höchster Stufe geschmeidig rühren. Nach und
nach Zucker, Vanillin-Zucker und Salz unterrühren. So lange rühren, bis eine gebundene
Masse entstanden ist.

2 Eier nach und nach unterrühren (jedes Ei
etwa ¹/₂ Minute). Mehl mit Backpulver mischen, sieben, portionsweise auf mittlerer
Stufe unterrühren.

3 Den Teig in Tortelett-Förmchen (Ø etwa
10 cm, gut gefettet) füllen, glatt streichen.
Die Förmchen auf dem Rost in den Backofen
schieben.

Ober-/Unterhitze: etwa 180 °C (vorgeheizt)
Heißluft: etwa 160 °C (vorgeheizt)
Gas: Stufe 2 – 3 (vorgeheizt)
Backzeit: 10 – 15 Minuten

4 Törtchen sofort aus den Förmchen lösen,
auf einem Kuchenrost erkalten lassen. Törtchen gleichmäßig mit Sahnesteif bestreuen,
damit sie nicht durchweichen.

5 Für den Belag vorbereitetes Obst mit Zucker bestreuen und kurze Zeit stehen lassen.

Obst aus dem Glas oder aus der Dose in einem Sieb gut abtropfen lassen, Saft auffangen und 250 ml (¹/₄ l) abmessen. Das Obst
auf die Törtchen legen.

6 Für den Guss Tortengusspulver mit Zucker,
Wasser oder Fruchtsaft nach Packungsanleitung zubereiten, etwas abkühlen lassen
und über das Obst verteilen. Guss fest werden lassen.

7 Nach Belieben vor dem Servieren Sahne
mit Sahnesteif steif schlagen. Törtchen auf je
einen Dessertteller legen. Den Tellerrand mit
Sahne verzieren und mit Johannisbeerrispen
garnieren. Restliche Sahne dazureichen.

Obsttörtchen

Obsttörtchen mit Creme | 🗑 🗑 🗑

(10 Stück)

Raffiniert

Für den Knetteig:
200 g Weizenmehl
50 g Zucker
1 Prise Salz
1 EL Wasser
125 g Butter oder Margarine

Für die Creme:
4 Blatt weiße Gelatine
15 g Speisestärke
50 g Zucker, 1 Pck. Vanillin-Zucker
2 Eigelb (Größe M)
200 ml Milch
250 ml (¹/₄ l) Schlagsahne

Für den Belag:
3–4 Äpfel, 250 ml (¹/₄ l) Wasser
Saft von 1 Zitrone
50 g Zucker

Für den Guss:
1 Pck. Tortenguss, klar
25 g Zucker
250 ml (¹/₄ l) Saft (von den Äpfeln)
30 g abgezogene, gestiftelte Mandeln

Zubereitungszeit: 70 Minuten,
ohne Kühlzeit

Insgesamt: E: 51 g, F: 218 g, Kh: 430 g,
kJ: 16826, kcal: 4019

Obsttörtchen mit Creme

1 Für den Teig Mehl in eine Rührschüssel sieben. Zucker, Salz, Wasser und Butter oder Margarine hinzufügen. Die Zutaten mit Handrührgerät mit Knethaken zunächst kurz auf niedrigster, dann auf höchster Stufe gut durcharbeiten.

2 Anschließend auf der bemehlten Arbeitsfläche zu einem glatten Teig verkneten, ihn in Folie gewickelt eine Zeit lang kalt stellen.

3 Teig auf der bemehlten Arbeitsfläche dünn ausrollen, mit einer runden Form kleine Platten (Ø etwa 10 cm) ausstechen, in glatte

Tortelett-Förmchen (Ø etwa 8 cm, gefettet) legen. Teig mehrmals mit einer Gabel einstechen. Ein zweites eingefettetes Förmchen auf den Teig geben. Die Förmchen auf dem Rost in den Backofen schieben.

Ober-/Unterhitze: etwa 200 °C (vorgeheizt)
Heißluft: etwa 180 °C (vorgeheizt)
Gas: etwa Stufe 4 (vorgeheizt)
Backzeit: etwa 20 Minuten

4 Nach 15 Minuten Backzeit die zusätzlichen Förmchen vom Teig nehmen. Törtchen fertig backen. Törtchen aus den Förmchen lösen, auf einen Kuchenrost legen. Törtchen erkalten lassen.

5 Für die Creme Gelatine in kaltem Wasser nach Packungsanleitung einweichen. Speisestärke mit Zucker, Vanillin-Zucker, Eigelb und etwas von der Milch anrühren. Restliche Milch in einem Topf zum Kochen bringen, von der Kochstelle nehmen. Angerührte Speisestärke einrühren, unter Rühren nochmals gut aufko-

chen lassen. Die gut ausgedrückte Gelatine unter Rühren in dem heißen Pudding vollständig auflösen, kalt stellen. Sahne steif schlagen. Wenn der Pudding anfängt dicklich zu werden, Sahne unterheben. Törtchen mit der Creme füllen.

6 Für den Belag Äpfel schälen, mit einem Apfelausstecher die Kerne und Blüten entfernen. Äpfel in sehr dünne Scheiben schneiden. Wasser, Zitronensaft und Zucker in einem Topf zum Kochen bringen. Die Apfelscheiben portionsweise etwa 3 Minuten darin garen. Apfelscheiben vorsichtig herausnehmen und in einem Sieb abtropfen lassen. Saft dabei auffangen, 250 ml (¹/₄ l) abmessen, evtl. mit Wasser auffüllen. Apfelscheiben auf die Creme legen.

7 Für den Guss Tortengusspulver mit Zucker und Saft nach Packungsanleitung zubereiten, etwas abkühlen lassen. Guss auf den Apfelscheiben verteilen, fest werden lassen.

Obstvariationen, bunt | 🗑 🗑 🍾

Einfach

Für den Rührteig:
150 g Butter oder Margarine
100 g Zucker, 1 Pck. Vanillin-Zucker
1 Prise Salz, 2 Eier (Größe M)
200 g Weizenmehl
1 gestr. TL Backpulver

Für den Belag:
500 ml (¹/₂ l) Milch
1 Pck. Pudding-Pulver
Vanille-Geschmack, 40 g Zucker
2 kg vorbereitete Früchte
(z. B. Beerenfrüchte: rote und schwarze
Johannisbeeren, Brombeeren, Him-
beeren, Erdbeeren und Heidelbeeren
oder Aprikosen, Nektarinen, rote Pflau-
men und Melonenkugeln oder Kiwis,
Erdbeeren, rote und grüne Stachel-
beeren und kernlose Weintrauben)

Für den Guss:
2 Pck. Tortenguss, klar
500 ml (¹/₂ l) Apfelsaft oder Weißwein
und Wasser, 3 – 4 gestr. EL Zucker

Zubereitungszeit: 60 Minuten,
ohne Abkühlzeit

Insgesamt: E: 69 g, F: 162 g, Kh: 728 g,
kJ: 20210, kcal: 4832

1 Für den Teig Butter oder Margarine mit
Handrührgerät mit Rührbesen auf höchster
Stufe geschmeidig rühren. Nach und nach
Zucker, Vanillin-Zucker und Salz unterrühren.
So lange rühren, bis eine gebundene Masse
entstanden ist.

2 Eier nach und nach unterrühren (jedes
Ei etwa ¹/₂ Minute). Mehl mit Backpulver mischen, sieben und portionsweise auf mittlerer
Stufe unterrühren. Den Teig auf ein Backblech
(30 x 40 cm, gefettet) streichen. Vor den Teig
einen mehrfach geknickten Streifen Alufolie legen. Das Backblech in den Backofen schieben.

Ober-/Unterhitze: 180 – 200 °C (vorgeheizt)
Heißluft: 160 – 180 °C (vorgeheizt)
Gas: etwa Stufe 3 (vorgeheizt)
Backzeit: 12 – 15 Minuten

3 Die Gebäckplatte sofort nach dem Backen
vom Boden und vom Rand des Bleches lösen,
aber darauf erkalten lassen.

4 Für den Belag aus Milch, Pudding-Pulver
und Zucker nach Packungsanleitung einen
Pudding zubereiten, erkalten lassen, dabei ab
und zu umrühren. Den Pudding auf die Gebäckplatte streichen. Die vorbereiteten Früchte (große Früchte halbieren oder in Spalten
schneiden) auf dem Pudding verteilen.

5 Für den Guss Tortengusspulver, Apfelsaft
oder Weißwein und Wasser und Zucker nach
Packungsanleitung zubereiten und über die
Früchte geben. Guss fest werden lassen.

Beilage: Mit Bourbon-Vanille-Zucker gesüßte, steif geschlagene Schlagsahne.

Tipp: Für Liebhaber der Vollkorn-Bäckerei
wird der Zucker durch Rohrzucker ersetzt,
das Mehl durch Vollkorn-Weizenmehlmehl
plus zusätzlich ¹/₂ Teelöffel Backpulver und
2 – 3 Esslöffel Milch.

Obstvariationen, bunt

Olivenbrötchen

Olivenbrötchen | 🗑 🗑 ❄

Gut vorzubereiten

Für den Hefeteig:
500 g Weizenmehl, 1 Pck. Trockenhefe
1 TL Zucker, 1 gestr. TL Salz
375 ml (⅜ l) lauwarmes Wasser
100 g schwarze Oliven
(trocken konserviert)
Wasser
100 g Walnusskerne

Zubereitungszeit: 35 Minuten,
ohne Teiggehzeit

Insgesamt: E: 72 g, F: 81 g, Kh: 388 g,
kJ: 11372, kcal: 2717

1 Für den Teig Mehl in eine Rührschüssel
sieben, mit Trockenhefe sorgfältig vermischen.
Zucker, Salz und Wasser hinzufügen. Die Zutaten mit Handrührgerät mit Knethaken zunächst
auf niedrigster, dann auf höchster Stufe in
etwa 5 Minuten zu einem Teig verarbeiten
Den Teig zugedeckt an einem warmen Ort so
lange gehen lassen, bis er sich sichtbar vergrößert hat.

2 Oliven entkernen, vierteln. Walnusskerne
grob hacken. Den Teig aus der Schüssel nehmen, auf einer bemehlten Arbeitsfläche nochmals kurz durchkneten, dabei Olivenviertel und
Walnusskerne unterkneten.

3 Teig zu einer Rolle formen, in 10 Stücke
schneiden. Zu je einem ovalen Brötchen formen und auf ein Backblech (mit Backpapier
belegt) legen. Teigbrötchen zugedeckt nochmals so lange an einem warmen Ort gehen
lassen, bis sie sich sichtbar vergrößert haben,
mit Wasser bestreichen. Backblech in den
Backofen schieben.

Ober-/Unterhitze: etwa 200 °C (vorgeheizt)
Heißluft: etwa 180 °C (vorgeheizt)
Gas: Stufe 3 – 4 (vorgeheizt)
Backzeit: etwa 30 Minuten

4 Die Brötchen vom Backpapier lösen und
auf einem Kuchenrost erkalten lassen.

Orangen-Buttercreme-Torte | 🥤 🥤 🍶

Für Gäste – fruchtig

Für den Rührteig:
100 g Butter oder Margarine
150 g Zucker, 1 Pck. Vanillin-Zucker
3 Eier (Größe M)
150 g Weizenmehl
3 gestr. TL Backpulver
50 g Kokosraspel

Für die Buttercreme:
1 Pck. Pudding-Pulver
Vanille-Geschmack
40 g Zucker
500 ml (¹/₂ l) Milch
250 g weiche Butter
2 EL Orangenlikör

Zum Bestreichen:
225 g Orangenmarmelade

Für den Belag:
5 – 6 Orangen

Für den Guss:
1 Pck. Gezuckerter Tortenguss, klar
125 ml (¹/₈ l) Wasser
125 ml (¹/₈ l) Orangensaft

Zubereitungszeit: 65 Minuten,
ohne Kühlzeit

Insgesamt: E: 64 g, F: 563 g, Kh: 410 g,
kJ: 30150, kcal: 7203

1 Für den Teig Butter oder Margarine mit Handrührgerät mit Rührbesen auf höchster Stufe geschmeidig rühren. Nach und nach Zucker und Vanillin-Zucker unterrühren. So lange rühren, bis eine gebundene Masse entstanden ist.

2 Eier nach und nach unterrühren (jedes Ei etwa ¹/₂ Minute). Mehl mit Backpulver mischen, sieben, portionsweise mit Kokosraspeln auf mittlerer Stufe unterrühren. Den Teig in eine Springform (Ø 26 cm, Boden gefettet, mit Backpapier belegt) füllen, glatt streichen. Die Form auf dem Rost in den Backofen schieben.

Ober-/Unterhitze: etwa 180 °C (vorgeheizt)
Heißluft: etwa 160 °C (vorgeheizt)
Gas: Stufe 2 – 3 (vorgeheizt)
Backzeit: etwa 25 Minuten

3 Gebäckboden aus der Form lösen, auf einen mit Backpapier belegten Kuchenrost stürzen, mitgebackenes Backpapier abziehen. Gebäckboden erkalten lassen, einmal waagerecht durchschneiden.

4 Für die Buttercreme aus Pudding-Pulver, Zucker und Milch nach Packungsanleitung einen Pudding zubereiten, sofort mit Klarsichtfolie zudecken und bei Zimmertemperatur erkalten lassen.

5 Butter geschmeidig rühren, den Pudding esslöffelweise unterrühren (darauf achten, dass Butter und Pudding Zimmertemperatur haben, da die Creme sonst gerinnt). Zuletzt Likör unterrühren (etwas von der Buttercreme in einen Spritzbeutel mit kleiner Lochtülle füllen).

6 Unteren Gebäckboden auf eine Platte legen und mit der Hälfte der Marmelade bestreichen. Die Hälfte der Buttercreme darauf streichen. Gebäckboden etwa 30 Minuten kalt stellen, dann restliche Marmelade gleichmäßig darauf verteilen. Den oberen Gebäckboden darauf legen, leicht andrücken. Tortenoberfläche und -rand mit der restlichen Buttercreme bestreichen. Torte 2 Stunden kalt stellen.

7 Für den Belag Orangen schälen, dabei die weiße Haut mit entfernen. Fruchtfilets herausschneiden und auf Küchenpapier abtropfen lassen. Torte dekorativ damit belegen.

8 Für den Guss Tortengusspulver, Wasser und Orangensaft nach Packungsanleitung zubereiten. Orangenfilets vorsichtig damit überziehen.

9 Mit der Buttercreme aus dem Spritzbeutel kleine Punkte (Blüten) auf den Guss spritzen.

Orangen-Buttercreme-Torte

Orangencharlotte | 🗑 🗑 🗑

Festlich

Für den Biskuitteig:
3 Eier (Größe M)
5 – 6 EL heißes Wasser
150 g Zucker, 1 Pck. Vanillin-Zucker
100 g Weizenmehl, 50 g Speisestärke
1 gestr. TL Backpulver

Zum Bestreichen:
250 g Himbeerkonfitüre

Für die Füllung:
6 Blatt weiße Gelatine
3 Eigelb (Größe M), 75 g Zucker
150 ml frisch gepresster Orangensaft
400 ml Schlagsahne
Orangenfilets von 4 Orangen

Für den Knetteig:
125 g Weizenmehl, 40 g Zucker
75 g Butter oder Margarine

Zum Verzieren:
125 ml (¹/₈ l) Schlagsahne

Zubereitungszeit: 80 Minuten,
ohne Kühlzeit

Insgesamt: E: 82 g, F: 265 g, Kh: 698 g,
kJ: 23749, kcal: 5677

1 Für den Biskuitteig Eier und Wasser mit Handrührgerät mit Rührbesen auf höchster Stufe in 1 Minute schaumig schlagen. Zucker und Vanillin-Zucker mischen, in 1 Minute einstreuen, dann noch etwa 2 Minuten schlagen.

2 Mehl mit Speisestärke und Backpulver mischen, die Hälfte davon auf die Eiercreme sieben, kurz auf niedrigster Stufe unterrühren, den Rest des Mehlgemisches auf die gleiche Weise unterarbeiten.

3 Den Teig auf ein Backblech (30 x 40 cm, gefettet, mit Backpapier belegt) streichen. An der offenen Seite des Bleches das Papier unmittelbar vor dem Teig zur Falte knicken, so dass ein Rand entsteht. Das Backblech in den Backofen schieben.

Ober-/Unterhitze: 200 – 220 °C (vorgeheizt)
Heißluft: 180 – 200 °C (vorgeheizt)
Gas: etwa Stufe 4 (vorgeheizt)
Backzeit: 10 – 15 Minuten

4 Biskuitplatte sofort nach dem Backen auf ein mit Zucker bestreutes Backpapier stürzen, mitgebackenes Backpapier abziehen. Biskuitplatte sofort mit Himbeerkonfitüre bestreichen und von der längeren Seite aufrollen, erkalten lassen.

5 Biskuitrolle in 1 cm breite Stücke schneiden. Eine Kuppelform (Ø 24 cm) oder Schüssel damit auslegen.

6 Für die Füllung Gelatine in kaltem Wasser nach Packungsanleitung einweichen, leicht ausdrücken. Gelatine unter Rühren erwärmen (nicht kochen), bis sie völlig gelöst ist.

7 Eigelb und Zucker im heißen Wasserbad mit Handrührgerät mit Rührbesen in etwa 5 Minuten schaumig rühren. Gelatine und Orangensaft unterrühren.

8 Sahne steif schlagen. Wenn die Gelatine-Orangenflüssigkeit anfängt dicklich zu werden, Sahne und Orangenfilets unterheben.

9 Die Creme in die Kuppelform füllen. Etwa 3 Stunden fest werden lassen.

10 Für den Knetteig Mehl in eine Rührschüssel sieben. Restliche Zutaten hinzufügen und mit Handrührgerät mit Knethaken zunächst kurz auf niedrigster, dann auf höchster Stufe gut durcharbeiten. Anschließend auf der bemehlten Arbeitsfläche zu einem glatten Teig verkneten, in Folie gewickelt eine Zeit lang kalt stellen.

11 Teig auf dem Boden einer Springform (Ø 24 cm, Boden gefettet) ausrollen. Springformrand darumlegen. Die Form auf dem Rost in den Backofen schieben.

Ober-/Unterhitze: etwa 200 °C (vorgeheizt)
Heißluft: etwa 180 °C (vorgeheizt)
Gas: Stufe 3 – 4 (vorgeheizt)
Backzeit: etwa 12 Minuten

12 Den Gebäckboden sofort vom Springformboden lösen, aber darauf erkalten lassen.

13 Den Gebäckboden auf eine Tortenplatte legen. Die Orangencharlotte darauf stürzen. Sahne steif schlagen. Die Charlotte damit verzieren.

Orangencharlotte

Orangen-Kokos-Torte

Orangen-Kokos-Torte | 🗑 ❄

Einfach

Für den Rührteig:
125 g Butter oder Margarine
125 g Zucker
1 Prise Salz
4 Tropfen Zitronen-Aroma
3 Eier (Größe M)
200 g Weizenmehl
2 gestr. TL Backpulver

Für den Belag:
4 Orangen
50 g gesiebter Puderzucker
1/2 gestr. TL gemahlener Zimt
50 g Kokosraspel

Puderzucker zum Bestäuben

Zubereitungszeit: 35 Minuten,
ohne Abkühlzeit

Insgesamt: E: 54 g, F: 157 g, Kh: 391 g,
kJ: 13813, kcal: 3299

1 Für den Teig Butter oder Margarine mit
Handrührgerät mit Rührbesen auf höchster
Stufe geschmeidig rühren. Nach und nach
Zucker, Salz und Aroma unterrühren. So lan-
ge rühren, bis eine gebundene Masse ent-
standen ist.

2 Eier nach und nach unterrühren (jedes
Ei etwa 1/2 Minute). Mehl mit Backpulver mischen, sieben, portionsweise auf mittlerer
Stufe unterrühren. Den Teig in eine Springform (Ø 26 cm, Boden gefettet) füllen, glatt
streichen.

3 Für den Belag Orangen so schälen, dass
die weiße Haut mit entfernt wird. Orangen in
dünne Scheiben schneiden. Orangenscheiben
auf den Teig legen (1 cm am Rand frei lassen).

Puderzucker mit Zimt und Kokosraspeln mischen, gleichmäßig auf den Orangenscheiben
verteilen. Die Form auf dem Rost in den
Backofen schieben.

Ober-/Unterhitze: 160 – 180 °C (vorgeheizt)
Heißluft: 140 – 160 °C (nicht vorgeheizt)
Gas: etwa Stufe 2 (nicht vorgeheizt)
Backzeit: etwa 45 Minuten

4 Den Kuchen aus der Form lösen und auf
einem Kuchenrost erkalten lassen. Mit Puderzucker bestäuben.

Tipp: Für den Belag anstelle der Orangenscheiben Orangenfilets verwenden. Dafür
Orangen schälen, die weiße Haut entfernen,
mit einem scharfen Messer zwischen den
Trennhäuten die Filets herausschneiden.
Der Kuchen kann auch in einer Kastenform
(11 x 25 cm) gebacken werden.

Orangenkuchen, getränkt | 🏺 🏺 ❄

Gut vorzubereiten – einfach

Für den Rührteig:
150 g Butter oder Margarine
150 g Zucker
1 Pck. Vanillin-Zucker
1 Prise Salz
abgeriebene Schale von 1 Bio-Orange
(unbehandelt, ungewachst)
3 Eier (Größe M)
150 g Weizenmehl
1 gestr. TL Backpulver

Zum Tränken:
125 ml (¹/₈ l) frisch gepresster
Orangensaft
etwas abgeriebene Orangen- und
Zitronenschale (von Bio-Früchten,
unbehandelt, ungewachst)
75 g Zucker

etwas Puderzucker zum Bestäuben

Zubereitungszeit: 40 Minuten,
ohne Abkühlzeit

Insgesamt: E: 42 g, F: 145 g, Kh: 374 g,
kJ: 12749, kcal: 3046

1 Für den Teig Butter oder Margarine mit
Handrührgerät mit Rührbesen auf höchster
Stufe geschmeidig rühren. Nach und nach
Zucker, Vanillin-Zucker, Salz und Orangen-
schale unterrühren. So lange rühren, bis eine
gebundene Masse entstanden ist.

2 Eier nach und nach unterrühren (jedes Ei
etwa ½ Minute). Mehl mit Backpulver mischen, sieben, portionsweise auf mittlerer
Stufe unterrühren.

3 Den Teig in eine Rehrückenform
(30 x 11 cm, gefettet) füllen. Die Form
auf dem Rost in den Backofen schieben.

Ober-/Unterhitze: 180–200 °C (vorgeheizt)
Heißluft: 160–180 °C (nicht vorgeheizt)
Gas: etwa Stufe 3 (nicht vorgeheizt)
Backzeit: etwa 45 Minuten

4 Den Kuchen aus der Form lösen und auf
einen Kuchenrost stürzen, dann wieder in die
Form geben. Kuchen erkalten lassen.

5 Zum Tränken Orangensaft mit Orangen-
und Zitronenschale und Zucker verrühren. Die
flache Seite des Kuchens mit einem Holzstäbchen mehrmals einstechen. Mit der Hälfte
des Orangensaftes beträufeln (am besten mit
einem Pinsel), kurz einziehen lassen.

6 Den Kuchen wieder stürzen, die gewölbte
Seite mit einem Holzstäbchen einstechen. Mit
dem restlichen Orangensaft beträufeln. Den
Kuchen vor dem Servieren mit Puderzucker
bestäuben.

Tipp: Der Kuchen kann auch in einer Kastenform (11 x 25 cm) gebacken werden.

Orangenkuchen, getränkt

Orangen-Marzipan-Kartoffeln | 🏺

Zum Weihnachtsfest – für Gäste

Für die Marzipan-Kartoffeln:
150 g Marzipan-Rohmasse
(mit Honig gesüßt, Reformhaus)
40 g fein gehacktes Orangeat

Außerdem:
Puderzucker
Kakaopulver

Zubereitungszeit: 25 Minuten

Insgesamt: E: 21 g, F: 54 g, Kh: 113 g,
kJ: 4394, kcal: 1049

1 Für die Kartoffeln Marzipan-Rohmasse mit
Orangeat auf einer mit Puderzucker bestäubten Arbeitsfläche verkneten, eine Stange daraus formen. Diese in 20 Stücke schneiden
und zu runden Kartoffeln formen.

2 Marzipan-Kartoffeln in Puderzucker oder
Kakao wälzen und in Pralinenförmchen legen.

Tipp: Anstelle der mit Honig gesüßten Marzipan-Rohmasse kann auch 100 g Marzipan-
Rohmasse und 50 g Puderzucker verwendet
werden. Raffinierter wird es, wenn 3 Esslöffel
Orangenlikör untergerührt werden. Die Kartoffeln können auch in aufgelöste Kuvertüre
getaucht werden.

Orangen-Mohn-Sirup-Kuchen |

Gut vorzubereiten

Zum Vorbereiten:
40 g Mohnsamen, 100 ml Milch

Für den Rührteig:
200 g Butter oder Margarine
150 g Zucker, 1 Prise Salz
4 Eier (Größe M)
1 TL Finesse Orangenfrucht
350 g Weizenmehl, 1 Pck. Backpulver
150 ml frisch gepresster Orangensaft
100 g abgezogene, gemahlene Mandeln

Für den Sirup:
250 g Zucker, 200 ml Orangensaft
5–6 EL Zitronensaft

Zubereitungszeit: 45 Minuten,
ohne Quell- und Abkühlzeit

Insgesamt: E: 104 g, F: 269 g, Kh: 709 g,
kJ: 24661, kcal: 5893

1 Zum Vorbereiten Mohn mit Milch übergießen und 30 Minuten quellen lassen.

2 Für den Teig Butter oder Margarine mit Handrührgerät mit Rührbesen auf höchster Stufe geschmeidig rühren. Nach und nach Zucker, Salz und Orangenfrucht unterrühren. So lange rühren, bis eine gebundene Masse entstanden ist.

3 Eier nach und nach unterrühren (jedes Ei etwa 1/2 Minute). Mehl mit Backpulver mischen, sieben, portionsweise abwechselnd mit dem Orangensaft auf mittlerer Stufe unterrühren. Zuletzt Mandeln und die Mohnmilch unterrühren.

4 Teig in eine Springform (Ø 26 cm, Boden gefettet) füllen, glatt streichen. Die Form auf dem Rost in den Backofen schieben.

Ober-/Unterhitze: etwa 180 °C (vorgeheizt)
Heißluft: etwa 160 °C (nicht vorgeheizt)
Gas: Stufe 2–3 (nicht vorgeheizt)
Backzeit: etwa 45 Minuten

5 Kuchen 5 Minuten in der Form abkühlen lassen, dann aus der Form lösen und auf einen Kuchenrost legen. Kuchen mit dem Kuchenrost auf ein Backblech stellen. Kuchen mit einem Holzstäbchen mehrfach einstechen.

6 Für den Sirup Zucker, Orangen- und Zitronensaft in einem Topf erhitzen, bis der Zucker geschmolzen ist. Zuckerlösung bei mittlerer Hitze 2 Minuten ohne Deckel kochen lassen, dabei nicht umrühren! Kuchen mit dem Sirup beträufeln, bis der gesamte Sirup vom Kuchen aufgesogen ist.

Orangen-Mohn-Sirup-Kuchen

Orangen-Möhren-Torte |

Zum Verschenken – zu Ostern

Für den Biskuitteig:
4 Eier (Größe M)
3 EL heißes Wasser
150 g Zucker, 1 Pck. Vanillin-Zucker
1/2 Pck. Finesse Orangenfrucht
100 g Weizenmehl
1 gestr. TL Backpulver
250 g vorbereitete, geraspelte Möhren
150 g abgezogene, gemahlene Mandeln

Für die Orangencreme:
4 Blatt weiße Gelatine
1 Pck. Pudding-Pulver
Vanille-Geschmack
40 g Zucker

250 ml (1/4 l) Orangensaft
125 ml (1/8 l) Möhrensaft
400 ml Schlagsahne
1/2 Pck. Finesse Orangenfrucht

Zum Garnieren:
200 g Marzipan-Rohmasse
100 g gesiebter Puderzucker
grüne, gelbe und rote Speisefarbe

Zum Bestreuen:
gehackte Pistazienkerne

Zubereitungszeit: 95 Minuten,
ohne Kühlzeit

Insgesamt: E: 117 g, F: 309 g, Kh: 563 g,
kJ: 23935, kcal: 5720

1 Für den Teig Eier und Wasser mit Handrührgerät mit Rührbesen auf höchster Stufe in 1 Minute schaumig schlagen. Zucker und Vanillin-Zucker mischen, in 1 Minute einstreuen, dann noch etwa 2 Minuten schlagen. Orangenfrucht unterrühren.

2 Mehl mit Backpulver mischen, die Hälfte davon auf die Eiercreme sieben, kurz auf niedrigster Stufe unterrühren. Den Rest des Mehlgemisches auf die gleiche Weise unterarbeiten. Zuletzt Möhren und Mandeln unterrühren.

3 Den Teig in eine Springform (Ø 26 cm, Boden gefettet, mit Backpapier belegt) füllen. Die Form auf dem Rost in den Backofen schieben.

Ober-/Unterhitze: etwa 180 °C (vorgeheizt)
Heißluft: etwa 160 °C (nicht vorgeheizt)
Gas: Stufe 2 – 3 (nicht vorgeheizt)
Backzeit: etwa 40 Minuten

4 Biskuitboden aus der Form lösen, auf einen mit Backpapier belegten Kuchenrost stürzen, mitgebackenes Backpapier abziehen. Biskuitboden erkalten lassen, einmal waagerecht durchschneiden.

5 Für die Orangencreme Gelatine in kaltem Wasser nach Packungsanleitung einweichen. Pudding nach Packungsanleitung mit Zucker, aber nur mit Orangen- und Möhrensaft zubereiten. Ausgedrückte Gelatine in dem heißen Pudding unter Rühren vollständig auflösen. Pudding mit Klarsichtfolie zudecken und erkalten lassen. Sahne steif schlagen, Orangenfrucht unterheben. Sahnemasse unter den kalten Pudding (vorher kurz durchrühren) heben.

6 Unteren Biskuitboden auf eine Platte le-

gen, mit der Hälfte der Orangencreme bestreichen, oberen Biskuitboden darauf legen. Tortenoberfläche und -rand mit der restlichen Orangencreme bestreichen. Torte 2 – 3 Stunden kalt stellen.

7 Zum Garnieren Marzipan-Rohmasse mit Puderzucker verkneten. Ein walnussgroßes

Stück davon mit grüner Speisefarbe einfärben und für 10 Möhren Möhrenlaub formen. Restliches Marzipan mit roter und gelber Speisefarbe in „Möhrenorange" einfärben und 10 Möhren formen. Torte mit den Möhren und dem Möhrenlaub garnieren und mit Pistazienkernen bestreuen.

Orangen-Möhren-Torte

Orangenplätzchen | 🗑

Einfach

Für den Biskuitteig:
2 Eier (Größe M)
abgeriebene Schale von 1 Bio-Orange
(unbehandelt, ungewachst)
2 EL Orangensaft
100 g Zucker, 1 Pck. Vanillin-Zucker
100 g Weizenmehl
50 g Speisestärke
1 Pck. Dessertsauce
Vanille-Geschmack (zum Kochen)

Für den Guss:
100 g gesiebter Puderzucker
1 – 2 EL Orangensaft

geviertelte, kandierte Orangenscheiben

Zubereitungszeit: 45 Minuten,
ohne Abkühlzeit

Insgesamt: E: 27 g, F: 15 g, Kh: 363 g,
kJ: 7249, kcal: 1732

1 Für den Teig Eier, Orangenschale und -saft mit Handrührgerät mit Rührbesen auf höchster Stufe in 1 Minute schaumig schlagen. Zucker und Vanillin-Zucker mischen, in 1 Minute einstreuen, dann noch etwa 2 Minuten schlagen.

2 Mehl mit Speisestärke und Dessertsauce mischen, die Hälfte davon auf die Eiercreme sieben, kurz auf niedrigster Stufe unterrühren. Den Rest des Mehlgemisches auf die gleiche Weise unterarbeiten.

3 Mit 2 Teelöffeln Teighäufchen (nicht zu dicht nebeneinander) auf ein Backblech (gefettet, mit Backpapier belegt) setzen. Das Backblech in den Backofen schieben.

Ober-/Unterhitze: 180 – 200 °C (vorgeheizt)
Heißluft: 160 – 180 °C (vorgeheizt)
Gas: etwa Stufe 3 (vorgeheizt)
Backzeit: etwa 10 Minuten

4 Die Plätzchen mit dem Backpapier vom Backblech auf einen Kuchenrost ziehen, darauf erkalten lassen.

5 Für den Guss Puderzucker mit Orangensaft zu einer dickflüssigen Masse verrühren. Die Plätzchen damit besprenkeln.

6 Nach Belieben die Plätzchen mit Orangenscheiben garnieren.

Tipp: Anstelle der Orangenschale 1 Päckchen Finesse Orangenfrucht verwenden. Um den Kuchen gelber aussehen zu lassen, Speisestärke durch ein Päckchen Pudding-Pulver Vanille-Geschmack ersetzen.

Orangen-Schichttorte | 🗑 🗑 🗑

Raffiniert – für Gäste

Für den Rührteig:
175 g Butter oder Margarine
175 g Zucker
1 Pck. Vanillin-Zucker
1 Prise Salz
3 Eier (Größe M)
150 g Weizenmehl
30 g Speisestärke
1 gestr. TL Backpulver

Für den Guss:
150 g Halbbitter-Kuvertüre
20 g Kokosfett

Für die Füllung:
2 Pck. Pudding-Pulver
Vanille-Geschmack (ohne Kochen)
300 ml Orangensaft
750 ml (³/₄ l) Schlagsahne

Zum Garnieren:
Orangenfilets

Zum Bestreuen:
Pistazienkerne

Zubereitungszeit: 80 Minuten,
ohne Abkühlzeit

Insgesamt: E: 70 g, F: 471 g, Kh: 546 g,
kJ: 28783, kcal: 6881

1 Für den Teig Butter oder Margarine mit Handrührgerät mit Rührbesen auf höchster Stufe geschmeidig rühren. Nach und nach Zucker und Vanillin-Zucker hinzufügen. So lange rühren, bis eine gebundene Masse entstanden ist. Eier nach und nach unterrühren (jedes Ei etwa ¹/₂ Minute).

2 Mehl mit Speisestärke und Backpulver mischen, sieben, portionsweise auf mittlerer Stufe unterrühren. Aus dem Teig 4 Böden backen, dazu jeweils ¹/₄ des Teiges auf je einen Springformboden (Ø 26 cm, gefettet) streichen. Jeden Boden ohne Springformrand backen. Die Formen nacheinander (bei Heißluft zusammen) auf dem Rost in den Backofen schieben.

Ober-/Unterhitze: 180 – 200 °C (vorgeheizt)
Heißluft: 160 – 180 °C (vorgeheizt)
Gas: etwa Stufe 3 (vorgeheizt)
Backzeit: etwa 10 Minuten pro Boden

3 Die Gebäckböden sofort nach dem Backen vom Springformboden lösen, einzeln auf einem Kuchenrost erkalten lassen.

4 Für den Guss Kuvertüre in kleine Stücke hacken, zusammen mit Kokosfett in einem kleinen Topf im Wasserbad bei schwacher Hitze zu einer geschmeidigen Masse verrühren. Die Oberfläche der Gebäckböden damit bestreichen. Einen der Gebäckböden in 16 Tortenstücke schneiden. Den Guss fest werden lassen.

5 Für die Füllung einen Pudding aus Pudding-Pulver nach Packungsanleitung, aber mit Orangensaft und Sahne zubereiten. Die Puddingmasse in einen Spritzbeutel mit Lochtülle füllen. Drei Gebäckböden mit der Creme bespritzen, zusammen mit dem geschnittenen Gebäckboden zu einer Torte zusammensetzen. Mit Orangenfilets garnieren und mit Pistazienkernen bestreuen.

Orangen-Schichttorte

Orangen-Schoko-Kuchen | 🗑 🗑 🍶 ❄

Einfach

Für den Rührteig:
350 g Butter oder Margarine
275 g Zucker
1 Pck. Vanillin-Zucker
5 Tropfen Zitronen-Aroma
abgeriebene Schale von 2 Bio-Orangen
(unbehandelt, ungewachst)
6 Eier (Größe M)
350 g Weizenmehl
50 g Speisestärke
2 gestr. TL Backpulver
75 g abgezogene, gemahlene, leicht
geröstete Mandeln, 2 EL Orangenlikör

Zum Ausstreuen:
50 g abgezogene, gehobelte Mandeln

Für den Belag:
3 Orangen
50 g klein gehackte Zartbitterschokolade

Zum Tränken:
200 ml frisch gepresster Orangensaft
2 EL Orangenlikör
40 g gesiebter Puderzucker

Puderzucker zum Bestäuben

Zubereitungszeit: 35 Minuten,
ohne Abkühlzeit

Insgesamt: E: 120 g, F: 415 g, Kh: 721 g,
kJ: 31440, kcal: 7512

1 Für den Teig Butter oder Margarine mit
Handrührgerät mit Rührbesen auf höchster
Stufe geschmeidig rühren. Nach und nach
Zucker und Vanillin-Zucker unterrühren. So
lange rühren, bis eine gebundene Masse entstanden ist. Zitronen-Aroma und Orangenschale unterrühren.

2 Eier nach und nach unterrühren (jedes
Ei etwa ½ Minute). Mehl mit Speisestärke
und Backpulver mischen, sieben, portionsweise mit 50 g der Mandeln auf mittlerer
Stufe unterrühren. Zuletzt den Orangenlikör
unterziehen. Eine Springform mit Rohrboden

(Ø 26 cm, gefettet) zunächst mit den gehobelten, dann mit den restlichen gemahlenen
Mandeln ausstreuen.

3 Für den Belag Orangen schälen, so dass
die weiße Haut mit entfernt wird. Die klein geschnittenen Orangenfilets von einer Orange auf
den Boden der Springform legen, die Hälfte
des Teiges darauf streichen. Die Schokolade
und die Orangenfilets einer weiteren Orange
darauf verteilen, mit dem restlichen Teig
bestreichen, mit den Orangenfilets der dritten
Orange belegen. Die Form auf dem Rost in
den Backofen schieben.

Ober-/Unterhitze: etwa 180 °C (vorgeheizt)
Heißluft: etwa 160 °C (nicht vorgeheizt)
Gas: Stufe 2 – 3 (nicht vorgeheizt)
Backzeit: etwa 70 Minuten

4 Den Kuchen 10 Minuten in der Form stehen lassen, dann auf einen Kuchenrost stürzen, wieder umdrehen.

5 Zum Tränken Orangensaft mit Likör und
Puderzucker gut verrühren, mit Hilfe eines
Pinsels den Kuchen damit tränken. Kuchen
erkalten lassen, nach Belieben mit Puderzucker bestäuben.

Orangen-Schoko-Kuchen

Orangenschnitten, leichte | 🗑 🗑

Für Kinder – raffiniert

Für den Biskuitteig:
2 Eier (Größe M), 2 EL Orangensaft
75 g Zucker, 1 Pck. Vanillin-Zucker
75 g Weizenmehl
25 g Speisestärke
1 gestr. TL Backpulver
1 Pck. Finesse Orangenfrucht

Für die Füllung:
2 Orangen, Wasser
60 g Zucker
40 g Speisestärke
2 Eigelb (Größe M)
1 EL Wasser
2 Eiweiß (Größe M)

Für den Belag:
2 Orangen

Für den Guss:
1 Pck. Tortenguss, klar
125 ml (¹/₈ l) Apfelsaft
125 ml (¹/₈ l) Wasser

Zum Verzieren und Bestreuen:
100 ml Schlagsahne
feine Orangenschalenstreifen

Zubereitungszeit: 50 Minuten,
ohne Abkühlzeit

Insgesamt: E: 44 g, F: 57 g, Kh: 344 g,
kJ: 9001, kcal: 2150

1 Für den Teig Eier und Orangensaft mit Handrührgerät mit Rührbesen auf höchster Stufe in 1 Minute schaumig schlagen. Zucker mit Vanillin-Zucker mischen, in 1 Minute einstreuen, dann noch etwa 2 Minuten schlagen. Mehl mit Speisestärke und Backpulver mischen, auf die Eiercreme sieben, kurz auf niedrigster Stufe unterrühren. Orangenfrucht hinzufügen.

2 Einen Backrahmen in der Größe 40 x 20 cm auf ein Backblech (mit Backpapier belegt) stellen, den Teig hineingeben und glatt streichen. Das Backblech in den Backofen schieben.

Ober-/Unterhitze: etwa 200 °C (vorgeheizt)
Heißluft: etwa 180 °C (vorgeheizt)
Gas: Stufe 3 – 4 (vorgeheizt)
Backzeit: etwa 10 Minuten

3 Den Backrahmen sofort nach dem Backen mit Hilfe eines Messers lösen und entfernen. Das Gebäck auf ein Stück Backpapier oder auf die Arbeitsfläche stürzen, das mitgebackene Backpapier vorsichtig, aber schnell abziehen, die Biskuitplatte erkalten lassen.

4 Für die Füllung die Orangen auspressen, den Saft mit Wasser auf 250 ml (¹/₄ l) auffüllen und mit dem Zucker in einem Topf zum Kochen bringen. Die Speisestärke mit Eigelb und Wasser verrühren, den Topf von der Kochstelle nehmen, angerührte Speisestärke einrühren, alles nochmals aufkochen lassen. Eiweiß steif schlagen, sofort unter die heiße Speise heben, die Masse abkühlen lassen.

5 Die Biskuitplatte in 2 Quadrate schneiden, ein Gebäckstück auf eine Platte legen, den gesäuberten Backrahmen in entsprechender Größe darumstellen. Die Creme auf den unteren Boden streichen, mit dem oberen Boden bedecken und andrücken.

6 Für den Belag die Orangen schälen, dass die weiße Haut mit entfernt wird. Orangen in dünne Scheiben schneiden, auf den oberen Boden legen.

7 Für den Guss Tortengusspulver mit Apfelsaft und Wasser nach Packungsanleitung zubereiten, auf die Orangenscheiben geben, fest werden lassen. Den Backrahmen vorsichtig lösen und entfernen. Den Kuchenrand mit der steif geschlagenen Sahne verzieren, mit Orangenschalenstreifen bestreuen.

Tipp: Der Kuchen kann auch in einer Springform (Ø 28 cm) gebacken werden, dafür jedoch die Zutaten verdoppeln.

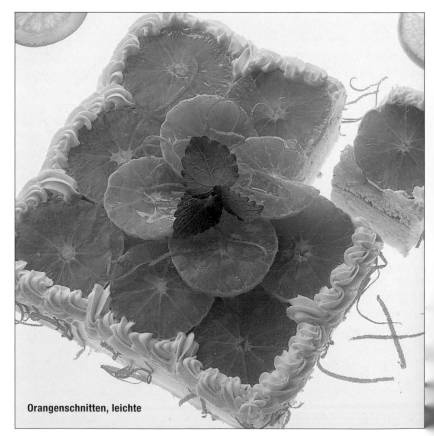
Orangenschnitten, leichte

Orangentaler |

Vollwertig – einfach

Für den Rührteig:
100 g Butter oder Margarine
1 Prise Meersalz
150 g flüssiger Honig
*abgeriebene Schale von 1 Orange
(unbehandelt)*
3 EL Orangensaft, 1 Ei (Größe M)
200 g Vollkorn-Weizennmehl
70 g abgezogene, gemahlene Mandeln
1 TL Backpulver

Nach Belieben zum Bestreuen:
Pistazienkerne

Zubereitungszeit: 55 Minuten,
ohne Kühlzeit

Insgesamt: E: 49 g, F: 136 g, Kh: 259 g,
kJ: 10686, kcal: 2553

1 Für den Teig Butter oder Margarine mit
Handrührgerät mit Rührbesen auf höchster
Stufe geschmeidig rühren. Nach und nach
Salz, Honig und Orangenschale unterrühren.
So lange rühren, bis eine gebundene Masse
entstanden ist. Orangensaft unterrühren.

2 Ei unterrühren (etwa ½ Minute). Mehl mit
Mandeln und Backpulver mischen, portionsweise auf mittlerer Stufe unterrühren.

3 Den Teig zugedeckt im Kühlschrank über
Nacht stehen lassen.

4 Teig zu Rollen (Ø 2½ cm) formen. Die
Rollen in etwa ½ cm dicke Scheiben schneiden und auf Backbleche legen.

5 Nach Belieben Teigscheiben mit Wasser
bestreichen, dann mit gehackten oder
gemahlenen Pistazienkernen bestreuen. Die
Backbleche nacheinander (bei Heißluft
zusammen) in den Backofen schieben.

Ober-/Unterhitze: etwa 180 °C (vorgeheizt)
Heißluft: etwa 160 °C (vorgeheizt)
Gas: Stufe 2 – 3 (vorgeheizt)
Backzeit: etwa 20 Minuten pro Backblech

6 Das Gebäck mit dem Backpapier vom
Backblech ziehen und auf einem Kuchenrost
erkalten lassen.

Orangentörtchen |

Für Gäste – gut vorzubereiten

Für den Biskuitteig:
2 Eier (Größe M), 3 El. heißes Wasser
100 g Zucker, 1 Pck. Vanillin-Zucker
75 g Weizenmehl
50 g Speisestärke
1 gestr. TL Backpulver
50 g abgezogene, gemahlene Mandeln

Zum Bestreuen:
30 g Hagelzucker

Zum Tränken:
2 EL Wasser, 40 g Zucker
1 Pck. Finesse Orangenfrucht
100 ml Orangensaft
2 – 3 EL Orangenlikör (nach Belieben)

Zum Verzieren:
250 ml (¼ l) Schlagsahne
20 g gesiebter Puderzucker
½ Pck. Sahnesteif

Zum Garnieren:
5 dunne Orangenscheiben

Zubereitungszeit: 45 Minuten,
ohne Abkühlzeit

Insgesamt: E: 43 g, F: 120 g, Kh: 343 g,
kJ: 11715, kcal: 2800

1 Für den Teig Eier und Wasser mit Handrührgerät mit Rührbesen auf höchster Stufe in
1 Minute schaumig schlagen. Zucker und Vanillin-Zucker mischen, in 1 Minute einstreuen,
dann noch etwa 2 Minuten schlagen.

2 Mehl mit Speisestärke und Backpulver mischen, die Hälfte davon auf die Eiercreme sieben, kurz auf niedrigster Stufe unterrühren. Den
Rest des Mehlgemisches auf die gleiche Weise
unterarbeiten. Zuletzt Mandeln unterheben.

3 Den Teig in einer Muffinform (für 12 Muffins, gefettet) verteilen. Die Form auf dem Rost
in den Backofen schieben.

Ober-/Unterhitze: 180 – 200 °C (vorgeheizt)
Heißluft: 160 – 180 °C (vorgeheizt)
Gas: etwa Stufe 3 (vorgeheizt)
Backzeit: etwa 25 Minuten

4 Die Törtchen etwas abkühlen lassen, dann
aus den Förmchen lösen und nebeneinander
auf einem Kuchenrost erkalten lassen.

5 Zum Tränken Wasser mit Zucker und
Orangenfrucht aufkochen. Orangensaft und
-likör hinzufügen, die Törtchen damit beträufeln, gut durchziehen lassen (evtl. die Törtchen vorher mit einem Holzspießchen mehrfach einstechen).

6 Zum Verzieren Sahne mit Puderzucker und
Sahnesteif steif schlagen. Jedes Orangentört-
chen mit einem Sahnetuff verzieren. Zum
Garnieren Orangenscheiben vierteln, in die
Sahnetuffs stecken.

Orangentörtchen

Orangentorte | 🗑 🗑 🗑

Einfach – fruchtig

Für den Biskuitteig:
4 Eier (Größe M), 3 EL Orangensaft
150 g Zucker, 1 Pck. Vanillin-Zucker
175 g abgezogene, gemahlene Mandeln
25 g gesiebtes Weizenmehl

Für den Belag:
2 – 3 große Orangen

Für den Guss:
100 g Orangenmarmelade
3 EL Orangensaft, 1 EL Zucker

etwa 25 g abgezogene, gehobelte,
gebräunte Mandeln zum Bestreuen

Zubereitungszeit: 40 Minuten,
ohne Abkühlzeit

Insgesamt: E: 78 g, F: 135 g, Kh: 308 g,
kJ: 12313, kcal: 2940

1 Für den Teig Eier und Orangensaft mit Handrührgerät mit Rührbesen auf höchster Stufe in 1 Minute schaumig schlagen. Zucker und Vanillin-Zucker mischen, in 1 Minute einstreuen, dann noch etwa 2 Minuten schlagen.

2 Mandeln mit Mehl mischen, die Hälfte davon auf die Eiercreme geben, kurz auf niedrigster Stufe unterrühren. Den Rest des Mandel-Mehl-Gemisches auf die gleiche Weise unterarbeiten. Den Teig in eine Springform (Ø 26 cm, Boden gefettet, mit Backpapier belegt) füllen. Die Form auf dem Rost in den Backofen schieben.

Ober-/Unterhitze: etwa 180 °C (vorgeheizt)
Heißluft: etwa 160 °C (vorgeheizt)
Gas: Stufe 2 – 3 (vorgeheizt)
Backzeit: etwa 25 Minuten

3 Den Kuchen sofort aus der Form lösen, auf einen Kuchenrost stürzen, mitgebackenes Backpapier abziehen. Kuchen erkalten lassen.

4 Für den Belag Orangen so schälen, dass auch die weiße Haut mit entfernt wird. Orangen in dünne Scheiben schneiden und auf den Kuchen legen.

5 Für den Guss Marmelade durch ein Sieb streichen, mit Saft und Zucker in einem kleinen Topf unter Rühren aufkochen lassen. Die Orangenscheiben und den Tortenrand damit bestreichen. Tortenrand mit Mandeln bestreuen.

Orangentorte

Orangentrüffel |

Zum Verschenken

Für die Trüffelmasse:
200 g Zartbitterschokolade
125 g weiche Butter
125 g gesiebter Puderzucker
2–3 EL Orangenmarmelade
¹/₂–1 Pck. Finesse Orangenfrucht

Zum Wälzen:
etwa 75 g gehackte Mandeln
100 g Schokoladenstreusel

Zubereitungszeit: 45 Minuten, ohne Kühlzeit

Insgesamt: E: 35 g, F: 223 g, Kh: 334 g, kJ: 15116, kcal: 3610

1 Für die Trüffelmasse Schokolade in kleine Stücke brechen, in einem kleinen Topf im Wasserbad bei schwacher Hitze zu einer geschmeidigen Masse verrühren.

2 Butter mit Handrührgerät mit Rührbesen auf höchster Stufe geschmeidig rühren. Nach und nach Puderzucker unterrühren. Aufgelöste Schokolade, Orangenmarmelade und Orangenfrucht hinzufügen. So lange rühren, bis eine gebundene Masse entstanden ist.

Die Masse einige Stunden in den Kühlschrank stellen.

3 Jeweils ¹/₄ der Trüffelmasse aus dem Kühlschrank nehmen, mit einem Teelöffel Häufchen abstechen, diese zu Kugeln formen.

4 Die Hälfte der Orangentrüffel in Mandeln wälzen, die restlichen Trüffel in Schokoladenstreuseln wälzen.

5 Die Trüffel in gut schließenden Dosen kühl aufbewahren.

Osterhase |

Einfach

Für den Rührteig:
200 g Butter oder Margarine
175 g Zucker
1 Pck. Vanillin-Zucker
1 Fläschen Rum-Aroma
4 Eier (Größe M)
200 g Weizenmehl
50 g Speisestärke
1 gestr. TL Backpulver
75 g abgezogene, gemahlene Mandeln

Zum Verzieren:
125 g gesiebter Puderzucker
etwas Wasser
etwas grüne Speisefarbe

Zum Garnieren:
Ostereier

Zubereitungszeit: 30 Minuten, ohne Abkühlzeit

Insgesamt: E: 74 g, F: 235 g, Kh: 510 g, kJ: 19282, kcal: 4606

1 Für den Teig Butter oder Margarine mit Handrührgerät mit Rührbesen auf höchster Stufe geschmeidig rühren. Nach

Osterhase

und nach Zucker, Vanillin-Zucker und Aroma unterrühren. So lange rühren, bis eine gebundene Masse entstanden ist.

2 Eier nach und nach unterrühren (jedes Ei etwa ¹/₂ Minute). Mehl mit Speisestärke und Backpulver mischen, sieben, portionsweise mit den Mandeln auf mittlerer Stufe unterrühren. Den Teig in eine Hasenform (gefettet, gemehlt) füllen. Die Form auf dem Rost in den Backofen schieben.

Ober-/Unterhitze: etwa 180 °C (vorgeheizt)
Heißluft: etwa 160 °C (nicht vorgeheizt)
Gas: Stufe 2–3 (nicht vorgeheizt)
Backzeit: etwa 50 Minuten

3 Das Gebäck 5 Minuten in der Form stehen lassen, dann aus der Fom stürzen. Gebäck auf einem Kuchenrost erkalten lassen.

4 Zum Verzieren Puderzucker und Wasser zu einem spritzfähigen Guss verrühren, etwas davon grün einfärben. Die Masse getrennt in Pergamentpapiertütchen füllen, von den Tüten je eine Spitze abschneiden, das erkaltete Gebäck damit verzieren, mit Ostereiern garnieren.

Osterkränzchen |

Für das Osterfest

Für den Hefeteig:
500 g Weizenmehl
1 Pck. Trockenhefe
50 g Zucker
1 Pck. Vanillin-Zucker
1 Fläschchen
Butter-Vanille-Aroma
1 Prise Salz
2 Eier (Größe M)
50 g zerlassene abgekühlte Butter
oder Margarine
100 ml lauwarme Milch
125 ml (¹/₈ l) lauwarme
Schlagsahne

Zum Bestreichen:
1 Eigelb
1 EL Milch

Nach Belieben zum Garnieren:
bunte, gekochte Ostereier

Zubereitungszeit: 55 Minuten,
ohne Teiggehzeit

Insgesamt: E: 82 g, F: 108 g, Kh: 437 g,
kJ: 13351, kcal: 3191

1 Für den Teig Mehl in eine Rührschüssel sieben, mit Trockenhefe sorgfältig vermischen. Zucker, Vanillin-Zucker, Aroma, Salz, Eier, Butter oder Margarine, Milch und Sahne hinzufügen.

2 Die Zutaten mit Handrührgerät mit Knethaken zunächst auf nIedrIgster, dann auf höchster Stufe in etwa 5 Minuten zu einem Teig verarbeiten. Den Teig zugedeckt so lange an einem warmen Ort stehen lassen, bis er sich sichtbar vergrößert hat.

3 Den Teig leicht mit Mehl bestäuben, aus der Schüssel nehmen und auf einer bemehlten Arbeitsfläche kurz durchkneten. 16 Rollen (etwa 20 cm lang) daraus formen. Je 2 Rollen umeinander schlingen, sie als Kränzchen auf

Backbleche (mit Backpapier belegt) legen. Nochmals zugedeckt so lange an einem warmen Ort gehen lassen, bis sie sich sichtbar vergrößert haben.

4 Zum Bestreichen Eigelb mit Milch verschlagen. Die Teigkränzchen damit bestreichen. Die Backbleche nacheinander (bei Heißluft zusammen) in den Backofen schieben.

Ober-/Unterhitze: 180 – 200 °C (vorgeheizt)
Heißluft: 160 – 180 °C (nicht vorgeheizt)
Gas: etwa Stufe 3 (nicht vorgeheizt)
Backzeit: 30 – 40 Minuten pro Backblech

5 Die Kränzchen vom Backpapier lösen und auf einem Kuchenrost erkalten lassen.

6 Nach Belieben zum Garnieren in die Mitte der Kränzchen je ein Osterei legen.

Tipp: Anstelle der kleinen Kränzchen einen großen Kranz backen.

Osterkränzchen

Ostfriesentorte

Ostfriesentorte | 🥛 🍶 ❄️

Einfach – für Erwachsene

Zum Vorbereiten:
125 g Rosinen
125 ml (⅛ l) Weinbrand

Für den Biskuitteig:
4 Eier (Größe M)
3–4 EL heißes Wasser
150 g Zucker, 1 Pck. Vanillin-Zucker
100 g Weizenmehl
100 g Speisestärke
1 gestr. TL Backpulver

Für die Füllung:
600–750 ml Schlagsahne
2–3 Pck. Sahnesteif
2 Pck. Vanillin-Zucker

Zum Garnieren:
25 g Rosinen

Zubereitungszeit: 40 Minuten,
ohne Einweich- und Abkühlzeit

Insgesamt: E: 62 g, F: 261 g, Kh: 484 g,
kJ: 20819, kcal: 4977

1 Zum Vorbereiten Rosinen in dem Weinbrand einweichen (über Nacht).

2 Für den Teig Eier und Wasser mit Handrührgerät mit Rührbesen auf höchster Stufe in 1 Minute schaumig schlagen. Zucker und Vanillin-Zucker mischen, in 1 Minute einstreuen, dann noch etwa 2 Minuten schlagen.

3 Mehl mit Speisestärke und Backpulver mischen, die Hälfte davon auf die Eiercreme sieben, kurz auf niedrigster Stufe unterrühren. Den Rest des Mehlgemisches auf die gleiche Weise unterarbeiten. Den Teig in eine Springform (Ø 28 cm, Boden gefettet, mit Backpapier belegt) füllen.

4 Die Form auf dem Rost in den Backofen schieben.

Ober-/Unterhitze: 160–180 °C (vorgeheizt)
Heißluft: 140–160 °C (vorgeheizt)
Gas: etwa Stufe 2 (vorgeheizt)
Backzeit: 25–30 Minuten

5 Den Biskuitboden aus der Form lösen, auf einen mit Backpapier belegten Kuchenrost stürzen, mitgebackenes Backpapier abziehen. Biskuitboden erkalten lassen, zweimal waagerecht durchschneiden.

6 Für die Füllung Rosinen zum Abtropfen in ein Sieb geben, Flüssigkeit dabei auffangen. Sahne mit Sahnesteif und Vanillin-Zucker steif schlagen. Unter zwei Drittel der Sahne die Rosinen heben.

7 Den unteren und mittleren Boden mit der Weinbrandflüssigkeit tränken. Die 3 Böden mit der Rosinensahne bestreichen und zusammensetzen. Tortenoberfläche und -rand mit der restlichen Sahne bestreichen. Mit Hilfe eines Esslöffels Vertiefungen in die Tortenoberfläche drücken. Mit Rosinen garnieren.

Päckchen | 🗑 🗑 🗑

Dauert länger

Für den Biskuitteig:
3 Eier (Größe M)
1 Eigelb (Größe M)
2 EL heißes Wasser
100 g Zucker
1 Pck. Vanillin-Zucker
75 g Weizenmehl
50 g Speisestärke
1 gestr. TL Backpulver

Für die Füllung:
4 EL rotes Gelee

Zum Einpacken:
200 g Marzipan-Rohmasse

100 g gesiebter Puderzucker
gelbe Speisefarbe

Eiweiß zum Bestreichen

Nach Belieben zum Verzieren:
Puderzucker, Eiweiß oder Wasser

Nach Belieben zum Garnieren:
Liebesperlen

Zubereitungszeit: 80 Minuten,
ohne Abkühlzeit

Insgesamt: E: 65 g, F: 97 g, Kh: 453 g,
kJ: 12628, kcal: 3016

1 Für den Teig Eier, Eigelb und Wasser mit Handrührgerät mit Rührbesen auf höchster Stufe in 1 Minute schaumig schlagen. Zucker und Vanillin-Zucker mischen, in 1 Minute einstreuen, dann noch etwa 2 Minuten schlagen.

2 Mehl mit Speisestärke und Backpulver mischen, die Hälfte davon auf die Eiercreme sieben, kurz auf niedrigster Stufe unterrühren, den Rest des Mehlgemisches auf die gleiche Weise unterarbeiten.

3 Den Teig auf ein Backblech (30 x 40 cm, gefettet, mit Backpapier belegt) streichen, an der offenen Seite des Backblechs das Backpapier zur Falte knicken, so dass ein Rand entsteht. Das Backblech in den Backofen schieben.

Ober-/Unterhitze: etwa 200 °C (vorgeheizt)
Heißluft: etwa 180 °C (vorgeheizt)
Gas: Stufe 3–4 (vorgeheizt)
Backzeit: 10–15 Minuten

4 Die Biskuitplatte sofort nach dem Backen auf ein mit Zucker bestreutes Stück Backpapier stürzen, das mitgebackene Backpapier mit kaltem Wasser bestreichen, vorsichtig, aber schnell abziehen. Die Biskuitplatte sofort in Quadrate (knapp 4 x 4 cm) schneiden und erkalten lassen.

5 Für die Füllung Gelee glatt rühren, jeweils 3 Gebäckstücke mit etwas von dem Gelee bestreichen und aufeinander setzen.

6 Zum Einpacken Marzipan-Rohmasse mit Puderzucker und Speisefarbe verkneten, auf einer mit Puderzucker bestäubten Arbeitsfläche dünn ausrollen. Gebäckwürfel mit dem restlichen Gelee bestreichen und in dem Marzipan einpacken.

7 Nach Belieben die „Päckchen" mit Puderzuckerguss (gesiebter Puderzucker mit Eiweiß oder Wasser verrührt) verzieren oder mit Liebesperlen garnieren.

Päckchen

Papaya-Bananen-Kuchen | 🗑

Raffiniert

Zum Vorbereiten:
1 reife Papaya (150 g Fruchtfleisch)
2 reife Bananen (300 g Fruchtfleisch)
3 Eier (Größe M)

Für den Rührteig:
100 g Butter oder Margarine
120 g Zucker
1 Prise Salz
270 g Weizenmehl
50 g Vollkorn-Weizenmehl
2 gestr. TL Backpulver
30 g Kokosraspel

Zubereitungszeit: 55 Minuten

Insgesamt: E: 65 g, F: 125 g, Kh: 420 g, kJ: 13344, kcal:3189

1 Zum Vorbereiten Papaya längs vierteln, entkernen, schälen und in Würfel schneiden. Bananen schälen und in Stücke schneiden. Eier und Bananen mit dem Schneidstab pürieren.

2 Für den Teig Butter oder Margarine mit Handrührgerät mit Rührbesen auf höchster

Papaya-Bananen-Kuchen

Stufe geschmeidig rühren. Nach und nach Zucker und Salz unterrühren. So lange rühren, bis eine gebundene Masse entstanden ist. Bananenpüree nach und nach unterrühren.

3 Weizen- und Vollkorn-Weizenmehl, Backpulver und Kokosraspel mischen, portionsweise auf mittlerer Stufe unterrühren. Papayawürfel unterheben. Teig in eine Springform (Ø 20 cm, Boden gefettet) füllen. Die Form auf dem Rost in den Backofen schieben.

Ober-/Unterhitze: etwa 180 °C (vorgeheizt)
Heißluft: etwa 160 °C (nicht vorgeheizt)
Gas: Stufe 2 – 3 (nicht vorgeheizt)
Backzeit: etwa 45 Minuten

4 Den Kuchen aus der Form lösen und auf einem Kuchenrost erkalten lassen. Nach Belieben mit Puderzuckerguss besprenkeln, trocknen lassen.

Tipp: Papaya durch eine reife Mango ersetzen.

Partybrötchen mit Frischkäse | 🗑 🗑 ❄

Gut vorzubereiten

Für den Hefeteig:
500 g Weizenmehl
1 Pck. (42 g) frische Hefe
1/2 gestr. TL Zucker
125 ml (1/8 l) lauwarmes Wasser
1 gestr. TL Salz
25 ml (1/8 l) lauwarme Milch
1 Becher (150 g) Frischkäse mit Kräutern der Provence

Milch zum Bestreichen

Zubereitungszeit: 45 Minuten, ohne Teiggehzeit

Insgesamt: E: 78 g, F: 26 g, Kh: 381 g, kJ: 9119, kcal: 2178

1 Für den Teig Mehl in eine Schüssel sieben. In die Mitte eine Vertiefung drücken. Hefe hineinbröckeln, Zucker und etwas Wasser hinzufügen. Mit einer Gabel vorsichtig verrühren und etwa 10 Minuten gehen lassen.

2 Salz, Milch, Frischkäse und restliches Wasser hinzufügen. Die Zutaten mit Handrührgerät mit Knethaken zunächst auf niedrigster, dann auf höchster Stufe in etwa 5 Minuten zu einem Teig verarbeiten. Den Teig zugedeckt so lange an einem warmen Ort gehen lassen, bis er sich sichtbar vergrößert hat.

3 Teig aus der Schüssel nehmen, auf einer bemehlten Arbeitsfläche nochmals kurz durchkneten und zu einer Rolle formen. Diese in 10 gleich große Portionen teilen, zu Brötchen formen und auf einem Backblech (gefettet, mit

Backpapier belegt) zu einem Kranz zusammenlegen. Nochmals so lange an einem warmen Ort gehen lassen, bis sie sich sichtbar vergrößert haben.

4 Die Teigbrötchen mit Milch bestreichen. Das Backblech in den Backofen schieben.

Ober-/Unterhitze: 180 – 200 °C (vorgeheizt)
Heißluft: 160 – 180 °C (nicht vorgeheizt)
Gas: etwa Stufe 3 (nicht vorgeheizt)
Backzeit: 30 – 35 Minuten

5 Die Brötchen vom Backpapier lösen und auf einem Kuchenrost erkalten lassen.

Tipp: Die Brötchen schmecken gut zu Partysuppen und zum Brunch.

Passionsfrucht-Minze-Torte | 🗑 🗑

Exotisch – etwas teurer

Für den Teig:
¹/₂ Bund Pfefferminze
3 Eier (Größe M), 80 g Zucker
70 ml Maracujanektar
50 g Crème fraîche
100 g Weizenmehl
1 gestr. TL Backpulver
30 g Kokosraspel

Für die Füllung:
2 – 3 Passionsfrüchte (Maracuja,
etwa 100 g Fruchtmark)
30 g gesiebte Speisestärke
250 ml (¹/₄ l) Maracujanektar
80 g Butter
150 ml Schlagsahne
30 g gesiebter Puderzucker
2 Pck. Sahnesteif

Zubereitungszeit: 70 Minuten, ohne
Kühlzeit

Insgesamt: E: 45 g, F: 168 g, Kh: 271 g,
kJ: 11976, kcal: 2862

1 Für den Teig Pfefferminze waschen und
trockenschütteln. Die Blätter, bis auf einige
zum Garnieren, hacken.

2 Eier trennen. Eiweiß mit Handrührgerät mit
Rührbesen auf höchster Stufe steif schlagen.
Nach und nach Zucker unterrühren.

3 Eigelb, Maracujanektar, gehackte Minze
und Crème fraîche verrühren. Mehl und Backpulver mischen, sieben, mit Kokosraspeln vermengen. Eigelbmasse und Mehlgemisch nacheinander unter den Eischnee heben. Teig in
eine Springform (Ø 22 cm, Boden mit Backpapier belegt) füllen. Form auf dem Rost in
den Backofen schieben.

Ober-/Unterhitze: 180 °C (vorgeheizt)
Heißluft: etwa 160 °C (vorgeheizt)
Gas: Stufe 2 – 3 (vorgeheizt)
Backzeit: etwa 30 Minuten

4 Den Boden aus der Form lösen, auf einen
Kuchenrost stürzen, mitgebackenes Backpapier abziehen. Boden erkalten lassen, zweimal
waagerecht durchschneiden.

5 Für die Füllung Passionsfrüchte aufschneiden, Fruchtmark mit einem Löffel heraus-
kratzen. Speisestärke mit 4 Esslöffeln von
dem Maracujanektar verrühren. Restlichen
Maracujanektar in einem Topf aufkochen,
Speisestärke in die von der Kochstelle
genommene Flüssigkeit einrühren, einmal
kurz aufkochen lassen. Butter und Fruchtmark
(2 Esslöffel zum Garnieren beiseite stellen)
unterrühren. Creme in eine Schüssel füllen,
mit Frischhaltefolie abdecken. Creme erkalten
lassen.

6 Sahne mit Puderzucker und Sahnesteif
steif schlagen. Sahne esslöffelweise unter die
Creme rühren.

7 Creme vierteln. Unteren und mittleren
Boden mit je einem Teil der Creme bestreichen. Die drei Böden wieder zusammensetzen. Tortenoberfläche und -rand mit einem
Teil der Creme bestreichen. Von der restlichen Creme mit einem Teelöffel 12 Kleckse
auf die Torte setzen. Mit dem beiseite gestellten Fruchtmark und Minzeblättern garnieren.
Torte kalt stellen.

Passionsfrucht-Minze-Torte

Passionsfrucht-Zitronen-Schnitten |

Für Gäste

Für den Knetteig:
250 g Weizenmehl
2 gestr. TL Backpulver
100 g Zucker, 1 Pck. Vanillin-Zucker
1 Prise Salz
1 Pck. Finesse Geriebene
Zitronenschale, 1 Ei (Größe M)
150 g Butter oder Margarine

Für den Schmandbelag:
10 Blatt weiße Gelatine
100 ml Apfelsaft
600 g Schmand
100 g Zucker, 600 ml Schlagsahne

Für den Fruchtbelag:
2 Blatt weiße Gelatine
1 Dose Kiwi-Früchte
(Abtropfgewicht 425 g)
600 ml Passionsfrucht- oder
Maracujasaft
2 Pck. Fruttina Zitrone Frucht-Dessert
75 g Zucker

2 Kiwis, Zitronenschalenstreifen

Zubereitungszeit: 50 Minuten, ohne
Kühlzeit

Insgesamt: E: 79 g, F: 484 g, Kh: 632 g,
J: 31110, kcal: 7431

Für den Teig Mehl mit Backpulver mischen, in eine Rührschüssel sieben. Zucker, Vanillin-Zucker, Salz, Zitronenschale, Ei und Butter oder Margarine hinzufügen. Die Zutaten mit Handrührgerät mit Knethaken zunächst kurz auf niedrigster, dann auf höchster Stufe gut durcharbeiten.

Anschließend auf der bemehlten Arbeitsfläche zu einem glatten Teig verkneten. Sollte er kleben, ihn in Folie gewickelt eine Zeit lang kalt stellen.

Teig auf einem Backblech (30 x 40 cm, gefettet, mit Backpapier belegt) ausrollen. Das Backblech in den Backofen schieben.

Ober-/Unterhitze: etwa 200 °C (vorgeheizt)
Heißluft: etwa 180 °C (vorgeheizt)
Gas: Stufe 3–4 (vorgeheizt)
Backzeit: etwa 15 Minuten

4 Das Backblech auf einen Kuchenrost stellen, den Gebäckboden darauf erkalten lassen. Einen Backrahmen darumstellen.

5 Für den Schmandbelag Gelatine in kaltem Wasser nach Packungsanleitung einweichen, leicht ausdrücken. Apfelsaft erwärmen (nicht kochen). Die ausgedrückte Gelatine unter Rühren darin auflösen, etwas abkühlen lassen.

6 Schmand mit Zucker verrühren. Gelatineflüssigkeit langsam unterrühren. Schmandmasse kalt stellen. Sahne steif schlagen. Wenn die Schmandmasse anfängt dicklich zu werden, Sahne unterheben. Die Schmand-Sahne-Masse auf den Knetteigboden streichen und fest werden lassen.

7 Für den Fruchtbelag Gelatine in kaltem Wasser nach Packungsanleitung einweichen. Kiwi-Früchte mit dem Saft pürieren. Den Passionsfrucht- oder Maracujasaft mit Fruttina und Zucker in einem Topf gut verrühren. Die Flüssigkeit unter Rühren zum Kochen bringen, gut aufkochen lassen. Gelatine leicht ausdrücken, unter Rühren in dem heißen von der Kochstelle genommenen Pudding auflösen.

8 Pudding 5 Minuten abkühlen lassen, Kiwipüree unterheben. Puddingmasse mit einem Löffel vorsichtig auf dem Schmandbelag verteilen, 3 Stunden kalt stellen.

9 Backrahmen entfernen. Kuchen in Stücke schneiden, mit geviertelten Kiwischeiben und Zitronenschalenstreifen garnieren.

Passionsfrucht-Zitronen-Schnitten

Pekannuss-Kleingebäck | 🗑 🗑 🍶

Raffiniert

Für den Knetteig:
250 g Weizenmehl
90 g Zucker, 1 Pck. Vanillin-Zucker
½ TL Finesse Orangenfrucht
1 Ei (Größe M)
100 g Butter oder Margarine

Für die Füllung:
200 g Zucker
3 EL Ahornsirup
100 ml Schlagsahne
2 EL Kirschwasser
300 g grob gehackte Pekannusskerne

Zum Bestreichen:
1 Eigelb, 1 – 2 EL Milch

Für den Guss:
100 g Halbbitter-Kuvertüre

Zubereitungszeit: 65 Minuten,
ohne Kühlzeit

Insgesamt: E: 69 g, F: 372 g, Kh: 607 g,
kJ: 26327, kcal: 6289

1 Für den Teig Mehl in eine Rührschüssel sieben. Zucker, Vanillin-Zucker, Orangenfrucht, Ei und Butter oder Margarine hinzufügen. Die Zutaten mit Handrührgerät mit Knethaken zunächst kurz auf niedrigster, dann auf höchster Stufe gut durcharbeiten.

2 Anschließend auf der bemehlten Arbeitsfläche zu einem glatten Teig verkneten. Sollte er kleben, ihn in Folie gewickelt eine Zeit lang kalt stellen.

3 Für die Füllung Zucker und Sirup in einem kleinen Topf unter Rühren bei schwacher Hitze schmelzen. Sahne, Kirschwasser und Pekannusskerne unterrühren. Nussmasse kalt stellen.

4 Teig auf der bemehlten Arbeitsfläche zu einem Rechteck (30 x 40 cm) ausrollen. Nussmasse darauf streichen. Den Teig von der längeren Seite her aufrollen und in knapp 1 cm

dicke Scheiben schneiden. Die Teigscheiben auf Backbleche (mit Backpapier belegt) legen.

5 Zum Bestreichen Eigelb und Milch verschlagen. Die Teigscheiben damit bestreichen. Backbleche nacheinander (bei Heißluft zusammen) in den Backofen schieben.

Ober-/Unterhitze: etwa 200 °C (vorgeheizt)
Heißluft: etwa 180 °C (vorgeheizt)
Gas: Stufe 3 – 4 (vorgeheizt)
Backzeit: etwa 15 Minuten pro Backblech

6 Backbleche auf je einen Kuchenrost stellen. Gebäck darauf erkalten lassen. Dann vorsichtig vom Backpapier lösen und auf den Kuchenrost legen.

7 Für den Guss Kuvertüre in kleine Stücke hacken, in einem kleinen Topf im Wasserbad bei schwacher Hitze zu einer geschmeidigen Masse verrühren. Die Gebäckunterseite damit bestreichen. Guss fest werden lassen.

Pekannuss-Kleingebäck

Petits Fours | 🥛 🥛 🥛 🍾

Dauert länger – Klassisch

Für den Rührteig:
150 g Butter oder Margarine
150 g Zucker, 1 Pck. Vanillin-Zucker
8 Eigelb (Größe M), 150 g Weizenmehl
10 Eiweiß (Größe M)

Zum Bestreichen:
400 g Aprikosenkonfitüre
3–4 EL Rum

Für die Marzipan-Buttercreme:
2 frische Eier (Größe M)
2 frische Eigelb (Größe M)
75 g Zucker
175 g weiche Butter
Mark von ¹/₂ Vanilleschote
200 g Marzipan-Rohmasse
2–3 EL Rum oder Kirschwasser

Für den Guss:
200 g Halbbitter-Kuvertüre
100 g dunkle Kuchenglasur

Zum Garnieren:
Schokoblättchen
gemahlene Haselnusskerne
abgezogene, gehobelte, gebräunte
Mandeln

Zubereitungszeit: 110 Minuten, ohne
Warte- und Kühlzeit

Insgesamt: E: 150 g, F: 438 g, Kh: 901 g,
J: 37497, kcal: 8948

Petits Fours

1 Für den Teig Butter oder Margarine mit
Handrührgerät mit Rührbesen auf höchster
Stufe geschmeidig rühren. Zucker und Va
nillin-Zucker unterrühren. So lange rühren,
bis eine gebundene Masse entstanden ist.

2 Eigelb nach und nach unterrühren (jedes
Eigelb knapp ¹/₂ Minute). Mehl sieben, portionsweise auf mittlerer Stufe unterrühren.

3 Eiweiß sehr steif schlagen und vorsichtig unter den Teig heben. Den Teig auf 2 ¹/₂
Backbleche (30 x 40 cm, gefettet, mit Backpapier belegt) streichen. Die Backbleche nacheinander (bei Heißluft zusammen) in den
Backofen schieben.

Ober-/Unterhitze: etwa 200 °C (vorgeheizt)
Heißluft: etwa 180 °C (vorgeheizt)
Gas: Stufe 3–4 (vorgeheizt)
Backzeit: etwa 12 Minuten pro Backblech

4 Gebäckplatten (30 x 40 cm) sofort nach dem
Backen auf dem Backblech längs halbieren.

5 Zum Bestreichen Konfitüre mit Rum verrühren. Eine halbierte Gebäckhälfte mit 2 Esslöffeln von der Konfitüre bestreichen. Mit einer
Gebäckplatte belegen. Mit den anderen Gebäckplatten genauso verfahren, so dass 5 Gebäckschichten entstehen. Die Gebäckschichten mit
Backpapier zudecken. Zum Beschweren ein
großes Brett darauf legen. Zusätzlich einen
Topf mit Wasser darauf stellen. 3–4 Stunden
stehen lassen.

6 Anschließend das Gebäck in Quadrate von
etwa 4 x 4 cm schneiden.

7 Für die Marzipan-Buttercreme Eier, Eigelb
und Zucker in einer Schüssel im heißen (aber
nicht kochendem) Wasserbad cremig schlagen, bis die Masse gut handwarm ist, aus
dem Wasserbad nehmen und kalt schlagen.

8 Butter geschmeidig rühren, Vanillemark
hinzufügen. Nach und nach die Eiermasse
unterrühren. Marzipan-Rohmasse mit Rum
oder Kirschwasser verrühren, zu der Butter-
Eier-Masse geben und unterrühren. Die Masse in einen Spritzbeutel ohne Tülle füllen.
Tuffs auf Backpapier spritzen (je 1 Tuff für ein
Gebäckstück), kalt stellen.

9 Für den Guss Kuvertüre in kleine Stücke
hacken, zusammen mit der Kuchenglasur in
einem kleinen Topf im Wasserbad bei schwacher Hitze zu einer geschmeidigen Masse
verrühren. Die Gebäckstücke damit bestreichen.

10 Jeweils einen Teil der Buttercreme-Tuffs
in Schokoblättchen, Haselnusskernen oder
Mandeln wälzen. Jeweils einen Tuff auf ein
Gebäckstück in den noch feuchten Guss setzen. Guss fest werden lassen. Petits Fours
kühl aufbewahren.

Pfefferminz-Taler | 🗑 🗑

Für Gäste

Für die Pfefferminzmasse:
500 g gesiebter Puderzucker
1 Eiweiß (Größe M), 3 TL Zitronensaft
¹/₂ TL Pfefferminzöl (aus der Apotheke)

Für die Glasur:
200 g Halbbitter-Kuvertüre

Zubereitungszeit: 50 Minuten, ohne Trockenzeit

Insgesamt: E: 11 g, F: 70 g, Kh: 600 g, kJ: 12952, kcal: 3092

1 Für die Pfefferminzmasse Puderzucker in eine Rührschüssel geben (etwas davon zurück-lassen). Eiweiß, Zitronensaft und Pfefferminzöl hinzufügen. Die Zutaten mit Handrührgerät mit Knethaken so lange verkneten, bis eine feste, aber geschmeidige Masse entstanden ist.

2 Masse auf einer mit dem zurückgelassenen Puderzucker bestäubten Arbeitsfläche etwa ¹/₂ cm dick ausrollen, mit einer runden Form (Ø etwa 3 cm) Taler ausstechen.

3 Für die Glasur Kuvertüre in Stücke hacken, in einem kleinen Topf im Wasserbad bei schwacher Hitze zu einer geschmeidigen Masse verrühren. Die Taler mit einer Gabel in die Kuvertüre tauchen, Taler am Rand des Topfes erst abklopfen, dann abstreifen, damit der Guss nicht zu dick wird. Die Taler auf Backpapier setzen.

4 Um ein Streifenmuster zu erzielen, nach jedem 4. oder 5. Tauchvorgang in die Kuvertüre die Gabel auf die schon etwas fest gewordene Oberfläche der Pfefferminztaler drücken und nach oben wegziehen. Pfefferminz-Taler im Kühlschrank fest werden lassen.

Pfefferminz-Taler

Pfeffernüsse mit Guss | 🗑 🗑

Gut vorzubereiten – klassisch

Für den Knetteig:
500 g Weizenmehl
3 gestr. TL Backpulver
325 g Zucker
¹/₂ Fläschchen Zitronen-Aroma
je 1 Msp. gemahlener Ingwer,
gemahlener Kardamom, gemahlene
Nelken, gemahlener Pfeffer
1 schwach geh. EL gemahlener Zimt
2 Eier (Größe M)

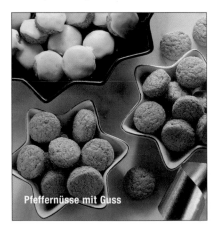
Pfeffernüsse mit Guss

6 EL Milch oder Wasser
50 g abgezogene, gemahlene Mandeln
50 g gewürfeltes Zitronat (Sukkade)

Für den Guss:
400 g gesiebter Puderzucker
etwa 6 EL heißes Wasser

Zubereitungszeit: 70 Minuten, ohne Abkühlzeit

Insgesamt: E: 81 g, F: 48 g, Kh: 1133 g, kJ: 22625, kcal: 5403

1 Für den Teig Mehl mit Backpulver mischen und in eine Rührschüssel sieben. Zucker, Aroma, Gewürze, Eier, Milch oder Wasser, Mandeln und Zitronat hinzufügen. Die Zutaten mit Handrührgerät mit Knethaken zunächst kurz auf niedrigster, dann auf höchster Stufe gut durcharbeiten.

2 Anschließend auf einer bemehlten Arbeitsfläche zu einem glatten Teig verkneten. Sollte er kleben, ihn in Folie gewickelt eine Zeit lang kalt stellen.

3 Teig auf der bemehlten Arbeitsfläche gut 1 cm dick ausrollen, mit einer runden Form (Ø etwa 2 ¹/₂ cm) Plätzchen ausstechen. Teigplätzchen auf Backbleche (gefettet, mit Backpapier belegt) legen. Backbleche nacheinander (bei Heißluft zusammen) in den Backofen schieben.

Ober-/Unterhitze: 180 – 200 °C (vorgeheizt)
Heißluft: 160 – 180 °C (vorgeheizt)
Gas: Stufe 3 – 4 (vorgeheizt)
Backzeit: etwa 15 Minuten pro Backblech

4 Die Pfeffernüsse mit dem Backpapier vom Backblech ziehen und auf einem Kuchenrost erkalten lassen.

5 Für den Guss Puderzucker mit Wasser zu einer dickflüssigen Masse verrühren. Die Pfeffernüsse damit überziehen. Guss trocknen lassen.

Tipp: Sollten die Pfeffernüsse hart sein, sie einige Tage offen an der Luft stehen lassen, dann in gut schließenden Blechdosen aufbewahren.

Pfirsich-Mandel-Kuchen | 🗑 🍾

Einfach

Zum Vorbereiten:
100 g abgezogene, gehackte Mandeln
1 kleine Dose Pfirsichhälften
(Abtropfgewicht 250 g)

Für den Schüttelteig:
200 g Weizenmehl
2 TL gestr. TL Backpulver
150 g Zucker, 3 Eier (Gr. M)
200 g zerlassene abgekühlte Butter
oder Margarine
2 EL Weinbrand
einige Tropfen Bittermandel-Aroma

Puderzucker zum Bestäuben

Zubereitungszeit: 35 Minuten,
ohne Abkühlzeit

Insgesamt: E: 67 g, F: 240 g, Kh: 362 g,
kJ: 17126, kcal: 4092

1 Zum Vorbereiten Mandeln in einer Pfanne ohne Fett goldbraun rösten und erkalten lassen. Pfirsichhälften in einem Sieb abtropfen lassen und in kleine Würfel schneiden.

2 Für den Teig Mehl mit Backpulver mischen, in eine verschließbare Schüssel (3-Liter-Inhalt) sieben, mit Zucker mischen. Eier, Butter oder Margarine, Weinbrand und Aroma hinzufügen. Schüssel mit dem Deckel fest verschließen. Mehrmals (insgesamt 15 – 30 Sekunden) kräftig schütteln, so dass alle Zutaten gut vermischt sind. Mandeln und Pfirsichwürfel hinzugeben. Alles mit einem Schneebesen oder Rührlöffel nochmals sorgfältig durchrühren, damit vor allem trockene Zutaten vom Rand mit untergerührt werden.

3 Den Teig in eine Kastenform (25 x 11 cm, gefettet) füllen und glatt streichen. Die Form auf dem Rost in den Backofen schieben.

Ober-/Unterhitze: etwa 180 °C (vorgeheizt)
Heißluft: etwa 150 °C (nicht vorgeheizt)
Gas: Stufe 2 – 3 (nicht vorgeheizt)
Backzeit: etwa 50 Minuten

4 Den Kuchen etwa 5 Minuten in der Form stehen lassen, dann auf einen mit Backpapier belegten Kuchenrost stürzen, wieder umdrehen und erkalten lassen. Kuchen mit Puderzucker bestäuben.

Tipp: Statt in der Kastenform kann der Kuchen auch in einer Springform (Ø 24 cm) gebacken werden. Den Kuchen mit einer Schokoladenglasur überziehen, so bleibt er länger frisch.

Pfirsich-Mandel-Kuchen

Pfirsichschnitten | 🗑 ❄

Klassisch – einfach

Für den Rührteig:
250 g Butter oder Margarine
250 g Zucker, 1 Pck. Vanillin-Zucker
1 Prise Salz, 5 Tropfen Zitronen-Aroma
4 Eier (Größe M), 250 g Weizenmehl
3 gestr. TL Backpulver

Für den Belag:
2 Dosen Pfirsichhälften
(Abtropfgewicht je 500 g)

Für die Streusel:
150 g Weizenmehl
75 g Zucker, 1 Pck. Vanillin-Zucker
100 g Butter oder Margarine

Für den Guss:
100 g gesiebter Puderzucker
2 EL Zitronensaft

Zubereitungszeit: 35 Minuten

Insgesamt: E: 80 g, F: 319 g, Kh: 929 g,
kJ: 29771 kcal: 7116

1 Für den Teig Butter oder Margarine mit Handrührgerät mit Rührbesen auf höchster Stufe geschmeidig rühren. Nach und nach Zucker, Vanillin-Zucker und Salz unterrühren.

So lange rühren, bis eine gebundene Masse entstanden ist. Aroma unterrühren.

2 Eier nach und nach unterrühren (jedes Ei etwa ½ Minute). Mehl mit Backpulver mischen, sieben, portionsweise auf mittlerer Stufe unterrühren.

3 Den Teig auf ein Backblech (30 x 40 cm, gefettet, mit Backpapier belegt) geben, glatt streichen.

4 Für den Belag Pfirsichhälften in einem Sieb abtropfen lassen, in Spalten schneiden und auf den Teig legen.

5 Für die Streusel Mehl in eine Rührschüssel sieben, mit Zucker und Vanillin-Zucker mischen, Butter oder Margarine hinzufügen. Alle Zutaten mit Handrührgerät mit Knethaken zu Streuseln von gewünschter Größe verarbeiten. Streusel gleichmäßig auf den Pfirsichen verteilen. Das Backblech in den Backofen schieben.

Ober-/Unterhitze: 180 – 200 °C (vorgeheizt)
Heißluft: 160 – 180 °C (vorgeheizt)
Gas: etwa Stufe 3 (vorgeheizt)
Backzeit: etwa 25 Minuten

6 Das Backblech auf einen Kuchenrost stellen.

7 Für den Guss Puderzucker mit Zitronensaft zu einer geschmeidigen Masse verrühren. Den Kuchen sofort mit dem Guss bestreichen. Kuchen erkalten lassen, in Schnitten von beliebiger Größe schneiden.

Pfirsichschnitten

Pflaumen-Streuselkuchen | 🗑 🗑

Klassisch

Für den Hefeteig:
375 g Weizenmehl
1 Pck. Trockenhefe
50 g Zucker
1 Pck. Vanillin-Zucker
5 Tropfen Zitronen-Aroma
1 Prise Salz
200 ml lauwarme Milch
75 g zerlassene abgekühlte Butter
oder Margarine

Für den Belag:
etwa 2 kg Pflaumen

Für die Streusel:
375 g Weizenmehl
1 Msp. Backpulver
200 g Zucker, 1 Pck. Vanillin-Zucker
½ – 1 TL gemahlener Zimt
250 g weiche Butter

Zubereitungszeit: 65 Minuten
ohne Teiggehzeit

Insgesamt: E: 104 g, F: 285 g, Kh: 1069 g,
kJ: 31718, kcal: 7576

1 Für den Teig Mehl in eine Rührschüssel sieben und mit der Hefe sorgfältig vermischen. Zucker, Vanillin-Zucker, Aroma, Salz, Milch und Butter oder Margarine hinzufügen. Die Zutaten mit Handrührgerät mit Knethaken zunächst auf niedrigster, dann auf höchster Stufe in etwa 5 Minuten zu einem Teig verarbeiten. Den Teig zugedeckt so lange an einem warmen Ort stehen lassen, bis er sich sichtbar vergrößert hat.

2 Für den Belag die Pflaumen waschen, abtropfen lassen, trockentupfen, halbieren, entsteinen, an der Spitze einschneiden.

3 Für die Streusel Mehl mit Backpulver mischen, in eine Rührschüssel sieben, Zucker, Vanillin-Zucker, Zimt und Butter hinzufügen. Die Zutaten mit Handrührgerät mit Knethaken zu Streuseln von gewünschter Größe verarbeiten.

4 Den gegangenen Teig aus der Schüssel nehmen, auf einer bemehlten Arbeitsfläche nochmals kurz durchkneten, auf einem Backblech (30 x 40 cm, gefettet) ausrollen. Vor den Teig einen mehrfach geknickten Streifen Alufolie legen.

5 Die Pflaumen mit der Innenseite nach oben schuppenförmig auf den Teig legen, die Streusel darauf verteilen. Nochmals so lange an einem warmen Ort gehen lassen, bis er sich sichtbar vergrößert hat. Das Backblech in den Backofen schieben.

Ober-/Unterhitze: 200 – 220 °C (vorgeheizt)
Heißluft: 180 – 200 °C (vorgeheizt)
Gas: etwa Stufe 4 (vorgeheizt)
Backzeit: etwa 30 Minuten

Tipp: Anstelle der Pflaumen können auch Apfelscheiben verwendet werden.

Pflaumentorte | 🥛

Gut vorzubereiten

Für den Rührteig:
150 g getrocknete, entsteinte Pflaumen
100 g Halbbitter-Kuvertüre
1 Pck. (400 g) Grundmischung
Obstkuchenteig
200 g Butter oder Margarine
3 Eier (Größe M), 50 ml (4 EL) Milch

Für den Belag:
2 Pck. Dessertsauce
Vanille-Geschmack (ohne Kochen)
450 g Pflaumenmus

Zum Verzieren:
400 ml Schlagsahne, 2 Pck. Sahnesteif
2 Pck. Vanillin-Zucker

¹/₂ TL Kakaopulver zum Bestäuben

Zubereitungszeit: 50 Minuten, ohne Abkühlzeit

Insgesamt: E: 70 g, F: 337 g, Kh: 706 g, kJ: 26802, kcal: 6406

1 Für den Teig Pflaumen klein würfeln.

2 Kuvertüre in kleine Stücke hacken, in einem kleinen Topf im Wasserbad bei schwacher Hitze zu einer geschmeidigen Masse verrühren. Zusammen mit der Grundmischung, Butter oder Margarine, Eiern und Milch nach Packungsanleitung zu einem Teig verarbeiten. Pflaumenwürfel unterrühren.

3 Den Teig in eine Springform (Ø 26 cm, Boden gefettet) füllen, glatt streichen. Die Form auf dem Rost in den Backofen schieben.

Ober-/Unterhitze: etwa 180 °C (vorgeheizt)
Heißluft: etwa 160 °C (nicht vorgeheizt)
Gas: Stufe 2 – 3 (nicht vorgeheizt)
Backzeit: etwa 45 Minuten

4 Die Form auf einen Kuchenrost stellen.

5 Für den Belag Saucenpulver und Pflaumenmus mit einem Schneebesen glatt rühren und sofort auf den heißen Kuchen streichen.

6 Kuchen erkalten lassen, erst dann aus der Form lösen und auf eine Tortenplatte setzen.

7 Zum Verzieren Sahne mit Sahnesteif und Vanillin-Zucker steif schlagen und in einen Spritzbeutel mit Lochtülle füllen. Tortenoberfläche mit Sahnetuffs verzieren. Vor dem Servieren mit Kakao bestäuben.

Tipp: Die Pflaumentorte lässt sich gut 1 Tag vorher zubereiten.

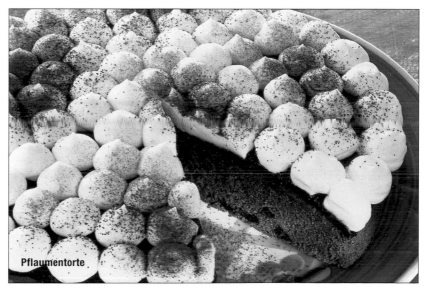

Pflaumentorte

Pflaumentorte mit Schmandguss |

Einfach – schnell

Für den Teig:
*1 Rolle Knack-&-Backteig
(Sonntagsbrötchen)
50 g Löffelbiskuits*

Für den Belag:
750 g Pflaumen

Für den Guss:
*2 Eier (Größe M), 200 g Schmand
1 Pck. Vanillin-Zucker
2 EL Amaretto-Likör
15 g Speisestärke*

Zum Bestreuen:
2 EL Hagelzucker

Zubereitungszeit: 35 Minuten

Insgesamt: E: 61 g, F: 68 g, Kh: 372 g,
kJ: 10370, kcal: 2476

1 Den Teig aus der Packung nehmen, in eine
Tarteform (Ø 26 cm, gefettet) legen und mit
bemehlten Händen an den Rand drücken.
Löffelbiskuits in einen Gefrierbeutel geben,
fest verschließen, mit einer Teigrolle fein zerbröseln. Biskuitbrösel auf dem Teig verteilen.

2 Für den Belag Pflaumen waschen, trocken
tupfen, entsteinen, entstielen, halbieren und
dachziegelartig auf die Biskuitbrösel legen.

3 Für den Guss Eier, Schmand, Vanillin-
Zucker, Likör und Speisestärke zu einer

geschmeidigen Masse verrühren. Die Schmandmasse über die Pflaumen geben. Die Form
auf dem Rost in den Backofen schieben.

Ober-/Unterhitze: etwa 200 °C (vorgeheizt)
Heißluft: etwa 180 °C (nicht vorgeheizt)
Gas: Stufe 3 – 4 (nicht vorgeheizt)
Backzeit: etwa 35 Minuten

4 Die Form auf einen Kuchenrost stellen. Torte
mit Hagelzucker bestreuen, erkalten lassen.

Tipp: Es kann auch ein Knetteig verwendet
werden. Anstelle einer Tarteform kann auch
eine Springform (Ø 26 cm, Boden gefettet)
verwendet werden, dabei den Teig am Rand
etwa 3 cm hochdrücken.

Pilzquiches, kleine |

Herzhaft – für Gäste

Für den Teig:
1 Pck. (450 g) TK-Blätterteig

Für die Füllung:
*500 g Champignons
2 Frühlingszwiebeln
2 EL Olivenöl
Paprikapulver rosenscharf
Salz
frisch gemahlener Pfeffer
1 Scheibe Toastbrot
30 g geriebener Emmentaler-Käse
200 g Schmand
2 Eier (Größe M)*

Zubereitungszeit: etwa 50 Minuten, ohne
Auftau- und Abkühlzeit

Insgesamt: E: 68 g, F: 217 g, Kh: 181 g,
kJ: 12659, kcal: 3024

1 Blätterteigplatten zugedeckt nebeneinander bei Zimmertemperatur auftauen lassen,
die Platten aufeinander legen.

2 Für die Füllung Champignons mit Küchenpapier abreiben, evtl. abspülen, trockentupfen
und vierteln. Frühlingszwiebeln putzen,
waschen, abtropfen lassen und in dünne
Ringe schneiden.

3 Champignonviertel im erhitzten Öl in einer
Pfanne goldbraun braten, mit Salz und Pfeffer
würzen. Frühlingszwiebelringe unterheben, erkalten lassen.

4 Toastbrot mit dem Schneidstab zerkrümeln
und mit Käse mischen. Schmand und Eier verquirlen, mit Salz, Pfeffer und Paprika würzen.

5 Je 3 Blätterteigplatten aufeinander legen
und auf einer bemehlten Arbeitsfläche zu
2 Rechtecken (etwa 33 x 23 cm) ausrollen,
5 Minuten ruhen lassen.

6 Aus jedem Rechteck 6 runde Platten
(Ø 11 cm) ausstechen.

7 Teigplatten in eine Muffinform (für 12 Muffins, gefettet) legen. Teigböden mit einer Gabel
mehrfach einstechen. Champignonmasse auf

den Teig geben, Schmandmasse darauf gießen und mit der Brot-Käse-Mischung bestreuen. Die Form auf dem Rost in den Backofen schieben.

Ober-/Unterhitze: etwa 200 °C (vorgeheizt)
Heißluft: etwa 180 °C (vorgeheizt)
Gas: Stufe 3 – 4 (vorgeheizt)
Backzeit: 25 – 30 Minuten

8 Die Muffins 10 Minuten in der Form auf
einen Kuchenrost stellen, dann aus der Form
lösen und sofort servieren.

Pilzquiches, kleine

Pischinger Torte | 🗑️ 🗑️

Für Gäste – raffiniert

Für den Krokant:
1 Msp. Butter, 60 g Zucker
125 g abgezogene, gehackte Mandeln

Für die Buttercreme:
200 g Zartbitterschokolade
250 g weiche Butter
50 g gesiebter Puderzucker
3 frische Eier (Größe M)

Außerdem:
8 Karlsbader Oblaten (Ø etwa 15 cm)

Für den Guss:
150 g Zartbitterschokolade
etwas Kokosfett

Zubereitungszeit: 45 Minuten, ohne Kühlzeit

Insgesamt: E: 74 g, F: 420 g, Kh: 284 g, kJ: 22690, kcal: 5421

1 Für den Krokant Butter mit Zucker in einer Pfanne erhitzen, bis die Masse leicht gebräunt und der Zucker gelöst ist. Mandeln hinzufügen, unter Rühren erhitzen, bis der Krokant genügend gebräunt ist.

2 Die Krokantmasse auf ein Backblech (geölt) geben, erkalten lassen. Die Krokantmasse mit einer Teigrolle zerdrücken.

3 Für die Buttercreme Schokolade in kleine Stücke brechen, in einem kleinen Topf im Wasserbad bei schwacher Hitze zu einer geschmeidigen Masse verrühren, etwas abkühlen lassen. Butter mit Handrührgerät mit Rührbesen auf höchster Stufe geschmeidig rühren. Nach und nach Puderzucker unterrühren. So lange rühren, bis eine gebundene Masse entstanden ist. Eier nach und nach unterrühren (jedes Ei etwa ½ Minute).

4 Aufgelöste Schokolade unter die Buttercreme rühren. 2 Esslöffel zum Garnieren beiseite stellen. Krokant vorsichtig unter die Schokoladencreme rühren. Die Masse auf 8 Oblaten streichen und zu einer Torte zusammensetzen. Den Tortenrand mit der beiseite gestellten Schokoladencreme bestreichen. Die Torte so lange kalt stellen, bis die Schokoladencreme fest geworden ist.

5 Für den Guss Schokolade in kleine Stücke brechen, mit dem Kokosfett in einem kleinen Topf im Wasserbad bei schwacher Hitze zu einer geschmeidigen Masse verrühren. Tortenoberfläche und -rand damit überziehen, Guss fest werden lassen. Gut gekühlt servieren.

Tipp: Für die Creme nur ganz frische Eier verwenden, die nicht älter als 5 Tage sind (Legedatum beachten)! Torte im Kühlschrank aufbewahren.

Pischinger Torte

Pistazien-Marzipan-Herzen | 🗑 🍶

Zum Verschenken

Für die Marzipanmasse:
200 g Marzipan-Rohmasse
100 g gesiebter Puderzucker
50 g gemahlene Pistazienkerne
1 EL Kirsch- oder Marillenlikör

Pistazien-Marzipan-Herzen

Für den Guss:
150 – 200 g Halbbitter-Kuvertüre
2 TL Speiseöl

Zum Garnieren:
Pistazienkerne

Zubereitungszeit: 50 Minuten,
ohne Kühlzeit

Insgesamt: E: 53 g, F: 128 g, Kh: 321 g,
kJ: 11562, kcal: 2762

1 Für die Marzipanmasse Marzipan-Rohmasse, Puderzucker, Pistazienkerne, Kirsch-
oder Marillenlikör mit Handrührgerät mit Knethaken verkneten. Die Marzipanmasse auf einer mit Puderzucker bestäubten Arbeitsfläche
etwa 1 cm dick ausrollen, mit einer Ausstech-

form Herzen ausstechen (die Ausstechförmchen jeweils vorher in gesiebten Puderzucker tauchen).

2 Die Marzipan-Herzen vorsichtig aus der
Form drücken (an der Form haftende Marzi-
panreste entfernen). Die Marzipan-Herzen mit
Alufolie zugedeckt 1 – 2 Stunden kalt stellen.

3 Für den Guss Kuvertüre in kleine Stücke
hacken, mit dem Öl in einem kleinen Topf im
Wasserbad bei schwacher Hitze geschmeidig
rühren. Die Marzipan-Herzen einzeln (mit Hilfe
von 2 Gabeln oder Pralinenbesteck) in die Kuvertüre tauchen. Die Kuvertüre am Topfrand gut
abstreifen. Die Herzen auf Backpapier setzen,
mit Pistazienkernen garnieren, den Guss fest
werden lassen (evtl. Herzen zwischendurch
umsetzen, damit keine „Füßchen" entstehen).

Pizzabrot (Foccacia) | 🗑 🗑 ❄

Für Gäste

Für den Hefeteig:
500 g Weizenmehl
¹/₂ Pck. (21 g) frische Hefe
250 ml (¹/₄ l) lauwarmes Wasser
1 TL Salz, 30 g Butter oder Margarine

Zum Bestreichen:
3 EL Olivenöl

Zum Bestreuen:
gerebelter Oregano, getrockneter Thymian

Zubereitungszeit: etwa 40 Minuten, ohne
Teiggehzeit

Insgesamt: E: 56 g, F: 66 g, Kh: 365 g,
kJ: 10032, kcal: 2397

1 Für den Teig Mehl in eine Rührschüssel
sieben. In die Mitte eine Vertiefung drücken.
Hefe hineinbröckeln und etwas Wasser hinzufügen. Mit einer Gabel vorsichtig verrühren
und etwa 10 Minuten gehen lassen.

2 Salz, Butter oder Margarine und restliches
Wasser hinzufügen. Die Zutaten mit Handrührgerät mit Knethaken zunächst auf niedrigster,
dann auf höchster Stufe in etwa 5 Minuten zu
einem Teig verarbeiten. Den Teig zugedeckt so
lange an einem warmen Ort stehen lassen, bis
er sich sichtbar vergrößert hat.

3 Den Teig mit Mehl bestäuben, aus der
Schüssel nehmen, auf einer bemehlten

Pizzabrot (Foccacia)

Arbeitsfläche nochmals kurz durchkneten und
in 12 Stücke teilen. Diese zu ovalen Fladen
ausrollen.

4 Die Fladen auf Backbleche (gefettet, mit
Backpapier belegt) legen. Mit einem Löffelstiel
Vertiefungen in die Fladen drücken, mit Oliven-
öl bestreichen und mit den getrockneten
Kräutern bestreuen.

5 Die Backbleche nacheinander (bei Heißluft
zusammen) in den Backofen schieben. Die
Fladen goldbraun backen.

Ober-/Unterhitze: etwa 220 °C (vorgeheizt)
Heißluft: etwa 200 °C (vorgeheizt)
Gas: Stufe 4 – 5 (vorgeheizt)
Backzeit: 15 – 20 Minuten pro Backblech

6 Die Pizzabrote vom Backpapier lösen und
auf einem Kuchenrost erkalten lassen.

Tipp: Pizzabrote auf Vorrat backen und einzeln
einfrieren. Gut angetaut bei 200 °C etwa 8 Minuten aufbacken. Sie schmecken wie frisch.

Pizzataschen, gefüllte | 🗑 🗑 ❄

Für Gäste

Für den Hefeteig:
500 g Weizenmehl (Type 550)
1 Pck. (42 g) frische Hefe
1 TL Zucker
200 ml lauwarmes Wasser
2 gestr. TL Salz
6 EL Olivenöl

Für die Füllung:
1 Zwiebel (50 g)
1 – 2 Knoblauchzehen
2 EL Olivenöl, 250 g Zucchini
1 gestr. TL getrockneter Majoran
¹/₂ Pck. (225 g) TK-Blattspinat

300 g Kasseler (ohne Knochen)
70 g geriebener Greyerzer-Käse
Salz, Pfeffer, geriebene Muskatnuss

Zum Bestreichen:
1 Eigelb, 1 EL Milch

Zubereitungszeit: etwa 90 Minuten, ohne
Teiggeh- und Abkühlzeit

Insgesamt: E: 166 g, F: 186 g, Kh: 375 g,
kJ: 16950, kcal: 4051

1 Für den Teig Mehl in eine Schüssel sieben.
In die Mitte eine Vertiefung drücken. Hefe hineinbröckeln, Zucker und etwas Wasser hinzufügen. Mit einer Gabel vorsichtig verrühren
und etwa 10 Minuten gehen lassen.

2 Salz, Öl und restliches Wasser hinzufügen,
mit Handrührgerät mit Knethaken zunächst
auf niedrigster, dann auf höchster Stufe in etwa 5 Minuten zu einem glatten Teig verarbeiten. Den Teig zugedeckt so lange an einem
warmen Ort stehen lassen, bis er sich sichtbar vergrößert hat.

3 Für die Füllung Zwiebel und Knoblauch
abziehen, würfeln und in erhitztem Öl glasig
dünsten. Zucchini waschen, abtrocknen und
die Enden abschneiden. Zucchini in etwa
1 x 1 cm große Würfel schneiden.

4 Majoran und gefrorenen Spinat zu den Zwie-
belwürfeln geben. Spinat bei milder Hitze dünsten, bis er aufgetaut ist. Kasseler in 1 x 1 cm
große Würfel schneiden. Zucchini, Kasseler
und Käse unter den Spinat heben, mit Salz,
Pfeffer und Muskat würzen. Abkühlen lassen.

5 Teig aus der Schüssel nehmen, auf einer
bemehlten Arbeitsfläche nochmals kurz
durchkneten, zu einer Rolle formen und in
20 Scheiben schneiden. Jede Scheibe zu einer runden Platte (Ø etwa 14 cm) ausrollen.
In die Mitte jeder Platte etwas von der Füllung
geben. Teigränder rundherum mit Wasser bestreichen. Jeweils eine Teighälfte überklappen
und andrücken.

6 Teigtaschen auf zwei Backbleche (mit
Backpapier belegt) legen. Eigelb und Milch
verquirlen und auf die Teigtaschen streichen.
Backbleche nacheinander (bei Heißluft
zusammen) in den Backofen schieben.

Ober-/Unterhitze: 200 °C (vorgeheizt)
Heißluft: 180 °C (nicht vorgeheizt)
Gas: Stufe 3 – 4 (nicht vorgeheizt)
Backzeit: etwa 35 Minuten pro Backblech

7 Backbleche auf je einen Kuchenrost stellen. Pizzataschen warm servieren.

Tipp: Pizzataschen mit einem gemischten
Salat servieren.

Pizzataschen, gefüllte

Preiselbeer-Eierlikör-Torte | 🥛 🥛 🍾

Für Gäste

Für den Biskuitteig:
4 Eier (Größe M)
2 EL heißes Wasser
160 g Zucker
1 Pck. Vanillin-Zucker
1 TL gemahlener Zimt
30 g Weizenmehl
1 gestr. TL Backpulver
200 g gemahlene Haselnusskerne
60 g Raspelschokolade
50 g zerlassene abgekühlte Butter

Für den Belag:
5–6 EL Preiselbeeren (aus dem Glas)
500 ml (¹/₂ l) Schlagsahne
2 Pck. Sahnesteif
1 Pck. Vanillin-Zucker
2 TL Zucker
250 ml (¹/₄ l) Eierlikör

Zubereitungszeit: 45 Minuten, ohne Abkühlzeit

Insgesamt: E: 88 g, F: 369 g, Kh: 414 g, kJ: 24513, kcal: 5855

1 Für den Teig Eier und Wasser mit Handrührgerät mit Rührbesen auf höchster Stufe in 1 Minute schaumig schlagen. Zucker mit Vanillin-Zucker und Zimt mischen, in 1 Minute einstreuen, dann noch etwa 2 Minuten schlagen.

2 Mehl mit Backpulver mischen, auf die Eiercreme sieben, kurz auf niedrigster Stufe unterrühren. Haselnusskerne mit der Schokolade mischen und unterheben. Zuletzt die Butter unterrühren.

3 Den Teig in eine Springform (Ø 26 cm, Boden gefettet, mit Backpapier belegt) füllen. Die Form auf dem Rost in den Backofen schieben.

Ober-/Unterhitze: 180–200 °C (vorgeheizt)
Heißluft: 160–180 °C (vorgeheizt)
Gas: etwa Stufe 3 (vorgeheizt)
Backzeit: etwa 30 Minuten

4 Den Gebäckboden aus der Form lösen, auf einen mit Backpapier belegten Kuchenrost stürzen, mitgebackenes Backpapier abziehen. Gebäckboden erkalten lassen und auf eine Tortenplatte legen.

5 Für den Belag den Gebäckboden mit Preiselbeeren bestreichen (1 cm am Rand frei lassen). Sahne mit Sahnesteif, Vanillin-Zucker und Zucker steif schlagen. Die Hälfte der Sahne auf die Preiselbeeren streichen.

6 Restliche Sahne in einen Spritzbeutel mit Lochtülle füllen. Auf die Tortenoberfläche Quadrate spritzen. Den oberen Tortenrand mit Tuffs verzieren. Einen Teil des Eierlikörs auf einzelne Quadrate verteilen. Den restlichen Eierlikör dazu reichen.

Tipp: Die Torte anstelle der Preiselbeeren mit angedickten Sauerkirschen zubereiten. Dafür den Kirschsaft (250 ml, [¹/₄l]) mit 1 Päckchen Tortenguss nach Packungsanleitung zubereiten und die Kirschen unterheben.

Preiselbeer-Eierlikör-Torte

Prinzregententorte | 🗑 🗑 🗑 ❄

Dauert länger – klassisch

Für den Rührteig:
250 g Butter oder Margarine
250 g Zucker, 1 Pck. Vanillin-Zucker
1 Prise Salz, 4 Eier (Größe M)
200 g Weizenmehl, 50 g Speisestärke
1 gestr. TL Backpulver

Für die Buttercreme:
1 Pck. Pudding-Pulver Schokoladen-Geschmack, 100 g Zucker
500 ml (¹/₂ l) kalte Milch, 250 g Butter

Für den Guss:
150 g Zartbitterschokolade
20 g Kokosfett

Zubereitungszeit: 80 Minuten,
ohne Kühlzeit

Insgesamt: E: 83 g, F: 525 g, Kh: 691 g,
kJ: 33621, kcal: 8030

1 Für den Teig Butter oder Margarine mit Handrührgerät mit Rührbesen auf höchster Stufe geschmeidig rühren. Nach und nach Zucker, Vanillin-Zucker und Salz unterrühren. So lange rühren, bis eine gebundene Masse entstanden ist. Eier nach und nach unterrühren (jedes Ei etwa ¹/₂ Minute).

2 Mehl mit Speisestärke und Backpulver mischen, sieben, portionsweise auf mittlerer Stufe unterrühren.

3 Aus dem Teig 7 – 8 Böden backen. Etwa 2 Esslöffel des Teiges jeweils auf einen Springformboden (Ø 28 cm, gefettet) streichen (darauf achten, dass die Teiglage am Rand nicht zu dünn ist, damit der Boden dort nicht zu dunkel wird). Jeden Boden ohne Springformrand hellbraun backen. Die Böden nacheinander (bei Heißluft je 2 Böden zusammen) in den Backofen schieben.

Ober-/Unterhitze: 180 – 200 °C (vorgeheizt)
Heißluft: 160 – 180 °C (vorgeheizt)
Gas: etwa Stufe 3 (vorgeheizt)
Backzeit: 8 – 10 Minuten pro Boden

4 Böden sofort nach dem Backen vom Springformboden lösen, einzeln auf einem Kuchenrost erkalten lassen.

5 Für die Buttercreme aus Pudding-Pulver, Zucker und Milch nach Packungsanleitung einen Pudding zubereiten, kalt stellen. Pudding ab und zu durchrühren.

6 Butter geschmeidig rühren, Pudding esslöffelweise unterrühren (darauf achten, dass Butter und Pudding Zimmertemperatur haben, da die Creme sonst gerinnt).

7 Die einzelnen Böden mit der Buttercreme bestreichen, zu einer Torte zusammensetzen, die oberste Schicht soll aus einem Boden bestehen.

8 Für den Guss Schokolade in kleine Stücke brechen, mit Kokosfett in einem kleinen Topf im Wasserbad bei schwacher Hitze zu einer geschmeidigen Masse verrühren. Die Torte damit überziehen. Guss fest werden lassen.

Tipp: Etwas Buttercreme in einen Spritzbeutel füllen. Die Torte damit verzieren und mit Schokoladenplätzchen garnieren.

Prinzregententorte

Profiteroles | 🗑 🗑 🍶

Für Gäste

Für den Brandteig:
125 ml (⅛ l) Wasser
50 g Butter oder Margarine
125 g Weizenmehl
2 – 3 Eier (Größe M)
1 Msp. Backpulver

Für die Füllung:
250 ml (¼ l) Schlagsahne
1 Pck. Sahnesteif, 2 EL Kirschwasser

Für den Guss:
100 g Halbbitter-Kuvertüre
100 g weiße Kuvertüre
etwas Kokosfett

Nach Belieben zum Garnieren:
weiße geschabte Schokolade
gehackte Veilchen

Zubereitungszeit: 45 Minuten, ohne Abkühlzeit

Insgesamt: E: 62 g, F: 199 g, Kh: 256 g, kJ: 13522, kcal: 3232

1 Für den Teig Wasser und Butter oder Margarine am besten in einem Stieltopf zum Kochen bringen. Mehl sieben, auf einmal in die von der Kochstelle genommene Flüssigkeit schütten und zu einem glatten Kloß rühren. Unter Rühren etwa 1 Minute erhitzen und den heißen Kloß sofort in eine Rührschüssel geben.

2 Nach und nach Eier mit Handrührgerät mit Knethaken auf höchster Stufe unterarbeiten. (Weitere Eizugabe erübrigt sich, wenn der Teig stark glänzt und so vom Löffel abreißt, dass lange Spitzen hängen bleiben.) Backpulver in den erkalteten Teig arbeiten.

3 Den Teig in einen Spritzbeutel mit kleiner Sterntülle füllen und kleine Tuffs auf Backbleche (gefettet, gemehlt) setzen. Backbleche nacheinander (bei Heißluft zusammen) in den Backofen schieben.

Ober-/Unterhitze: 200 – 220 °C (vorgeheizt)
Heißluft: 180 – 200 °C (vorgeheizt)
Gas: Stufe 4 – 5 (vorgeheizt)
Backzeit: etwa 20 Minuten pro Backblech

4 Gebäck von den Backblechen lösen und auf einem Kuchenrost erkalten lassen.

5 Für die Füllung Sahne mit Sahnesteif steif schlagen. Kirschwasser unterrühren. Sahnemasse in einen Spritzbeutel mit kleiner Lochtülle füllen, vorsichtig ein Loch in den Boden der Profiteroles stoßen und mit der Sahnemasse füllen.

6 Für den Guss Halbbitter- und weiße Kuvertüre getrennt mit jeweils etwas Kokosfett in einem kleinen Topf im Wasserbad bei schwacher Hitze geschmeidig rühren. Die Profiteroles mit Hilfe einer Gabel in den Guss tauchen. Nach Belieben mit Schokolade und Veilchenstückchen garnieren.

Profiteroles

Punschherzen | 🗑 🗑 🍾

Zum Verschenken

Für den Knetteig:
250 g Weizenmehl
1 gestr. TL Backpulver
75 g Zucker, 1 Pck. Vanillin-Zucker
¹/₂ Pck. Finesse Orangenfrucht
2 Eier (Größe M)
100 g Butter oder Margarine
50 g abgezogene, gemahlene Mandeln

Für die Füllung:
125 g Löffelbiskuits, 3 EL Rum
100 ml Rotwein, ¹/₂ Pck. Finesse Orangen-
frucht, 50 g Zartbitterschokolade
Johannisbeergelee

Für den Guss:
65 g gesiebter Puderzucker
etwa 2 TL Rum

Zubereitungszeit: 60 Minuten, ohne
Abkühl- und Trockenzeit

Insgesamt: E: 68 g, F: 148 g, Kh: 439 g,
kJ: 15358, kcal: 3669

1 Für den Teig Mehl und Backpulver mischen, in eine Rührschüssel sieben. Zucker,
Vanillin-Zucker, Orangenfrucht, Eier, Butter
oder Margarine und Mandeln hinzufügen. Die
Zutaten mit Handrührgerät mit Knethaken zunächst kurz auf niedrigster, dann auf höchster
Stufe gut durcharbeiten.

2 Anschließend auf der bemehlten Arbeitsfläche zu einem glatten Teig verkneten. Sollte
er kleben, ihn in Folie gewickelt eine Zeit lang
kalt stellen.

3 Den Teig auf der leicht bemehlten Arbeitsfläche dünn ausrollen, Herzen ausstechen und
auf Backbleche (mit Backpapier belegt) legen.
Backbleche nacheinander (bei Heißluft zusammen) in den Backofen schieben.

Ober-/Unterhitze: etwa 200 °C (vorgeheizt)
Heißluft: etwa 180 °C (vorgeheizt)
Gas: etwa Stufe 4 (vorgeheizt)
Backzeit: etwa 10 Minuten pro Backblech

4 Die Herzen von den Backblechen lösen und
auf Kuchenrosten erkalten lassen.

5 Für die Füllung Löffelbiskuits in einen Gefrierbeutel geben, Beutel verschließen, mit der
Teigrolle zerdrücken, in eine Schüssel geben.
Rum, Rotwein, Orangenfrucht und Schokolade
unter Rühren erhitzen, über die Biskuitbrösel
geben, gut verrühren, abkühlen lassen.

6 Die Unterseiten der Plätzchen zuerst dünn
mit etwas von dem Johannisbeergelee, dann
mit etwas von der Füllung bestreichen und jeweils 2 Plätzchen mit der Punschfüllung
zusammensetzen.

7 Puderzucker mit so viel Rum verrühren,
dass ein dickflüssiger Guss entsteht. Die
Plätzchenoberfläche damit bestreichen.

8 Etwas Johannisbeergelee kurz erwärmen,
jeweils einige Tropfen davon auf den noch feuchten Puderzuckerguss geben und mit einem Zahn-
stocher so durchziehen, dass ein Marmormuster
entsteht. Den Guss trocknen lassen.

Tipp: Nach Belieben zusätzlich etwas abgeriebene Zitronenschale und gemahlenen Zimt
in der Füllung mit erwärmen.
In gut schließenden Dosen aufbewahrt sind
die Punschherzen 1 – 2 Wochen haltbar.

Punschherzen

Quark-Apfel-Kuchen mit Streuseln | 🗑 🗑 ❄

Klassisch

Für den Quark-Öl-Teig:
300 g Weizenmehl
1 Pck. Backpulver
150 g Magerquark
6 EL Milch
6 EL Speiseöl
75 g Zucker
1 Pck. Vanillin-Zucker
1 Prise Salz

Für den Belag:
1 ¹/₂ kg Äpfel
150 g Butter oder Margarine

100 g Zucker
¹/₂ Fläschchen Zitronen-Aroma
4 Eigelb (Größe M)
850 g Magerquark
50 g Weizengrieß
4 Eiweiß (Größe M)

Für die Streusel:
200 g Weizenmehl
70 g abgezogene, gemahlene Mandeln
150 g Zucker
¹/₂ TL gemahlener Zimt
150 g Butter oder Margarine

Zubereitungszeit: etwa 70 Minuten

Insgesamt: E: 236 g, F: 414 g, Kh: 919 g, kJ: 36570, kcal: 8727

1 Für den Teig Mehl mit Backpulver mischen, in eine Rührschüssel sieben. Quark, Milch, Öl, Zucker, Vanillin-Zucker und Salz hinzufügen.

2 Die Zutaten mit Handrührgerät mit Knethaken auf höchster Stufe in etwa 1 Minute verarbeiten (nicht zu lange, Teig klebt sonst). Anschließend auf der bemehlten Arbeitsfläche zu einer Rolle formen. Den Teig auf einem Backblech oder in einer Fettfangschale (30 x 40 cm, gefettet) ausrollen. Vor den Teig einen mehrfach geknickten Streifen Alufolie legen (beim Backblech).

3 Für den Belag Äpfel schälen, vierteln, entkernen und in dünne Spalten schneiden. Apfelspalten dachziegelartig auf den Teig legen.

4 Butter oder Margarine mit Handrührgerät mit Rührbesen auf höchster Stufe geschmeidig rühren. Nach und nach Zucker, Aroma, Eigelb, Quark und Grieß unterrühren. Eiweiß steif schlagen und unterheben. Die Quarkmasse auf die Apfelspalten geben und glatt streichen.

5 Für die Streusel Mehl in eine Rührschüssel sieben, Mandeln, Zucker, Zimt und Butter oder Margarine hinzufügen. Die Zutaten mit Handrührgerät mit Knethaken zu Streuseln von gewünschter Größe verarbeiten. Die Streusel auf der Quarkmasse verteilen. Das Backblech oder die Fettfangschale in den Backofen schieben.

Ober-/Unterhitze: etwa 180 °C (vorgeheizt)
Heißluft: etwa 160 °C (nicht vorgeheizt)
Gas: Stufe 2 – 3 (nicht vorgeheizt)
Backzeit: etwa 50 Minuten

6 Das Backblech oder die Fettfangschale auf einen Kuchenrost stellen. Kuchen erkalten lassen.

Quark-Apfel-Kuchen mit Streuseln

Quarkbrot

Quarkbrot | ❄

Gut vorzubereiten

Für den Rührteig:
125 g Butter oder Margarine
125 g Zucker, 1 gestr. TL Salz
abgeriebene Schale von ¹/₂ Bio-Zitrone
(unbehandelt, ungewachst)
150 g Magerquark
2 Eier (Größe M)
350 g Weizenmehl
4 gestr. TL Backpulver
125 g Rosinen

Zum Bestreichen:
50 g zerlassene Butter

Zum Bestreuen:
Zimt-Zucker

Zubereitungszeit: 35 Minuten

Insgesamt: E: 76 g, F: 161 g, Kh: 482 g, kJ: 16052, kcal: 3835

1 Für den Teig Butter oder Margarine mit Handrührgerät mit Rührbesen auf höchster Stufe geschmeidig rühren. Nach und nach Zucker, Salz, Zitronenschale und Quark unterrühren. So lange rühren, bis eine gebundene Masse entstanden ist.

2 Eier nach und nach unterrühren (jedes Ei etwa ¹/₂ Minute). Mehl mit Backpulver mischen und sieben. Zwei Drittel des Mehlgemisches portionsweise auf mittlerer Stufe unterrühren. Restliches Mehlgemisch auf einer bemehlten Arbeitsfläche mit den Rosinen unterkneten.

3 Den Teig zu einem Oval formen. Eine Längsseite mit einer Teigrolle etwas flach

rollen und die andere Längsseite überschlagen (wie bei einem Stollen).

4 Das Teigbrot auf ein Backblech (gefettet, mit Backpapier belegt) legen. Das Backblech in den Backofen schieben.

Ober-/Unterhitze: 180 – 200 °C (vorgeheizt)
Heißluft: 160 – 180 °C (nicht vorgeheizt)
Gas: etwa Stufe 3 (nicht vorgeheizt)
Backzeit: etwa 50 Minuten

5 Das Brot mit dem Backpapier vom Backblech auf einen Kuchenrost ziehen.

6 Das Brot sofort mit Butter bestreichen und mit Zimt-Zucker bestreuen.

Tipp: Das Quarkbrot schmeckt lauwarm am besten.

Quarkbrötchen | 🗑 🗑 ❄

Klassisch – für Kinder

Für den Hefeteig:
500 g Weizenmehl, 2 Pck. Trockenhefe
2 TL Zucker, 1 gestr. TL Salz
400 g Magerquark
150 ml lauwarmes Wasser

Zum Bestreichen:
2 Eigelb, 2 EL Milch

Nach Belieben zum Bestreuen:
Sesam-, Mohn- oder Kümmelsamen

Zubereitungszeit: 30 Minuten, ohne
Teiggehzeit

Insgesamt: E: 118 g, F: 18 g, Kh: 396 g,
kJ: 9882, kcal: 2361

1 Für den Teig Mehl in eine Rührschüssel
sieben, mit Trockenhefe sorgfältig vermischen. Zucker, Salz, Quark und Wasser hinzufügen.

2 Die Zutaten mit Handrührgerät mit Knethaken zunächst auf niedrigster, dann auf
höchster Stufe in etwa 5 Minuten zu einem
Teig verarbeiten. Den Teig zugedeckt so lange
an einem warmen Ort stehen lassen, bis er
sich sichtbar vergrößert hat.

Quarkbrötchen

3 Den Teig leicht mit Mehl bestäuben, aus
der Schüssel nehmen und auf einer bemehlten Arbeitsfläche nochmals kurz durchkneten.
Von dem Teig mit 2 Esslöffeln Teighäufchen
abstechen, kleine Brötchen daraus formen.
Teigbrötchen auf Backbleche (gefettet, mit
Backpapier belegt) legen und nochmals so
lange an einem warmen Ort gehen lassen,
bis sie doppelt so groß sind.

4 Zum Bestreichen Eigelb mit Milch verschlagen, die Teigbrötchen damit bestreichen.
Nach Belieben mit Sesam-, Mohn- oder

Kümmelsamen bestreuen. Die Backbleche
nacheinander (bei Heißluft zusammen) in den
Backofen schieben.

Ober-/Unterhitze: etwa 240 °C (vorgeheizt)
Heißluft: etwa 220 °C (vorgeheizt)
Gas: etwa Stufe 5 (vorgeheizt)
Backzeit: etwa 15 Minuten pro Backblech

5 Die Brötchen mit dem Backpapier von den
Backblechen auf Kuchenroste ziehen. Brötchen erkalten lassen.

Quark-Kirsch-Torte | 🗑 🗑

Für Gäste – gut vorzubereiten

Für den Boden:
100 g Zartbitterschokolade
50 g Vollmilchschokolade
50 g Cornflakes

Für die Kirschmasse:
1 Glas Sauerkirschen
(Abtropfgewicht 370 g)
¹/₂ Zimtstange, 2 gestr. EL Zucker
20 g Speisestärke
2 EL Wasser

Für den Belag:
3 Blatt weiße Gelatine
100 g Doppelrahm-Frischkäse
250 g Magerquark
70 g Zucker
1 Pck. Vanillin-Zucker
Saft von ¹/₂ Zitrone
200 ml Schlagsahne

Für den Guss:
2 Blatt weiße Gelatine
125 ml (¹/₈ l) Sauerkirschsaft
aus dem Glas

Zubereitungszeit: 55 Minuten, ohne
Kühlzeit

Insgesamt: E: 70 g, F: 143 g, Kh: 342 g,
kJ: 12753, kcal: 3046

1 Für den Boden Zartbitter- und Vollmilchschokolade in Stücke brechen, in einem kleinen Topf im Wasserbad bei schwacher Hitze
zu einer geschmeidigen Masse verrühren.
Cornflakes unterheben. Die Masse in eine
Springform (Ø 20 cm, Boden mit Backpapier
belegt) geben und mit einem Esslöffel an-

drücken. Die Form kalt stellen, bis der Boden fest geworden ist.

2 Für die Kirschmasse Sauerkirschen in einem Sieb abtropfen lassen, den Saft dabei auffangen, 125 ml (¹/₈ l) davon abmessen und für den Guss beiseite stellen.

3 Den restlichen Saft mit der Zimtstange und Zucker in einem kleinen Topf aufkochen lassen. Speisestärke mit Wasser anrühren. Den Saft von der Kochstelle nehmen, angerührte Speisestärke einrühren und unter Rühren nochmals gut aufkochen lassen. Kirschen unterheben. Zimtstange entfernen. Kirschmasse erkalten lassen.

4 Die Kirschmasse auf den Schokoladenboden streichen und wieder kalt stellen.

5 Für den Belag Gelatine in kaltem Wasser nach Packungsanleitung einweichen, leicht ausdrücken. Die ausgedrückte Gelatine in einem kleinen Topf unter Rühren erwärmen (nicht kochen), bis sie völlig gelöst ist, leicht abkühlen lassen. Frischkäse, Quark, Zucker, Vanillin-Zucker und Zitronensaft verrühren. Die Gelatinelösung unterrühren. Quarkmasse kalt stellen.

6 Sahne steif schlagen. Wenn die Quarkmasse anfängt dicklich zu werden, Sahne unterheben. Die Quark-Sahne-Creme auf

den Kirschen verteilen. Torte etwa 1 Stunde kalt stellen.

7 Für den Guss Gelatine in kaltem Wasser nach Packungsanleitung einweichen. Kirschsaft erhitzen (nicht kochen). Die ausgedrückte Gelatine unter Rühren darin auflösen und kalt stellen. Sobald der Kirschsaft anfängt dicklich zu werden, ihn esslöffelweise auf die Quark-Sahne-Creme geben. Torte nochmals etwa 1 Stunde kalt stellen.

Tipp: Nach Belieben nur etwa ²/₃ der Sahne unter die Creme rühren. Vor dem Servieren die restliche Sahne in einen Spritzbeutel füllen und die Torte damit verzieren.

Quarkkringel | 🗑 🗑 🍶 ❄

Klassisch

Für den Hefeteig:
1 Pck. (357 g) Grundmischung Hefeteig
100 ml lauwarme Milch
1 Ei (Größe M)
50 g weiche Butter oder Margarine
125 g Magerquark
1 Pck. Finesse Orangenfrucht

Zum Ausbacken:
1 kg Ausbackfett

Für den Guss:
100 g gesiebter Puderzucker
1 EL Orangensaft, 1 EL Rum

Zubereitungszeit: 55 Minuten, ohne Teiggehzeit

Insgesamt: E: 49 g, F: 358 g, Kh: 400 g, kJ: 21671, kcal: 5158

1 Für den Teig Grundmischung nach Packungsanleitung, aber mit den hier angegebenen Zutaten zubereiten. Teig zugedeckt an einem warmen Ort so lange gehen lassen, bis er sich sichtbar vergrößert hat.

2 Teig aus der Schüssel nehmen, auf der bemehlten Arbeitsfläche nochmals kurz durchkneten, gut ¹/₂ cm dick ausrollen und etwa 20 Ringe (Ø etwa 7 cm) ausstechen. Teigreste nochmals ausrollen und ebenfalls Ringe ausstechen.

3 Teigringe auf eine Platte legen und nochmals zugedeckt so lange an einem warmen Ort gehen lassen, bis sie sich sichtbar vergrößert haben.

4 Teigringe schwimmend in siedendem Ausbackfett von beiden Seiten hellbraun backen,

mit einem Schaumlöffel herausnehmen und auf Küchenpapier abtropfen lassen.

5 Für den Guss Puderzucker mit Orangensaft und Rum zu einer dickflüssigen Masse verrühren. Die Quarkkringel noch warm damit bestreichen.

Tipp: Für den Guss statt des Rums zusätzlich 1 Esslöffel Orangensaft verwenden.

Quarkkringel

Quarkkuchen, pikant, ohne Boden |

Für Gäste – einfach

Für die Füllung:
*2 Dosen mexikanische Gemüseplatte
(Abtropfgewicht je 280 g)
2 Pck. (je 200 g) Kräuterquark
200 ml Schlagsahne
3 Eier (Größe M)*

*60 g Hartweizengrieß
Salz
frisch gemahlener Pfeffer
Paprikapulver rosenscharf*

Zum Garnieren:
*Petersilie
etwa 200 ml rote Taco-Sauce*

Zubereitungszeit: 20 Minuten

Insgesamt: E: 79 g, F: 105 g, Kh: 167 g,
kJ: 8488, kcal: 2032

1 Für die Füllung Gemüse in ein Sieb geben,
abspülen und abtropfen lassen.

2 Quark, Sahne, Eier und Grieß mit Handrührgerät mit Rührbesen auf mittlerer Stufe
zu einer geschmeidigen Masse verrühren.
Gemüse unterheben. Die Masse mit Salz,
Pfeffer und Paprika würzen.

3 Die Quarkmasse in eine Tarteform (Ø 30
cm, gefettet) füllen. Die Form auf dem Rost in
den Backofen schieben.

Ober-/Unterhitze: etwa 200 °C (vorgeheizt)
Heißluft: etwa 180 °C (nicht vorgeheizt)
Gas: Stufe 3 – 4 (nicht vorgeheizt)
Backzeit: etwa 35 Minuten

4 Kuchen in der Form auf einem Kuchenrost
abkühlen lassen und in Tortenstücke schneiden. Mit Petersilie garnieren und mit Taco-
Sauce servieren.

Quarkkuchen, pikant, ohne Boden

Quark-Marzipan-Stollen |

**Zum Verschenken – für die
Weihnachtszeit**

Für den Knetteig:
*250 g Weizenmehl
1/2 Pck. Backpulver
100 g Zucker, 1 Pck. Vanillin-Zucker
1 Prise Salz, 1 Ei (Größe M)
90 g Butter oder Margarine
125 g Magerquark
125 g Rum-Rosinen
50 g abgezogene, grob
gehackte Mandeln
je 50 g grob gehacktes Orangeat und
Zitronat (Sukkade)
200 g Marzipan-Rohmasse*

Zum Bestreichen:
25 g zerlassene Butter

Zum Bestäuben:
25 g Puderzucker

Zubereitungszeit: 35 Minuten

Insgesamt: E: 89 g, F: 202 g, Kh: 510 g,
kJ: 18450, kcal: 4407

1 Für den Teig Mehl mit Backpulver mischen
und in eine Rührschüssel sieben. Zucker, Vanillin-Zucker, Salz, Ei, Butter oder Margarine
und Quark hinzufügen. Die Zutaten mit Handrührgerät mit Knethaken zunächst kurz auf

niedrigster, dann auf höchster Stufe gut
durcharbeiten.

2 Anschließend auf der bemehlten Arbeits-
fläche mit Rosinen, Mandeln, Orangeat und
Zitronat zu einem glatten Teig verkneten.
Sollte er kleben, ihn in Folie gewickelt eine
Zeit lang kalt stellen.

3 Den Teig auf der bemehlten Arbeitsfläche
auf eine Größe von etwa 23 x 28 cm auseinander drücken. Marzipan-Rohmasse zwischen
zwei Lagen Klarsichtfolie ausrollen (22 x 25 cm)
und ohne Folie auf den Stollenteig legen.

4 Den Teig von der kürzeren Seite her aufrollen und in eine Stollenbackhaube (Länge 23,5 cm, gut gefettet) drücken. Stollenbackhaube mit der offenen Seite nach unten auf ein Backblech (gefettet, mit Backpapier belegt) legen. Das Backblech in den Backofen schieben.

Ober-/Unterhitze: etwa 180 °C (vorgeheizt)
Heißluft: etwa 160 °C (nicht vorgeheizt)
Gas: Stufe 2 – 3 (nicht vorgeheizt)
Backzeit: 50 – 60 Minuten

5 Die Backhaube nach etwa 35 Minuten von dem Stollen abnehmen und den Stollen fertig backen. Den Stollen sofort mit Butter bestreichen und mit Puderzucker bestäuben.

Tipp: Wer keine kleine Stollenbackhaube hat, kann den Stollen auch mit den Händen formen. Dazu in den aufgerollten Teig mit einer Teigrolle der Länge nach eine Vertiefung eindrücken. Dann aus der Marzipan-Rohmasse (wie unter Punkt 3 beschrieben) eine Rolle formen. Diese Rolle zwischen Vertiefung und Rand legen. Die linke Seite auf die rechte Seite schlagen und den mittleren Teil mit den Händen formen. Den Stollen auf ein mit Backpapier (doppelt) belegtes Backblech legen.

Quark-Marzipan-Stollen

Quark-Öl-Teig (Grundrezept) | 🗑 ❄

Schnell

Für den Quark-Öl-Teig:
300 – 400 g Weizenmehl
1 Pck. Backpulver
150 – 200 g Magerquark
6 EL Milch, 6 – 8 EL Speiseöl
evtl. 1 Ei (Größe M), 75 – 100 g Zucker
1 Pck. Vanillin-Zucker, 1 Prise Salz
evtl. Gewürze, z. B. 1 Fläschchen
Butter-Vanille-Aroma oder Zimt

Zubereitungszeit: 15 Minuten

Insgesamt: E: 70 g, F: 85 g, Kh: 361 g, kJ: 10905, kcal: 2605

1 Für den Teig Mehl mit Backpulver mischen, in eine Rührschüssel sieben. Quark, Milch, Öl, evtl. Ei, Zucker, Vanillin-Zucker, Salz und Gewürze hinzufügen. Die Zutaten mit Handrührgerät mit Knethaken auf höchster Stufe in etwa 1 Minute zu einem Teig verarbeiten (nicht zu lange, Teig klebt sonst).

2 Anschließend auf der bemehlten Arbeitsfläche zu einer Rolle formen.

3 Zur weiteren Verarbeitung Teig ausrollen und je nach Gebäck weiterverarbeiten.

Tipp: Die Konsistenz des Teiges ist ähnlich der des Hefeteiges, weich und elastisch. Falls der Teig noch an den Händen klebt, ist er zu weich. Dann muss vorsichtig noch etwas Mehl untergeknetet werden. Beim Ausrollen des Teiges ist zu beachten, dass nicht zu viel Mehl eingearbeitet wird, damit das Gebäck nicht zu trocken wird. Das Gebäck schmeckt frisch am besten. Quark-Öl-Teig eignet sich zum Tiefgefrieren.

Quark-Pie mit Aprikosen | 🗑 🗑 ❄

Für Gäste

Für den Knetteig:
250 g Weizenmehl
1 Prise Salz
3 EL kaltes Wasser
75 g Butter oder Margarine
75 g Schweineschmalz

Für die Füllung:
50 g Löffelbiskuits
50 g gemahlene Haselnusskerne
500 g Magerquark
2 Eier (Größe M)
75 g Zucker
abgeriebene Schale von 1 Bio-Zitrone
(unbehandelt, ungewachst)
2 – 3 EL Zitronensaft
3 gestr. EL Speisestärke
1 Dose Aprikosenhälften
(Abtropfgewicht 480 g)

Zum Bestreichen:
4 EL Kondensmilch

Zubereitungszeit: 55 Minuten, ohne Kühlzeit

Insgesamt: E: 129 g, F: 185 g, Kh: 435 g, kJ: 17445, kcal: 4165

1 Für den Teig Mehl in eine Rührschüssel sieben. Salz, Wasser, Butter oder Margarine und Schmalz hinzufügen. Die Zutaten mit Handrührgerät mit Knethaken zunächst kurz auf niedrigster, dann auf höchster Stufe gut durcharbeiten.

2 Anschließend auf der bemehlten Arbeitsfläche zu einem glatten Teig verkneten. Den Teig in Folie gewickelt 1 Stunde kalt stellen.

3 Für die Füllung Löffelbiskuits in einen Gefrierbeutel füllen, Beutel fest verschließen. Löffelbiskuits mit einer Teigrolle zerbröseln. Biskuitbrösel in eine Schüssel geben und mit den Haselnusskernen vermengen.

4 Quark mit Eiern, Zucker, Zitronenschale und -saft und Speisestärke geschmeidig rüh-

ren. Aprikosenhälften in einem Sieb gut abtropfen lassen.

5 Gut die Hälfte des Teiges auf der bemehlten Arbeitsfläche zu einer runden Platte (Ø 30 cm) ausrollen, eine Pieform (Ø 26 cm, gefettet) damit auslegen. Das Biskuitbrösel-Haselnuss-Gemisch darauf verteilen. Die Aprikosenhälften darauf legen und mit der Quarkmasse bedecken, glatt streichen.

6 Restlichen Teig zu einer runden Platte (Ø 28 cm) ausrollen. Teigrand in der Pieform mit Kondensmilch bestreichen, Teigplatte auf die Füllung legen und fest drücken. Die überstehenden Teigränder abschneiden.

7 Aus dem abgeschnittenen Teig beliebige Figuren oder Blüten ausstechen. Die untere Seite der ausgestochenen Teigfiguren mit Kondensmilch oder Wasser bestreichen und auf die Teigplatte kleben.

8 Die Teigoberfläche mit Kondensmilch bestreichen und mehrmals mit einer Gabel einstechen. Die Form auf dem Rost in den Backofen schieben.

Ober-/Unterhitze: 200 – 220 °C (vorgeheizt)
Heißluft: 180 – 200 °C (nicht vorgeheizt)
Gas: etwa Stufe 4 (nicht vorgeheizt)
Backzeit: 45 – 50 Minuten

9 Die Form auf einen Kuchenrost stellen. Pie abkühlen lassen und warm oder kalt servieren.

Beigabe: Steif geschlagene Schlagsahne.

Tipp: Sie können statt des Schweineschmalzes auch insgesamt 150 g Butter oder Margarine verwenden.

Quark-Pie mit Aprikosen

Quark-Sahne-Torte |

Klassisch

Für den Rührteig:
150 g Butter oder Margarine
150 g Zucker
1 Pck. Vanillin-Zucker
1 Prise Salz
3 Eier (Größe M)
125 g Weizenmehl
25 g Speisestärke
1 gestr. TL Backpulver

Für die Füllung:
8 Blatt weiße Gelatine
500 g Magerquark
200 g Zucker
2 El Zitronensaft
500 ml (¹/₂ l) Schlagsahne

Zum Bestreuen:
70 g gemahlene, geröstete Mandeln

Zum Bestäuben:
Puderzucker

Nach Belieben zum Garnieren:
ganze, nicht abgezogene Mandeln
Limettenstreifen

Zubereitungszeit: 60 Minuten, ohne Kühlzeit

Insgesamt: E: 137 g, F: 343 g, Kh: 523 g, kJ: 24828, kcal: 5932

1 Für den Teig Butter oder Margarine mit Handrührgerät mit Rührbesen auf höchster Stufe geschmeidig rühren. Nach und nach Zucker, Vanillin-Zucker und Salz unterrühren. So lange rühren, bis eine gebundene Masse entstanden ist.

2 Eier nach und nach unterrühren (jedes Ei etwa ¹/₂ Minute). Mehl mit Speisestärke und Backpulver mischen, sieben, portionsweise auf mittlerer Stufe unterrühren.

3 Den Teig in eine Springform (Ø 28 cm, Boden gefettet, mit Backpapier belegt) füllen und glatt streichen. Die Form auf dem Rost in den Backofen schieben.

Ober-/Unterhitze: etwa 180 °C (vorgeheizt)
Heißluft: etwa 160 °C (vorgeheizt)
Gas: Stufe 2–3 (vorgeheizt)
Backzeit: 25–30 Minuten

4 Den Gebäckboden aus der Form lösen und auf einen Kuchenrost stürzen, mitgebackenes Backpapier abziehen, Gebäckboden erkalten lassen, einmal waagerecht durchschneiden.

5 Für die Füllung Gelatine in kaltem Wasser nach Packungsanleitung einweichen, leicht ausdrücken. Die ausgedrückte Gelatine in einem kleinen Topf unter Rühren erwärmen (nicht kochen), bis sie völlig gelöst ist, leicht abkühlen lassen.

6 Quark mit Zucker und Zitronensaft gut verrühren. Die aufgelöste Gelatine unterrühren. Quarkmasse kalt stellen.

7 Sahne steif schlagen. Wenn die Quarkmasse anfängt dicklich zu werden, Sahne unterheben. Den unteren Gebäckboden auf eine Platte legen. Einen Tortenring oder den gesäuberten Springformrand darumstellen. Den Gebäckboden mit Mandeln bestreuen. Die Quark-Sahne-Masse darauf geben und glatt streichen. Den oberen Gebäckboden in 16 Tortenstücke schneiden und auf die Quark-Sahne-Masse legen. Die Torte 1 ¹/₂ Stunden kalt stellen.

8 Vor dem Servieren Tortenring oder Springformrand mit Hilfe eines Messers lösen und entfernen. Die Tortenoberfläche mit Puderzucker bestäuben und nach Belieben mit Mandeln und Limettenstreifen garnieren.

Tipp: Für die Füllung kann anstelle der Gelatine 1 Päckchen Käse-Sahne-Tortenhilfe verwendet werden. Die Torte ohne Garnierung (Mandeln, Limettenstreifen) einfrieren.

Quark-Sahne-Torte

Quarkstollen | 🗑 🗑 🍶 ❄

Klassisch

Zum Vorbereiten:
375 g Rosinen
100 ml Rum

Für den Knetteig:
500 g Weizenmehl
1 Pck. Backpulver
150 g Zucker
1 Pck. Vanillin-Zucker
1 Prise Salz
4 Tropfen Bittermandel-Aroma
je 1 Msp. Gewürznelken, Kardamom,
Ingwer, Muskatnuss und Zimt
(alles gemahlen)
1 Pck. Finesse Orangenfrucht
2 Eier (Größe M)
200 g Butter oder Margarine
250 g Magerquark
250 g abgezogene, gemahlene Mandeln
150 g gewürfeltes Zitronat (Sukkade)
100 g gewürfeltes Orangeat

Zum Bestreichen:
100 g zerlassene abgekühlte Butter

Zum Bestäuben:
50 g Puderzucker

Zubereitungszeit: 30 Minuten, ohne
Einweich- und Abkühlzeit

Insgesamt: E: 162 g, F: 401 g, Kh: 1030 g,
kJ: 37753, kcal: 9019

1 Zum Vorbereiten Rosinen mit Rum beträufeln, mehrere Stunden (am besten über
Nacht) stehen lassen.

2 Für den Teig Mehl mit Backpulver mischen
und in eine Rührschüssel sieben. Zucker,
Vanillin-Zucker, Salz, Aroma, Nelken, Kardamom, Ingwer, Muskat, Zimt, Orangenfrucht,
Eier, Butter oder Margarine und Quark hinzufügen.

3 Die Zutaten mit Handrührgerät mit Knethaken zunächst kurz auf niedrigster, dann auf
höchster Stufe gut durcharbeiten. Anschließend auf einer bemehlten Arbeitsfläche zu
einem glatten Teig verkneten. Mandeln, Zitronat, Orangeat und Rum-Rosinen unterkneten.

4 Den Teig zu einem Stollen formen, dazu
den Teig zu einer Rolle formen und mit einer
Teigrolle der Länge nach eine Vertiefung eindrücken, die linke auf die rechte Seite schlagen, den mittleren Teil mit den Händen for-

men. Teigstollen auf ein Backblech (gefettet,
mit Backpapier doppelt belegt) legen. Das
Backblech in den Backofen schieben.

Ober-/Unterhitze: vorheizen etwa 250 °C,
backen 160 – 180 °C
Heißluft: vorheizen etwa 200 °C,
backen 140 – 160 °C
Gas: vorheizen etwa Stufe 5,
backen etwa Stufe 2
Backzeit: 50 – 60 Minuten

5 Das Backblech auf einen Kuchenrost stellen. Den Stollen sofort mit der Hälfte der Butter bestreichen, mit der Hälfte des Puderzuckers bestäuben und etwas abkühlen lassen.
Dann den Vorgang wiederholen. Den Stollen
mit dem Backpapier auf einen Kuchenrost ziehen und erkalten lassen.

Tipp: Anstelle der vielen unterschiedlichen
Gewürze können auch 2 gestrichene Teelöffel
Christstollengewürz verwendet werden. Die
Rosinen mit Mandellikör beträufeln.

Quarkstollen

Q

Quark-Streusel-Kuchen

Quark-Streusel-Kuchen | 🗑

Schnell

Für den Teig:
*1 Pck. (400 g) Grundmischung
Streuselteig, 1 Ei (Größe M)
125 g Butter oder Margarine*

Für die Füllung:
*750 g Magerquark, 200 g Zucker
1 Pck. Vanillin-Zucker, 3 Eier (Größe M)
75 g zerlassene abgekühlte Butter
65 g Weizenmehl*

Zubereitungszeit: 30 Minuten

Insgesamt: E: 159 g, F: 200 g, Kh: 603 g,
kJ: 20925, kcal: 4977

1 Für den Teig die Grundmischung mit Ei und Butter oder Margarine nach Packungsanleitung zubereiten.

2 Zwei Drittel des Streuselteiges auf den Boden einer Springform (Ø 26 cm, Boden gefettet) geben, leicht andrücken und den Rand etwas hochdrücken.

3 Für die Füllung Quark, Zucker, Vanillin-Zucker, Eier, Butter und Mehl mit Handrührgerät mit Rührbesen auf höchster Stufe zu einer geschmeidigen Masse verrühren.

4 Die Masse gleichmäßig auf den Teigboden streichen. Die restlichen Streusel darauf verteilen.

5 Die Form auf dem Rost in den Backofen schieben.

Ober-/Unterhitze: 180 – 200 °C
(vorgeheizt, unterste Einschubleiste)
Heißluft: 160 – 180 °C (nicht vorgeheizt)
Gas: etwa Stufe 3 (nicht vorgeheizt)
Backzeit: etwa 60 Minuten

6 Den Kuchen aus der Form lösen und auf einem Kuchenrost erkalten lassen.

Tipp: Schneller geht es, wenn der Streuselteig mit Handrührgerät mit Rührbesen zubereitet wird. Die Butter oder Margarine sollte Zimmertemperatur haben.

Quarkstrudel | 🗑 🗑 🗑 ❄

Klassisch

Für den Strudelteig:
300 g Weizenmehl
1 Prise Salz, 1 Prise Zucker
100 ml Wasser
1 Ei (Größe M)

Für die Füllung:
1 kg Magerquark
125 g Butter oder Margarine
80 g Zucker
abgeriebene Schale von ¹/₂ Bio-Zitrone
(unbehandelt, ungewachst)
4 Eier (Größe M)

Zum Bestreuen:
100 g Rosinen

Zum Bestäuben:
Puderzucker

Zubereitungszeit: 55 Minuten, ohne Ruhezeit

Insgesamt: E: 204 g, F: 142 g, Kh: 403 g, kJ: 16429, kcal: 3924

Quarkstrudel

1 Für den Teig Mehl in eine Rührschüssel sieben. Salz, Zucker, Wasser und Ei hinzufügen. Die Zutaten mit Handrührgerät mit Knethaken zunächst kurz auf niedrigster, dann auf höchster Stufe gut durcharbeiten.

2 Anschließend auf einer bemehlten Arbeitsfläche zu einem glatten Teig verkneten, ihn auf Backpapier in einen heißen trockenen Kochtopf (vorher Wasser darin kochen) legen, mit einem Deckel verschließen und etwa 30 Minuten ruhen lassen.

3 Für die Füllung Quark in einem Sieb abtropfen lassen.

4 Butter oder Margarine mit Zucker geschmeidig rühren, den abgetropften Quark, Zitronenschale und Eier unterrühren.

5 Den Strudelteig auf einem bemehlten großen Geschirrtuch dünn ausrollen, ihn dann mit den Händen zu einem Rechteck von etwa 45 x 30 cm ausziehen (Teig muss durchsichtig sein). Die Ränder, wenn sie dicker sind, abschneiden. Die Quarkmasse auf den Teig streichen, dabei am Rand 3 – 4 cm Teig frei lassen. Rosinen auf die Quarkmasse streuen.

6 Den Teig mit Hilfe des Geschirrtuches, an der schmalen Seite beginnend, aufrollen. Die Enden gut zusammendrücken und unter den Strudel schieben. Den Strudel auf ein Backblech (gefettet, mit Backpapier belegt) legen und die Oberfläche mehrmals mit einer Gabel einstechen. Das Backblech in den Backofen schieben.

Ober-/Unterhitze: etwa 200 °C (vorgeheizt)
Heißluft: etwa 180 °C (nicht vorgeheizt)
Gas: Stufe 3 – 4 (nicht vorgeheizt)
Backzeit: 45 – 50 Minuten

7 Den Strudel mit dem Backpapier vom Backblech auf einen Kuchenrost ziehen. Den Strudel mit Puderzucker bestäuben und heiß servieren.

Beilage: Vanillesauce.

Quarkstrudel mit Obst | 🗑 🗑 🗑 ❄

Für Kinder

Zum Vorbereiten:
100 g getrocknete Aprikosen
500 g säuerliche Äpfel

Für die Füllung:
250 g Magerquark
1 Becher (150 g) Crème fraîche
1 Ei (Größe M)
50 g Zucker
1 Pck. Vanillin-Zucker
1 geh. EL Speisestärke
abgeriebene Schale von 1 Bio-Zitrone
(unbehandelt, ungewachst)
1 – 2 EL Zitronensaft
50 g abgezogene, gehobelte Mandeln
75 g Rosinen

Für den Strudelteig:
250 g Weizenmehl
1 Prise Salz
100 ml lauwarmes Wasser
1 Ei (Größe M)
1 EL Speiseöl, 50 g zerlassene Butter

Zum Bestäuben:
25 g Puderzucker

Zubereitungszeit: 45 Minuten, ohne
Ruhezeit

Insgesamt: E: 97 g, F: 144 g, Kh: 448 g,
kJ: 15394, kcal: 3675

1 Zum Vorbereiten Aprikosen in feine Streifen schneiden. Äpfel schälen, vierteln, entkernen und in dünne Scheiben schneiden.

2 Für die Füllung Quark mit Crème fraîche,
Ei, Zucker, Vanillin-Zucker, Speisestärke, Zitronenschale und -saft verrühren. Aprikosen-
streifen, Apfelscheiben, Mandeln und Rosinen
unterheben.

3 Für den Teig Mehl in eine Rührschüssel
sieben. Salz, Wasser, Ei, Speiseöl und Butter
hinzufügen. Die Zutaten mit Handrührgerät
mit Knethaken zunächst kurz auf niedrigster,
dann auf höchster Stufe gut durcharbeiten.

4 Anschließend auf einer bemehlten Arbeitsfläche zu einem glatten Teig verkneten, ihn
auf Backpapier in einen heißen trockenen
Kochtopf (vorher Wasser darin kochen) legen,
mit einem Deckel verschließen und etwa
30 Minuten ruhen lassen.

5 Den Strudelteig auf einem bemehlten
Geschirrtuch dünn ausrollen, ihn dann mit
den Händen zu einem Rechteck von etwa
50 x 70 cm ausziehen (er muss durchsichtig
sein). Die Ränder, wenn sie dicker sind, abschneiden.

6 Die Füllung auf zwei Drittel des Teiges verteilen (an den kürzeren Seiten etwa 3 cm Teig
frei lassen). Auf den unbelegten Teig die Hälfte der Butter streichen, die Teigränder auf die
Füllung schlagen. Den Teig mit Hilfe des Geschirrtuches, mit der Füllung beginnend, auf-

rollen und an den Enden gut zusammendrücken.

7 Den Strudel auf ein Backblech (gefettet,
mit Backpapier belegt) legen und mit der
restlichen Butter bestreichen. Das Backblech
in den Backofen schieben.

Ober-/Unterhitze: etwa 180 °C (vorgeheizt)
Heißluft: etwa 160 °C (nicht vorgeheizt)
Gas: Stufe 2 – 3 (nicht vorgeheizt)
Backzeit: 40 – 45 Minuten

8 Den Strudel mit dem Backpapier vom
Backblech auf einen Kuchenrost ziehen.
Den Strudel mit Puderzucker bestäuben
und warm servieren.

Tipp: Strudel mit Sahne oder Vanilleeis
servieren.

Quarkstrudel mit Obst

Quarktorte mit Grieß |

Für Gäste

Für den Rand:
100 g Weizenmehl
25 g Zucker
50 g Butter oder Margarine

Für die Füllung:
125 g Butter oder Margarine
150 g Zucker, 4 Eigelb (Größe M)
1 Pck. Finesse Geriebene
Zitronenschale
1 kg Magerquark
50 g Hartweizengrieß
25 g Zucker
4 Eiweiß (Größe M)
50 g Rosinen
50 g Korinthen

Zubereitungszeit: 35 Minuten

Insgesamt: E: 175 g, F: 169 g, Kh: 411 g,
kJ: 16922, kcal: 4040

Quarktorte mit Grieß

1 Für den Rand Mehl in eine Rührschüssel
sieben. Zucker und Butter oder Margarine
hinzufügen. Die Zutaten mit Handrührgerät
mit Knethaken zunächst kurz auf niedrigster,
dann auf höchster Stufe gut durcharbeiten.

2 Anschließend auf einer bemehlten Arbeitsfläche zu einem glatten Teig verkneten. Sollte

er kleben, ihn in Folie gewickelt eine Zeit lang
kalt stellen.

3 Den Teig zu einer Rolle formen, sie als
Rand auf den Boden einer Springform
(Ø 26 cm, Boden gefettet, mit Grieß ausgestreut) legen und so an die Form drücken,
dass ein etwa 3 cm hoher Rand entsteht.

4 Für die Füllung Butter oder Margarine in
einer Rührschüssel mit Handrührgerät mit
Rührbesen geschmeidig rühren. Nach und
nach Zucker unterrühren. So lange rühren,
bis eine gebundene Masse entstanden ist.
Eigelb nach und nach unterrühren (jedes
Eigelb knapp ½ Minute).

5 Zitronenschale, Quark, Grieß und Zucker
unterrühren. Eiweiß steif schlagen und zusammen mit den Rosinen und Korinthen unterheben.

6 Die Quarkmasse in die Form füllen und
glatt streichen. Die Form auf dem Rost in den
Backofen schieben.

Ober-/Unterhitze: etwa 180 °C (vorgeheizt)
Heißluft: etwa 160 °C (nicht vorgeheizt)
Gas: Stufe 2 – 3 (nicht vorgeheizt)
Backzeit: etwa 70 Minuten

7 Die Torte mit Hilfe eines Messers vom
Springformrand lösen und etwa 10 Minuten
in der Form stehen lassen, dann aus der
Form lösen. Den Springformrand entfernen.
Torte auf einem mit Backpapier belegten
Kuchenrost erkalten lassen.

Tipp: Eingefrorene Torte auftauen lassen und
im vorgeheizten Backofen bei etwa 180 °C
(Ober-/Unterhitze) 10 – 15 Minuten aufbacken.

Quarkwaffeln mit Rosinen |

Quarkwaffeln mit Rosinen

Einfach

Für den Rührteig:
125 g Butter oder Margarine
100 g Zucker
1 Pck. Vanillin-Zucker
3 Eier (Größe M)
1 Pck. Finesse Geriebene
Zitronenschale
125 g Magerquark
200 g Weizenmehl
1 ½ gestr. TL Backpulver

6 EL Milch
50 – 75 g Rosinen

Puderzucker zum Bestäuben

Zubereitungszeit: 45 Minuten

Insgesamt: E: 66 g, F: 128 g, Kh: 320 g,
kJ: 11714, kcal: 2798

1 Für den Teig Butter oder Margarine mit
Handrührgerät mit Rührbesen geschmeidig

rühren. Nach und nach Zucker und Vanillin-Zucker unterrühren. So lange rühren, bis eine gebundene Masse entstanden ist.

2 Eier nach und nach unterrühren (jedes Ei etwa ½ Minute). Zitronenschale und Quark unterrühren. Mehl mit Backpulver mischen,

sieben, abwechselnd portionsweise mit der Milch auf mittlerer Stufe unterrühren. Zuletzt die Rosinen unterheben.

3 Den Teig in nicht zu großen Portionen in ein gut erhitztes gefettetes Waffeleisen füllen. Die Waffeln goldbraun backen und

einzeln auf einem Kuchenrost erkalten lassen.

4 Die Waffeln mit Puderzucker bestäuben und sofort servieren.

Quiche Lorraine |

Für Gäste – pikant

Für den Knetteig:
250 g Weizenmehl (Type 550)
1 Eigelb (Größe M)
1 Prise Salz
4 EL kaltes Wasser
125 g Butter oder Margarine

Für den Belag:
80 g Greyerzer-Käse
125 g durchwachsener Speck
250 ml (¼ l) Schlagsahne
4 Eier (Größe M)
Salz
frisch gemahlener Pfeffer
geriebene Muskatnuss

Zubereitungszeit: 65 Minuten, ohne Abkühlzeit

Insgesamt: E: 102 g, F: 323 g, Kh: 191 g, kJ: 17843, kcal: 4265

1 Für den Teig Mehl in eine Rührschüssel sieben. Eigelb, Salz, Wasser und Butter oder Margarine hinzufügen. Die Zutaten mit Hand-rührgerät mit Knethaken zunächst kurz auf niedrigster, dann auf höchster Stufe gut durch-arbeiten.

2 Zwei Drittel des Teiges auf einer bemehlten Arbeitsfläche zu einem glatten Teig verkneten. Sollte er kleben, ihn in Folie gewickelt eine Zeit lang kalt stellen.

3 Den Teig auf dem Boden einer Springform (Ø 26 cm, gefettet) ausrollen. Teigboden mehrmals mit einer Gabel einstechen. Die Form auf dem Rost in den Backofen schieben und den Boden vorbacken.

Ober-/Unterhitze: 200 – 220 °C (vorgeheizt)
Heißluft: 180 – 200 °C (vorgeheizt)
Gas: etwa Stufe 4 (vorgeheizt)
Backzeit: etwa 10 Minuten

4 Die Form auf einen Kuchenrost stellen, Boden in der Form erkalten lassen.

5 Restlichen Teig zu einer Rolle formen, sie als Rand auf den Boden legen, so an die Form drücken, dass ein 2 – 3 cm hoher Rand entsteht.

6 Für den Belag Käse in feine Würfel schnei-den. Speck würfeln. Speckwürfel andünsten und mit Käse, Sahne und Eiern verrühren.

7 Die Masse mit Salz, Pfeffer und Muskat würzen und auf dem vorgebackenen Boden verteilen. Die Form wieder auf dem Rost in den Backofen schieben und die Quiche fertig backen.

Ober-/Unterhitze: 200 – 220 °C (vorgeheizt)
Heißluft: 180 – 200 °C (vorgeheizt)
Gas: etwa Stufe 4 (vorgeheizt)
Backzeit: etwa 25 Minuten

8 Die Form auf einen Kuchenrost stellen. Die Quiche warm servieren.

Quiche Lorraine

Raspeli | 🗑

Preiswert

Für die Baisermasse:
3 Eiweiß (Größe M)
200 g Zucker, 1 Pck. Vanillin-Zucker
30 g Kakaopulver, 150 g Kokosraspel

Zubereitungszeit: 25 Minuten

Insgesamt: E: 27 g, F: 97 g, Kh: 226 g,
kJ: 7864, kcal: 1878

1 Für die Baisermasse Eiweiß mit Handrührgerät mit Rührbesen auf höchster Stufe steif
schlagen, der Schnee muss so fest sein, dass
ein Messerschnitt sichtbar bleibt. Nach und
nach Zucker und Vanillin-Zucker unterschlagen.

2 Kakao auf den Eischnee sieben, zusammen mit den Kokosraspeln vorsichtig unterheben. Von der Masse mit 2 Teelöffeln Häufchen
abstechen und auf Backbleche (gefettet, mit
Backpapier belegt) setzen. Die Backbleche

nacheinander (bei Heißluft zusammen) in den
Backofen schieben.

Ober-/Unterhitze: 140 – 160 °C (vorgeheizt)
Heißluft: 120 – 140 °C (vorgeheizt)
Gas: etwa Stufe 1 (vorgeheizt)
Backzeit: etwa 25 Minuten pro Backblech

3 Gebäck vom Backpapier lösen und auf
einem Kuchenrost erkalten lassen.

Raspelkuchen | 🗑

Einfach – schnell

Für den Belag:
150 g Butter, 200 g Zucker
1 Pck. Vanillin-Zucker
200 g Kokosraspel
2 EL Milch

Für den Quark-Öl-Teig:
300 g Weizenmehl
1 Pck. Backpulver
150 g Magerquark
6 EL Milch, 6 EL Speiseöl
75 g Zucker, 1 Pck. Vanillin-Zucker
1 Prise Salz

Zum Bestreichen:
etwas Milch

Zubereitungszeit: 25 Minuten,
ohne Abkühlzeit

Insgesamt: E: 68 g, F: 326 g, Kh: 536 g,
kJ: 22882, kcal: 5466

1 Für den Belag Butter in einer Pfanne zerlassen. Nach und nach Zucker und Vanillin-
Zucker unterrühren. Kokosraspel mit der Milch
unterrühren. Kokosmasse erkalten lassen.

2 Für den Teig Mehl mit Backpulver mischen
und in eine Rührschüssel sieben. Quark,
Milch, Speiseöl, Zucker, Vanillin-Zucker und

Salz hinzufügen. Die Zutaten mit Handrührgerät mit Knethaken auf höchster Stufe in
etwa 1 Minute zu einem Teig verarbeiten
(nicht zu lange, Teig klebt sonst).

3 Anschließend auf einer bemehlten Arbeitsfläche zu einer Rolle formen. Die Teigrolle auf
einem Backblech (30 x 40 cm, gefettet) ausrollen und mit Milch bestreichen. Die Kokosmasse gleichmäßig auf dem Teig verteilen.

Raspelkuchen

4 Vor den Teig einen mehrfach geknickten
Streifen Alufolie legen. Backblech in den
Backofen schieben.

Ober-/Unterhitze: 180 – 200 °C (vorgeheizt)
Heißluft: 160 – 180 °C (vorgeheizt)
Gas: etwa Stufe 3 (vorgeheizt)
Backzeit: etwa 20 Minuten

5 Das Backblech auf einen Kuchenrost stellen. Kuchen erkalten lassen. Nach Belieben in
Rauten schneiden.

Abwandlung: Kokosraspel schmecken
intensiver, wenn sie in einer Pfanne ohne Fett
angeröstet werden. Der Raspelkuchen kann
auch mit einem Rührteig zubereitet werden.
Dafür 250 g Butter oder Margarine mit Handrührgerät mit Rührbesen auf höchster Stufe
geschmeidig rühren. Nach und nach 200 g
Zucker, 1 Päckchen Vanillin-Zucker und 1 Prise
Salz unterrühren. 5 Eier (Größe M) unterrühren
(jedes Ei etwa ½ Minute). 375 g Weizenmehl
mit 20 g Kakaopulver und 3 gestrichenen
Teelöffeln Backpulver mischen, sieben, portionsweise unterrühren. Den Teig auf ein
Backblech (30 x 40 cm, gefettet) geben und
glatt streichen. Die Kokosmasse darauf verteilen und etwa 30 Minuten bei oben angegebener Backtemperatur backen. Das Rührteig-
Raspelkuchen-Gebäck hält sich in einer gut
schließenden Dose etwa 14 Tage frisch.

Rehrücken | 🗑 🗑 ❄

Klassisch

Für den Rührteig:
100 g Butter oder Margarine
150 g Zucker
1 Pck. Vanillin-Zucker
1 Prise Salz
3 Eier (Größe M)
100 g geriebene Zartbitterschokolade
50 g Weizenmehl
1 Pck. Pudding-Pulver Schokoladen-Geschmack
2 gestr. TL Backpulver, 2 EL Milch
75 g abgezogene, gemahlene Mandeln

Für den Guss:
100 g Zartbitterschokolade
etwas Kokosfett

Zum Spicken:
40 g abgezogene, gestiftelte Mandeln

Zubereitungszeit: 55 Minuten, ohne Abkühlzeit

Insgesamt: E: 87 g, F: 288 g, Kh: 362 g, kJ: 19238, kcal: 4596

1 Für den Teig Butter oder Margarine mit Handrührgerät mit Rührbesen auf höchster Stufe geschmeidig rühren. Nach und nach Zucker, Vanillin-Zucker und Salz unterrühren. So lange rühren, bis eine gebundene Masse entstanden ist.

2 Eier nach und nach unterrühren (jedes Ei etwa ½ Minute). Schokolade unterrühren. Mehl mit Pudding-Pulver und Backpulver mischen, sieben, abwechselnd portionsweise mit Milch auf mittlerer Stufe unterrühren. Mandeln unterheben.

3 Teig in eine Rehrückenform (30 x 11 cm, gefettet) füllen und glatt streichen. Die Form auf dem Rost in den Backofen schieben.

Ober-/Unterhitze: 180 – 200 °C (vorgeheizt)
Heißluft: 160 – 180 °C (nicht vorgeheizt)
Gas: etwa Stufe 3 (nicht vorgeheizt)
Backzeit: 50 – 60 Minuten

4 Den Kuchen aus der Form lösen, auf einen Kuchenrost stürzen und erkalten lassen.

5 Für den Guss Schokolade in kleine Stücke brechen, mit Kokosfett in einem kleinen Topf im Wasserbad bei schwacher Hitze zu einer geschmeidigen Masse verrühren. Den Kuchen damit überziehen und mit Mandeln spicken.

Tipp: Für den Guss anstelle von Kokosfett 2 Teelöffel Speiseöl verwenden. Der Guss lässt sich besser schneiden.

Rehrücken

Rhabarberkuchen mit Baiser

Rhabarberkuchen mit Baiser | 🗑

Erfrischend – einfach

Für den Rührteig:
250 g Butter oder Margarine
100 g Zucker
1 Pck. Vanillin-Zucker
1 Prise Salz
1 Ei (Größe M)
250 g Weizenmehl
2 ¹/₂ gestr. TL Backpulver

Für den Belag:
1,5 kg Rhabarber

Für die Baisermasse:
3 Eiweiß (Größe M)
150 g Zucker

Zubereitungszeit: 50 Minuten,
ohne Abkühlzeit

Insgesamt: E: 54 g, F: 216 g, Kh: 466 g,
kJ: 17458, kcal: 4167

1 Für den Teig Butter oder Margarine mit
Handrührgerät mit Rührbesen auf höchster
Stufe geschmeidig rühren. Nach und nach
Zucker, Vanillin-Zucker und Salz unterrühren.
So lange rühren, bis eine gebundene Masse
entstanden ist. Ei in etwa ¹/₂ Minute unterrüh-
ren. Mehl mit Backpulver mischen, sieben,
portionsweise auf mittlerer Stufe unterrühren.

2 Den Teig auf ein Backblech (30 x 40 cm,
gefettet) streichen. Vor den Teig einen mehrfach geknickten Streifen Alufolie legen.

3 Für den Belag Rhabarber waschen, abtropfen lassen, Stielenden und Blattansätze entfernen. Stangen in etwa 2 cm lange Stücke
schneiden. Rhabarberstücke auf dem Teig
verteilen. Das Backblech in den Backofen
schieben.

Ober-/Unterhitze: 180 – 200 °C (vorgeheizt)
Heißluft: 160 – 180 °C (vorgeheizt)
Gas: etwa Stufe 4 (vorgeheizt)
Backzeit: etwa 25 Minuten

4 Das Backblech auf einen Kuchenrost stellen. Kuchen etwas abkühlen lassen.

5 Für die Baisermasse Eiweiß mit Handrührgerät mit Rührbesen auf höchster Stufe steif
schlagen. Der Schnee muss so fest sein,
dass ein Messerschnitt sichtbar bleibt. Nach
und nach Zucker unterschlagen.

6 Die Baisermasse in einen Spritzbeutel mit
Sterntülle füllen und ein Muster auf den Rhabarber spritzen. Das Backblech wieder in der
Backofen schieben und das Baiser hellbraun
überbacken.

Ober-/Unterhitze: 200 – 220 °C (vorgeheizt
Heißluft: 180 – 200 °C (vorgeheizt)
Gas: etwa Stufe 4 (vorgeheizt)
Backzeit: etwa 8 Minuten

7 Das Backblech auf einen Kuchenrost stellen. Kuchen erkalten lassen. Alufolie entferner

Rhabarberstrudel |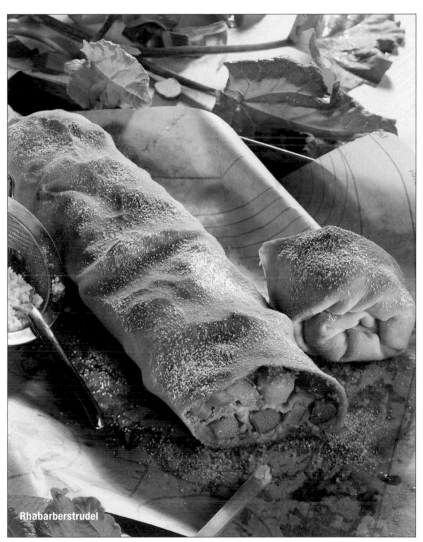

Dauert länger

Für den Strudelteig:
100 g Weizenmehl
1 Prise Salz
3 EL lauwarmes Wasser
2 EL Speiseöl

Für die Füllung:
60 g Butter
90 g Semmelbrösel
400 g Rhabarber
60 g Zucker
1 Pck. Vanillin-Zucker
etwas gemahlener Zimt
60 g abgezogene, gehobelte Mandeln

Zum Bestreichen:
60 g zerlassene abgekühlte Butter

Zubereitungszeit: 85 Minuten,
ohne Ruhezeit

Insgesamt: E: 36 g, F: 158 g, Kh: 221 g,
kJ: 10747, kcal: 2567

Rhabarberstrudel

1 Für den Teig Mehl in eine Rührschüssel sieben, Salz, Wasser und Öl hinzufügen. Die Zutaten mit Handrührgerät mit Knethaken zunächst kurz auf niedrigster, dann auf höchster Stufe gut durcharbeiten. Anschließend auf einer bemehlten Arbeitsfläche zu einem glatten Teig verkneten.

2 Den Teig auf Backpapier in einen heißen trockenen Kochtopf legen (vorher Wasser darin kochen), mit einem Deckel verschließen, etwa 30 Minuten ruhen lassen.

3 Für die Füllung Butter in einer Pfanne zerlassen, Semmelbrösel darin goldgelb rösten.

4 Rhabarber waschen, abtropfen lassen, Stielenden und Blattansätze entfernen, Stangen in etwa 2 cm lange Stücke schneiden. Rhabarberstücke mit Zucker, Vanillin-Zucker, Zimt und Mandeln vermengen.

5 Teig auf einem bemehlten großen Tuch (Geschirrtuch) dünn ausrollen, ihn dann mit den Händen zu einem Rechteck (25 x 35 cm) ausziehen (er muss durchsichtig sein).
Die Ränder, wenn sie etwas dicker sind, abschneiden.

6 Den Teig mit der Hälfte der Butter bestreichen, zunächst die Semmelbrösel, dann die Rhabarbermasse auf zwei Drittel des Teiges verteilen (an den kürzeren Seiten etwa 3 cm am Rand frei lassen). Die frei gebliebenen Teigränder über die Füllung schlagen.

7 Den Teig mit Hilfe des Tuches von der längeren Seite her, mit der Füllung beginnend, aufrollen, an den Enden gut zusammendrücken. Teigrolle auf ein Backblech (gefettet, mit Backpapier belegt) legen und mit einem Teil der restlichen Butter bestreichen. Das Backblech in den Backofen schieben.

Ober-/Unterhitze: 180 – 200 °C (vorgeheizt)
Heißluft: 160 – 180 °C (nicht vorgeheizt)
Gas: etwa Stufe 3 (nicht vorgeheizt)
Backzeit: 45 – 55 Minuten

8 Den Strudel während des Backens mit der restlichen Butter bestreichen.

9 Den Strudel mit dem Backpapier vom Backblech auf einen Kuchenrost ziehen und erkalten lassen.

Rhabarbertörtchen |

Für Gäste

Für den Knetteig:
150 g Weizenmehl,
1 gestr. TL Backpulver
75 g Zucker. 1 Pck. Vanillin-Zucker
1 Ei (Größe M)
75 g Butter oder Margarine

Zum Bestreichen:
50 g Halbbitter-Kuvertüre

Für den Belag:
750 g Rhabarber, 150 g Zucker

Für den Guss:
1 Pck. Tortenguss, rot
250 ml ('/4 l) Rhabarbersaft
25 g Zucker

Zum Verzieren:
250 ml ('/4 l) Schlagsahne
1 Pck. Vanillin-Zucker
1 Pck. Sahnesteif

Zubereitungszeit: 65 Minuten,
ohne Abkühlzeit

Insgesamt: E: 39 g, F: 152 g, Kh: 463 g,
kJ: 14556, kcal: 3477

1 Für den Teig Mehl mit Backpulver mischen und in eine Rührschüssel sieben. Zucker, Vanillin-Zucker, Ei und Butter oder Margarine hinzufügen. Die Zutaten mit Handrührgerät mit Knethaken zunächst kurz auf niedrigster, dann auf höchster Stufe gut durcharbeiten.

2 Anschließend auf einer bemehlten Arbeitsfläche zu einem glatten Teig verkneten. Sollte er kleben, ihn in Folie gewickelt eine Zeit lang kalt stellen.

3 Den Teig auf der bemehlten Arbeitsfläche etwa 3 mm dick ausrollen, mit einer runden Form Platten (Ø etwa 10 cm) ausstechen. Diese auf ein Backblech (gefettet, mit Backpapier belegt) legen. Teigplatten mehrmals mit einer Gabel einstechen. Das Backblech in den Backofen schieben.

Ober-/Unterhitze: 180 – 200 °C (vorgeheizt)
Heißluft: 160 – 180 °C (vorgeheizt)
Gas: etwa Stufe 3 (vorgeheizt)
Backzeit: 10 – 15 Minuten

4 Das Gebäck mit dem Backpapier vom Backblech auf einen Kuchenrost ziehen. Gebäck erkalten lassen.

5 Zum Bestreichen Kuvertüre in Stücke hacken, in einem kleinen Topf im Wasserbad bei schwacher Hitze zu einer geschmeidigen Masse verrühren. Den Gebäckrand etwa 1 cm breit damit bestreichen.

6 Für den Belag Rhabarber waschen, abtropfen lassen, Stielenden und Blattansätze entfernen, Stangen in etwa 2 cm lange Stücke schneiden und mit Zucker bestreuen. Sobald der Rhabarber Saft gezogen hat, ihn in einem Topf zum Kochen bringen, bei schwacher Hitze weich dünsten (er darf nicht zerfallen). Rhabarber etwas abkühlen lassen, dann in einem Sieb abtropfen lassen. Den Saft dabei auffangen und 250 ml ('/4 l) davon abmessen.

7 Für den Guss Tortengusspulver mit dem Saft und Zucker nach Packungsanleitung zubereiten. Den Rhabarber in die Mitte der Törtchen geben. Den Guss darauf verteilen.

8 Zum Verzieren Sahne mit Vanillin-Zucker und Sahnesteif steif schlagen. Sahne in einen Spritzbeutel mit Sterntülle füllen. Den Törtchenrand damit verzieren.

Rhabarbertörtchen

Rheinische Apfeltorte

Rheinische Apfeltorte | 🗑

Preiswert – einfach

Für den Hefeteig:
300 g Weizenmehl
1 Pck. Trockenhefe
50 g Zucker, 1 Prise Salz
2 Eier (Größe M), 125 ml (¹/₈ l) Milch
40 g zerlassene abgekühlte Butter oder
Margarine

Für den Belag:
1 großes Glas Apfelmus (Einwaage 700 g)

Zum Bestreichen:
1 Eigelb, 1 EL Milch

Zum Bestreuen:
Hagelzucker

Zubereitungszeit: 25 Minuten,
ohne Teiggehzeit

Insgesamt: E: 58 g, F: 65 g, Kh: 440 g,
kJ. 10970, kcal. 2621

1 Für den Teig Mehl in eine Rührschüssel sieben, mit Trockenhefe sorgfältig vermischen. Zucker, Salz, Eier, Milch und Butter oder Margarine hinzufügen.

2 Die Zutaten mit Handrührgerät mit Knethaken zunächst auf niedrigster, dann auf höchster Stufe in etwa 5 Minuten zu einem Teig verarbeiten. Den Teig zugedeckt so lange an einem warmen Ort stehen lassen, bis er sich sichtbar vergrößert hat.

3 Den Teig leicht mit Mehl bestäuben, aus der Schüssel nehmen und auf einer bemehlten Arbeitsfläche nochmals kurz durchkneten. Zwei Drittel des Teiges auf dem Boden einer Springform (Ø 28 cm, gefettet) ausrollen, den Springformrand darumlegen. Den Teig am Rand etwa 2 cm hochziehen.

4 Für den Belag Apfelmus auf den Teigboden geben und glatt streichen.

5 Den restlichen Teig zu einer runden Platte (Ø 28 cm) ausrollen, in Streifen schneiden und gitterförmig über das Apfelmus legen.

6 Zum Bestreichen Eigelb mit Milch verschlagen. Die Teigstreifen damit bestreichen und mit Hagelzucker bestreuen.

7 Den Teig zugedeckt nochmals etwa 20 Minuten an einem warmen Ort gehen lassen. Die Form auf dem Rost in den Backofen schieben.

Ober-/Unterhitze: 200 – 220 °C (vorgeheizt)
Heißluft: 180 – 200 °C (vorgeheizt)
Gas: etwa Stufe 4 (vorgeheizt)
Backzeit: 15 – 20 Minuten

8 Die Form auf einen Kuchenrost stellen. Den Kuchen etwas abkühlen lassen, dann aus der Form lösen und auf einem Kuchenrost erkalten lassen.

Rheinischer Schichtkuchen |  🗑 🗑 🗑 ❄

Gut vorzubereiten – für Geübte

Für den Rührteig:
500 g Butter oder Margarine
300 g Zucker
1 Pck. Bourbon-Vanille-Zucker
1 Prise Salz
8 Eier (Größe M)
450 g Weizenmehl

Für die Füllung:
400 g rotes Johannisbeergelee
400 g Apfelgelee

Zum Bestäuben:
Puderzucker

Zubereitungszeit: 120 Minuten

Insgesamt: E: 119 g, F: 470 g, Kh: 931 g,
kJ: 36504, kcal: 8721

1 Für den Teig Butter oder Margarine mit Handrührgerät mit Rührbesen auf höchster Stufe geschmeidig rühren. Nach und nach Zucker, Vanille-Zucker und Salz unterrühren. So lange rühren, bis eine gebundene Masse entstanden ist. Eier nach und nach unterrühren (jedes Ei etwa ½ Minute). Mehl sieben, portionsweise auf mittlerer Stufe unterrühren.

2 Aus dem Teig nacheinander 10 – 12 goldgelbe Böden backen. Dafür jeweils gut 2 Esslöffel von dem Teig auf den Boden einer Springform (Ø 28 cm, Boden gefettet) streichen. Die Formen nacheinander (bei Heißluft 3 Formen zusammen) auf dem Rost in den Backofen schieben.

Ober-/Unterhitze: 180 – 200 °C (vorgeheizt)
Heißluft: 160 – 180 °C (vorgeheizt)
Gas: etwa Stufe 3 (vorgeheizt)
Backzeit: 8 – 10 Minuten pro Boden

3 Die Gebäckböden sofort nach dem Backen vom Springformboden lösen und sofort zusammensetzen.

4 Für die Füllung jeden frisch gebackenen Boden abwechselnd mit Johannisbeer- oder Apfelgelee bestreichen, den nächsten Boden darauf legen und wieder bestreichen, bis alle Böden mit Gelee zu einem Kuchen zusammengesetzt sind.

5 Den Schichtkuchen erkalten lassen und mit Puderzucker bestäuben. Den Kuchen an einem kühlen Ort mehrere Tage durchziehen lassen.

6 Den Kuchen zum Verzehr in 1 cm dicke Scheiben schneiden, sonst ist er zu mächtig.

Rheinischer Schichtkuchen

Riesen-Schokokaramell-Schnitten | 🗑 🗑

Dauert länger

Zum Vorbereiten:
400 g Riesen Schokokaramell
(von Storck)
1 l Schlagsahne

Für den Biskuitteig:
4 Eier (Größe M), 2 EL heißes Wasser
125 g Zucker, 1 Pck. Vanillin-Zucker
125 g Weizenmehl, 25 g Speisestärke
15 g Kakaopulver
1 gestr. TL Backpulver

Für den Belag:
3 Pck. Sahnesteif

Nach Belieben zum Garnieren:
Riesen Schokokaramell

Zubereitungszeit: 35 Minuten,
ohne Kühlzeit

Insgesamt: E: 74 g, F: 375 g, Kh: 610 g,
kJ: 26457, kcal: 6323

1 Zum Vorbereiten Riesen mit Sahne in einen Topf geben, unter Rühren zum Kochen bringen. So lange kochen lassen, bis die Riesen geschmolzen sind.

2 Die Masse in 2 hohe Rührschüsseln geben, mit Frischhaltefolie abdecken und über Nacht in den Kühlschrank stellen.

3 Für den Teig Eier und Wasser mit Handrührgerät mit Rührbesen auf höchster Stufe in 1 Minute schaumig schlagen. Zucker und Vanillin-Zucker mischen, in 1 Minute einstreuen, dann noch etwa 2 Minuten schlagen.

4 Mehl mit Speisestärke, Kakao und Backpulver mischen, die Hälfte davon auf die Eiercreme sieben, kurz auf niedrigster Stufe unterrühren. Restliches Mehlgemisch auf die gleiche Weise unterarbeiten. Den Teig auf ein Backblech (30 x 40 cm, gefettet) geben und glatt streichen, evtl. einen Backrahmen darumstellen. Das Backblech in den Backofen schieben.

Riesen-Schokokaramell-Schnitten

Ober-/Unterhitze: etwa 180 °C (vorgeheizt)
Heißluft: etwa 160 °C (vorgeheizt)
Gas: Stufe 2–3 (vorgeheizt)
Backzeit: 12–15 Minuten

5 Das Backblech auf einen Kuchenrost stellen. Biskuitplatte erkalten lassen.

6 Für den Belag Karamellsahne mit Sahnesteif steif schlagen (etwas von der Karamellsahne in einen Spritzbeutel mit Lochtülle füllen) und auf die Biskuitplatte streichen. Mit der Karamellsahne aus dem Spritzbeutel Tuffs auf den Belag spritzen. Nach Belieben mit halbierten Riesen garnieren. Vor dem Verzehr den Backrahmen evtl. entfernen. Kuchen in Schnitten schneiden.

Tipp: Die Schnitten lassen sich gut portionsweise einfrieren. Wichtig ist bei der Zubereitung für den Belag, dass die Karamellsahne sehr gut gekühlt ist. Für den Belag Schlagsahne mit 32 % Fettgehalt verwenden.

Rocky Road Triangles |

Für Kinder – gut vorzubereiten

Für den Boden:
150 g Butter
250 g dunkle Schokoladenkekse

Für den Belag:
400 g Vollmilch-Kuvertüre
30 g Kokosraspel
50 g geröstete, ungesalzene
Erdnusskerne
1 Pck. Marshmallows (283 g)
200 g weiße Kuvertüre

Zubereitungszeit: 45 Minuten,
ohne Abkühlzeit

Insgesamt: E: 88 g, F: 424 g, Kh: 710 g,
kJ: 30088, kcal: 7189

1 Für den Boden Butter zerlassen und abkühlen lassen. Kekse in einen Gefrierbeutel
geben, Beutel fest verschließen. Kekse mit
der Teigrolle fein zerbröseln.

2 Einen Backrahmen (25 x 25 cm) auf ein
Brett setzen und so mit Backpapier auslegen, dass ein etwa 3 cm hoher Rand entsteht. Butter und Keksbrösel in einer
Schüssel mischen, in den Backrahmen
geben und glatt streichen. Die Masse fest
werden lassen.

3 Für den Belag Kuvertüre in kleine Stücke
hacken, in einem kleinen Topf im Wasserbad
bei schwacher Hitze zu einer geschmeidigen
Masse verrühren, abkühlen lassen. Kokosraspel, Erdnusskerne und Marshmallows mit der
flüssigen Kuvertüre mischen und auf dem
Bröselboden verteilen. Masse fest werden
lassen.

4 Weiße Kuvertüre in kleine Stücke hacken,
in einem kleinen Topf im Wasserbad bei
schwacher Hitze zu einer geschmeidigen
Masse verrühren, etwas abkühlen lassen.
Flüssige Kuvertüre auf der Marshmallow-
füllung verteilen und fest werden lassen.

5 Das Marshmallowquadrat mit einem
scharfen Messer aus dem Backrahmen
lösen und in kleine Rechtecke schneiden.

Rocky Road Triangles

Roggenbrot mit ganzen Weizenkörnern |

Vollwertig – dauert länger

Zum Vorbereiten:
125 g Weizenkörner
175 ml Wasser

Für den Hefeteig:
200 g Roggenkörner
200 g Roggenmehl (Type 1370)
1 EL (10 g) Speise-Weizenkleie
(Reformhaus)
1 Pck. Trockenhefe
1 Pck. Sauerteig-Extrakt
1 TL Meersalz

Für die Form:
Speise-Weizenkleie

Zubereitungszeit: 40 Minuten,
ohne Einweich- und Teiggehzeit

Insgesamt: E: 59 g, F: 10 g, Kh: 333 g,
kJ: 7332, kcal: 1752

1 Zum Vorbereiten Weizenkörner mit Wasser
in einem Topf zum Kochen bringen und etwa 3
Minuten kochen lassen, zugedeckt über Nacht
auf der ausgeschalteten Kochstelle stehen lassen (am nächsten Morgen sollen die Körner
aufgeplatzt sein, andernfalls werden die Körner
nochmals einige Minuten in der Flüssigkeit
aufgekocht).

2 Den Weizen in einem Sieb abtropfen lassen. Die Flüssigkeit dabei auffangen und mit
Wasser auf 325 ml auffüllen.

3 Für den Teig Roggenkörner, Roggenmehl
und Speise-Weizenkleie in eine Rührschüssel
geben, mit Trockenhefe sorgfältig vermischen.
Sauerteig-Extrakt, Meersalz und die abgemes-
sene Flüssigkeit hinzufügen.

4 Die Zutaten mit Handrührgerät mit Knethaken zunächst auf niedrigster, dann auf
höchster Stufe in etwa 5 Minuten zu einem
Teig verarbeiten. Den Teig zugedeckt so lange
an einem warmen Ort stehen lassen, bis er
sich sichtbar vergrößert hat.

5 Den Teig leicht mit Mehl bestäuben, aus
der Schüssel nehmen und auf einer bemehlten Arbeitsfläche kurz durchkneten. Den Teig
in eine Brotbackform (35 x 11 cm, gefettet,
mit Speise-Weizenkleie ausgestreut) legen,
andrücken und nochmals zugedeckt so lange
an einem warmen Ort gehen lassen, bis er
sich sichtbar vergrößert hat. Die Form auf
dem Rost in den Backofen schieben.

Ober-/Unterhitze: 200 – 220 °C (vorgeheizt)
Heißluft: 180 – 200 °C (nicht vorgeheizt)
Gas: etwa Stufe 4 (nicht vorgeheizt)
Backzeit: etwa 45 Minuten

6 Das Brot aus der Form lösen und auf ein Backblech stürzen. Das Backblech in den Backofen schieben und das Brot nochmals backen.

Ober-/Unterhitze: 160 – 180 °C (vorgeheizt)
Heißluft: 140 – 160 °C (vorgeheizt)
Gas: etwa Stufe 2 (vorgeheizt)
Backzeit: etwa 30 Minuten

7 Das Brot vom Backblech lösen und auf einem Kuchenrost erkalten lassen.

Tipp: Das Brot sollte vor dem Anschneiden 1 – 2 Tage zugedeckt ruhen. Während des Backens eine Schale mit heißem Wasser auf den Boden des Backofens stellen.

Roggenbrot mit Salami | 🗑 🗑 ❄

Für Gäste

Für den Hefeteig:
250 g Roggenbackschrot (Type 1800)
250 g Weizenmehl (Type 550)
1 Pck. Trockenhefe
1 TL Zucker
1 TL Salz
250 ml (¼ l) lauwarmes Wasser
150 g klein geschnittene Salami

Zubereitungszeit: 30 Minuten, ohne Teiggehzeit

Insgesamt: E: 103 g, F: 57 g, Kh: 326 g, kJ: 9915, kcal: 2369

1 Für den Teig Roggenbackschrot und Weizenmehl in eine Rührschüssel geben, mit der Trockenhefe sorgfältig vermischen. Zucker, Salz und Wasser hinzufügen.

2 Die Zutaten mit Handrührgerät mit Knethaken zunächst auf niedrigster, dann auf höchster Stufe in etwa 5 Minuten zu einem glatten Teig verarbeiten. Zuletzt Salami unterkneten.

3 Den Teig zugedeckt so lange an einem warmen Ort gehen lassen, bis er sich sichtbar vergrößert hat.

4 Den Teig leicht mit Mehl bestäuben, aus der Schüssel nehmen und auf einer bemehlten Arbeitsfläche nochmals kurz durchkneten. Zwei längliche Brote daraus formen. Die Teigbrote auf ein Backblech (gefettet) legen und nochmals zugedeckt so lange an einem

Roggenbrot mit Salami

warmen Ort stehen lassen, bis sie sich sichtbar vergrößert haben.

5 Die Oberfläche der Teigbrote mit Wasser bestreichen und mit Mehl bestäuben. Das Backblech in den Backofen schieben.

Ober-/Unterhitze: etwa 200 °C (vorgeheizt)
Heißluft: etwa 180 °C (nicht vorgeheizt)
Gas: Stufe 3 – 4 (nicht vorgeheizt)
Backzeit: etwa 40 Minuten

6 Die Brote vom Backblech lösen und auf einem Kuchenrost erkalten lassen.

Roggen-Sonnenblumenkern-Brot |

Gut vorzubereiten

Für den Hefeteig:
500 g Vollkorn-Roggenmehl
250 g Roggenschrot
3 Pck. Trockenhefe
1 TL Zucker
2 gestr. TL Salz
150 g Natur-Sauerteig
(aus dem Reformhaus)
700 ml lauwarmes Wasser
100 g geröstete
Sonnenblumenkerne

Zum Bestreuen:
50 g Sonnenblumenkerne

Zubereitungszeit: 40 Minuten,
ohne Teiggehzeit

Insgesamt: E: 128 g, F: 89 g, Kh: 494 g,
kJ: 14522g, kcal: 3468

1 Für den Teig Roggenmehl und Roggenschrot in eine Rührschüssel geben und mit
der Trockenhefe sorgfältig vermischen. Zucker, Salz, Sauerteig, Wasser und Sonnenblumenkerne hinzufügen.

2 Die Zutaten mit Handrührgerät mit Knethaken zunächst auf niedrigster, dann auf

höchster Stufe in etwa 5 Minuten zu einem
Teig verarbeiten. Den Teig zugedeckt so lange
an einem warmen Ort stehen lassen, bis er
sich sichtbar vergrößert hat.

3 Den Teig leicht mit Mehl bestäuben, aus
der Schüssel nehmen, auf einer bemehlten
Arbeitsfläche nochmals kurz durchkneten
und zu einem länglichen Laib formen.

4 Den Teiglaib auf ein Backblech (gefettet,
mit Backpapier belegt) legen und zugedeckt
nochmals so lange an einem warmen Ort gehen lassen, bis er sich sichtbar vergrößert
hat. Die Teigoberfläche mehrmals etwa 1 cm
tief einschneiden, mit Wasser bestreichen
und mit Sonnenblumenkernen bestreuen.

5 Das Backblech in den Backofen schieben.

Ober-/Unterhitze: etwa 240 °C (vorgeheizt)
Heißluft: etwa 220 °C (vorgeheizt)
Gas: etwa Stufe 5 (vorgeheizt)
Backzeit: etwa 15 Minuten

dann

Ober-/Unterhitze: etwa 200 °C (vorgeheizt)
Heißluft: etwa 180 °C (vorgeheizt)
Gas: Stufe 3 – 4 (vorgeheizt)
Backzeit: 40 – 45 Minuten

6 Das Brot mit dem Backpapier vom Backblech auf einen Kuchenrost ziehen. Brot erkalten lassen.

Roggen-Sonnenblumenkern-Brot

Roggen- und Weizenbrötchen |

Vollwertig

Für den Hefeteig:
250 g Vollkorn-Roggenmehl
250 g Vollkorn-Weizenmehl
1 Pck. Trockenhefe
2 TL Salz
1 EL Speiseöl
etwa 375 ml (³/₈ l) lauwarmes Wasser

Zum Bestreichen:
1 Eigelb, 1 EL Wasser

Zum Bestreuen:
Mohn-, Kümmel- und evtl. Sesamsamen

Zubereitungszeit: 30 Minuten,
ohne Teiggehzeit

Insgesamt: E: 63 g, F: 32 g, Kh: 304 g,
kJ: 7794, kcal: 1860

1 Für den Teig beide Mehlsorten in eine
Rührschüssel geben, mit der Trockenhefe
sorgfältig vermischen. Salz, Öl und Wasser
hinzufügen.

2 Die Zutaten mit Handrührgerät mit Knethaken zunächst auf niedrigster, dann auf
höchster Stufe in etwa 5 Minuten zu einem
Teig verarbeiten. Den Teig zugedeckt so lange
an einem warmen Ort stehen lassen, bis er
sich sichtbar vergrößert hat.

3 Den Teig leicht mit Mehl bestäuben, aus
der Schüssel nehmen und auf einer bemehlten Arbeitsfläche nochmals kurz durchkneten.
Aus dem Teig etwa 12 runde Brötchen formen. Die Teigbrötchen auf ein Backblech
(gefettet, mit Backpapier belegt) legen und

nochmals so lange an einem warmen Ort gehen lassen, bis sie sich sichtbar vergrößert haben.

4 Die Brötchenoberfläche kreuzweise etwa 1 cm tief einschneiden. Eigelb mit Wasser verschlagen, die Brötchen damit bestreichen und mit Mohn, Kümmel und Sesam bestreuen. Das Backblech in den Backofen schieben.

Ober-/Unterhitze: 180 – 200 °C (vorgeheizt)
Heißluft: 160 – 180 °C (vorgeheizt)
Gas: etwa Stufe 3 (vorgeheizt)
Backzeit: 20 – 30 Minuten

5 Die Brötchen mit dem Backpapier vom Backblech auf einen Kuchenrost ziehen. Brötchen erkalten lassen.

Tipp: Brötchen nach dem Antauen im Backofen bei etwa 200 °C (Ober-/Unterhitze) etwa 5 Minuten aufbacken.

Roggen- und Weizenbrötchen

Roggen-Vollkornbrot |

Dauert länger

Zum Vorbereiten:
300 g Roggenschrot
300 ml lauwarmes Wasser

Für den Hefeteig:
450 g Roggenschrot
50 g Weizenmehl
2 Pck. Trockenhefe
2 gestr. TL Salz
2 EL Rübenkraut (Sirup)
100 ml Zitronensaft
gut 125 ml (⅛ l) lauwarmes Wasser

Zum Bestreuen:
etwa 80 g ganze Roggenkörner

Zubereitungszeit: 40 Minuten, ohne Quell- und Teiggehzeit

Insgesamt: E: 125 g, F: 18 g, Kh: 731 g, kJ: 15446, kcal: 3657

1 Zum Vorbereiten Roggenschrot in eine Schüssel geben, mit Wasser übergießen, über Nacht zum Quellen stehen lassen.

2 Für den Teig Roggenschrot mit Weizenmehl und Hefe sorgfältig vermischen. Salz, Rübenkraut, Zitronensaft, Wasser und den gequollenen Roggenschrotbrei hinzufügen. Die Zutaten mit Handrührgerät mit Knethaken zunächst auf niedrigster, dann auf höchster Stufe in etwa 5 Minuten zu einem Teig verarbeiten.

3 Den Teig zugedeckt so lange an einem warmen Ort stehen lassen, bis er sich sichtbar vergrößert hat.

4 Den Teig aus der Schüssel nehmen, auf einer bemehlten Arbeitsfläche nochmals kurz durchkneten und zu einem ovalen Brotlaib formen.

5 Den Brotlaib auf ein Backblech (gefettet) legen, mit Wasser bestreichen und mit Roggenkörnern bestreuen. Den Teig-Brotlaib nochmals zugedeckt so lange an einem warmen Ort gehen lassen, bis er sich sichtbar vergrößert hat. Das Backblech in den Backofen schieben.

Ober-/Unterhitze: etwa 180 °C (vorgeheizt)
Heißluft: etwa 160 °C (nicht vorgeheizt)
Gas: Stufe 2 – 3 (nicht vorgeheizt)
Backzeit: etwa 70 Minuten

6 Das Brot vom Backblech lösen und auf einem Kuchenrost erkalten lassen.

Tipp: Während des Backens eine Schale mit heißem Wasser auf den Boden des Backofens stellen.

Rollenbrötchen | 🗑 🗑 🗑 ❄

Sehr aufwändig

Für den Hefeteig:
370 g Weizenmehl (Type 550)
1/2 Pck. (21 g) frische Hefe
1 TL Zucker
200 ml lauwarmes Wasser
1 gestr. TL Salz
50 g weiche Butter oder Margarine

Für die Füllung:
200 g Butter
50 g Weizenmehl (Type 550)
4 TL Schwarzkümmel (Reformhaus)
2 TL Paprikapulver edelsüß
1/2 TL Paprikapulver rosenscharf

Zubereitungszeit: 60 Minuten,
ohne Teiggeh- und Kühlzeit

Insgesamt: E: 52 g, F: 213 g, Kh: 313 g,
kJ: 14710, kcal: 3516

1 Für den Teig Mehl in eine Schüssel sieben. In die Mitte eine Vertiefung drücken. Hefe hineinbröckeln, Zucker und etwas von dem Wasser hinzufügen. Mit einer Gabel vorsichtig verrühren und etwa 10 Minuten gehen lassen.

2 Salz, Butter oder Margarine und restliches Wasser hinzufügen. Die Zutaten mit Handrührgerät mit Knethaken zunächst auf niedrigster, dann auf höchster Stufe in etwa 5 Minuten zu einem Teig verarbeiten. Den Teig zugedeckt so lange an einem warmen Ort stehen lassen, bis er sich sichtbar vergrößert hat.

3 Für die Füllung Butter mit Mehl, Kümmel und Paprika auf einer bemehlten Arbeitsfläche verkneten, zu einem Rechteck (18 x 15 cm) ausrollen und kalt stellen.

4 Den gegangenen Teig aus der Schüssel nehmen, auf einer bemehlten Arbeitsfläche nochmals kurz durchkneten und zu einem Rechteck (38 x 16 cm) ausrollen. Füllung darauf geben und einschlagen, Teigränder andrücken. Teig wieder zu einem Rechteck (38 x 16 cm) ausrollen. Die beiden kurzen Seiten nacheinander auf die Teigmitte legen, so dass 3 Schichten übereinander liegen. Teig wieder zu einem Rechteck (38 x 16 cm) ausrollen, kurze Seiten wieder auf die Teigmitte legen, zugedeckt etwa 15 Minuten kalt stellen.

5 Teig zu einem Rechteck (40 x 20 cm) ausrollen, von der Längsseite her aufrollen. Rolle in 8 Scheiben schneiden. Jede Scheibe in der Mitte mit einem Kochlöffelstiel leicht eindrücken. Teigbrötchen auf ein Backblech (gefettet, mit Backpapier belegt) setzen, mit einem 2. Backblech zudecken und an einem warmen Ort etwa 20 Minuten gehen lassen. Das obere Backblech entfernen, das Backblech mit den Brötchen in den Backofen schieben.

Ober-/Unterhitze: etwa 200 °C (vorgeheizt)
Heißluft: etwa 180 °C (vorgeheizt)
Gas: Stufe 3 – 4 (vorgeheizt)
Backzeit: 25 – 30 Minuten

6 Die Brötchen mit dem Backpapier vom Backblech ziehen und auf einem Kuchenrost erkalten lassen.

Rollenbrötchen

Rondellchen | 🍮 🍮

Dauert länger

Für den Knetteig:
250 g Weizenmehl
¹/₂ gestr. TL Backpulver
75 g Zucker, 2 EL Milch
1 Pck. Vanillin-Zucker
125 g Butter oder Margarine

Zum Bestreichen:
2 – 3 EL rotes Johannisbeergelee

Zum Garnieren:
100 g Marzipan-Rohmasse
50 g gesiebter Puderzucker

Zum Bestreichen:
50 g Zartbitterschokolade
20 g Kokosfett

Für den Guss:
200 g gesiebter Puderzucker
etwas Wasser
etwas rotes Johannisbeergelee

Zubereitungszeit: 90 Minuten,
ohne Abkühlzeit

Insgesamt: E: 46 g, F: 177 g, Kh: 625 g,
kJ: 18301, kcal: 4371

1 Für den Teig Mehl mit Backpulver mischen und in eine Rührschüssel sieben. Zucker, Vanillin-Zucker, Milch und Butter oder Margarine hinzufügen. Die Zutaten mit Handrührgerät mit Knethaken zunächst kurz auf niedrigster, dann auf höchster Stufe gut durcharbeiten.

2 Anschließend auf einer bemehlten Arbeitsfläche zu einem glatten Teig verkneten. Sollte er kleben, ihn in Folie gewickelt eine Zeit lang kalt stellen.

3 Den Teig auf der bemehlten Arbeitsfläche dünn ausrollen. Mit einer runden Form Plätzchen (Ø etwa 4 cm) ausstechen und auf Backbleche (gefettet, mit Backpapier belegt) legen. Die Backbleche nacheinander (bei Heißluft zusammen) in den Backofen schieben.

Ober-/Unterhitze: etwa 180 °C (vorgeheizt)
Heißluft: 160 °C (vorgeheizt)
Gas: Stufe 2 – 3 (vorgeheizt)
Backzeit: 8 – 10 Minuten pro Backblech

4 Die Plätzchen mit dem Backpapier von den Backblechen auf je einen Kuchenrost ziehen. Plätzchen erkalten lassen.

5 Die Hälfte der Plätzchen auf der Unterseite mit verrührtem Gelee bestreichen. Die restlichen Plätzchen mit der Unterseite darauf legen.

6 Zum Garnieren die Marzipan-Rohmasse mit Puderzucker verkneten und auf einer mit Puderzucker bestäubten Arbeitsfläche dünn ausrollen. Aus der Marzipanplatte mit kleinen Garnierförmchen Figuren ausstechen. Marzipan-Figuren auf Backpapier legen.

7 Zum Bestreichen Schokolade in kleine Stücke brechen, mit Kokosfett in einem kleinen Topf im Wasserbad bei schwacher Hitze zu einer geschmeidigen Masse verrühren. Die Marzipan-Figuren damit bestreichen. Schokolade fest werden lassen.

8 Für den Guss Puderzucker mit Wasser und Gelee zu einer dickflüssigen Masse verrühren. Die Plätzchen damit bestreichen und mit den Marzipan-Figuren garnieren. Guss fest werden lassen.

Rondellchen

Rondjes |

Einfach

Zum Vorbereiten:
50 g Zucker

Rondjes

Für den Rührteig:
175 g Butter, 75 g Rohrzucker
1 TL Zuckerrübensirup (Rübenkraut)
1 EL Wasser, 120 g Weizenmehl

Zubereitungszeit: 40 Minuten,
ohne Abkühlzeit

Insgesamt: E: 14 g, F: 145 g, Kh: 219 g,
kJ: 9574, kcal: 2287

1 Zum Vorbereiten Zucker in einer Pfanne
ohne Fett unter Rühren so lange erhitzen, bis
er gebräunt ist, ihn dann auf ein geöltes
Stück Alufolie legen und erkalten lassen. Den
Zucker mit einer Teigrolle fein zerdrücken.

2 Für den Teig Butter mit Handrührgerät mit
Rührbesen auf höchster Stufe geschmeidig
rühren. Nach und nach Zucker, Sirup und
Wasser unterrühren. So lange rühren, bis
eine gebundene Masse entstanden ist.

3 Mehl sieben, portionsweise auf mittlerer
Stufe unterrühren. Zuletzt den zerdrückten
vorbereiteten Zucker unterkneten.

4 Von dem Teig mit 2 Teelöffeln haselnuss-
große Häufchen abstechen. Diese zu Kugeln
formen und nicht zu dicht nebeneinander auf
ein Backblech legen. Das Backblech in den
Backofen schieben.

Ober-/Unterhitze: etwa 180 °C (vorgeheizt)
Heißluft: etwa 160 °C (vorgeheizt)
Gas: Stufe 2–3 (vorgeheizt)
Backzeit: etwa 10 Minuten

5 Die Plätzchen sofort nach dem Backen mit
einem Spachtel vom Backblech lösen und auf
einem Kuchenrost erkalten lassen. Plätzchen
in einer gut schließenden Dose aufbewahren,
damit sie nicht weich werden.

Rosenkuchen |

Klassisch

Für den Hefeteig:
300 g Weizenmehl,
1 Pck. Trockenhefe
50 g Zucker
1 Pck. Vanillin-Zucker
1 Prise Salz
150 ml lauwarme Milch
75 g zerlassene abgekühlte Butter oder
Margarine

Für die Füllung:
100 g Marzipan-Rohmasse
50 g weiche Butter
1 Eigelb (Größe M)
1 Fläschchen Rum-Aroma
125 g Rosinen
50 g gehackte Haselnusskerne
25 g fein gehacktes Zitronat
(Sukkade)

Zum Bestreichen:
1 Eigelb, 1 EL Milch

Für den Guss:
80 g gesiebter Puderzucker
2–3 EL Zitronensaft

Zubereitungszeit: 60 Minuten,
ohne Teiggehzeit

Insgesamt: E: 81 g, F: 189 g, Kh: 527 g,
kJ: 17966, kcal: 4292

1 Für den Teig Mehl in eine Rührschüssel
sieben, mit Trockenhefe sorgfältig vermischen.
Restliche Zutaten hinzufügen und mit Handrührgerät mit Knethaken zunächst auf niedrigster, dann auf höchster Stufe in etwa 5 Minuten zu einem Teig verarbeiten. Den Teig zugedeckt so lange an einem warmen Ort stehen
lassen, bis er sich sichtbar vergrößert hat.

2 Für die Füllung Marzipan klein schneiden,
mit Butter, Eigelb und Aroma zu einer geschmeidigen Masse verrühren. Rosinen mit
Haselnusskernen und Zitronat vermengen.

3 Den Teig auf einer bemehlten Arbeitsfläche kurz durchkneten, zu einem Rechteck
(30 x 40 cm) ausrollen. Teigrechteck mit Marzipanmasse bestreichen, mit der Rosinen-
Nuss-Zitronat-Mischung bestreuen, leicht
andrücken.

4 Teig von der schmalen Seite her aufrollen.
Rolle in 3 cm breite Scheiben schneiden,
hochkant in eine Springform (Ø 26 cm, Boden
gefettet, mit Backpapier belegt) legen. Zugedeckt so lange an einem warmen Ort gehen
lassen, bis sie sich sichtbar vergrößert haben.

5 Zum Bestreichen Eigelb und Milch verschlagen. Die Teigoberfläche damit bestrei-

chen. Die Form auf dem Rost in den Backofen schieben.

Ober-/Unterhitze: etwa 180 °C (vorgeheizt)
Heißluft: etwa 160 °C (nicht vorgeheizt)
Gas: Stufe 2–3 (nicht vorgeheizt)
Backzeit: etwa 50 Minuten

6 Die Form auf einen Kuchenrost stellen. Für den Guss Puderzucker mit Zitronensaft zu einer dickflüssigen Masse verrühren. Kuchen sofort nach dem Backen damit bestreichen. Guss trocknen lassen. Kuchen noch etwa 1 Stunde in der Form stehen lassen, dann aus der Form lösen.

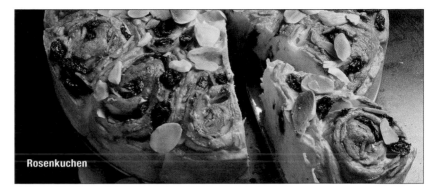

Rosenkuchen

Tipp: Kuchenoberfläche nach dem Bestreichen mit abgezogenen, gehobelten Mandeln bestreuen.

Rosenkuchen mit Äpfeln und Mohn | 🍮 🍮 🍮

Etwas schwieriger – dauert länger

Zum Vorbereiten:
1 Pck. TK-Blätterteig (450 g)

Für den Hefeteig:
300 g Weizenmehl (Type 550)
½ Pck. (21 g) frische Hefe
50 g Zucker
125 ml (⅛ l) Milch
2 Eigelb (Größe M)
50 g zerlassene abgekühlte Butter oder Margarine

Für die Füllung:
2 Pck. (je 250 g) Mohn-Back
1 Ei (Größe M), 50 ml Milch
1 Pck. Saucenpulver
Vanille-Geschmack, zum Kochen
2 mittelgroße säuerliche Äpfel
50 g Walnuss-, Pekannuss- oder Paranusskerne
30 g kandierter Ingwer
50 g fein gehacktes Zitronat (Sukkade)

1 verschlagenes Eiweiß zum Bestreichen

Zum Bestäuben:
2 EL Puderzucker

Zubereitungszeit: 70 Minuten, ohne Auftau- und Teiggehzeit

Insgesamt: E: 144 g, F: 302 g, Kh: 751 g, kJ: 26184, kcal: 6258

1 Zum Vorbereiten Blätterteigplatten nebeneinander zugedeckt bei Zimmertemperatur auftauen lassen.

2 Für den Teig Mehl in eine Rührschüssel sieben. In die Mitte eine Vertiefung drücken. Hefe hineinbröckeln, Zucker und etwas von der Milch hinzufügen. Mit einer Gabel vorsichtig verrühren und etwa 10 Minuten gehen lassen.

3 Eigelb, restliche Milch und Butter oder Margarine hinzufügen. Die Zutaten mit Handrührgerät mit Knethaken zunächst auf niedrigster, dann auf höchster Stufe in etwa 5 Minuten zu einem Teig verarbeiten. Den Teig zugedeckt so lange an einem warmen Ort stehen lassen, bis er sich sichtbar vergrößert hat.

4 Für die Füllung Mohn-Back, Ei, Milch und Saucenpulver gut verrühren. Äpfel schälen, vierteln, entkernen und grob raspeln. Apfelraspel, Nusskerne, grob gehackten Ingwer und Zitronat zu der Mohnmasse geben und unterrühren.

5 Blätterteigplatten wieder aufeinander legen und auf einer leicht bemehlten Arbeitsfläche dünn ausrollen (40 x 60 cm). Teigplatte mit verschlagenem Eiweiß bestreichen.

6 Den Hefeteig aus der Schüssel nehmen, auf der bemehlten Arbeitsfläche kurz durchkneten und zu einem Rechteck (40 x 60 cm) ausrollen. Die Teigplatte über eine Teigrolle aufwickeln, auf der Blätterteigplatte wieder abwickeln und etwas andrücken. Die Mohnmasse darauf streichen und von der längeren Seite her aufrollen.

7 Teigrolle in etwa 3 cm dicke Scheiben schneiden. Diese nebeneinander (sollen sich fast berühren) hochkant auf ein Backblech (30 x 40 cm, gefettet) legen. Das Backblech in den Backofen schieben.

Ober-/Unterhitze: 180–200 °C (vorgeheizt)
Heißluft: 160–180 °C (vorgeheizt)
Gas: etwa Stufe 3 (vorgeheizt)
Backzeit: 30 Minuten

8 Das Backblech auf einen Kuchenrost stellen. Kuchen erkalten lassen. Mit Puderzucker bestäuben.

Rosinenbrot |

Klassisch

Für den Hefeteig:
750 g Weizenmehl
2 Pck. Trockenhefe
225 g Zucker, 1 Pck. Vanillin-Zucker
9 Tropfen Zitronen-Aroma
1 Prise Salz
4 Eier (Größe M)
300 g zerlassene lauwarme Butter oder Margarine
300 ml lauwarme Milch
200 g Rosinen

Für die Form:
Semmelbrösel

Zubereitungszeit: 35 Minuten, ohne Teiggehzeit

Insgesamt: E: 133 g, F: 292 g, Kh: 939 g, kJ: 30103, kcal: 7192

1 Für den Teig Mehl in eine Rührschüssel sieben, mit Trockenhefe sorgfältig vermischen. Zucker, Vanillin-Zucker, Aroma, Salz, Eier, Butter oder Margarine und Milch hinzufügen.

2 Die Zutaten mit Handrührgerät mit Knethaken zunächst auf niedrigster, dann auf höchster Stufe in etwa 5 Minuten zu einem Teig verarbeiten. Den Teig zugedeckt so lange an einem warmen Ort stehen lassen, bis er sich sichtbar vergrößert hat.

3 Den Teig leicht mit Mehl bestäuben, aus der Schüssel nehmen und auf einer bemehlten Arbeitsfläche nochmals kurz durchkneten. Dabei Rosinen unterkneten.

4 Den Teig in eine Brot-Kastenform (35 x 15 cm, gefettet, mit Semmelbröseln ausgestreut) geben und nochmals so lange an einem warmen Ort gehen lassen, bis er sich sichtbar vergrößert hat. Die Form auf dem Rost in den Backofen schieben.

Ober-/Unterhitze: etwa 180 °C (vorgeheizt)
Heißluft: etwa 160 °C (nicht vorgeheizt)
Gas: Stufe 2 – 3 (nicht vorgeheizt)
Backzeit: etwa 60 Minuten

5 Das Brot aus der Form lösen und auf einen Kuchenrost stürzen, wieder umdrehen und auf dem Kuchenrost erkalten lassen.

Tipp: Das Brot in Scheiben schneiden und portionsweise einfrieren.

Rosinenbrötchen, saftige |

Für Kinder

Für den Hefeteig:
150 g (etwa 4 mittelgroße) Kartoffeln
500 g Weizenmehl, 1 Pck. Trockenhefe
50 g Zucker, ¹/₂ gestr. TL Salz
125 g Butter oder Margarine
etwa 200 ml lauwarme Milch
100 g Sultaninen oder Rosinen

Zum Bestreichen:
Kondensmilch

Zubereitungszeit: 50 Minuten, ohne Teiggehzeit

Insgesamt: E: 70 g, F: 115 g, Kh: 516 g, kJ: 14780, kcal: 3531

1 Für den Teig Kartoffeln waschen, mit Wasser bedeckt zum Kochen bringen und zugedeckt in 20 – 25 Minuten gar kochen. Kartoffeln abgießen, abdämpfen, heiß pellen und durch eine Presse drücken.

2 Mehl in eine Rührschüssel sieben, mit Trockenhefe sorgfältig vermischen. Durchgepresste Kartoffeln, Zucker, Salz, Butter oder Margarine und Milch hinzufügen.

3 Die Zutaten mit Handrührgerät mit Knethaken zunächst auf niedrigster, dann auf höchster Stufe in etwa 5 Minuten zu einem Teig verarbeiten. Den Teig zugedeckt so lange an einem warmen Ort stehen lassen, bis er sich sichtbar vergrößert hat.

4 Den Teig leicht mit Mehl bestäuben, aus der Schüssel nehmen, auf einer bemehlten Arbeits-

Rosinenbrötchen, saftige

fläche nochmals kurz durchkneten. Sultaninen oder Rosinen unterarbeiten. Teig zu einer Rolle formen. Diese in 14 Stücke schneiden.

5 Die Teigstücke zu Brötchen formen und auf Backbleche (gefettet, mit Backpapier) legen. Teigbrötchen nochmals zugedeckt so lange an einem warmen Ort gehen lassen, bis sie sich sichtbar vergrößert haben.

6 Die Teigbrötchen mit Kondensmilch bestreichen. Die Backbleche nacheinander (bei Heißluft zusammen) in den Backofen schieben.

Ober-/Unterhitze: etwa 200 °C (vorgeheizt)
Heißluft: etwa 180 °C (vorgeheizt)
Gas: Stufe 3 – 4 (vorgeheizt)
Backzeit: etwa 30 Minuten pro Backblech

7 Die Brötchen mit dem Backpapier von den Backblechen auf je einen Kuchenrost ziehen. Brötchen erkalten lassen.

Tipp: Während des Backens eine Schale mit heißem Wasser auf den Backofenboden stellen.

Rosinenkuchen | 🗑 🍾 ❄

Gut vorzubereiten – vollwertig

Zum Vorbereiten:
250 g Rosinen
5 EL Rum

Für den Rührteig:
300 g Butter oder Margarine
250 g flüssiger Honig
1 Pck. Bourbon-Vanille-Zucker
1 Prise Meersalz
5 Eier (Größe M)
500 g Vollkorn-Weizenmehl
1 Pck. Backpulver
125 ml (⅛ l) Milch

Zum Bestäuben:
Puderzucker

Zubereitungszeit: 30 Minuten,
ohne Durchziehzeit

Insgesamt: E: 103 g, F: 290 g, Kh: 750 g,
kJ: 26668, kcal: 6373

1 Zum Vorbereiten Rosinen in eine Schüssel geben, mit Rum übergießen und etwa 60 Minuten durchziehen lassen.

2 Für den Teig Fett mit Handrührgerät mit Rührbesen auf höchster Stufe geschmeidig rühren. Nach und nach Honig, Vanille-Zucker und Salz unterrühren. So lange rühren, bis eine gebundene Masse entstanden ist.

3 Eier nach und nach unterrühren (jedes Ei etwa ½ Minute). Mehl mit Backpulver mischen, portionsweise abwechselnd mit Milch auf mittlerer Stufe unterrühren. Zuletzt Rum-Rosinen unterrühren.

4 Den Teig in eine Napfkuchenform (Ø 24 cm, gefettet) füllen. Die Form auf dem Rost in den Backofen schieben.

Ober-/Unterhitze: etwa 180 °C (vorgeheizt)
Heißluft: etwa 160 °C (nicht vorgeheizt)
Gas: Stufe 2 – 3 (nicht vorgeheizt)
Backzeit: etwa 60 Minuten

5 Den Kuchen 10 Minuten in der Form stehen lassen, aus der Form lösen und auf einen Kuchenrost stürzen. Kuchen mit Puderzucker bestäuben.

Rosinenkuchen

Rosinen-Mandel-Zopf | 🍰 🍰 ❄

Klassisch – gut vorzubereiten

Für den Hefeteig:
375 g Weizenmehl
1 Pck. Trockenhefe
50 g Zucker, 1 Pck. Vanillin-Zucker
1/2 Fläschchen Butter-Vanille-Aroma
1 Becher (150 g) Crème fraîche
100 ml lauwarme Milch
50 g zerlassene abgekühlte Butter oder Margarine
200 g Rosinen
50 g abgezogene, gehackte Mandeln

Zum Bestreichen:
1 Eigelb, 1 EL Milch

Zubereitungszeit: 30 Minuten,
ohne Teiggehzeit

Insgesamt: E: 68 g, F: 128 g, Kh: 480 g,
kJ: 14652, kcal: 3500

1 Für den Teig Mehl in eine Rührschüssel sieben, mit Trockenhefe sorgfältig vermischen. Zucker, Vanillin-Zucker, Aroma, Crème fraîche, Milch und Butter oder Margarine hinzufügen. Die Zutaten mit Handrührgerät mit Knethaken zunächst auf niedrigster, dann auf höchster Stufe in etwa 5 Minuten zu einem Teig verarbeiten. Rosinen und Mandeln unterkneten. Den Teig zugedeckt so lange an einem warmen Ort stehen lassen, bis er sich sichtbar vergrößert hat.

2 Den Teig leicht mit Mehl bestäuben, aus der Schüssel nehmen und auf einer bemehlten Arbeitsfläche kurz durchkneten. Teigmenge dritteln und jeweils zu etwa 35 cm langen Rollen formen.

3 Die Teigrollen nebeneinander auf ein Backblech (gefettet, mit Backpapier belegt) legen und zu einem Zopf flechten. Die Teigenden fest andrücken.

4 Zum Bestreichen Eigelb mit Milch verschlagen. Den Teigzopf damit bestreichen und nochmals an einem warmen Ort etwa 15 Minuten gehen lassen. Das Backblech in den Backofen schieben.

Ober-/Unterhitze: etwa 180 °C (vorgeheizt)
Heißluft: etwa 160 °C (nicht vorgeheizt)
Gas: Stufe 2 – 3 (nicht vorgeheizt)
Backzeit: etwa 35 Minuten

5 Den Zopf mit dem Backpapier vom Backblech auf einen Kuchenrost ziehen. Zopf erkalten lassen.

Tipp: Die Rosinen können durch gehackte Haselnuss- oder Walnusskerne oder getrocknete, klein geschnittene Aprikosen ersetzt werden.

Rosinen-Mandel-Zopf

Rosinen-Quark-Brötchen | 🍰 🍰 ❄

Preiswert – vollwertig

Für den Hefeteig:
500 g Weizen-Vollkornmehl
1 Pck. Trockenhefe
250 g Magerquark
150 g zerlassene, abgekühlte Butter oder Margarine
2 Eier (Größe M)
2 – 3 EL flüssiger Honig
abgeriebene Schale von 1/2 – 1 Zitrone (unbehandelt, ungewachst)
1 Msp. gemahlener Zimt
1 Prise Salz
4 – 5 EL lauwarmes Wasser
100 g Rosinen

Zum Bestreichen:
1 Eigelb, 1 EL Milch

Zubereitungszeit: 40 Minuten,
ohne Teiggehzeit

Insgesamt: E: 118 g, F: 155 g, Kh: 438 g,
kJ: 15915, kcal: 3800

1 Für den Teig Mehl in eine Rührschüssel geben und mit Trockenhefe sorgfältig vermischen. Quark, Butter oder Margarine, Eier, Honig, Zitronenschale, Zimt, Salz und Wasser hinzufügen.

2 Die Zutaten mit Handrührgerät mit Knethaken zunächst auf niedrigster, dann auf höchster Stufe in etwa 5 Minuten zu einem Teig verarbeiten. Rosinen unterkneten. Den Teig zugedeckt so lange an einem warmen Ort stehen lassen, bis er sich sichtbar vergrößert hat.

3 Den Teig leicht mit Mehl bestäuben, aus der Schüssel nehmen, auf einer bemehlten Arbeitsfläche nochmals kurz durchkneten, zu einer Rolle formen. Diese in 20 Stücke schneiden.

4 Jedes Teigstück zu einem runden Brötchen formen und etwas flach drücken. Die Teigoberfläche mit einem scharfen Messer kreuzweise etwa 1 cm tief einschneiden.

Teigbrötchen auf Backbleche (gefettet, mit Backpapier belegt) legen und nochmals zugedeckt so lange an einem warmen Ort gehen lassen, bis sie sich sichtbar vergrößert haben.

5 Zum Bestreichen Eigelb mit Milch verschlagen. Die Teigbrötchen damit bestreichen. Die Backbleche nacheinander (bei Heißluft zusammen) in den Backofen schieben.

Ober-/Unterhitze: 180–200 °C (vorgeheizt)
Heißluft: 160–180 °C (vorgeheizt)
Gas: etwa Stufe 3 (vorgeheizt)
Backzeit: etwa 20 Minuten pro Backblech

6 Die Brötchen mit dem Backpapier vom Backblech auf einen Kuchenrost ziehen, erkalten lassen.

Rosinen-Quark-Brötchen

Rosinen-Rum-Kugeln |

Für Gäste – zum Verschenken

Für die Masse:
100 g weiche Butter
100 g gesiebter Puderzucker
1 Pck. Vanillin-Zucker
300 g geriebene Blockschokolade

3 EL Rum
125 g Rum-Rosinen

Zum Wälzen:
100–150 g Schokoladenstreusel

Zubereitungszeit: 40 Minuten, ohne Kühlzeit

Insgesamt: E: 32 g, F: 193 g, Kh: 425 g, kJ: 15731, kcal: 3758

1 Für die Masse Butter mit Handrührgerät mit Rührbesen auf höchster Stufe geschmeidig rühren. Nach und nach Puderzucker und Vanillin-Zucker unterrühren. So lange rühren, bis eine gebundene Masse entstanden ist.

2 Schokolade abwechselnd portionsweise mit Rum unterrühren. Zuletzt Rum-Rosinen unterrühren.

3 Die Masse zugedeckt eine Zeit lang kalt stellen, dann kleine Kugeln daraus formen. Diese in Schokoladenstreuseln wälzen.

4 Die Rumkugeln in Zellophantüten verpackt oder in verschlossenen Glas- oder Porzellangefäßen kühl aufbewahren.

Tipp: Anstelle von Schokoladenstreuseln Kakaopulver, Kokosraspel oder Schokoplättchen verwenden.

Rosinen-Rum-Kugeln

Rosinenschnecken |  🗑 🗑 🗑 ❄

Vollwertig

Für den Hefeteig:
400 g Vollkorn-Weizenmehl
¹/₂ Pck. (21 g) frische Hefe
1 TL flüssiger Honig
4 EL warmes Wasser
40 g zerlassene abgekühlte Butter oder
Margarine, 2 EL flüssiger Honig
1 Prise Salz
2 Eier (Größe M)
100 ml lauwarme Milch

Für die Füllung:
200 g ganze abgezogene Mandeln
50 g Rosinen
100 ml heiße Milch
5 EL flüssiger Honig

Zum Bestreichen:
40 g zerlassene abgekühlte Butter

Außerdem:
1 EL flüssiger Honig
1 EL Zitronensaft

Zubereitungszeit: 40 Minuten,
ohne Teiggeh- und Abkühlzeit

Insgesamt: E: 108 g, F: 164 g, Kh: 461 g,
kJ: 16685, kcal: 3986

1 Für den Teig Mehl in eine Rührschüssel geben. In die Mitte eine Vertiefung drücken. Hefe hineinbröckeln, Honig und Wasser hinzufügen. Mit einer Gabel vorsichtig verrühren und etwa 10 Minuten gehen lassen.

2 Butter oder Margarine, Honig, Salz, Eier und Milch hinzufügen. Die Zutaten mit Handrührgerät mit Knethaken zunächst auf niedrigster, dann auf höchster Stufe in etwa 5 Minuten zu einem Teig verarbeiten. Den Teig zugedeckt so lange an einem warmen Ort stehen lassen, bis er sich sichtbar vergrößert hat.

3 Für die Füllung Mandeln fein mahlen. Rosinen in Milch einweichen. Mandeln und Honig hinzufügen und unterrühren.

4 Den Teig leicht mit Mehl bestäuben, aus der Schüssel nehmen, auf einer bemehlten Arbeitsfläche nochmals kurz durchkneten und zu einem Rechteck (35 x 45 cm) ausrollen. Teigrechteck mit Butter bestreichen. Die Rosinen-Mandel-Masse darauf verteilen.

5 Den Teig von der kürzeren Seite her locker aufrollen. Rolle in 1,5 cm breite Scheiben schneiden. Teigscheiben auf Backbleche (gefettet, mit Backpapier belegt) legen. Nochmals zugedeckt so lange an einem warmen Ort gehen lassen, bis sie sich sichtbar vergrößert haben. Die Backbleche nacheinander (bei Heißluft zusammen) in den Backofen schieben.

Ober-/Unterhitze: 180 – 200 °C (vorgeheizt)
Heißluft: 160 – 180 °C (vorgeheizt)
Gas: etwa Stufe 3 (vorgeheizt)
Backzeit: 25 – 30 Minuten pro Backblech

6 Das Gebäck vom Backpapier lösen und auf einem Kuchenrost erkalten lassen.

7 Zum Bestreichen Honig mit Zitronensaft verrühren. Das Gebäck damit bestreichen.

Rosinenschnecken

Rosinenwaffeln | 🍮

Vollwertig

Für den Teig:
120 g Butter oder Margarine
4 EL flüssiger Honig
Saft und abgeriebene Schale
von ½ Bio-Zitrone (unbehandelt, unge-
wachst)
1 TL gemahlener Zimt
3 Eigelb (Größe M)
300 g Vollkorn-Weizenmehl
1 TL Backpulver, 100 g Rosinen
375 ml (³/₈ l) Milch, 3 Eiweiß (Größe M)

Zubereitungszeit: 50 Minuten

Insgesamt: E: 71 g, F: 135 g, Kh: 338 g,
kJ: 12443, kcal: 2970

1 Für den Teig Butter oder Margarine und Honig mit Handrührgerät mit Rührbesen auf höchster Stufe geschmeidig rühren. Zitronensaft und -schale und Zimt unterrühren.

2 Eigelb nach und nach unterrühren (jedes Eigelb knapp ½ Minute). Mehl mit Backpulver mischen, abwechselnd portionsweise mit der Milch auf mittlerer Stufe unterrühren. Rosinen unterrühren.

3 Eiweiß steif schlagen, unterheben. Teig in kleinen Portionen in ein gut erhitztes Waffeleisen (gefettet) füllen. Waffeln goldbraun backen einzeln auf einem Kuchenrost erkalten lassen.

Rosinenwaffeln

Rosmarinecken | 🍮 🍮 🍮

Raffiniert – pikant

Für den Hefeteig:
125 g Weizenmehl (Type 550)
½ Pck. (21 g) frische Hefe
1 TL Zucker, 100 ml lauwarmes Wasser
2 TL getrockneter Rosmarin
125 g Vollkorn-Weizenmehl
1 ½ gestr. TL Salz, 7 EL Olivenöl

Zubereitungszeit: 45 Minuten,
ohne Teiggeh- und Ruhezeit

Insgesamt: E: 30 g, F: 90 g, Kh: 186 g,
kJ: 7336, kcal: 1752

1 Für den Teig Weizenmehl in eine Rührschüssel geben. In die Mitte eine Vertiefung drücken. Hefe hineinbröckeln, Zucker und etwas von dem Wasser hinzufügen. Mit einer Gabel vorsichtig verrühren und etwa 10 Minuten gehen lassen.

2 Rosmarin zwischen den Fingern zerreiben. Rosmarin, Vollkorn-Weizenmehl, Salz, Öl und restliches Wasser zum Vorteig geben. Die

Zutaten mit Handrührgerät mit Knethaken zunächst auf niedrigster, dann auf höchster Stufe in etwa 5 Minuten zu einem Teig verarbeiten. Den Teig zugedeckt so lange an einem warmen Ort stehen lassen, bis er sich sichtbar vergrößert hat.

3 Teig aus der Schüssel nehmen, auf einer bemehlten Arbeitsfläche nochmals kurz durchkneten, in mehreren Portionen auf der bemehlten Arbeitsfläche 1 cm dünn ausrollen, 5 Minuten ruhen lassen.

4 Aus dem Teig Quadrate (7 x 7 cm) ausschneiden, diese diagonal halbieren. Teigecken auf Backbleche (gefettet, mit Back-

papier belegt) legen. Diese nochmals zugedeckt 5 Minuten gehen lassen. Die Backbleche nacheinander (bei Heißluft zusammen) in den Backofen schieben.

Ober-/Unterhitze: etwa 200 °C (vorgeheizt)
Heißluft: etwa 180 °C (vorgeheizt)
Gas: Stufe 3 – 4 (vorgeheizt)
Backzeit: etwa 10 Minuten pro Backblech

5 Das Gebäck mit dem Backpapier von den Backblechen ziehen und auf Kuchenrosten erkalten lassen.

Tipp: Anstelle von Rosmarin 20 g fein gehackte schwarze Oliven verwenden.

Rosmarinecken

Rosmarinwaffeln |

Für Gäste – pikant

Für den All-in-Teig:
2 TL getrockneter Rosmarin
200 g Vollkorn-Weizenmehl
1 gestr. TL Backpulver
1 gestr. TL Salz
geriebene Muskatnuss
250 ml Bier (z. B. Pils)
4 Eier (Größe M), 4 EL Olivenöl
5 EL Speiseöl, z. B. Rapsöl

Außerdem:
Speiseöl für das Waffeleisen

Beilage:
200 g Aioli (Knoblauchmayonnaise)
200 g Roastbeef-Aufschnitt

Zubereitungszeit: 60 Minuten

Insgesamt: E: 97 g, F: 253 g, Kh: 156 g, kJ: 14795, kcal: 3534

1 Für den Teig Rosmarin im Mörser fein zerstoßen. Rosmarin, Mehl, Backpulver, Salz und Muskatnuss in einer Schüssel mischen. Bier, Eier, Oliven- und Speiseöl hinzufügen. Die Zutaten mit Handrührgerät mit Rührbesen auf mittlerer Stufe verrühren. So lange rühren, bis eine gebundene Masse entstanden ist.

2 Den Teig in kleinen Portionen in ein gut erhitztes, mit Öl gefettetes Waffeleisen füllen. Die Waffeln goldbraun backen und einzeln auf einen Kuchenrost legen.

3 Waffeln mit Aioli und Roastbeef-Aufschnitt servieren.

Tipp: Waffeln in Herzen teilen und im Toaster kurz erhitzen, damit sie wieder knusprig werden.

Rosmarinwaffeln

Rote Muffins |

Pikant – für Gäste

Für den Belag:
2 Frühlingszwiebeln (etwa 100 g)

Für den Quark-Öl-Teig:
150 g Ajvar (Paprikazubereitung;
aus dem Glas)
100 g Magerquark
4 EL Speiseöl, 4 EL Olivenöl
3 Eier (Größe M)
300 g Weizenmehl (Type 550)
2 gestr. TL Backpulver
1 TL Salz

Zubereitungszeit: etwa 45 Minuten, ohne Abkühlzeit

Insgesamt: E: 71 g, F: 123 g, Kh: 243 g, kJ: 10440, kcal: 2494

1 Für den Belag Frühlingszwiebeln putzen, waschen, abtropfen lassen. 1 Zwiebel in feine Ringe schneiden. Die andere Zwiebel in etwa 4 cm lange Stücke schneiden und diese der Länge nach halbieren.

2 Für den Teig Ajvar, Quark, Öle und Eier verrühren. Mehl, Backpulver und Salz mischen und unterrühren, Zwiebelringe unterheben.

3 Teig in eine Muffinform (für 12 Muffins, gefettet, gemehlt) geben, mit Zwiebelstücken belegen. Die Form auf dem Rost in den Backofen schieben.

Ober-/Unterhitze: etwa 180 °C (vorgeheizt)
Heißluft: etwa 160 °C (nicht vorgeheizt)
Gas: Stufe 2 – 3 (nicht vorgeheizt)
Backzeit: etwa 40 Minuten

4 Muffins 5 Minuten in der Form abkühlen lassen, herauslösen und auf einem Kuchenrost erkalten lassen.

Rote Muffins

Rotweinkuchen in der Kastenform |

Einfach

Für den Rührteig:
200 g Butter oder Margarine
200 g Zucker
1 Pck. Vanillin-Zucker
3 Eier (Größe M)
250 g Weizenmehl
3 gestr. TL Backpulver
2 TL Kakaopulver
125 ml ('/₈ l) Rotwein
100 g geraspelte Blockschokolade
125 g ganze Walnusskerne

Zubereitungszeit: 25 Minuten

Insgesamt: E: 80 g, F: 296 g, Kh: 619 g, kJ: 23819, kcal: 5691

1 Für den Teig Butter oder Margarine mit Handrührgerät mit Rührbesen auf höchster Stufe geschmeidig rühren. Nach und nach Zucker und Vanillin-Zucker unterrühren. So lange rühren, bis eine gebundene Masse entstanden ist.

2 Eier nach und nach unterrühren (jedes Ei etwa ¹/₂ Minute). Mehl mit Backpulver und Kakao mischen, sieben, abwechselnd portionsweise mit Rotwein auf mittlerer Stufe unterrühren. Zuletzt Schokolade und Walnusskerne unterrühren.

3 Teig in eine Kastenform (30 x 11 cm, gefettet), füllen und glatt streichen. Die Form auf dem Rost in den Backofen schieben.

Ober-/Unterhitze: etwa 180 °C (vorgeheizt)
Heißluft: etwa 160 °C (nicht vorgeheizt)
Gas: Stufe 2 – 3 (nicht vorgeheizt)
Backzeit: etwa 60 Minuten

4 Den Kuchen 10 Minuten in der Form stehen lassen, dann aus der Form lösen, auf einen Kuchenrost stürzen. Wieder umdrehen und Kuchen erkalten lassen.

Rotweinkuchen in der Kastenform

Rotweinkuchen

Rotweinkuchen auf dem Blech |

Einfach

Zum Vorbereiten:
125 g Rosinen
250 ml (¹/₄ l) Rotwein

Für den Rührteig:
250 g Butter oder Margarine
250 g Zucker
2 Pck. Vanillin-Zucker
1 Prise Salz
2 gestr. TL gemahlener Zimt
5 Eier (Größe M)
325 g Weizenmehl
40 g Kakaopulver
4 gestr. TL Backpulver

Zum Bestreuen:
150 g Vollmilch-Raspelschokolade

Zum Verzieren:
250 ml (¹/₄ l) Schlagsahne
1 EL Zucker
1 Pck. Sahnesteif

Nach Belieben zum Garnieren:
weiße Raspelschokolade

Zubereitungszeit: 30 Minuten,
ohne Durchziehzeit

Insgesamt: E: 106 g, F: 373 g, Kh: 728 g,
kJ: 29459, kcal: 7040

1 Zum Vorbereiten Rosinen mit Rotwein
übergießen, am besten über Nacht durchziehen lassen.

2 Für den Teig Butter oder Margarine mit
Handrührgerät mit Rührbesen auf höchster
Stufe geschmeidig rühren. Nach und nach
Zucker, Vanillin-Zucker, Salz und Zimt unter-
rühren. So lange rühren, bis eine gebundene
Masse entstanden ist.

3 Eier nach und nach unterrühren (jedes Ei
etwa ¹/₂ Minute). Mehl, Kakao und Backpulver
mischen, sieben, portionsweise auf mittlerer

Stufe unterrühren. Zuletzt Rosinen mit Rotwein unterheben.

4 Teig auf ein Backblech (30 x 40 cm, gefettet) geben, glatt streichen und mit Schokolade bestreuen. Das Backblech in den Backofen schieben.

Ober-/Unterhitze: etwa 180 °C (vorgeheizt)
Heißluft: etwa 160 °C (nicht vorgeheizt)
Gas: Stufe 2 – 3 (nicht vorgeheizt)
Backzeit: 30 – 40 Minuten

5 Das Backblech auf einen Kuchenrost stellen. Gebäck erkalten lassen. Anschließend in
Rauten, Dreiecke oder Quadrate schneiden.

6 Zum Verzieren Sahne mit Zucker und Sahnesteif steif schlagen. Gebäckstücke damit
verzieren und nach Belieben mit Raspelschokolade garnieren.

Rübli-Torte (Möhrentorte) | 🗑 🗑 🍶

Gut vorzubereiten

Für den Knetteig:
100 g Weizenmehl
25 g Zucker
1 – 2 EL kaltes Wasser
50 g Butter oder Margarine

Für den Möhrenteig:
100 g Butter oder Margarine
75 g Zucker
einige Tropfen Zitronen-Aroma
1 Msp. gemahlener Zimt
4 Eigelb (Größe M)
175 g Weizenmehl
1 gestr. TL Backpulver
50 ml Milch
3 EL geschlagene Schlagsahne
125 g gemahlene Haselnusskerne
250 g geraspelte Möhren
4 Eiweiß (Größe M)
75 g Zucker

Zum Bestreichen:
3 EL Aprikosenkonfitüre

Für den Guss:
100 g gesiebter Puderzucker
3 EL Kirschwasser

Zum Bestreuen:
50 g abgezogene, gehobelte, gebräunte Mandeln

Zum Garnieren:
100 g Marzipan-Rohmasse
rote Speisefarbe
einige Pistazienkerne

Zubereitungszeit: 50 Minuten, ohne Abkühlzeit

Insgesamt: E: 121 g, F: 300 g, Kh: 401 g, kJ: 21215, kcal: 5065

1 Für den Knetteig Mehl in eine Rührschüssel sieben. Zucker, Wasser und Butter oder Margarine hinzufügen. Die Zutaten mit Handrührgerät mit Knethaken kurz auf niedrigster, dann auf höchster Stufe gut durcharbeiten.

2 Anschließend auf einer bemehlten Arbeitsfläche zu einem glatten Teig verkneten. Sollte er kleben, ihn in Folie gewickelt eine Zeit lang kalt stellen.

3 Für den Möhrenteig Butter oder Margarine mit Handrührgerät mit Rührbesen auf höchster Stufe geschmeidig rühren. Nach und nach Zucker, Aroma und Zimt unterrühren. So lange rühren, bis eine gebundene Masse entstanden ist.

4 Eigelb nach und nach unterrühren (jedes Eigelb knapp ½ Minute). Mehl mit Backpulver mischen, sieben, portionsweise abwechselnd mit der Milch auf mittlerer Stufe unterrühren.

5 Sahne mit den Haselnusskernen und Möhrenraspeln vermischen und hinzufügen. Eiweiß mit Handrührgerät mit Rührbesen auf höchster Stufe steif schlagen. Nach und nach Zucker unterschlagen. Eischnee unter den Teig heben.

6 Den Knetteig auf dem Boden einer Springform (Ø 26 cm, Boden gefettet) ausrollen, Springformrand darumlegen. Den Möhrenteig auf den Teigboden geben und glatt streichen.

Die Form auf dem Rost in den Backofen schieben.

Ober-/Unterhitze: 180 – 200 °C (vorgeheizt)
Heißluft: 160 – 180 °C (nicht vorgeheizt)
Gas: etwa Stufe 3 (nicht vorgeheizt)
Backzeit: etwa 45 Minuten

7 Die Torte aus der Form lösen und auf einem Kuchenrost erkalten lassen.

8 Zum Bestreichen Konfitüre in einem kleinen Topf unter Rühren erhitzen. Die Torte damit bestreichen.

9 Für den Guss Puderzucker und Kirschwasser zu einer dickflüssigen Masse verrühren. Die Tortenoberfläche mit dem Guss überziehen. Den Tortenrand mit den Mandeln bestreuen.

10 Zum Garnieren Marzipan-Rohmasse mit Speisefarbe zu einer orangefarbigen Masse verkneten. Eine Rolle formen, diese in 12 Stücke schneiden und zu Möhrchen formen. Jeweils zwei Pistazienkernhälften als Stiel in die Möhrchen drücken. Die Tortenoberfläche mit den Möhrchen garnieren.

Rübli-Torte (Möhrentorte)

Rührteig (Grundrezept) | 🗑️ ❄️

Klassisch

Für die Form:
Butter oder Margarine
Semmelbrösel, Kokosraspel
gemahlene Nusskerne oder Mandeln

Für den Teig:
250 – 300 g Butter oder Margarine
150 – 250 g Zucker, 1 Pck. Vanillin-Zucker
evtl. Aromen, Gewürze
1 Prise Salz
4 – 6 Eier (Größe M)
250 – 500 g Weizenmehl
(evtl. ¹/₃ davon Speisestärke)
1 TL – 1 Pck. Backpulver
bis zu 125 ml (¹/₈ l) Milch
evtl. vorbereitete Früchte oder Nusskerne

Zubereitungszeit: 25 Minuten,
je nach Teigmenge

Insgesamt: E: 85 g, F: 267 g, Kh: 493 g,
kJ: 20435, kcal: 4882

1 Zur Vorbereitung Kuchenform auswählen, mit weicher Butter oder Margarine gleichmäßig ausfetten (Öl ist weniger gut geeignet), Form mit Semmelbröseln, Kokosraspeln, Nusskernen oder Mandeln ausstreuen. Handrührgerät oder Küchenmaschine mit den Rührbesen bereit stellen. Zutaten abwiegen.

2 Kastenformen evtl. mit Backpapier auslegen. Dafür den Boden der Kastenform auf dem Papier aufzeichnen, Form kippen und die Seitenlinien aufzeichnen. Den Vorgang auf allen vier Seiten wiederholen. Die Ecken ausschneiden, die Bodenlinien knicken.

3 Feinkörnigen Zucker dem grobkörnigen vorziehen; er löst sich beim Rühren schneller auf. Das Fett soll weich, aber nicht flüssig sein; zu weiches Fett lässt sich nicht geschmeidig rühren. Mehl, Speisestärke und Backpulver mischen und sieben. Das Mehl wird durch das Sieben lockerer. Vollkornmehle (Schrot) werden nicht gesiebt. Speisestärke mit Mehl mischen. Kokosraspel oder gemahlene Nusskerne oder Mandeln laut Rezeptangabe unter den Teig rühren.

4 Für den Teig Butter oder Margarine mit Handrührgerät mit Rührbesen auf höchster Stufe geschmeidig rühren. Nach und nach Zucker und Vanillin-Zucker, Gewürze, Aromen und Salz unterrühren. So lange rühren, bis eine gebundene Masse entstanden ist.

5 Eier nach und nach unterrühren (jedes Ei etwa ¹/₂ Minute). Mehl (evtl. Speisestärke) mit Backpulver mischen, sieben, portionsweise auf mittlerer Stufe unterrühren. Ist der Teig zu fest, etwas Milch hinzufügen.

6 Die Konsistenz des Teiges ist richtig, wenn der Teig schwer reißend vom Löffel oder Rührbesen fällt. Die benötigte Menge Milch ist von der Größe der Eier und von der Flüssigkeitsaufnahme des Mehls abhängig. Zuletzt evtl. vorbereitete Früchte schnell unter den Teig arbeiten.

7 Den Teig mit dem Teigschaber in die Kuchenform einfüllen, glatt streichen und laut Anweisung backen.

Tipp: Die einzelnen Zutaten verbinden sich am besten, wenn sie möglichst alle Zimmertemperatur haben. Zu dünner Rührteig (durch zu viel Milch) kann Wasserstreifen bekommen.

Rumkirschen | 🗑️ 🗑️ 🍾

Zum Verschenken

Rumkirschen

Für die Masse:
75 ml Schlagsahne
25 g gehackte Halbbitter-Kuvertüre
2 EL Rum
2 EL gesiebter Puderzucker

Außerdem:
8 Papier-Pralinenförmchen

Für die Füllung:
8 Kirschen (aus dem Rumtopf)

Zubereitungszeit: 30 Minuten,
ohne Kühlzeit

Insgesamt: E: 5 g, F: 30 g, Kh: 96 g,
kJ: 3227, kcal: 771

1 Für die Masse Sahne in einem kleinen Topf zum Kochen bringen, den Topf von der Kochstelle nehmen. Kuvertüre unter Rühren in der Sahne auflösen. Rum und Puderzucker untermengen. Die Masse etwa 10 Minuten in den Kühlschrank stellen (sie muss noch streich- und spritzfähig sein).

2 Die Masse in einen Spritzbeutel mit Lochtülle füllen und in je 1 Papier-Pralinenförmchen einen Boden, dann am Rand entlang Ringe in die Förmchen spritzen. Je 1 Kirsche in den Ring setzen und kalt stellen.

Tipp: Die Rumkirschen halten sich kühl aufbewahrt etwa 10 Tage.

Rumkugeln |

Zum Verschenken

Für die Rumkugelmasse:
etwa 500 g Biskuitbrösel
4 EL Rum, 250 ml ('/₄ l) Wasser
125 g Kokosfett
65 g gesiebter Puderzucker
20 g Kakaopulver, 1 Pck. Vanillin-Zucker
1 Fläschchen Rum-Aroma
1 Ei (Größe M)

Zum Wälzen:
75 g Schokoladenstreusel

Zubereitungszeit: 60 Minuten, ohne Kühlzeit

Insgesamt: E: 52 g, F: 165 g, Kh: 458 g, kJ: 15449, kcal: 3689

1 Für die Masse Biskuitbrösel in eine Rührschüssel geben. Rum und Wasser verrühren. Die Biskuitbrösel damit beträufeln.

2 Kokosfett in einem kleinen Topf zerlassen und abkühlen lassen. Puderzucker und Kakao in eine Rührschüssel sieben. Vanillin-Zucker und Aroma hinzufügen. Nach und nach Ei und Kokosfett unterrühren.

3 Masse mit den Biskuitbröseln vermischen, etwa 15 Kugeln daraus formen, in Schoko-

Rumkugeln

ladenstreuseln wälzen. Kugeln kalt stellen, damit sie fest werden.

Rum-Schokoladentorte |

Für Gäste

Rum-Schokoladentorte

Für den Biskuitteig:
5 Eier (Größe M), 2 EL heißes Wasser
150 g Zucker, 1 Pck. Vanillin-Zucker
2 EL Rum (40 %), 50 g Weizenmehl
1 Pck. Backpulver
200 g gemahlene Haselnusskerne
4 EL kernige Haferflocken

Für den Belag:
2 EL Rum, 150 g Raspelschokolade
800 – 1000 ml Schlagsahne
3 Pck. Sahnesteif
1 Pck. Vanillin-Zucker

Zum Bestreuen:
50 g Raspelschokolade

Zubereitungszeit: 40 Minuten, ohne Kühlzeit

Insgesamt: E: 103 g, F: 501 g, Kh: 444 g, kJ: 29646, kcal: 7083

1 Für den Teig Eier und Wasser mit Handrührgerät mit Rührbesen auf höchster Stufe in 1 Minute schaumig schlagen. Zucker und Vanillin-Zucker mischen, in 1 Minute einstreuen, dann noch etwa 2 Minuten schlagen. Rum hinzufügen.

2 Mehl, Backpulver, Haselnusskerne und Haferflocken mischen. Die Hälfte davon auf die Eiercreme geben, kurz auf niedrigster Stufe unterrühren. Restliches Mehlgemisch auf die gleiche Weise unterarbeiten. Den Teig in eine Springform (Ø 28 cm, Boden gefettet, mit Backpapier belegt) füllen. Die Form auf dem Rost in den Backofen schieben.

Ober-/Unterhitze: etwa 180 °C
(nicht vorgeheizt)
Heißluft: etwa 160 °C (nicht vorgeheizt)
Gas: Stufe 2 – 3 (nicht vorgeheizt)
Backzeit: etwa 40 Minuten

3 Den Biskuitboden aus der Form lösen und auf einen mit Backpapier belegten Kuchenrost stürzen. Mitgebackenes Backpapier abziehen. Biskuitboden erkalten lassen, einmal waagerecht durchschneiden.

4 Den unteren Boden auf eine Platte legen. Einen Tortenring oder den gesäuberten Springformrand darumstellen.

5 Für den Belag den oberen Boden zerbröseln. Biskuitbrösel mit Rum und Raspelschokolade vermischen. 600 – 800 ml Schlagsahne mit 2 Päckchen Sahnesteif steif schlagen. Die Sahne unter die Bröselmischung heben, auf den unteren Boden geben und glatt streichen.

6 Die restliche Sahne mit Sahnesteif und Vanillin-Zucker steif schlagen und auf den Belag streichen. Torte kalt stellen. Den Tortenring oder Springformrand lösen und entfernen. Die Tortenoberfläche mit Raspelschokolade bestreuen.

Rumtopf-Törtchen | 🗑 🗑 🍶 ❄

Zu Weihnachten

Für den Knetteig:
250 g Weizenmehl
1 Pck. Vanillin-Zucker
1 Prise Salz
200 g Butter oder Margarine
1 Becher (150 g) Crème fraîche

Zum Bestreichen:
2 Eigelb

Zum Bestreuen:
Hagelzucker

Für die Füllung:
250 g Rumtopf-Früchte
100 ml Rumtopf-Flüssigkeit
100 ml Wasser, 1 Pck. Tortenguss, rot
250 ml (¼ l) Schlagsahne

1 Pck. Sahnesteif
1 Pck. Vanillin-Zucker

Zubereitungszeit: 45 Minuten, ohne Kühl- und Ruhezeit

Insgesamt: E: 45 g, F: 302 g, Kh: 327 g, kJ: 19505, kcal: 4661

1 Für den Teig Mehl in eine Rührschüssel sieben. Vanillin-Zucker, Salz, Butter oder Margarine und Crème fraîche hinzufügen. Die Zutaten mit Handrührgerät mit Knethaken zunächst kurz auf niedrigster, dann auf höchster Stufe gut durcharbeiten.

2 Anschließend auf einer bemehlten Arbeitsfläche zu einem glatten Teig verkneten. Sollte er kleben, ihn in Folie gewickelt eine Zeit lang kalt stellen.

3 Den Teig etwa 3 mm dünn ausrollen, mit einer Ausstechform (Ø 10 cm) 20 Plätzchen ausstechen. Die Teigplätzchen auf Backbleche (gefettet) legen und mehrmals mit einer Gabel einstechen.

4 Zum Bestreichen Eigelb verschlagen. Die Teigplätzchen damit bestreichen. Die Hälfte der Plätzchen mit Hagelzucker bestreuen. Die Teigplätzchen 30 Minuten ruhen lassen. Dann die Backbleche nacheinander (bei Heißluft zusammen) in den Backofen schieben.

Ober-/Unterhitze: etwa 200 °C (vorgeheizt)
Heißluft: etwa 180 °C (vorgeheizt)
Gas: etwa Stufe 4 (vorgeheizt)
Backzeit: etwa 12 Minuten pro Backblech

5 Die Plätzchen von den Backblechen lösen und auf einem Kuchenrost erkalten lassen.

6 Für die Füllung Rumtopf-Früchte in einem Sieb gut abtropfen lassen, den Saft dabei auffangen, 100 ml davon abmessen und mit Wasser auf 200 ml ergänzen.

7 Einen Guss aus Tortengusspulver und der abgemessenen Flüssigkeit nach Packungsanleitung – aber ohne Zucker – zubereiten. Die Früchte unterrühren.

8 Sahne mit Sahnesteif und Vanillin-Zucker steif schlagen und in einen Spritzbeutel mit Lochtülle füllen. Auf die nicht mit Hagelzucker bestreuten Plätzchen in die Mitte jeweils etwas von der Rumtopf-Füllung geben, einen doppelten Sahnekranz darum spritzen und mit den bestreuten Plätzchen belegen.

Tipp: Die gefüllten Törtchen frisch servieren. Ungefüllte Plätzchen sind gut verpackt 1 – 2 Wochen haltbar. Plätzchen vor dem Füllen evtl. kurz aufbacken.

Abwandlung: Anstelle der Rumtopf-Früchte können auch andere Früchte verwendet werden. Dann die Rumtopfflüssigkeit durch Fruchtsaft oder durch eine Fruchtsaft-Wein-Mischung ersetzen.

Rumtopf-Törtchen

Russischer Zupfkuchen

Russischer Zupfkuchen I 🗑 🗑

Für Gäste

Für den Knetteig:
375 g Weizenmehl
40 g Kakaopulver
3 gestr. TL Backpulver
200 g Zucker, 1 Pck. Vanillin-Zucker
1 Ei (Größe M)
200 g Butter oder Margarine

Für die Füllung:
500 g Magerquark
200 g Zucker
1 Pck. Vanillin-Zucker
3 Eier (Größe M)
1 Pck. Pudding-Pulver
Vanille-Geschmack
250 g zerlassene, abgekühlte Butter
oder Margarine

Zubereitungszeit: 45 Minuten, ohne Kühlzeit

Insgesamt: E: 139 g, F: 460 g, Kh: 769 g, kJ: 33484, kcal: 7998

1 Für den Teig Mehl, Kakao und Backpulver mischen und in eine Rührschüssel sieben. Restliche Teigzutaten hinzufügen, mit Handrührgerät mit Knethaken zunächst kurz auf niedrigster, dann auf höchster Stufe gut durcharbeiten.

2 Dann auf einer bemehlten Arbeitsfläche zu einem glatten Teig verkneten. Sollte er kleben, ihn in Folie gewickelt eine Zeit lang kalt stellen. Die Hälfte des Teiges auf dem Boden einer Springform (Ø 26 cm, Boden gefettet) ausrollen. Springformrand darumlegen.

3 Vom restlichen Teig knapp die Hälfte zu einer langen Rolle formen, als Rand auf den Teigboden legen und so an die Form drücken, dass ein etwa 2 cm hoher Rand entsteht.

4 Für die Füllung Quark, Zucker, Vanillin-Zucker, Eier, Pudding-Pulver und Butter oder Margarine zu einer geschmeidigen Masse verrühren. Masse auf den Knetteigboden geben und glatt streichen.

5 Restlichen Teig in kleine Stücke zupfen und auf der Quarkmasse verteilen. Die Form auf dem Rost in den Backofen schieben.

Ober-/Unterhitze: etwa 180 °C (vorgeheizt)
Heißluft: etwa 160 °C (nicht vorgeheizt)
Gas: Stufe 2 – 3 (nicht vorgeheizt)
Backzeit: etwa 65 Minuten

6 Den Kuchen aus der Form lösen und auf einem Kuchenrost erkalten lassen.

Saarländischer Apfelkuchen | 🗑 🍶

Einfach

Für den Teig:
¹/₂ Pck. (225 g) TK-Blätterteig

Für den Belag:
500 g Äpfel
2 EL Zucker
¹/₂ TL Vanillin-Zucker
50 g abgezogene, gehobelte Mandeln

Zum Aprikotieren:
150 g Aprikosenkonfitüre

Für die Sauce:
150 g Apfelgelee
2 EL Aprikosenlikör

Zubereitungszeit: 30 Minuten,
ohne Auftauzeit

Insgesamt: E: 24 g, F: 92 g, Kh: 266 g,
kJ: 8869, kcal: 2117

1 Für den Teig Blätterteigplatten neben-einander zugedeckt bei Zimmertemperatur auftauen lassen.

2 Die Teigplatten aufeinander legen, auf ei-ner bemehlten Arbeitsfläche zu einer runden Platte (Ø 30 cm) ausrollen und auf den Boden einer Springform (Ø 28 cm) legen. Den Springformrand darumlegen.

3 Für den Belag Äpfel schälen, vierteln, entkernen und in dünne Spalten oder Schei-ben schneiden. Die Apfelspalten oder -schei-ben auf dem Teigboden verteilen. Zucker, Vanillin-Zucker und Mandeln mischen und darüber streuen.

4 Die Form auf dem Rost in den Backofen schieben.

Ober-/Unterhitze: 200 – 220 °C (vorgeheizt)
Heißluft: 180 – 200 °C (vorgeheizt)
Gas: etwa Stufe 4 (vorgeheizt)
Backzeit: etwa 20 Minuten

5 Die Form auf einen Kuchenrost stellen.

6 Zum Aprikotieren Konfitüre durch ein Sieb streichen, in einem kleinen Topf unter Rühren kurz aufkochen. Den Kuchen damit bestreichen.

7 Für die Sauce Gelee und Likör gut ver-rühren. Die Sauce zum lauwarmen Kuchen reichen

Saarländischer Apfelkuchen

Sachertorte | 🗑 🗑 🍾

Traditionell – für Gäste

Zum Vorbereiten:
140 g Zartbitterschokolade

Für den Teig:
140 g Butter oder Margarine
70 g Zucker
6 Eigelb (Größe M)
140 g Weizenmehl
6 Eiweiß (Größe M)
70 g Zucker
1 Prise Salz

Zum Tränken:
100 g Zucker, 100 ml Wasser
Mark von 1 Vanilleschote
2 EL Rum

Zum Bestreichen:
200 g Aprikosenkonfitüre

Für den Guss:
200 g Halbbitter-Kuvertüre

Zum Verzieren:
50 g Vollmilch-Kuvertüre

Zubereitungszeit: 60 Minuten,
ohne Abkühlzeit

Insgesamt: E: 104 g, F: 425 g, Kh: 562 g,
kJ: 28028, kcal: 6698

Sachertorte

1 Zum Vorbereiten Schokolade in kleine Stücke brechen, in einem kleinen Topf im Wasserbad bei schwacher Hitze zu einer geschmeidigen Masse verrühren, etwas abkühlen lassen.

2 Für den Teig Butter oder Margarine mit Handrührgerät mit Rührbesen auf höchster Stufe geschmeidig rühren. Nach und nach Zucker unterrühren. So lange rühren, bis eine gebundene Masse entstanden ist.

3 Eigelb nach und nach unterrühren (jedes Eigelb knapp ½ Minute). Die aufgelöste Schokolade unterrühren. Mehl sieben und portionsweise auf mittlerer Stufe unterrühren.

4 Eiweiß mit Zucker und Salz steif schlagen. Die Eischneemasse vorsichtig unter den Teig heben.

5 Teig in eine Springform (Ø 26 cm, Boden gefettet, mit Backpapier belegt) füllen und glatt streichen. Die Form auf dem Rost in den Backofen schieben.

Ober-/Unterhitze: etwa 180 °C (vorgeheizt)
Heißluft: etwa 160 °C (nicht vorgeheizt)
Gas: Stufe 2 – 3 (nicht vorgeheizt)
Backzeit: etwa 40 Minuten

6 Den Tortenboden aus der Form lösen und auf einen Kuchenrost stürzen, mitgebackenes Backpapier entfernen. Tortenboden erkalten lassen und im unteren Drittel einmal waagerecht durchschneiden.

7 Zum Tränken Zucker mit Wasser und Vanillemark aufkochen, erkalten lassen, dann Rum hinzugeben.

8 Den unteren Tortenboden auf eine Platte legen. Ein Drittel der Konfitüre darauf streichen. Den oberen Tortenboden darauf legen.

9 Den oberen Tortenboden mit der Rum-Zucker-Lösung leicht tränken. Restliche Konfitüre in einem kleinen Topf aufkochen. Die Torte ganz damit bestreichen.

10 Für den Guss Halbbitter-Kuvertüre in kleine Stücke hacken, in einem kleinen Topf im Wasserbad bei schwacher Hitze zu einer geschmeidigen Masse verrühren. Die Torte damit überziehen. Guss fest werden lassen.

11 Zum Verzieren Vollmilch-Kuvertüre wie unter Punkt 10 beschrieben auflösen. Die Masse in ein Pergamentpapiertütchen füllen, Spitze abschneiden und damit Sacher auf die Torte schreiben und fest werden lassen.

Sandkuchen | 🗑 ❄

Klassisch

Für den Rührteig:
250 g Butter oder Margarine
200 g Zucker, 1 Pck. Vanillin-Zucker
1 Prise Salz
einige Tropfen Zitronen-Aroma
4 Eier (Größe M)
125 g Weizenmehl
125 g Speisestärke
¹/₂ gestr. TL Backpulver

Zubereitungszeit: etwa 25 Minuten,
ohne Kühlzeit

Insgesamt: E: 47 g, F: 233 g, Kh: 409 g,
kJ: 16916, kcal: 4041

1 Für den Teig Butter oder Margarine in
einem kleinen Topf zerlassen, in eine Rührschüssel geben und 1 Stunde in den Kühlschrank stellen, bis sie wieder etwas fest
geworden ist.

2 Butter oder Margarine mit Handrührgerät
mit Rührbesen auf höchster Stufe geschmeidig rühren. Nach und nach Zucker, Vanillin-
Zucker und Salz unterrühren. So lange rühren, bis eine gebundene Masse entstanden
ist. Aroma unterrühren. Eier nach und nach
unterrühren (jedes Ei etwa ¹/₂ Minute). Mehl,
Speisestärke und Backpulver mischen, sieben
und portionsweise auf mittlerer Stufe unterrühren.

3 Den Teig in eine Kastenform (30 x 11 cm,
gefettet, mit Backpapier belegt) füllen, glatt
streichen. Die Form auf dem Rost in den
Backofen schieben.

Ober-/Unterhitze: etwa 180 °C (vorgeheizt)
Heißluft: etwa 160 °C (nicht vorgeheizt)
Gas: Stufe 2 – 3 (nicht vorgeheizt)
Backzeit: etwa 60 Minuten

4 Kuchenoberfläche nach 20 Minuten
Backzeit längs 1 cm tief einschneiden.

5 Kuchen 10 Minuten in der Form stehen
lassen, dann aus der Form lösen, auf einen
mit Backpapier belegten Kuchenrost stürzen,
mitgebackenes Backpapier abziehen. Kuchen
erkalten lassen. Mit Puderzucker bestäuben.

Sandteig-Muffins | 🗑 🗑

Für Kinder

Für den Sandteig:
4 Eier (Größe M)
1 EL heißes Wasser
250 g feinkörniger Zucker
1 Pck. Bourbon-Vanille-Zucker
125 g Weizenmehl
125 g Speisestärke
1 ¹/₂ TL Backpulver
250 g zerlassene Butter

Für 8 Apfelmuffins:
1 Apfel (100 g)
1 EL Rosinen
1 EL abgezogene, gestiftelte Mandeln
1 Msp. gemahlener Zimt

Für 8 Zwetschenmuffins:
8 Zwetschen

Für 8 Schoko-Mandarinen-Muffins:
2 EL Raspelschokolade
16 Mandarinenspalten

Puderzucker zum Bestäuben

Zubereitungszeit: 45 Minuten

Insgesamt: E: 52 g, F: 243 g, Kh: 557 g,
kJ: 19984, kcal: 4774

Sandteig-Muffins

1 Für den Teig Eier und Wasser mit Handrührgerät mit Rührbesen auf höchster Stufe in
1 Minute schaumig schlagen. Zucker und Vanille-Zucker mischen, in 1 Minute einstreuen,
dann noch etwa 2 Minuten schlagen.

2 Mehl mit Speisestärke und Backpulver
mischen, die Hälfte davon auf die Eiercreme
sieben, kurz auf niedrigster Stufe unterrühren. Restliches Mehlgemisch auf die gleiche
Weise unterarbeiten. Die lauwarme zerlassene Butter vorsichtig unterrühren.

3 Den Teig in 2 Muffinformen (für je 12 Muffins, gefettet, gemehlt) füllen, Förmchen zur
Hälfte mit dem Teig füllen.

4 Für die Apfelmuffins den Apfel schälen,
vierteln, entkernen und in Stücke schneiden.
Apfelstücke mit Rosinen und Mandeln mischen, auf dem Teig (8 Förmchen) verteilen
und mit Zimt bestreuen.

5 Für die Zwetschenmuffins Zwetschen waschen, trockentupfen, halbieren, entsteinen
und auf den Teig (8 Förmchen) legen.

6 Für die Schoko-Mandarinen-Muffins Raspelschokolade auf den Teig (8 Förmchen) streuen und mit Mandarinenspalten belegen. Die Formen nacheinander (bei Heißluft zusammen) in den Backofen schieben.

Ober-/Unterhitze: 180 – 200 °C (vorgeheizt)
Heißluft: 160 – 180 °C (vorgeheizt)
Gas: etwa Stufe 3 (vorgeheizt)
Backzeit: etwa 25 Minuten pro Form

7 Die Muffins 10 Minuten in den Formen stehen lassen, dann aus den Formen lösen und auf je einem Kuchenrost erkalten lassen. Muffins vor dem Servieren mit Puderzucker bestäuben.

Sandtorte, gefüllt | 🗑 🗑 ❄

Raffiniert

Für den Knetteig:
350 g Weizenmehl
1 gestr. TL Backpulver, 100 g Zucker
100 g gemahlene, abgezogene Mandeln
1 Ei (Größe M)
200 g Butter oder Margarine

Für die Füllung:
1 Glas Wildpreiselbeeren
(Abtropfgewicht 395 g)

Milch zum Bestreichen

Zum Bestreuen:
25 g abgezogene, gehackte Mandeln

Zum Bestäuben:
etwa 1 EL Puderzucker
1 Pck. Vanillin-Zucker

Zubereitungszeit: 50 Minuten

Insgesamt: E: 72 g, F: 242 g, Kh: 446 g, kJ: 18728, kcal: 4475

1 Für den Teig Mehl mit Backpulver mischen und in eine Schüssel sieben. Restliche Zutaten hinzufügen und mit Handrührgerät mit Knethaken zunächst kurz auf niedrigster, dann auf höchster Stufe gut durcharbeiten.

2 Anschließend auf der Arbeitsfläche zu einem glatten Teig verkneten. Sollte er kleben, ihn in Folie gewickelt eine Zeit lang kalt stellen. Den Teig in drei Teile teilen, jeweils drei Teigplatten von Ø 26 cm ausrollen. Zwei Teigplatten auf Backpapier aufrollen.

3 Die dritte Teigplatte in eine Springform (Ø 26 cm, Boden gefettet, mit Backpapier belegt) legen, mit der Hälfte von den Preiselbeeren bestreichen, die zweite Teigplatte durch Abrollen vom Backpapier auf das Obst geben, mit den restlichen Preiselbeeren bestreichen und mit der dritten Teigplatte bedecken. Den oberen Boden mit einer Gabel mehrmals einstechen. Mit Milch bestreichen und mit Mandeln bestreuen. Form auf dem Rost in den Backofen schieben.

Ober-/Unterhitze: etwa 180 °C (vorgeheizt)
Heißluft: etwa 160 °C (nicht vorgeheizt)
Gas: Stufe 2 – 3 (nicht vorgeheizt)
Backzeit: etwa 40 Minuten

4 Den Kuchen nach dem Backen sofort mit Vanillin-Zucker gemischtem Puderzucker bestäuben und auf einem Kuchenrost erkalten lassen.

Sandtorte, gefüllt

Sandwaffeln | 🗑 🫗

Klassisch

Für den Rührteig:
175 g Kokosfett
175 g Zucker, 1 Pck. Vanillin-Zucker
¹/₂ Fläschchen Rum-Aroma
1 Prise Salz, 4 Eier (Größe M)
225 g Weizenmehl, 25 g Speisestärke
¹/₂ gestr. TL Backpulver

Außerdem:
Speiseöl

Zum Bestäuben:
Puderzucker

Zubereitungszeit: 55 Minuten,
ohne Kühlzeit

Insgesamt: E: 57 g, F: 207 g, Kh: 381 g,
kJ: 15651, kcal: 3738

1 Für den Teig Kokosfett zerlassen, in eine Rührschüssel geben, kalt stellen.

2 Das wieder etwas fest gewordene Fett mit Handrührgerät mit Rührbesen auf höchster Stufe geschmeidig rühren. Nach und nach Zucker, Vanillin-Zucker, Aroma und Salz unterrühren. So lange rühren, bis eine gebundene Masse entstanden ist.

3 Eier nach und nach unterrühren (jedes Ei etwa ¹/₂ Minute). Mehl mit Speisestärke und Backpulver mischen, sieben, portionsweise auf mittlerer Stufe unterrühren.

4 Teig in kleinen Portionen in ein gut erhitztes, mit Öl gefettetes Waffeleisen füllen. Die Waffeln goldbraun backen, einzeln auf einem Kuchenrost erkalten lassen. Mit Puderzucker bestäubt servieren.

Beigabe: Angedickte Sauerkirschen oder Rote Grütze aus dem Kühlregal.

Sauerkraut-Tarte | 🗑

Sauerkraut-Tarte

Für Gäste

Für den Boden:
¹/₂ Pck. (225 g) TK-Blätterteig

Für den Belag:
1 Dose Sauerkraut (Abtropfgewicht 285 g)
300 g Schmand
2 EL Paprika-Würzpaste
Paprikapulver rosenscharf
Salz

Zum Bestreuen:
¹/₂ Bund glatte Petersilie
12 Scheiben Roastbeef-Aufschnitt
(etwa 500 g)

Zubereitungszeit: 45 Minuten,
ohne Auftauzeit

Insgesamt: E: 123 g, F: 233 g, Kh: 93 g,
kJ: 13007, kcal: 3109

1 Für den Teig Blätterteigplatten nebeneinander zugedeckt bei Zimmertemperatur auftauen lassen.

2 Für den Belag Sauerkraut in einem Sieb abtropfen lassen und etwas ausdrücken.

3 Schmand und Würzpaste glatt verrühren. Mit Paprika und Salz pikant abschmecken.

4 Blätterteigplatten wieder aufeinander legen und auf einer bemehlten Arbeitsfläche zu einer runden Platte (Ø etwa 34 cm) ausrollen. Teigplatte in eine Tarteform (Ø 28 cm, gefettet) legen, überstehenden Teig abschneiden. Teigboden mehrmals mit der Gabel einstechen.

5 Sauerkraut und Schmandmasse mischen, nochmals kräftig abschmecken. Die Masse auf dem Teig verteilen. Die Form auf dem Rost in den Backofen schieben.

Ober-/Unterhitze: etwa 200 °C (vorgeheizt)
Heißluft: etwa 180 °C (nicht vorgeheizt)
Gas: Stufe 3 – 4 (nicht vorgeheizt)
Backzeit: etwa 60 Minuten

6 Die Form auf einen Kuchenrost stellen.

7 Zum Bestreuen Petersilie abspülen, trockenschütteln, die Blättchen von den Stängeln zupfen. Sauerkraut-Tarte mit Petersilienblättchen bestreuen. Tarte mit Roastbeef servieren.

Saure-Sahne-Torte | 🗑️ 🗑️ 🍾 ❄️

Gut vorzubereiten

Für den Rührteig:
250 g Butter oder Margarine
250 g Zucker
1 Pck. Vanillin-Zucker
6 Eier (Größe M)
150 g Weizenmehl
100 g Speisestärke
3 gestr. TL Backpulver, 2 EL Rum

Für die Füllung:
4 Becher (je 150 g) saure Sahne
1 Glas (400 g) Aprikosenkonfitüre

Zum Verzieren:
400 ml Schlagsahne, 2 Pck. Sahnesteif

Schokoladenstreusel zum Bestreuen

Zubereitungszeit: 50 Minuten,
ohne Kühlzeit

Insgesamt: E: 95 g, F: 493 g, Kh: 767 g,
kJ: 34295, kcal: 8195

1 Für den Teig Butter oder Margarine mit Handrührgerät mit Rührbesen auf höchster Stufe geschmeidig rühren. Nach und nach Zucker und Vanillin-Zucker unterrühren. So lange rühren, bis eine gebundene Masse entstanden ist.

2 Eier nach und nach unterrühren (jedes Ei etwa ½ Minute). Mehl mit Speisestärke und Backpulver mischen, sieben, abwechselnd portionsweise mit dem Rum auf mittlerer Stufe unterrühren.

3 Aus dem Teig 6 Böden backen, dafür jeweils etwa 4 Esslöffel Teig auf den Boden einer Springform (Ø 26 cm, Boden gefettet) geben und glatt streichen. Die Formen nacheinander (bei Heißluft je 2 Formen zusammen) auf dem Rost in den Backofen schieben.

Ober-/Unterhitze: etwa 180 °C (vorgeheizt)
Heißluft: etwa 160 °C (vorgeheizt)
Gas: Stufe 2–3 (vorgeheizt)
Backzeit: etwa 15 Minuten pro Boden

4 Die Böden sofort aus der Form lösen und einzeln auf einem Kuchenrost erkalten lassen.

5 Für die Füllung saure Sahne mit der Konfitüre gut verrühren. Die Böden mit der Masse bestreichen und zu einer Torte zusammensetzen. Den obersten Boden nicht bestreichen. Die Torte zugedeckt 24 Stunden im Kühlschrank durchziehen lassen.

6 Zum Verzieren Sahne mit Sahnesteif steif schlagen. Tortenoberfläche und -rand mit zwei Drittel der Sahne bestreichen. Restliche Sahne in einen Spritzbeutel mit Sterntülle füllen und Sahnetuffs auf die Torte spritzen. Die Tortenmitte mit Schokoladenstreuseln bestreuen.

Saure-Sahne-Torte

Savarin mit Beeren |

Klassisch – fruchtig

Für den Biskuitteig:
2 Eier (Größe M)
2 EL heißes Wasser
100 g Zucker
1 Pck. Vanillin-Zucker
125 g Weizenmehl
30 g Speisestärke
1/2 gestr. TL Backpulver

Zum Tränken:
125 ml (1/8 l) Wasser
100 g Zucker
1 Pck. Vanillin-Zucker
375 ml (3/8 l) Weißwein

Für die Füllung:
150 g Himbeeren, 150 g Brombeeren

Zum Bestäuben:
Puderzucker

Zubereitungszeit: 40 Minuten,
ohne Durchzieh- und Kühlzeit

Insgesamt: E: 33 g, F: 17 g, Kh: 381 g,
kJ: 8787, kcal: 2098

Savarin mit Beeren

Ober-/Unterhitze: 180 – 200 °C (vorgeheizt)
Heißluft: 160 – 180 °C (nicht vorgeheizt)
Gas: etwa Stufe 3 (nicht vorgeheizt)
Backzeit: etwa 35 Minuten

1 Für den Teig Eier und Wasser mit Handrührgerät mit Rührbesen auf höchster Stufe in 1 Minute schaumig schlagen. Zucker mit Vanillin-Zucker mischen, in 1 Minute einstreuen und dann noch etwa 2 Minuten schlagen.

2 Mehl mit Speisestärke und Backpulver mischen, die Hälfte davon auf die Eiercreme sieben, kurz auf niedrigster Stufe unterrühren. Restliches Mehlgemisch auf die gleiche Weise unterarbeiten.

3 Den Teig in eine Savarinform (Ø 24 cm, gefettet) füllen und glatt streichen. Die Form auf dem Rost in den Backofen schieben.

4 Das Gebäck 5 Minuten in der Form stehen lassen, aus der Form lösen, dann auf einen mit Backpapier belegten Kuchenrost stürzen, Gebäck erkalten lassen.

5 Zum Tränken etwa 3 Stunden vor dem Servieren Wasser mit Zucker und Vanillin-Zucker in einem Topf zum Kochen bringen, von der Kochstelle nehmen und den Wein hinzufügen.

6 Etwa ein Drittel der heißen Flüssigkeit in die gesäuberte Savarinform gießen. Das Gebäck hineinlegen, vorsichtig mit der restlichen Flüssigkeit begießen und kalt stellen, damit es gut durchziehen kann. Den Savarin auf einen Teller stürzen.

7 Für die Füllung Himbeeren und Brombeeren verlesen. Brombeeren vorsichtig waschen und trockentupfen. Beeren in die Mitte des Savarins geben und mit Puderzucker bestäuben.

Beigabe: Steif geschlagene Schlagsahne.

Schillerlocken |

Klassisch – dauert länger

Für den Teig:
300 g TK-Blätterteig

Zum Bestreichen:
1 Eigelb, 3 EL Milch

Zum Bestreuen:
60 g abgezogene, gehobelte Mandeln
60 g Hagelzucker

Für die Füllung:
500 ml (1/2 l) Schlagsahne
2 Pck. Vanillin-Zucker
2 Pck. Sahnesteif

je 2 EL Orangenmarmelade,
Himbeerkonfitüre und
Raspelschokolade

Zubereitungszeit: 30 Minuten,
ohne Auftau- und Abkühlzeit

Insgesamt: E: 43 g, F: 279 g, Kh: 257 g,
kJ: 15979, kcal: 3820

1 Für den Teig Blätterteigplatten nebeneinander zugedeckt bei Zimmertemperatur auftauen lassen.

2 Die Platten aufeinander legen, halbieren. Die Hälfte des Blätterteigs auf einer bemehlten

Arbeitsfläche zu einem Rechteck (20 x 30 cm) ausrollen, mit dem Teigrädchen in 8 Streifen von 2 cm Breite radeln. Schillerlockenformen mit kaltem Wasser abspülen.

3 Jeden Teigstreifen von der Spitze her so um eine Metallform wickeln, dass der Teigstreifen mit zwei Drittel eine Rundung bedeckt und das letzte Drittel den vorhergehenden Streifen überlappt. Aus dem restlichen Teig werden nach dem gleichen Verfahren 8 weitere Schillerlocken zubereitet.

4 Zum Bestreichen Eigelb mit Milch verschlagen, die Schillerlocken damit bestreichen. Mandeln mit Hagelzucker mischen, die Schillerlocken darin wälzen. Formen auf Backbleche (gefettet, mit Wasser besprenkelt) legen. Die Backbleche nacheinander (bei Heißluft zusammen) in den Backofen schieben.

Ober-/Unterhitze: 200 – 220 °C (vorgeheizt)
Heißluft: 180 – 200 °C (vorgeheizt)
Gas: etwa Stufe 4 (vorgeheizt)
Backzeit: etwa 15 Minuten

5 Schillerlocken von den Formen lösen und auf einem Kuchenrost erkalten lassen.

6 Für die Füllung Sahne mit Vanillin-Zucker und Sahnesteif steif schlagen. Je ein Drittel der Sahne mit Orangenmarmelade, Himbeerkonfitüre und Schokolade verrühren und in die Schillerlocken geben.

Schokoladencremetorte | 🥤 🥤

Raffiniert

Für den Teig:
300 g TK-Blätterteig

Für die Füllung:
150 ml Schlagsahne
250 g Zartbitterschokolade
(mind. 45 % Kakao)
50 g weiche Butter
1 Pck. Dr. Oetker Bourbon-Vanille-Zucker
1 Prise Salz
1/2 TL gemahlener Zimt
4 Eigelb (Größe M)
3 EL Aprikosenlikör oder Pfirsichlikör
100 g Löffelbiskuits
3 Eiweiß (Größe M)

Zum Bestäuben:
Puderzucker

Zubereitungszeit: 50 Minuten, ohne Auftau- und Kühlzeit

Insgesamt: E: 76 g, F: 277 g, Kh: 341 g, kJ: 17700, kcal: 4230

1 Für den Teig Blätterteigplatten nebeneinander zugedeckt bei Zimmertemperatur auftauen lassen. Teigplatten aufeinander legen, auf einer bemehlten Arbeitsfläche zu einem Quadrat (etwa 36 x 36 cm) ausrollen und auf den Boden einer Springform (Ø 26 cm, Boden gefettet) legen. Den Teig am Rand überstehen lassen. Teigboden mehrmals mit einer Gabel einstechen.

2 Für die Füllung Sahne in einem Topf erhitzen. Topf von der Kochstelle nehmen. Schokolade in Stücke brechen und unter Rühren in der Sahne schmelzen. Butter, Vanille-Zucker, Salz, Zimt, Eigelb und Likör unterrühren. Die Schokoladen-Sahne-Masse etwa 30 Minuten kalt stellen, bis sie gut gekühlt ist.

3 Die Hälfte der Löffelbiskuits in einen Gefrierbeutel füllen, Beutel verschließen. Löffelbiskuits mit einer Teigrolle fein zerbröseln. Restliche Löffelbiskuits mit einem Sägemesser zweimal quer durchschneiden. Biskuitbrösel unter die Schokoladen-Sahne-Masse rühren.

4 Eiweiß steif schlagen und in 2 Portionen unter die Schokoladen-Sahne-Masse heben. Zwei Drittel der Masse auf den Blätterteigboden geben und glatt streichen. Löffelbiskuitstücke in der Form verteilen. Restliche Schokoladen-Sahne-Masse darauf geben.

5 Überstehende Teigränder etwa 1 cm über der Füllung abschneiden. Teigreste in etwa 1/2 cm breite, möglichst lange Streifen schneiden. Jeweils 2 Teigstreifen spiralförmig zusammendrehen. Einen Teil der Teigspiralen an den Rand legen. Restliche Teigspiralen auf der Tortenoberfläche verteilen. Die Form auf dem Rost in den Backofen schieben.

Ober-/Unterhitze: etwa 180 °C (vorgeheizt)
Heißluft: etwa 160 °C (nicht vorgeheizt)
Gas: Stufe 2 – 3 (nicht vorgeheizt)
Backzeit: 30 – 40 Minuten

6 Die Torte aus der Form lösen und auf einem Kuchenrost erkalten lassen. Mit Puderzucker bestäuben.

Schokoladencremetorte

Schokoladenkranz | 🍮

Zum Verschenken

Für den Rührteig:
80 g Butter oder Margarine
80 g Zucker
1 Pck. Vanillin-Zucker
4 Eigelb (Größe M)
80 g Speisestärke
1 gestr. TL Backpulver
80 g abgezogene, gemahlene Mandeln
80 g geriebene Zartbitterschokolade
4 Eiweiß (Größe M)

Für den Guss:
100 g Halbbitter-Kuvertüre
40 g abgezogene, gestiftelte Mandeln

Zubereitungszeit: 30 Minuten,
ohne Abkühlzeit

Insgesamt: E: 62 g, F: 171 g, Kh: 299 g,
kJ: 13146, kcal: 3140

1 Für den Teig Butter oder Margarine mit
Handrührgerät mit Rührbesen auf höchster
Stufe geschmeidig rühren. Zucker und
Vanillin-Zucker unterrühren. So lange

rühren, bis eine gebundene Masse entstanden ist.

2 Eigelb nach und nach unterrühren (jedes
Eigelb knapp ¹/₂ Minute). Speisestärke mit
Backpulver mischen, sieben und auf mittlerer
Stufe unterrühren. Mandeln und Schokolade
unterrühren. Eiweiß steif schlagen und unterheben. Den Teig in eine Kranzform (Ø 20 cm,
gefettet, gemehlt) füllen und glatt streichen.
Die Form auf dem Rost in den Backofen
schieben.

Ober-/Unterhitze: etwa 180 °C (vorgeheizt)
Heißluft: etwa 160 °C (nicht vorgeheizt)
Gas: Stufe 2–3 (nicht vorgeheizt)
Backzeit: etwa 40 Minuten

3 Den Gebäckkranz aus der Form lösen und
auf einen Kuchenrost stürzen. Gebäckkranz
erkalten lassen.

4 Für den Guss Kuvertüre in kleine Stücke
hacken, in einem kleinen Topf im Wasserbad
bei schwacher Hitze zu einer geschmeidigen
Masse verrühren. Den Gebäckkranz damit
überziehen und mit den Mandeln spicken.

Schokoladenkranz

Tipp: Anstelle der Mandeln können für den
Teig auch gemahlene und für den Guss ge-
hobelte Haselnusskerne verwendet werden.
Der Kranz kann auch in einer Kranzform
(Ø 26 cm) zubereitet werden, dafür die
Zutatenmenge verdoppeln.

Schokoladenküchlein | 🍮

Schnell

Für die Baisermasse:
3 Eiweiß (Größe M)
250 g feinkörniger Zucker
1 Pck. Vanillin-Zucker
125 g Raspelschokolade
250 g abgezogene, gehackte Mandeln

Zubereitungszeit: 20 Minuten

Insgesamt: E: 66 g, F: 153 g, Kh: 362 g,
kJ: 13688, kcal: 3268

1 Für die Baisermasse Eiweiß mit Handrührgerät mit Rührbesen auf höchster Stufe steif
schlagen. Der Schnee muss so fest sein,

dass ein Messerschnitt sichtbar bleibt. Nach
und nach Zucker und Vanillin-Zucker unterschlagen.

2 Schokolade mit Mandeln mischen und vorsichtig unterheben (nicht rühren).

Schokoladenküchlein

3 Von dem Teig mit 2 Teelöffeln Häufchen
auf ein Backblech (mit Backpapier belegt)
setzen. Das Backblech in den Backofen
schieben.

Ober-/Unterhitze: etwa 140 °C (vorgeheizt)
Heißluft: etwa 120 °C (vorgeheizt)
Gas: etwa Stufe 1 (vorgeheizt)
Backzeit: etwa 25 Minuten

4 Die Schokoküchlein mit dem Backpapier
vom Backblech auf einen Kuchenrost ziehen
und erkalten lassen.

Tipp: Die Schokoküchlein in einer gut
schließenden Dose aufbewahren.

Schokoladen-Nuss-Streifen | 🗑 🍾

Einfach – zu Weihnachten

Für den Teig:
200 g flüssiger Honig
250 g Zucker, 1 Pck. Vanillin-Zucker
125 g Butter oder Margarine
2 Eier (Größe M)
4 – 5 EL Milch
½ Fläschchen Zitronen-Aroma
1 gestr. TL gemahlener Zimt
1 Msp. gemahlene Nelken
2 geh. EL Kakaopulver oder
geriebene Zartbitterschokolade
400 g Weizenmehl
1 Pck. Pudding-Pulver Schokoladen-
Geschmack
3 gestr. TL Backpulver
375 g grob gehackte Haselnusskerne

200 g gesiebter Puderzucker

1 EL Weinbrand
3 EL heiße Milch

Zubereitungszeit: 50 Minuten,
ohne Abkühlzeit

Insgesamt: E: 118 g, F: 359 g, Kh: 998 g,
kJ: 33087, kcal: 7902

1 Für den Teig Honig mit Zucker, Vanillin-Zucker und Butter oder Margarine langsam erwärmen, zerlassen, in eine Rührschüssel geben und erkalten lassen.

2 Unter die erkaltete Masse nach und nach Eier, Milch, Aroma, Zimt, Nelken und Kakao oder Schokolade rühren.

3 Mehl mit Pudding-Pulver und Back-pulver mischen, sieben, portionsweise auf

mittlerer Stufe unterrühren. Haselnusskerne hinzufügen.

4 Den Teig auf ein Backblech (30 x 40 cm, gefettet) geben und glatt streichen. Vor den Teig einen mehrfach geknickten Streifen Alu-folie legen. Den Teig mit Wasser bestreichen. Backblech in den Backofen schieben.

Ober-/Unterhitze: etwa 180 °C (vorgeheizt)
Heißluft: etwa 160 °C vorgeheizt)
Gas: Stufe 2 – 3 (vorgeheizt)
Backzeit: 25 – 30 Minuten

5 Das Backblech auf einen Kuchenrost stellen. Puderzucker mit Weinbrand und Milch zu einem dickflüssigen Guss verrühren. Die warme Gebäckplatte damit bestreichen, erkalten lassen. Die Gebäckplatte in etwa 2 x 6 cm große Streifen schneiden.

Schokoladen-Nuss-Streifen

Schokoladentorte, feine | 🗑 🗑

Einfach

Zum Vorbereiten:
100 g Zartbitterschokolade
400 ml Schlagsahne

Für den Teig:
175 g Zartbitterschokolade
175 g Butter oder Margarine
175 g Zucker
3 Eier (Größe M)
4 Eigelb (Größe M)
125 g feine Semmelbrösel
3 Eiweiß (Größe M)

Zum Bestreichen:
etwa 6 EL Aprikosenkonfitüre

Für den Belag:
2 Pck. Sahnesteif

Kakaopulver zum Bestäuben

Zubereitungszeit: 45 Minuten,
ohne Kühlzeit

Insgesamt: E: 89 g, F: 275 g, Kh: 521 g,
kJ: 21209, kcal: 5066

1 Zum Vorbereiten Schokolade in kleine Stücke brechen. Sahne in einem Topf erhitzen. Schokolade unter Rühren darin auflösen. Schokoladen-Sahne-Masse über Nacht kalt stellen.

2 Für den Teig Schokolade in kleine Stücke brechen, in einem kleinen Topf im Wasserbad bei schwacher Hitze zu einer geschmeidigen Masse verrühren und in eine Rührschüssel geben. Butter oder Margarine hinzufügen. Die Zutaten mit Handrührgerät mit Rührbesen auf höchster Stufe geschmeidig rühren. Nach und nach Zucker unterrühren. So lange rühren, bis eine gebundene Masse entstanden ist.

3 Eier und Eigelb nach und nach unterrühren (jeweils Ei / Eigelb etwa ½ Minute). Semmelbrösel portionsweise auf mittlerer Stufe unterrühren. Eiweiß steif schlagen und unterheben. Den Teig in eine Springform (Ø 26 cm, Boden gefettet) geben und glatt streichen. Die Form auf dem Rost in den Backofen schieben.

Ober-/Unterhitze: etwa 180 °C (vorgeheizt)
Heißluft: etwa 160 °C (nicht vorgeheizt)
Gas: etwa Stufe 2 – 3 (nicht vorgeheizt)
Backzeit: etwa 45 Minuten

4 Den Boden aus der Form lösen und auf einem mit Backpapier belegten Kuchenrost erkalten lassen. Boden einmal waagerecht durchschneiden.

5 Den unteren Boden auf eine Platte legen und mit der Hälfte der Konfitüre bestreichen. Den oberen Boden darauf legen. Tortenrand und -oberfläche mit der restlichen Konfitüre bestreichen.

6 Für den Belag die Schokoladen-Sahne-Masse mit Sahnesteif sehr steif schlagen. Die Torte ganz damit bestreichen. Die Tortenoberfläche mit Hilfe eines Löffels verzieren. Die Torte kalt stellen. Vor dem Servieren mit Kakao bestäuben.

Schokoladentorte, feine

Schottische Butterplätzchen | 🗑 🗑

Gut vorzubereiten

Für den Knetteig:
375 g Weizenmehl
150 g brauner Rohrzucker
1 Pck. Vanillin-Zucker
250 g Butter oder Margarine

Zubereitungszeit: 60 Minuten, ohne Kühlzeit

Insgesamt: E: 42 g, F: 209 g, Kh: 431 g, kJ: 16295, kcal: 3893

1 Für den Teig Mehl in eine Rührschüssel sieben. Rohrzucker, Vanillin-Zucker und Butter oder Margarine hinzufügen. Die Zutaten mit Handrührgerät mit Knethaken zunächst kurz auf niedrigster, dann auf höchster Stufe gut durcharbeiten.

2 Anschließend auf einer bemehlten Arbeitsfläche zu einem glatten Teig verkneten. Sollte er kleben, ihn in Folie gewickelt eine Zeit lang kalt stellen.

3 Den Teig auf der bemehlten Arbeitsfläche zu 2−2 1/2 cm dicken Rollen formen. Teigrollen so lange kalt stellen, bis sie hart geworden sind.

4 Die Rollen in etwa 1/2 cm dicke Scheiben schneiden und auf Backbleche (gefettet, mit Backpapier belegt) legen. Backbleche nacheinander (bei Heißluft zusammen) in den Backofen schieben.

Ober-/Unterhitze: 180 − 200 °C (vorgeheizt)
Heißluft: 160 −180 °C (vorgeheizt)
Gas: etwa Stufe 3 (vorgeheizt)
Backzeit: etwa 10 Minuten pro Backblech

5 Die Plätzchen mit dem Backpapier von den Backblechen auf Kuchenroste ziehen, erkalten lassen.

Schwarzwälder Kirschrolle | 🗑 🗑 ❄

Für Gäste − raffiniert

Für den Biskuitteig:
5 Eier (Größe M)
3 EL heißes Wasser
125 g Zucker
1 Pck. Vanillin-Zucker
75 g Weizenmehl, 25 g Speisestärke
25 g Kakaopulver
1 gestr. TL Backpulver

Für die Füllung:
4 Blatt weiße Gelatine
600 ml Schlagsahne, 1 EL Zucker,
250 g Kirschgrütze
(aus dem Kühlregal)

Zum Bestreuen:
25 g Zartbitter-Raspelschokolade
25 g weiße Raspelschokolade

Zubereitungszeit: 55 Minuten, ohne Kühlzeit

Insgesamt: E: 73 g, F: 239 g, Kh: 295 g, kJ: 15652, kcal: 3741

1 Für den Teig Eier und Wasser mit Handrührgerät mit Rührbesen auf höchster Stufe in 1 Minute schaumig schlagen. Zucker und Vanillin-Zucker mischen, in 1 Minute einstreuen, dann noch etwa 2 Minuten schlagen.

2 Mehl mit Speisestärke, Kakao und Backpulver mischen, die Hälfte davon auf die Eiercreme sieben, kurz auf niedrigster Stufe unterrühren. Restliches Mehlgemisch auf die gleiche Weise unterarbeiten.

3 Den Teig auf ein Backblech (30 x 40 cm, gefettet, mit Backpapier belegt) streichen. An der offenen Seite des Backbleches das Papier unmittelbar vor dem Teig zur Falte knicken, so dass ein Rand entsteht. Das Backblech in den Backofen schieben.

Ober-/Unterhitze: 200 − 220 °C (vorgeheizt)
Heißluft: 180 − 200 °C (vorgeheizt)
Gas: etwa Stufe 4 (vorgeheizt)
Backzeit: etwa 10 Minuten

4 Die Biskuitplatte sofort auf mit Zucker bestreutes Backpapier stürzen, mitgebackenes Backpapier mit kaltem Wasser bestreichen, vorsichtig, aber schnell abziehen. Biskuitplatte mit dem Backpapier aufrollen und erkalten lassen.

5 Für die Füllung Gelatine in kaltem Wasser nach Packungsanleitung einweichen, leicht ausdrücken. Die ausgedrückte Gelatine in einem kleinen Topf unter Rühren erwärmen (nicht kochen), bis sie völlig gelöst ist, leicht abkühlen lassen.

6 Sahne mit Zucker fast steif schlagen. Die lauwarme Gelatinelösung unter Schlagen hinzufügen. Die Sahne vollkommen steif schlagen.

7 Die Biskuitrolle vorsichtig auseinander rollen und mit zwei Drittel der Sahne bestreichen. Kirschgrütze (1 Esslöffel beiseite stellen) vorsichtig auf der Sahne verteilen. Biskuitplatte aufrollen.

8 Die Biskuitrolle mit der restlichen Sahne bestreichen und mit Hilfe eines Tortengarnierkammes verzieren. Die beiseite gestellte Kirschgrütze mit Hilfe eines Teelöffels auf die Rolle tropfen lassen. Biskuitrolle 1 − 2 Stunden kalt stellen.

9 Biskuitrolle vor dem Servieren mit dunkler und weißer Raspelschokolade bestreuen.

Schwarzwälder Kirschtorte |

Klassisch

Für den Knetteig:
125 g Weizenmehl, 10 g Kakaopulver
1 Msp. Backpulver
50 g Zucker, 1 Pck. Vanillin-Zucker
1 Prise Salz
1 EL Kirschwasser
75 g Butter oder Margarine

Für den Biskuitteig:
4 Eier (Größe M)
2 EL heißes Wasser
100 g Zucker, 1 Pck. Vanillin-Zucker
100 g Weizenmehl, 25 g Speisestärke
10 g Kakaopulver
gut 1 Msp. gemahlener Zimt
¹/₂ gestr. TL Backpulver

Für die Füllung:
1 Glas Sauerkirschen
(Abtropfgewicht 370 g)
oder 500 g frische Sauerkirschen
250 ml (¹/₄ l) Kirschsaft von den
Kirschen (evtl. mit Wasser ergänzen)
75 g Zucker (für die frischen Kirschen)
30 g Speisestärke
25 g Zucker
etwa 3 EL Kirschwasser
750 ml (³/₄ l) Schlagsahne
50 g gesiebter Puderzucker
1 Pck. Vanillin-Zucker
3 Pck. Sahnesteif

Zum Bestreuen:
30 g Raspelschokolade

Zum Garnieren:
einige Sauerkirschen

Zubereitungszeit: 75 Minuten,
ohne Kühlzeit

Insgesamt: E: 83 g, F: 332 g, Kh: 666 g,
kJ: 26379, kcal: 6302

Schwarzwälder Kirschtorte

1 Für den Teig Mehl mit Kakao und Backpulver mischen und in eine Rührschüssel
sieben. Zucker, Vanillin-Zucker, Salz, Kirschwasser und Butter oder Margarine hinzufügen. Die Zutaten mit Handrührgerät mit
Knethaken zunächst kurz auf niedrigster,
dann auf höchster Stufe gut durcharbeiten.

2 Anschließend auf einer bemehlten Arbeitsfläche zu einem glatten Teig verkneten. Sollte
er kleben, ihn in Folie gewickelt eine Zeit lang
kalt stellen.

3 Den Teig auf dem Boden einer Springform
(Ø 28 cm, Boden gefettet) ausrollen, mehrmals mit einer Gabel einstechen. Den Springformrand darumlegen. Die Form auf dem
Rost in den Backofen schieben.

Ober-/Unterhitze: 200 – 220 °C (vorgeheizt)
Heißluft: 180 – 200 °C (vorgeheizt)
Gas: etwa Stufe 4 (vorgeheizt)
Backzeit: etwa 15 Minuten

4 Den Tortenboden sofort vom Springformboden lösen, aber darauf erkalten lassen.
Tortenboden auf eine Platte legen.

5 Für den Biskuitteig Eier und Wasser mit
Handrührgerät mit Rührbesen auf höchster
Stufe in 1 Minute schaumig schlagen. Zucker mit Vanillin-Zucker mischen, in 1 Minute einstreuen, dann noch etwa 2 Minuten
schlagen.

6 Mehl mit Speisestärke, Kakao, Zimt und
Backpulver mischen. Die Hälfte davon auf die
Eiercreme sieben, kurz auf niedrigster Stufe
unterrühren. Restliches Mehlgemisch auf die
gleiche Weise unterarbeiten. Den Teig in eine
Springform (Ø 28 cm, Boden gefettet, mit
Backpapier belegt) füllen. Die Form auf dem
Rost in den Backofen schieben.

Ober-/Unterhitze: 180 – 200 °C (vorgeheizt)
Heißluft: 160 – 180 °C (vorgeheizt)
Gas: etwa Stufe 3 (vorgeheizt)
Backzeit: 25 – 30 Minuten

7 Biskuitboden aus der Form lösen, auf einen Kuchenrost stürzen, mitgebackenes Backpapier abziehen. Biskuitboden erkalten lassen, einmal waagerecht durchschneiden.

8 Für die Füllung Sauerkirschen in einem Sieb gut abtropfen lassen, Saft dabei auffangen und 250 ml (¹/₄ l) abmessen. Oder frische Sauerkirschen waschen, entstielen, entsteinen, mit Zucker mischen, kurze Zeit zum Saft ziehen stehen lassen. Anschließend Kirschen in einem Topf zum Kochen bringen,

in einem Sieb abtropfen lassen, Saft dabei auffangen und 250 ml (¹/₄ l) abmessen.

9 Speisestärke mit 4 Esslöffeln von dem Saft anrühren. Restlichen Saft in einem Topf zum Kochen bringen. Speisestärke unter Rühren in den von der Kochstelle genommenen Saft geben, kurz aufkochen lassen, Kirschen unterrühren. Masse kalt stellen, mit Zucker und Kirschwasser abschmecken.

10 Sahne mit Puderzucker, Vanillin-Zucker und Sahnesteif steif schlagen (etwas Sahne in einen Spritzbeutel füllen).

11 Zunächst die Kirschmasse, dann ein Drittel der Sahne auf den Knetteigboden

streichen. Den unteren Biskuitboden auf die Sahne legen, gut andrücken, mit der Hälfte der restlichen Sahne bestreichen und mit dem oberen Biskuitboden bedecken. Tortenrand und -oberfläche mit der restlichen Sahne bestreichen.

12 Torte mit Raspelschokolade bestreuen, mit Sahnetuffs verzieren und mit Kirschen garnieren.

Schwarz-Weiß-Gebäck |

Klassisch – für Geübte

Für den hellen Knetteig:
250 g Weizenmehl
1 gestr. TL Backpulver
150 g Zucker, 1 Pck. Vanillin-Zucker
1 Prise Salz
1 Fläschchen Rum-Aroma
1 Ei (Größe M)
125 g Butter oder Margarine

Für den dunklen Knetteig:
15 g gesiebtes Kakaopulver
15 g Zucker
1 EL Milch

Zum Bestreichen:
1 Eiweiß

Zubereitungszeit: 90 Minuten, ohne Kühlzeit

Insgesamt: E: 39 g, F: 114 g, Kh: 362 g, kJ: 11386, kcal: 2720

1 Für den hellen Teig Mehl mit Backpulver mischen, in eine Rührschüssel sieben.

Zucker, Vanillin-Zucker, Salz, Aroma, Ei und Butter oder Margarine hinzufügen. Die Zutaten mit Handrührgerät mit Knethaken zunächst kurz auf niedrigster, dann auf höchster Stufe gut durcharbeiten.

2 Anschließend auf einer bemehlten Arbeitsfläche zu einem glatten Teig verkneten. Sollte er kleben, ihn in Folie gewickelt eine Zeit lang kalt stellen. Teig halbieren.

3 Für den dunklen Teig Kakao mit Zucker und Milch verrühren und unter die Hälfte des hellen Teiges kneten.

4 Die beiden Teige folgendermaßen zusammensetzen: Für ein Schachbrettmuster den hellen und den dunklen Teig auf der bemehlten Arbeitsfläche zu gleichmäßig großen Rechtecken ausrollen. Ein Teigrechteck dünn mit Eiweiß bestreichen, das zweite Teigrechteck darauf legen, ebenfalls bestreichen, dann fest zusammenrollen.

5 Für ein Schachbrettmuster die beiden Teighälften getrennt etwa 1 cm dick ausrollen. Aus dem hellen Teig 5 und aus dem dunklen

Teig 4 je 1 cm breite Streifen in gleicher Länge schneiden. Mit Eiweiß bestreichen, je 3 Streifen nebeneinander legen, mit 3 Streifen bedecken. So fortfahren, bis alle Streifen aufgebraucht und ein Schachbrettmuster entstanden ist. Den so entstandenen Block in eine dünn ausgerollte dunkle Teigschicht einwickeln.

6 Alle Teigrollen in Folie gewickelt nochmals eine Zeit lang kalt stellen. Dann in gleichmäßige, knapp ¹/₂ cm dicke Scheiben schneiden und auf Backbleche (mit Backpapier belegt) legen. Die Backbleche nacheinander (bei Heißluft zusammen) in den Backofen schieben.

Ober-/Unterhitze: etwa 200 °C (vorgeheizt)
Heißluft: etwa 180 °C (vorgeheizt)
Gas: Stufe 3 – 4 (vorgeheizt)
Backzeit: 10 – 15 Minuten pro Backblech

7 Die Plätzchen mit dem Backpapier von den Backblechen auf Kuchenroste ziehen und erkalten lassen.

Schweineöhrchen |

Preiswert – für Kinder

Für den Teig:
¹/₂ Pck. (225 g) TK-Blätterteig

Zum Bestreichen:
25 g zerlassene abgekühlte Butter

Zum Bestreuen:
50 g Zucker
1 Pck. Vanillin-Zucker

Zum Garnieren:
Zucker

Zubereitungszeit: 55 Minuten,
ohne Auftau- und Kühlzeit

Insgesamt: E: 15 g, F: 105 g, Kh: 164 g,
kJ: 6993, kcal: 1672

1 Für den Teig Blätterteigplatten nebeneinander zugedeckt bei Zimmertemperatur
auftauen lassen.

2 Platten aufeinander legen, auf einer bemehlten Arbeitsfläche zu einem Rechteck
(55 x 22 cm) ausrollen. Teigrechteck mit
Butter bestreichen.

3 Zum Bestreuen Zucker und Vanillin-Zucker
mischen. Den Teig damit bestreuen. Von der

Teigplatte den linken Teil der langen Seite zu
zwei Drittel und den rechten zu ein Drittel zusammenlegen, so dass die Kanten aneinander
stoßen. Dann den Teig an der längeren Seite
zur Hälfte überschlagen und so vor sich liegen
lassen.

4 Dieses Teigstück zu einer Platte (30 x 30 cm)
ausrollen, die linke und rechte Seite so zur
Mitte überschlagen, dass in der Mitte 2 cm
Teig frei bleiben. Die linke breite Kante auf die
rechte legen.

5 Teigstück so lange kalt stellen, bis es
schnittfest geworden ist. Knapp 1 cm dicke
Scheiben davon abschneiden und auf Backbleche (gefettet, mit Backpapier belegt) legen.

Die Backbleche nacheinander (bei Heißluft
zusammen) in den Backofen schieben.

Ober-/Unterhitze: etwa 200 °C (vorgeheizt)
Heißluft: etwa 180 °C (vorgeheizt)
Gas: Stufe 3 – 4 (vorgeheizt)
Backzeit: etwa 10 Minuten pro Backblech

6 Das Gebäck mit dem Backpapier von den
Backblechen auf je einen Kuchenrost ziehen.
Das Gebäck noch heiß mit Zucker bestreuen.
Erkalten lassen.

Tipp: Schweineöhrchen können in gut
schließenden Dosen 2 – 3 Wochen aufbewahrt werden.

Schweineöhrchen

Sektorte |

Für Gäste

Für den Streuselteig:
125 g Weizenmehl
75 g Zucker
1 Pck. Vanillin-Zucker
100 g Butter oder Margarine

Für den Biskuitteig:
3 Eier (Größe M)
3 EL heißes Wasser
150 g Zucker

1 Pck. Vanillin-Zucker
1 Pck. Finesse Geriebene
Zitronenschale
100 g Weizenmehl
75 g Speisestärke
2 gestr. TL Backpulver

Zum Bestreichen:
3 EL Aprikosenkonfitüre

Für die Füllung:
500 g grüne kernlose Weintrauben

6 Blatt weiße Gelatine
1 Becher (125 g) Crème double
70 g Zucker
1 Pck. Vanillin-Zucker
250 ml (¹/₄ l) Sekt
250 ml (¹/₄ l) Schlagsahne

Zum Verzieren:
125 ml (¹/₈ l) Schlagsahne
¹/₂ Pck. Sahnesteif
¹/₂ Pck. Vanillin-Zucker
etwas weiße geschabte Kuvertüre

Zum Garnieren:
etwas aufgelöste Vollmilch-Kuvertüre
1 EL Sekt

Zubereitungszeit: 70 Minuten,
ohne Kühlzeit

Insgesamt: E: 77 g, F: 309 g, Kh: 764 g,
kJ: 28450, kcal: 6326

1 Für den Streuselteig Mehl in eine Rühr-schüssel sieben, mit Zucker und Vanillin-Zucker mischen. Butter oder Margarine hinzufügen. Die Zutaten mit Handrührgerät mit Knethaken zu Streuseln von gewünschter Größe verarbeiten.

2 Die Streusel in eine Springform (Ø 26 cm, Boden gefettet) geben und leicht andrücken. Die Form auf dem Rost in den Backofen schieben.

Ober-/Unterhitze: etwa 200 °C (vorgeheizt)
Heißluft: etwa 180 °C (vorgeheizt)
Gas: Stufe 3 – 4 (vorgeheizt)
Backzeit: 15 – 20 Minuten

3 Den Streuselboden aus der Form lösen und auf einem mit Backpapier belegten Kuchenrost erkalten lassen.

4 Für den Biskuitteig Eier und Wasser mit Handrührgerät mit Rührbesen auf höchster Stufe in 1 Minute schaumig schlagen. Zucker, Vanillin-Zucker und Zitronenschale mischen, in 1 Minute einstreuen, dann noch etwa 2 Minuten schlagen.

5 Mehl mit Speisestärke und Backpulver mischen. Die Hälfte davon auf die Eiercreme sieben, kurz auf niedrigster Stufe unterrühren. Restliches Mehlgemisch auf die gleiche Weise unterarbeiten.

6 Den Teig in eine Springform (Ø 26 cm, Boden gefettet, mit Backpapier belegt) geben und glatt streichen. Die Form auf dem Rost in den Backofen schieben.

Ober-/Unterhitze: 180 – 200 °C (vorgeheizt)
Heißluft: 160 – 180 °C (vorgeheizt)
Gas: etwa Stufe 3 (vorgeheizt)
Backzeit: 20 – 30 Minuten

7 Den Biskuitboden aus der Form lösen, auf einen mit Backpapier belegten Kuchenrost stürzen, mitgebackenes Backpapier abziehen. Boden erkalten lassen, einmal waagerecht durchschneiden. Die Mitte des oberen Bodens so ausstechen, dass ein Kranz entsteht (Ø etwa 11 cm).

8 Den Streuselboden auf eine Platte legen und mit Konfitüre bestreichen. Den unteren Biskuitboden darauf legen. Einen Tortenring oder den gesäuberten Springformrand darumstellen.

9 Für die Füllung Weintrauben waschen, abtropfen lassen und trockentupfen. 400 g von den Weintrauben halbieren.

10 Gelatine in kaltem Wasser nach Packungsanleitung einweichen, leicht ausdrücken. Die ausgedrückte Gelatine in einem kleinen Topf unter Rühren erwärmen (nicht kochen), bis sie völlig gelöst ist, leicht abkühlen lassen.

11 Crème double, Zucker, Vanillin-Zucker und Sekt gut verrühren. Die aufgelöste lauwarme Gelatine unterrühren. Sahne steif schlagen und unterheben.

12 Die Hälfte der Creme auf den Biskuitboden streichen, die Weintraubenhälften darauf verteilen und mit dem ausgestochenen Boden (Biskuitring) bedecken. Die Tortenoberfläche mit der restlichen Creme bestreichen. Die Torte etwa 1 Stunde kalt stellen. Den Tortenring oder Springformrand mit Hilfe eines Messers vorsichtig lösen und entfernen.

13 Zum Verzieren Sahne mit Sahnesteif und Vanillin-Zucker steif schlagen. Den Tortenrand damit bestreichen und mit geschabter weißer Kuvertüre bestreuen.

14 Die Torte mit den restlichen Weintrauben garnieren. Die ausgestochene Gebäckplatte zerbröseln, mit Kuvertüre und Sekt verkneten. Einen Sektkorken daraus formen und nach Belieben ein Silberbändchen darumlegen.

Tipp: Anstelle von Crème double die Füllung mit insgesamt 450 ml steif geschlagener Sahne zubereiten.

Sekttorte

Sesambrot |  🗑 🗑 ❄

Gut vorzubereiten

Für den Hefeteig:
500 g Weizenmehl (Type 550)
1 Pck. Trockenhefe
1 TL Zucker
1 TL Salz
250 ml (¹/₄ l) lauwarmes Wasser
4 EL Olivenöl
3 EL geröstete Sesamsamen

Zum Bestreichen:
etwas Milch

Zum Bestreuen:
40 g Sesamsamen

Zubereitungszeit: 20 Minuten, ohne Teiggehzeit

Insgesamt: E: 62 g, F: 61 g, Kh: 366 g, kJ: 9962, kcal: 2382

1 Für den Teig Mehl in eine Rührschüssel sieben, mit Trockenhefe sorgfältig vermischen. Zucker, Salz, Wasser und Olivenöl hinzufügen.

2 Die Zutaten mit Handrührgerät mit Knethaken zunächst auf niedrigster, dann auf höchster Stufe in etwa 5 Minuten zu einem Teig verarbeiten. Zuletzt Sesamsamen unterkneten. Den Teig zugedeckt so lange an einem warmen Ort stehen lassen, bis er sich sichtbar vergrößert hat.

3 Den Teig leicht mit Mehl bestäuben, aus der Schüssel nehmen und auf der bemehlten Arbeitsfläche kurz durchkneten.

4 Den Teig in eine Kastenform (30 x 11 cm, gefettet) geben und nochmals zugedeckt so lange an einem warmen Ort gehen lassen, bis er sich sichtbar vergrößert hat. Die Teigoberfläche mit Milch bestreichen und mit Sesam bestreuen. Die Form auf dem Rost in den Backofen schieben.

Ober-/Unterhitze: 180 – 200 °C (vorgeheizt)
Heißluft: 160 – 180 °C (nicht vorgeheizt)
Gas: etwa Stufe 3 (nicht vorgeheizt)
Backzeit: etwa 45 Minuten

5 Das Brot aus der Form lösen und auf einem Kuchenrost erkalten lassen.

Tipp: Das Brot bekommt eine schöne Kruste, wenn die Form mit Sesamsamen ausgestreut wird.

Sesambrot

Sesam-Käse-Stangen | 🗑 ❄

Für Gäste

Für den Quark-Öl-Teig:
250 g Weizenmehl
1 Pck. Backpulver
125 g Magerquark
3 EL Milch
3 EL Speiseöl
1 Ei (Größe M)
1 Eiweiß (Größe M)
1 gestr. TL Salz
50 g geröstete Sesamsamen
25 g geriebener Parmesan-Käse

Zum Bestreichen:
1 Eigelb
1 TL Milch

Zum Bestreuen:
1 EL Sesamsamen

Zubereitungszeit: 35 Minuten

Insgesamt: E: 77 g, F: 78 g, Kh: 196 g,
kJ: 7948, kcal: 1899

Sesam-Käse-Stangen

1 Für den Teig Mehl mit Backpulver mischen, in eine Rührschüssel sieben. Quark, Milch, Öl, Ei, Eiweiß und Salz hinzufügen. Die Zutaten mit Handrührgerät mit Knethaken auf höchster Stufe in etwa 1 Minute zu einem Teig verarbeiten (nicht zu lange, Teig klebt sonst).

2 Anschließend auf der bemehlten Arbeitsfläche Sesam und Parmesan-Käse unterkneten. Den Teig zu einer Rolle formen.

3 Die Teigrolle knapp ½ cm dick ausrollen, 1½ cm breite und 12 cm lange Streifen daraus schneiden oder rädern. Die Teigstreifen auf Backbleche (gefettet, mit Backpapier belegt) legen.

4 Zum Bestreichen Eigelb mit Milch verschlagen, Teigstreifen damit bestreichen. Die Hälfte der Teigstreifen mit Sesam bestreuen. Die Backbleche nacheinander (bei Heißluft zusammen) in den Backofen schieben.

Ober-/Unterhitze: 180–200 °C (vorgeheizt)
Heißluft: 160–180 °C (vorgeheizt)
Gas: etwa Stufe 3 (vorgeheizt)
Backzeit: 10–15 Minuten pro Backblech

5 Die Gebäckstangen mit dem Backpapier von den Backblechen auf Kuchenroste ziehen. Gebäckstangen erkalten lassen.

Tipp: Zu Wein oder Bier oder als Beilage zu Bouillon reichen.

Sesam-Mandel-Splitter | 🗑

Vollwertig

Für die Mandelsplitter:
20 g Butter, 50 g Sesamsamen
100 g abgezogene, gestiftelte Mandeln
76 g flüssiger Honig
½ Fläschchen Butter-Vanille-Aroma

Zubereitungszeit: 30 Minuten, ohne Kühlzeit

Insgesamt: E: 30 g, F: 95 g, Kh: 71 g, kJ: 5563, kcal: 1329

1 Für die Splitter Butter in einer Pfanne zerlassen. Sesam und Mandeln unter Rüh-

ren darin hellbraun rösten. Honig und Vanille-Aroma hinzufügen und kurz mitrösten.

2 Von der Masse mit 2 Teelöffeln walnussgroße Häufchen abstechen und auf ein Backblech (gefettet, mit Backpapier belegt) setzen. Die Ränder mit 2 Fingern etwas zusammendrücken. Sesam-Mandel-Splitter erkalten lassen.

Sherryplätzchen |

Einfach

Für den Knetteig:
300 g Weizenmehl
100 g Zucker, 1 Pck. Vanillin-Zucker
1 Prise Salz, 1 Ei (Größe M)
175 g Butter oder Margarine

Für die Füllung:
200 g Nuss-Nougat
3 – 4 EL Sherry
2 EL Schlagsahne

Zum Verzieren:
je 50 g Halbbitter- und weiße Kuvertüre

Zubereitungszeit: 60 Minuten,
ohne Abkühlzeit

Insgesamt: E: 64 g, F: 249 g, Kh: 501 g,
kJ: 19651, kcal: 4696

1 Für den Teig Mehl in eine Rührschüssel sieben. Zucker, Vanillin-Zucker, Salz, Ei und Butter oder Margarine hinzufügen. Die Zutaten mit Handrührgerät mit Knethaken zunächst kurz auf niedrigster, dann auf höchster Stufe gut durcharbeiten.

2 Anschließend auf der bemehlten Arbeitsfläche zu einem glatten Teig verkneten. Sollte er kleben, ihn in Folie gewickelt eine Zeit lang kalt stellen.

3 Den Teig zwischen zwei Lagen Backpapier dünn ausrollen und mit einem Plätzchenausstecher Blüten oder Sterne ausstechen. Teigplätzchen auf Backbleche (gefettet, mit Backpapier belegt) legen. Die Backbleche nacheinander (bei Heißluft zusammen) in den Backofen schieben.

Ober-/Unterhitze: etwa 180 °C (vorgeheizt)
Heißluft: etwa 160 °C (vorgeheizt)
Gas: Stufe 2 – 3 (vorgeheizt)
Backzeit: etwa 10 Minuten pro Backblech

4 Das Gebäck mit dem Backpapier von den Backblechen auf je einen Kuchenrost ziehen. Gebäck erkalten lassen.

5 Für die Füllung Nuss-Nougat würfeln, mit Sherry und Sahne in einem kleinen Topf im Wasserbad bei schwacher Hitze geschmeidig rühren und etwas abkühlen lassen. Die Hälfte der Plätzchen mit der Nougat-Creme bestreichen, mit den restlichen Plätzchen bedecken und etwas andrücken.

6 Zum Verzieren Halbbitter- und weiße Kuvertüre in kleine Stücke hacken, getrennt in je einem kleinen Topf im Wasserbad bei schwacher Hitze zu einer geschmeidigen Masse verrühren. Die Massen in je ein Pergamentpapiertütchen füllen und eine kleine Ecke abschneiden. Die Plätzchen damit verzieren.

Tipp: Die Plätzchen werden noch knuspriger, wenn Sie statt Zucker Puderzucker verwenden. Sherry kann durch die gleiche Menge Schlagsahne ersetzt werden.

Shortbread |

Klassisch

Für den Knetteig:
400 g Weizenmehl
125 g Zucker
1 Pck. Vanillin-Zucker
250 g Butter oder Margarine

Zubereitungszeit: 30 Minuten

Insgesamt: E: 44 g, F: 209 g, Kh: 426 g,
kJ: 16290, kcal: 3893

1 Für den Teig Mehl in eine Rührschüssel sieben. Restliche Zutaten hinzufügen und mit Handrührgerät mit Knethaken zunächst kurz auf niedrigster, dann auf höchster Stufe gut durcharbeiten.

2 Anschließend auf der bemehlten Arbeitsfläche zu einem glatten Teig verkneten. Sollte er kleben, ihn in Folie gewickelt eine Zeit lang kalt stellen.

3 Den Teig auf der bemehlten Arbeitsfläche

Shortbread

etwa 1 ½ cm dick ausrollen und große Platten ausschneiden. Teigplatten in 12 Segmente unterteilen, aber nicht durchschneiden. Teigoberfläche mehrmals mit einer Gabel einstechen.

4 Die Teigplatten auf Backbleche (gefettet, mit Backpapier belegt) legen. Die Backbleche nacheinander (bei Heißluft zusammen) in den Backofen schieben.

Ober-/Unterhitze: etwa 180 °C (vorgeheizt)
Heißluft: etwa 160 °C (vorgeheizt)
Gas: Stufe 2 – 3 (vorgeheizt)
Backzeit: 20 – 25 Minuten pro Backblech

5 Gebäck vom Backpapier lösen, in Segmente teilen, auf einem Kuchenrost erkalten lassen.

Siebenkornbrot

Siebenkornbrot | 🗑 🗑 ❄

Vollwertig

Für den Hefeteig:
60 g Gerstengrütze
60 g Sesamsamen
1 EL Grünkern (ganze Körner)
125 g Weizenmehl (Type 1050)
125 g Roggenmehl (Type 1150)
00 g körnige Haferflocken
60 g Buchweizenmehl
60 g Leinsamenschrot
2 Pck. Trockenhefe
1 TL Zucker
1 ½ TL Salz
250 ml (¼ l) lauwarmes Wasser

Zubereitungszeit: 45 Minuten,
ohne Teiggehzeit

Insgesamt: E: 76 g, F: 60 g, Kh: 325 g,
kJ: 9454, kcal: 2257

1 Für den Teig Gerstengrütze, Sesam (etwas Gerstengrütze und Sesam zum Bestreuen beiseite stellen), Grünkern, Weizen-, Roggenmehl, Haferflocken, Buchweizenmehl, Leinsamenschrot und Trockenhefe sorgfältig vermischen. Zucker, Salz und Wasser hinzufügen.

2 Die Zutaten mit Handrührgerät mit Knethaken zunächst auf niedrigster, dann auf höchster Stufe in etwa 5 Minuten zu einem Teig verarbeiten. Den Teig zugedeckt so lange an einem warmen Ort stehen lassen, bis er sich sichtbar vergrößert hat.

3 Den Teig leicht mit Mehl bestäuben, auf der bemehlten Arbeitsfläche nochmals kurz durchkneten und zu einem Laib formen. Teiglaib auf ein Backblech (gefettet, mit Backpapier belegt) legen und zugedeckt nochmals so lange an einem warmen Ort gehen lassen, bis er sich sichtbar vergrößert hat.

4 Die Teigoberfläche mit Wasser bestreichen, mit zurückgelassener Gerstengrütze und Sesam bestreuen. Das Backblech in den Backofen schieben.

Ober-/Unterhitze: etwa 200 °C (vorgeheizt)
Heißluft: etwa 180 °C (nicht vorgeheizt)
Gas: Stufe 3–4 (nicht vorgeheizt)
Backzeit: etwa 65 Minuten

5 Das Brot mit dem Backpapier vom Backblech auf einen Kuchenrost ziehen. Das Brot erkalten lassen.

Tipp: Das Brot in Scheiben schneiden, mit Kräuter-Frischkäse bestreichen und mit Tomatenscheiben belegen. Mit Salz und Pfeffer bestreuen, mit Schnittlauchröllchen garnieren.

Sizilianischer Königskuchen | 🗑 🗑 🍾

Gut vorzubereiten

Für den Rührteig:
125 g Butter oder Margarine
125 g gesiebter Puderzucker
1 TL Finesse Geriebene Zitronenschale
2 Eigelb (Größe M)
125 g Weizenmehl
1 gestr. TL Backpulver
2 Eiweiß (Größe M)

Für die Füllung:
3 Blatt weiße Gelatine
250 g Ricotta oder Sahnequark
1 EL Schlagsahne
3 EL Orangenlikör, 20 g Zucker
3 EL gehackte Belegkirschen
50 g Zartbitterschokolade

Für den Guss:
100 g Zartbitterschokolade
20 g Kokosfett

Zubereitungszeit: 50 Minuten,
ohne Kühlzeit

Insgesamt: E: 74 g, F: 232 g, Kh: 320 g,
kJ: 16219, kcal: 3875

1 Für den Teig Butter oder Margarine mit Handrührgerät mit Rührbesen auf höchster Stufe geschmeidig rühren. Nach und nach Puderzucker und Zitronenschale unterrühren. So lange rühren, bis eine gebundene Masse entstanden ist.

2 Eigelb nach und nach unterrühren (jedes Eigelb knapp 1/2 Minute). Mehl mit Backpulver mischen, sieben, portionsweise auf mittlerer Stufe unterrühren. Eiweiß steif schlagen und unterheben.

3 Den Teig in eine Kastenform (30 x 11 cm, gefettet) geben und glatt streichen. Die Form auf dem Rost in den Backofen schieben.

Ober-/Unterhitze: 180 – 200 °C (vorgeheizt)
Heißluft: 160 – 180 °C (nicht vorgeheizt)
Gas: etwa Stufe 3 (nicht vorgeheizt)
Backzeit: etwa 40 Minuten

4 Den Kuchen aus der Form lösen und auf einem Kuchenrost erkalten lassen. Kuchen zweimal waagerecht durchschneiden.

5 Für die Füllung Gelatine in kaltem Wasser nach Packungsanleitung einweichen. Die leicht ausgedrückte Gelatine in einem kleinen Topf unter Rühren erwärmen (nicht kochen), bis sie völlig gelöst ist, leicht abkühlen lassen.

6 Ricotta oder Quark, Sahne, Likör und Zucker gut verrühren. Belegkirschen und Schokolade untermengen. Die aufgelöste Gelatine vorsichtig unterrühren.

7 Den unteren Gebäckboden auf eine Platte legen. Die Hälfte der Quarkmasse darauf streichen. Den mittleren Boden darauf legen und mit der restlichen Quarkmasse bestreichen. Den oberen Boden darauf legen und etwas andrücken. Den Kuchen zugedeckt etwa 2 Stunden kalt stellen.

8 Für den Guss Schokolade in Stücke brechen, mit Kokosfett in einem kleinen Topf im Wasserbad zu einer geschmeidigen Masse verrühren. Den Kuchen damit überziehen. Guss fest werden lassen.

Tipp: Der Schokoladenüberzug lässt sich besser schneiden und bröckelt nicht so schnell, wenn der Guss mit 1 Teelöffel Speiseöl statt Kokosfett zubereitet wird.

Sonnenblumenbrot | 🗑 🗑 ❄

Sonnenblumenbrot

Gut vorzubereiten – vollwertig

Für den Hefeteig:
50 g Vollkorn-Weizenmehl
250 g grob gemahlener Weizen
200 g grob gemahlener Roggen
1 Pck. Trockenhefe
1 Beutel (15 g) Sauerteig-Extrakt
(Reformhaus), 1 TL Salz
1 EL flüssiger Honig, 2 EL Speiseöl
375 ml (³/₈ l) lauwarmes Wasser
100 g Sonnenblumenkerne
60 g Sesamsamen, 60 g Leinsamen

Zum Bestreichen und Bestreuen:
etwas Wasser
1 EL Sonnenblumenkerne
etwas Weizen-Vollkornmehl

Zubereitungszeit: 35 Minuten,
ohne Teiggehzeit

Insgesamt: E: 117 g, F: 133 g, Kh: 347 g,
kJ: 13428, kcal: 3207

1 Für den Teig die drei Mehlsorten in eine Rührschüssel geben, mit Trockenhefe sorgfältig vermischen. Sauerteig-Extrakt, Salz, Honig, Öl und Wasser hinzufügen.

2 Die Zutaten mit Handrührgerät mit Knethaken zunächst auf niedrigster, dann auf höchster Stufe in etwa 5 Minuten zu einem Teig verarbeiten. Den Teig zugedeckt so lange an einem warmen Ort stehen lassen, bis er sich sichtbar vergrößert hat.

3 Den Teig leicht mit Mehl bestäuben, aus der Schüssel nehmen und auf einer bemehlten Arbeitsfläche nochmals kurz durchkneten. Sonnenblumenkerne, Sesam- und Leinsamen unterkneten.

4 Aus dem Teig ein rundes Brot formen, auf ein Backblech (gefettet, mit Backpapier belegt) legen und nochmals zugedeckt so lange an einem warmen Ort gehen lassen, bis es sich sichtbar vergrößert hat. Das Teigbrot mit Wasser bestreichen, mit Sonnenblumenkernen und Vollkorn-Weizenmehl bestreuen. Das Backblech in den Backofen schieben.

Ober-/Unterhitze: etwa 200 °C (vorgeheizt)
Heißluft: etwa 180 °C (nicht vorgeheizt)
Gas: Stufe 3 – 4 (nicht vorgeheizt)
Backzeit: etwa 45 Minuten

5 Das Brot mit dem Backpapier vom Backblech auf einen Kuchenrost ziehen, vorsichtig mit Wasser bestreichen und mit Vollkorn-Weizenmehl bestäuben.

Sonnenblumenkern-Brötchen I

Für Gäste

Für den Hefeteig:
300 g fein gemahlener Weizen
200 g fein gemahlener Roggen
1 Pck. Trockenhefe
1 TL Zucker, 1 geh. TL Salz
375 ml (³/₈ l) lauwarmes Wasser
125 g Sauerteig (vom Bäcker)
100 g ohne Fett geröstete
Sonnenblumenkerne

Zum Bestreuen:
1 EL Sonnenblumenkerne

Zubereitungszeit: 45 Minuten,
ohne Teiggehzeit

Insgesamt: E: 90 g, F: 67 g, Kh: 347 g,
kJ: 10390, kcal: 2484

1 Für den Teig beide Mehlsorten in eine Rührschüssel geben, mit Trockenhefe sorgfältig vermischen. Zucker, Salz, Wasser und Sauerteig hinzufügen.

2 Die Zutaten mit Handrührgerät mit Knethaken zunächst auf niedrigster, dann auf höchster Stufe in etwa 5 Minuten zu einem Teig verarbeiten. Den Teig zugedeckt so lange an einem warmen Ort stehen lassen, bis er sich sichtbar vergrößert hat.

Sonnenblumenkern Brötchen

3 Den Teig leicht mit Mehl bestäuben, aus der Schüssel nehmen und auf der Arbeitsfläche nochmals kurz durchkneten. Sonnenblumenkerne unterkneten. Den Teig zu einer Rolle formen. Diese in 12 – 14 Stücke schneiden. Jedes Teigstück zu einem Brötchen formen und auf ein Backblech (gefettet, mit Backpapier belegt) legen. Die Teigbrötchen mit Wasser bestreichen, mit Sonnenblumenkernen bestreuen und etwas andrücken.

4 Die Teigbrötchen zugedeckt nochmals so lange an einem warmen Ort gehen lassen, bis sie sich sichtbar vergrößert haben. Das Backblech in den Backofen schieben.

Ober-/Unterhitze: 200 – 220 °C (vorgeheizt)
Heißluft: 180 – 200 °C (vorgeheizt)
Gas: etwa Stufe 4 (vorgeheizt)
Backzeit: etwa 30 Minuten

5 Die Brötchen mit dem Backpapier vom Backblech auf einen Kuchenrost ziehen. Brötchen erkalten lassen.

Speckbrot |

Vollwertig

Für den Hefeteig:
250 g Weizenmehl (Type 550)
250 g Vollkorn-Weizenschrot
1 Pck. Trockenhefe
300 ml lauwarmes Wasser
150 g gewürfelter durchwachsener
Speck
100 g Röst-Zwiebeln (fertig gekauft)

Zum Bestreichen:
2 EL Wasser

Zubereitungszeit: 25 Minuten,
ohne Teiggehzeit

Insgesamt: E: 72 g, F: 141 g, Kh: 405 g,
kJ: 13886, kcal: 3319

1 Für den Teig Weizenmehl und Vollkorn-Weizenschrot in eine Rührschüssel geben und mit Trockenhefe sorgfältig vermischen. Wasser hinzufügen. Die Zutaten mit Handrührgerät mit Knethaken in etwa 5 Minuten zu einem Teig verarbeiten. Den Teig zugedeckt so lange an einem warmen Ort stehen lassen, bis er sich sichtbar vergrößert hat.

2 Den Teig leicht mit Mehl bestäuben, aus der Schüssel nehmen und auf der bemehlten Arbeitsfläche nochmals kurz durchkneten. Speckwürfel und Zwiebeln unterkneten.

3 Den Teig zu einem länglichen Brot formen und auf ein Backblech (gefettet, mit Backpapier belegt) legen. Die Teigoberfläche mit einem scharfen Messer mehrmals 1 cm tief einschneiden (nicht drücken). Den Brotteig zugedeckt nochmals so lange an einem warmen Ort gehen lassen, bis er sich sichtbar vergrößert hat.

4 Die Teigoberfläche mit Wasser bestreichen. Das Backblech in den Backofen schieben.

Ober-/Unterhitze: etwa 180 °C (vorgeheizt)
Heißluft: etwa 160 °C (nicht vorgeheizt)
Gas: Stufe 2 – 3 (nicht vorgeheizt)
Backzeit: etwa 50 Minuten

5 Das Brot mit dem Backpapier vom Backblech auf einen Kuchenrost ziehen. Brot erkalten lassen.

Speckbrot

Speck-Quiche |

Für Gäste

Für den Knetteig:
200 g Weizenmehl
1 gestr. TL Backpulver, 1/2 gestr. TL Salz
3 EL Milch oder Wasser
100 g Butter oder Margarine

Für den Belag:
3 Zwiebeln, 250 g Schinkenspeck
2 Eier (Größe M)

1 Becher (150 g) Crème fraîche
3 EL Milch
1 Msp. frisch gemahlener Pfeffer
evtl. etwas Kümmelsamen
1 Pck. TK-Petersilie

Zubereitungszeit: 45 Minuten,
ohne Abkühlzeit

Insgesamt: E: 69 g, F: 309 g, Kh: 165 g,
kJ: 16410, kcal: 3856

1 Für den Teig Mehl mit Backpulver mischen, in eine Rührschüssel sieben. Salz, Milch oder Wasser und Butter oder Margarine hinzufügen. Die Zutaten mit Handrührgerät mit Knethaken zunächst kurz auf niedrigster, dann auf höchster Stufe gut durcharbeiten.

2 Anschließend auf der bemehlten Arbeitsfläche zu einem glatten Teig verkneten. Sollte er kleben, ihn in Folie gewickelt eine Zeit lang kalt stellen.

3 Zwei Drittel des Teiges auf der bemehlten Arbeitsfläche zu einer runden Platte (Ø 30 cm) ausrollen und in eine Tarteform (Ø 28 cm, gefettet) legen. Den Teigboden mehrmals mit einer Gabel einstechen. Die Form auf dem Rost in den Backofen schieben und den Boden vorbacken.

Ober-/Unterhitze: 180 – 200 °C (vorgeheizt)
Heißluft: 160 – 180 °C (vorgeheizt)
Gas: etwa Stufe 3 (vorgeheizt)
Backzeit: etwa 10 Minuten

4 Die Form auf einen Kuchenrost stellen. Den Boden etwas abkühlen lassen.

5 Restlichen Teig zu einer Rolle formen, sie als Rand auf den Boden legen und so an die Form drücken, dass ein etwa 2 cm hoher Rand entsteht.

6 Für den Belag Zwiebeln abziehen. Zwiebeln und Schinkenspeck in kleine Würfel schneiden. Eier, Crème fraîche, Milch, Pfeffer, Kümmel und Petersilie gut vermengen, Zwiebel- und Speckwürfel unterrühren.

7 Die Masse gleichmäßig auf dem vorgebackenen Boden verteilen. Die Form wieder auf dem Rost in den Backofen schieben und die Quiche fertig backen.

Ober-/Unterhitze: 180 – 200 °C (vorgeheizt)
Heißluft: 160 – 180 °C (vorgeheizt)
Gas: etwa Stufe 3 (vorgeheizt)
Backzeit: etwa 30 Minuten

8 Die Quiche auf einem Kuchenrost etwas abkühlen lassen. Die Quiche warm oder kalt servieren.

Tipp: Die Quiche mit einem frischen Salat servieren.

Spekulatius | 🍮 🍮

Klassisch

Für den Knetteig:
250 g Weizenmehl
1 gestr. TL Backpulver
125 g Zucker, 1 Pck. Vanillin-Zucker
2 Tropfen Bittermandel-Aroma
1 Msp. gemahlener Kardamom
1 Msp. gemahlene Nelken
$^1/_2$ gestr. TL gemahlener Zimt
1 Prise Salz
1 Ei (Größe M)
100 g Butter oder Margarine
50 g abgezogene, gemahlene Mandeln oder Haselnusskerne

Zubereitungszeit: 80 Minuten, ohne Kühlzeit

Insgesamt: E: 45 g, F: 118 g, Kh: 323 g, kJ: 11057, kcal: 2642

1 Für den Teig Mehl mit Backpulver mischen und in eine Rührschüssel sieben. Zucker, Vanillin-Zucker, Aroma, Kardamom, Nelken, Zimt, Salz, Ei und Butter oder Margarine hinzufügen. Die Zutaten mit Handrührgerät mit Knethaken zunächst kurz auf niedrigster, dann auf höchster Stufe gut durcharbeiten. Mandeln oder Haselnusskerne unterarbeiten.

2 Anschließend auf einer bemehlten Arbeitsfläche zu einem glatten Teig verkneten. Sollte er kleben, ihn in Folie gewickelt eine Zeit lang kalt stellen.

3 Den Teig auf der bemehlten Arbeitsfläche dünn ausrollen, mit beliebigen Formen (z. B. Tierformen) Motive ausstechen und auf Backbleche (gefettet) legen. Werden Holzmodel benutzt, den Teig in die gut gemehlte Model drücken und den überstehenden Teig abschneiden. Die Teigspekulatius aus den Modeln schlagen und auf Backbleche (gefettet) legen. Die Backbleche nacheinander (bei Heißluft zusammen) in den Backofen schieben.

Ober-/Unterhitze: 180 – 200 °C (vorgeheizt)
Heißluft: 160 – 180 °C (vorgeheizt)
Gas: etwa Stufe 3 (vorgeheizt)
Backzeit: etwa 10 Minuten pro Backblech

4 Die Spekulatius vom Backblech lösen und auf einem Kuchenrost erkalten lassen.

Spekulatius

Spekulatius-Reis-Torte |

Weihnachtlich

Für den Spekulatiusboden:
100 g Spekulatius
100 g zerlassene Butter
50 g Zucker
50 abgezogene, gehobelte Mandeln

Für die Füllung:
1 Glas Sauerkirschen
(Abtropfgewicht 370 g)
6 Blatt weiße Gelatine
1 Pck. Milchreis nach klassischer Art
500 ml (¹/₂ l) heiße Milch
500 ml (¹/₂ l) Schlagsahne
2 EL Rum

Für den Guss:
1 Pck. Tortenguss, rot, 30 g Zucker
250 ml (¹/₄ l) Kirschsaft aus dem Glas

Zubereitungszeit: 55 Minuten,
ohne Kühlzeit

Insgesamt: E: 58 g, F: 301 g, Kh: 378 g,
kJ: 19553, kcal: 4464

1 Für den Boden Spekulatius in einen Gefrierbeutel geben. Beutel verschließen. Spekulatius mit einer Teigrolle fein zerbröseln. Übrige Zutaten hinzufügen und gut verrühren.

2 Die Masse in eine Springform (Ø 26 cm, Boden gefettet, mit Backpapier belegt) füllen, zu einem Boden andrücken und kalt stellen.

3 Für die Füllung Kirschen in einem Sieb abtropfen lassen, den Saft auffangen und 250 ml (¹/₄ l) davon abmessen. Gelatine in kaltem Wasser nach Packungsanleitung einweichen.

4 Den Milchreis mit der Milch nach Packungsanleitung zubereiten. Die ausgedrückte Gelatine unter Rühren in dem heißen Milchreis auflösen. Den Reis erkalten lassen. Sahne steif schlagen, zusammen mit dem Rum unterheben.

5 Die Hälfte der Reis-Sahne-Masse auf dem Boden verteilen, mit zwei Drittel der abgetropften Kirschen belegen. Restliche Reis-Sahne-Masse darauf geben und glatt streichen. Torte 1 Stunde kalt stellen. Die restlichen Sauerkirschen auf die Torte legen.

6 Für den Guss Tortengusspulver, Zucker und Saft nach Packungsanleitung zubereiten. Den Guss auf der Reis-Sahne-Masse verteilen. Torte nochmals 2 Stunden kalt stellen. Dann mit einem Messer aus der Form lösen und auf eine Platte legen.

Spiegeleierkuchen |

Klassisch – für Kinder

Zum Vorbereiten:
2 Pck. Pudding-Pulver Vanille-Geschmack
80 g Zucker

750 ml (³/₄ l) Milch
2 Dosen Aprikosenhälften
(Abtropfgewicht je 480 g)

Für den Rührteig:
150 g Butter oder Margarine

100 g Zucker, 1 Pck. Vanillin-Zucker
1 Prise Salz
3 Eier (Größe M), 300 g Weizenmehl
2 gestr. TL Backpulver, 2 EL Milch

Für den Belag:
3 Becher (je 150 g) Crème fraîche

Für den Guss:
2 Pck. Tortenguss, klar
50 g Zucker
500 ml (¹/₂ l) Aprikosensaft aus den Dosen

Zubereitungszeit: 45 Minuten,
ohne Abkühlzeit

Insgesamt: E: 99 g, F: 310 g, Kh: 791 g,
kJ: 27334, kcal: 6525

1 Zum Vorbereiten aus Pudding-Pulver, Zucker und Milch nach Packungsanleitung aber mit nur 750 ml (³/₄ l) Milch einen Pudding zubereiten.

Spiegeleierkuchen

2 Aprikosenhälften in einem Sieb gut abtropfen lassen, den Saft dabei auffangen und 500 ml ('/₂ l, evtl. mit Wasser auffüllen) davon für den Guss abmessen.

3 Für den Teig Butter oder Margarine mit Handrührgerät mit Rührbesen auf höchster Stufe geschmeidig rühren. Nach und nach Zucker, Vanillin-Zucker und Salz unterrühren. So lange rühren, bis eine gebundene Masse entstanden ist.

4 Eier nach und nach unterrühren (jedes Ei etwa ¹/₂ Minute). Mehl mit Backpulver mischen, sieben, abwechselnd portionsweise mit der Milch auf mittlerer Stufe unterrühren. Den Teig auf ein Backblech (30 x 40 cm, gefettet) geben und glatt streichen. Vor den Teig einen mehrfach geknickten Streifen Alufolie legen.

5 Für den Belag Crème fraîche unter den erkalteten Pudding rühren. Die Masse auf den Teig streichen. Aprikosenhälften darauf verteilen (mit der Wölbung nach oben). Das Backblech in den Backofen schieben.

Ober-/Unterhitze: 180 – 200 °C (vorgeheizt)
Heißluft: 160 – 180 °C (vorgeheizt)
Gas: etwa Stufe 3 (vorgeheizt)
Backzeit: etwa 30 Minuten

6 Das Backblech auf einen Kuchenrost stellen. Den Kuchen erkalten lassen.

7 Für den Guss aus Tortengusspulver, Zucker und dem abgemessenen Saft nach Packungsanleitung einen Guss zubereiten und auf dem Kuchen verteilen. Guss fest werden lassen.

Spitzbuben | 🗑 🗑

Für Kinder

Für den Knetteig:
375 g Weizenmehl
1 gestr. TL Backpulver
200 g Zucker, 1 Pck. Vanillin-Zucker
250 g Butter oder Margarine
125 g nicht abgezogene, gemahlene Mandeln

Für die Füllung:
125 g Johannisbeergelee

Zubereitungszeit: 60 Minuten, ohne Abkühlzeit

Insgesamt: E: 68 g, F: 276 g, Kh: 567 g, kJ: 21906, kcal: 5233

1 Für den Teig Mehl mit Backpulver mischen, in eine Rührschüssel sieben. Zucker, Vanillin-Zucker, Butter oder Margarine und Mandeln hinzufügen. Die Zutaten mit Handrührgerät mit Knethaken zunächst kurz auf niedrigster, dann auf höchster Stufe gut durcharbeiten.

2 Anschließend auf der bemehlten Arbeitsfläche zu einem glatten Teig verkneten. Sollte er kleben, ihn in Folie gewickelt eine Zeit lang kalt stellen.

3 Den Teig portionsweise auf der bemehlten Arbeitsfläche dünn ausrollen, runde Plätzchen (Ø etwa 4 cm) ausstechen und auf Backbleche (gefettet, mit Backpapier belegt) legen. Die Backbleche nacheinander (bei Heißluft zusammen) in den Backofen schieben.

Ober-/Unterhitze: 180 – 200 °C (vorgeheizt)
Heißluft: 160 – 180 °C (vorgeheizt)
Gas: etwa Stufe 3 (vorgeheizt)
Backzeit: etwa 10 Minuten pro Backblech

4 Die Plätzchen mit dem Backpapier von den Backblechen auf Kuchenroste ziehen. Plätzchen erkalten lassen.

5 Die Hälfte der Plätzchen auf der Unterseite mit Johannisbeergelee bestreichen. Je ein unbestrichenes Plätzchen darauf legen und gut andrücken.

Spitzbuben

Spitzkuchen |

Gut vorzubereiten – zum Weihnachtsfest

Für den Rühr-Knetteig:
175 g Zuckerrübensirup (Rübenkraut)
50 g Zucker
1 Prise Salz
2 EL Speiseöl
1 Ei (Größe M)
1 geh. TL Kakaopulver
6 Tropfen Zitronen-Aroma
1 Msp. gemahlener Nelkenpfeffer (Piment)
1 gestr. TL gemahlener Zimt
250 g Weizenmehl
3 gestr. TL Backpulver
75 g abgezogene, gehackte Mandeln

Für den Guss:
200 g Halbbitter-Kuvertüre
1 EL Speiseöl

Zubereitungszeit: 50 Minuten, ohne Kühlzeit

Insgesamt: E: 68 g, F: 93 g, Kh: 517 g, kJ: 13910, kcal: 3323

1 Für den Teig Sirup, Zucker, Salz und Öl in einem Topf langsam erwärmen, zerlassen, in eine Rührschüssel geben und kalt stellen.

2 Unter die fast erkaltete Masse mit Handrührgerät mit Rührbesen auf höchster Stufe Ei, Kakao, Aroma, Nelkenpfeffer und Zimt rühren.

3 Mehl mit Backpulver mischen und sieben. Zwei Drittel des Mehlgemisches portionsweise auf mittlerer Stufe unterrühren. Teigbrei mit restlichem Mehlgemisch und Mandeln auf der bemehlten Arbeitsfläche zu einem glatten Teig verkneten. Sollte er kleben, ihn in Folie gewickelt eine Zeit lang kalt stellen.

4 Aus dem Teig 2 cm dicke Rollen in der Länge von 40 cm formen. Die Teigrollen nicht zu dicht auf ein Backblech (gefettet, mit Backpapier belegt) legen und etwas flach drücken. Das Backblech in den Backofen schieben.

Ober-/Unterhitze: etwa 200 °C (vorgeheizt)
Heißluft: etwa 180 °C (vorgeheizt)
Gas: Stufe 3 – 4 (vorgeheizt)
Backzeit: 15 – 20 Minuten

5 Die Gebäckrollen mit dem Backpapier vom Backblech auf einen Kuchenrost ziehen. Gebäckrollen erkalten lassen und anschließend in Dreiecke schneiden.

6 Für den Guss Kuvertüre in kleine Stücke hacken, mit Öl in einem kleinen Topf im Wasserbad bei schwacher Hitze zu einer geschmeidigen Masse verrühren. Die Gebäckdreiecke damit überziehen. Guss fest werden lassen.

Tipp: Zum Überziehen mit Kuvertüre die Gebäckdreiecke auf einen mit Backpapier belegten Kuchenrost oder direkt auf das Backpapier setzen.

Springerle |

Gut vorzubereiten – klassisch

Für den Rühr-Knetteig:
2 Eier (Größe M)
200 g gesiebter Puderzucker
1 Pck. Vanillin-Zucker
275 g Weizenmehl, 1 Msp. Backpulver

Zum Bestreuen:
Anissamen

Zubereitungszeit: 2 Stunden, ohne Trockenzeit

Insgesamt: E: 45 g, F: 17 g, Kh: 411 g, kJ: 8530, kcal: 2038

1 Für den Teig Eier mit Handrührgerät mit Rührbesen auf höchster Stufe in 1 Minute schaumig schlagen. Puderzucker und Vanillin-Zucker mischen, in 1 Minute einstreuen, dann noch etwa 2 Minuten schlagen.

2 Mehl und Backpulver mischen, die Hälfte davon auf die Eiercreme sieben, kurz auf niedrigster Stufe unterrühren. Nochmals so viel des Mehlgemisches auf die gleiche Weise unterarbeiten, dass ein fester Brei entsteht.

3 Den Teigbrei auf einer bemehlten Arbeitsfläche mit dem restlichen Mehlgemisch verkneten. Sollte er kleben, noch etwas Mehl unterkneten.

4 Den Teig etwa 1 cm dick ausrollen, Rechtecke in der Größe des Backmodels herausschneiden, mit Mehl bestäuben, in den bemehlten Model drücken, sie dann abheben

Springerle

und in die aufgeprägten Rechtecke zerschneiden. Teig-Springerle auf Backbleche (gefettet, mit Anissamen bestreut) legen und in einem mäßig warmen Raum etwa 24 Stunden trocknen lassen (Bleche nicht übereinander stellen).

5 Die Backbleche nacheinander (bei Heißluft zusammen) in den Backofen schieben.

Ober-/Unterhitze: 120 – 140 °C (vorgeheizt)
Heißluft: 100 – 120 °C (vorgeheizt)
Gas: etwa Stufe 1 (vorgeheizt)
Backzeit: etwa 30 Minuten pro Backblech

6 Da die Oberfläche des Gebäcks weiß bleiben soll, ist es empfehlenswert, nach dem Aufgehen, sobald sich ein kleiner Sockel gebildet hat, ein kaltes Backblech (obere Einschubleiste) in den Backofen zu schieben.

7 Die Backbleche auf Kuchenroste stellen. Die Springerle nach dem Backen einige Tage offen an der Luft stehen lassen, damit sie weich werden, sie erst dann gut schließende Blechdosen legen.

Spritzgebäck | 🍥 🍥

Für Kinder

Für den Rühr-Knetteig:
375 g Butter oder Margarine
250 g Zucker
2 Pck. Vanillin-Zucker
1 Prise Salz
500 g Weizenmehl
125 g abgezogene, gemahlene Mandeln
10 g gesiebtes Kakaopulver
10 g Zucker

Zubereitungszeit: 90 Minuten

Insgesamt: E: 83 g, F: 380 g, Kh: 654 g, kJ: 27726, kcal: 6624

1 Für den Teig Butter oder Margarine mit Handrührgerät mit Rührbesen auf höchster Stufe geschmeidig rühren. Nach und nach Zucker, Vanillin-Zucker und Salz unterrühren. So lange rühren, bis sich der Zucker gelöst hat und eine gebundene Masse entstanden ist.

2 Mehl sieben. Zwei Drittel davon auf mittlerer Stufe unterrühren. Den Teigbrei mit dem restlichen Mehl und den Mandeln auf der bemehlten Arbeitsfläche zu einem glatten Teig verkneten.

3 Kakao mit Zucker mischen. Ein Drittel des Teiges mit der Kakao-Zucker-Mischung verkneten. Den hellen und dunklen Teig je zu Rollen formen. Etwas von dem dunklen zusammen mit dem hellen Teig in die Gebäck-presse geben oder durch einen Fleischwolf mit Spezialvorsatz drehen und als Stangen, S-Formen oder Kränzchen formen. Die Teigplätzchen auf Backbleche (gefettet, mit Backpapier belegt) legen. Die Backbleche nacheinander (bei Heißluft zusammen) in den Backofen schieben.

Ober-/Unterhitze: 180 – 200 °C (vorgeheizt)
Heißluft: 160 – 180 °C (vorgeheizt)
Gas: etwa Stufe 3 (vorgeheizt)
Backzeit: 10 – 15 Minuten pro Backblech

4 Die Plätzchen mit dem Backpapier von den Backblechen ziehen und auf je einem Kuchenrost erkalten lassen.

Tipp: Die Enden der erkalteten Plätzchen in aufgelöste Kuvertüre oder Kuchenglasur tauchen und fest werden lassen. Das Spritzgebäck hält sich gut verpackt etwa 4 Wochen frisch. Sie können nach Belieben zusätzlich 1 Päckchen Finesse Orangenfrucht oder Geriebene Zitronenschale in den Teig geben.

Spritzgebäck

Spritzgebäck mit Haselnüssen |

Vollwertig

Für den Rühr-Knetteig:
100 g Butter oder Margarine
100 g flüssiger Honig
1 Pck. Bourbon-Vanille-Zucker
1 Ei (Größe M)
250 g Vollkorn-Weizenmehl
100 g gemahlene Haselnusskerne

Zubereitungszeit: 70 Minuten

Insgesamt: E: 53 g, F: 157 g, Kh: 253 g,
kJ: 11396, kcal: 2721

1 Für den Teig Butter oder Margarine mit Handrührgerät mit Rührbesen auf höchster Stufe geschmeidig rühren. Nach und nach Honig und Vanille-Zucker unterrühren. So lange rühren, bis eine gebundene Masse entstanden ist.

2 Ei in etwa ½ Minute unterrühren. Zwei Drittel des Mehls portionsweise auf mittlerer Stufe unterrühren.

3 Den Teigbrei mit dem restlichen Mehl und den Haselnusskernen auf einer bemehlten Arbeitsfläche zu einem glatten Teig verkneten und zu einer Rolle formen.

4 Die Teigrolle in eine Gebäckpresse geben und Plätzchen auf Backbleche (gefettet, mit Backpapier belegt) spritzen. Die Backbleche nacheinander (bei Heißluft zusammen) in den Backofen schieben.

Ober-/Unterhitze: 180 – 200 °C (vorgeheizt)
Heißluft: 160 – 180 °C (vorgeheizt)
Gas: etwa Stufe 3 (vorgeheizt)
Backzeit: 10 – 12 Minuten pro Backblech

5 Die Plätzchen mit dem Backpapier von den Backblechen auf je einen Kuchenrost ziehen. Plätzchen erkalten lassen.

Stachelbeeren in Baisertörtchen |

Für Gäste

Zum Vorbereiten:
500 g frische Stachelbeeren
1 EL Wasser, 150 g Zucker

Für die Baisermasse:
2 Eiweiß (Größe M)
100 g Zucker

Für den Guss:
1 Pck. Tortenguss, klar
2 EL Zucker
250 ml (¼ l) Stachelbeersaft

Zubereitungszeit: 80 Minuten,
ohne Abkühlzeit

Insgesamt: E: 11 g, F: 1 g, Kh: 345 g,
kJ: 6070, kcal: 1447

1 Zum Vorbereiten Stachelbeeren waschen, abtropfen lassen. Blüten- und Stängelansätze entfernen. Stachelbeeren mit Wasser und Zucker in einem Topf zugedeckt etwa 5 Minuten weich dünsten lassen. Anschließend in einem Sieb abtropfen lassen, den Saft dabei auffangen und 250 ml (¼ l) davon für den Guss abmessen. Ein Backblech mit Backpapier belegen und 6 Kreise (Ø 10 mm) aufzeichnen.

2 Für die Baisermasse Eiweiß mit Handrührgerät mit Rührbesen auf höchster Stufe steif schlagen. Der Schnee muss so fest sein, dass ein Messerschnitt sichtbar bleibt. Nach und nach Zucker unterschlagen.

Stachelbeeren in Baisertörtchen

3 Die Masse in einen Spritzbeutel mit Sterntülle (Ø 10 mm) füllen. In die Mitte der eingezeichneten Kreise jeweils einen Tupfen von der Baisermasse spritzen und glatt streichen. Auf die Ränder der Kreise je einen Ring aus Tupfen (etwa 2 cm hoch) spritzen. Aus der restlichen Baisermasse 6 große Tupfen mit auf das Backpapier spritzen. Das Backblech in den Backofen schieben.

Ober-/Unterhitze: 110 – 130 °C (vorgeheizt)
Heißluft: 90 – 110 °C (vorgeheizt)
Gas: 25 Minuten Stufe 1, 25 Minuten aus, 15 Minuten Stufe 1
Backzeit: etwa 50 Minuten
(Gas: etwa 65 Minuten)

4 Die Baisertörtchen mit dem Backpapier auf einen Kuchenrost ziehen. Törtchen erkalten lassen.

5 Die Törtchen mit den Stachelbeeren füllen. Einen Guss aus Tortengusspulver, Zucker und Stachelbeersaft nach Packungsanleitung zubereiten. Den Guss auf den Stachelbeeren verteilen. Je einen Tuff als Deckel auf die Törtchen setzen.

Stachelbeerkuchen | 🗑 🗑 ❄

Einfach

Zum Vorbereiten:
*2 Gläser Stachelbeeren
(Abtropfgewicht je 390 g)*

Für den Knetteig:
*150 g Weizenmehl
1/2 gestr. TL Backpulver
65 g Zucker, 1 Pck. Vanillin-Zucker
3 Eigelb (Größe M)
65 g Butter oder Margarine
1 gestr. EL Weizenmehl*

Für den Guss:
*3 Eiweiß (Größe M)
60 g Zucker
1 Pck. Vanillin-Zucker
50 g abgezogene, gemahlene Mandeln
125 ml (1/8 l) Schlagsahne
25 g abgezogene, gehobelte Mandeln*

Zubereitungszeit: 40 Minuten,
ohne Abkühlzeit

Insgesamt: E: 57 g, F: 141 g, Kh: 400 g,
kJ: 13593, kcal: 3250

1 Zum Vorbereiten Stachelbeeren in einem
Sieb abtropfen lassen.

2 Für den Teig Mehl mit Backpulver mischen, in eine Rührschüssel sieben. Zucker,
Vanillin-Zucker, Eigelb und Butter oder Margarine hinzufügen. Die Zutaten mit Handrührgerät mit Knethaken zunächst kurz auf
niedrigster, dann auf höchster Stufe gut
durcharbeiten.

3 Anschließend auf der bemehlten Arbeitsfläche zu einem glatten Teig verkneten. Sollte
er kleben, ihn in Folie gewickelt eine Zeit lang
kalt stellen.

4 Zwei Drittel des Teiges auf dem Boden einer Springform (Ø 26 cm, Boden gefettet)
ausrollen. Den Teigboden mehrmals mit einer
Gabel einstechen. Einen Springformrand darumstellen. Die Form auf dem Rost in den
Backofen schieben und den Boden vorbacken.

Ober-/Unterhitze: etwa 200 °C (vorgeheizt)
Heißluft: etwa 180 °C (vorgeheizt)
Gas: Stufe 3 – 4 (vorgeheizt)
Backzeit: etwa 15 Minuten

5 Die Form auf einen Kuchenrost stellen. Den
Boden etwas abkühlen lassen.

6 Unter den restlichen Teig 1 Esslöffel Mehl
kneten. Den Teig zu einer Rolle formen, sie als
Rand auf den vorgebackenen Boden legen und
so an die Form drücken, dass ein etwa 2 cm
hoher Rand entsteht.

7 Die gut abgetropften Stachelbeeren auf
dem Boden verteilen.

8 Für den Guss Eiweiß steif schlagen. Nach
und nach Zucker und Vanillin-Zucker unterschlagen. Mandeln und ungeschlagene Sahne unterheben. Den Guss auf die Stachelbeeren streichen und mit Mandeln bestreuen.
Die Form auf dem Rost in den Backofen
schieben und den Kuchen fertig backen.

Ober-/Unterhitze: 180 – 200 °C (vorgeheizt)
Heißluft: 160 – 180 °C (vorgeheizt)
Gas: etwa Sufe 3 (vorgeheizt)
Backzeit: etwa 30 Minuten

9 Den Kuchen aus der Form lösen und auf
einem Kuchenrost erkalten lassen.

Stachelbeerkuchen

Stachelbeertorte |

Für Gäste

Für den Rührteig:
125 g Butter oder Margarine
125 g Zucker
1 Pck. Vanillin-Zucker
1 Prise Salz, 2 Eier (Größe M)
100 g Weizenmehl
30 g Speisestärke
½ gestr. TL Backpulver

Für die Buttercreme:
300 ml Milch
1 Pck. Vanilla Tortencreme
(Cremepulver für 300 ml Milch)
2 EL Zitronensaft
200 g weiche Butter

Für den Belag:
1 Glas Stachelbeeren
(Abtropfgewicht 390 g)

Für den Guss:
1 Pck. Tortenguss, klar
25 g Zucker
250 ml (¼ l) Stachelbeersaft

25 g abgezogene, gehobelte Mandeln
Puderzucker

Zubereitungszeit: 70 Minuten,
ohne Abkühlzeit

Insgesamt: E: 47 g, F: 307 g, Kh: 508 g,
kJ: 21471, kcal: 5130

1 Für den Teig Butter oder Margarine mit Handrührgerät mit Rührbesen auf höchster Stufe geschmeidig rühren. Nach und nach Zucker, Vanillin-Zucker und Salz unterrühren. So lange rühren, bis eine gebundene Masse entstanden ist.

2 Eier nach und nach unterrühren (jedes Ei etwa ½ Minute). Mehl mit Speisestärke und Backpulver mischen, sieben und portions-weise auf mittlerer Stufe unterrühren.

3 Aus dem Teig 3 Böden backen. Dazu je-weils ein Drittel des Teiges auf den Boden einer Springform (Ø 26 cm, Boden gefettet) streichen. Je einen Springformrand darum-legen. Die Formen nacheinander (bei Heißluft zusammen) auf dem Rost in den Backofen schieben.

Ober-/Unterhitze: 180 – 200 °C (vorgeheizt)
Heißluft: 160 – 180 °C (vorgeheizt)
Gas: etwa Stufe 3 (vorgeheizt)
Backzeit: 10 – 15 Minuten pro Boden

4 Die Gebäckböden sofort aus den Formen lösen und einzeln auf je einem Kuchenrost erkalten lassen.

5 Für die Buttercreme aus Milch und Torten-cremepulver nach Packungsanleitung eine Creme zubereiten. Zitronensaft unterrühren.

6 Butter geschmeidig rühren. Die Creme esslöffelweise unterrühren.

7 Zwei Böden mit je einem Drittel der Buttercreme bestreichen und aufeinander legen. Den dritten Boden darauf legen.

8 Für den Belag Stachelbeeren in einem Sieb gut abtropfen lassen, dabei den Saft auffangen und 250 ml (¼ l) abmessen, evtl. mit Wasser auffüllen.

9 Die Stachelbeeren auf den oberen Torten-boden legen, dabei einen etwa 2 cm breiten Rand frei lassen.

10 Für den Guss aus Tortengusspulver, Zu-cker und Stachelbeersaft nach Packungs-anleitung einen Guss zubereiten. Den Guss auf den Stachelbeeren verteilen. Guss fest werden lassen.

11 Mandeln in einer Pfanne ohne Fett hell-braun rösten und erkalten lassen. Den Tortenrand und den nicht belegten Torten-oberflächenrand dünn mit etwas von der restlichen Buttercreme bestreichen. Nach Belieben restliche Buttercreme in einen Spritzbeutel mit Sterntülle geben und den Tortenoberflächenrand damit verzieren. Tortenrand und Verzierung mit den Mandeln bestreuen, mit Puderzucker bestäuben.

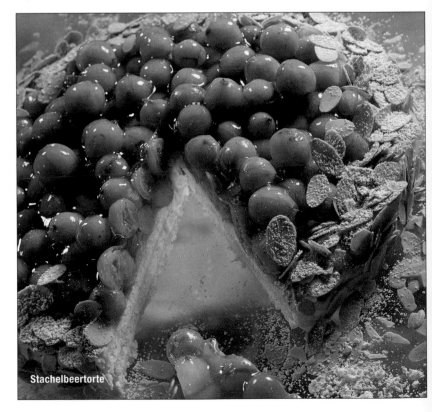
Stachelbeertorte

Stockbrot |

Raffiniert – für Kinder

Für den Hefeteig:
1 kg Weizenmehl, 3 Pck. Trockenhefe
1 TL Zucker, 2 TL Salz
1/2 TL grob gemahlener Pfeffer
Nadeln von 1 Zweig Rosmarin
1 TL getrocknete Kräuter der Provence
500 ml (1/2 l) lauwarmes Wasser

Zubereitungszeit: 60 Minuten,
ohne Teiggehzeit

Insgesamt: E: 114 g, F: 10 g, Kh: 740 g,
kJ: 15568, kcal: 3721

1 Für den Teig Mehl in eine Rührschüssel
geben, mit Trockenhefe sorgfältig vermischen.
Zucker, Salz, Pfeffer, Rosmarin, Kräuter der
Provence und Wasser hinzufügen.

2 Die Zutaten mit Handrührgerät mit Knethaken zunächst auf niedrigster, dann auf
höchster Stufe in etwa 5 Minuten zu einem
Teig verarbeiten. Den Teig zugedeckt so lange
an einem warmen Ort stehen lassen, bis er
sich sichtbar vergrößert hat.

3 Zwölf Stöcke (80–100 cm lang) mit Alufolie umwickeln. Aus dem Teig etwa 12 lange
Rollen formen und jeweils an der Spitze beginnend um die Stöcke wickeln.

4 Das Stockbrot am Stockende in die heiße
Glut halten und 10–15 Minuten backen.

Tipp: Stockbrot lässt sich besonders gut im
offenen Lagerfeuer backen oder direkt in der
Glut des Grills.

Stockbrot

Stollen |

Zum Weihnachtsfest

Für den Knetteig:
500 g Weizenmehl, 1 Pck. Backpulver
175 g Zucker, 1 Pck. Vanillin-Zucker
1 Prise Salz
4 Tropfen Bittermandel-Aroma
1 Fläschchen Rum-Aroma
4 Tropfen Zitronen-Aroma
je 1 Msp. gemahlener Kardamom,
gemahlene Muskatblüte (Macis)
2 Eier (Größe M)
175 g Butter oder Margarine
125 g Korinthen, 250 g Rosinen
250 g gut ausgepresster Magerquark
100 g abgezogene, gemahlene Mandeln
oder Haselnusskerne
100 g gewürfeltes Zitronat (Sukkade)

Zum Bestreichen:
100 g zerlassene Butter

Zum Bestäuben:
50 g Puderzucker

Zubereitungszeit: 55 Minuten

Insgesamt: E: 132 g, F: 339 g, Kh: 941 g,
kJ: 31919, kcal: 7625

1 Für den Teig Mehl mit Backpulver mischen,
in eine Rührschüssel sieben. Zucker, Vanillin-
Zucker, Salz, Aromen, Kardamom, Muskatblüte, Eier und Butter oder Margarine hinzufügen.
Die Zutaten mit Handrührgerät mit Knethaken
zunächst kurz auf niedrigster, dann auf höchster Stufe gut durcharbeiten.

2 Anschließend auf einer bemehlten Arbeitsfläche zu einem glatten Teig verkneten. Korinthen, Rosinen, Quark, Mandeln oder Haselnusskerne und Zitronat unterarbeiten.

3 Den Teig zu einem Stollen formen. Dazu
den Teig zu einer Rolle (etwa 30 cm lang) for-
men, mit einer Teigrolle der Länge nach eine
Vertiefung eindrücken, die linke auf die rechte
Seite schlagen, den mittleren Teil mit den
Händen formen.

4 Den Stollen auf ein Backblech (gefettet,
zweifach mit Backpapier belegt) legen. Das
Backblech in den Backofen schieben.

Ober-/Unterhitze: vorheizen auf etwa
250 °C, backen bei 160–180 °C
Heißluft: vorheizen auf etwa 200 °C,
backen bei 140–160 °C
Gas: vorheizen auf etwa Stufe 4, backen
bei etwa Stufe 2
Backzeit: etwa 60 Minuten

5 Den Stollen mit dem Backpapier vom Backblech auf einen Kuchenrost ziehen. Den Stollen sofort mit Butter bestreichen und mit Puderzucker bestäuben. Stollen erkalten lassen.

Tipp: Stollen schon etwa 4 Wochen vor
Weihnachten backen. In Alufolie verpacken,
kühl und trocken lagern. So bleibt er frisch
und bekommt noch mehr Aroma.

Stracciatella-Törtchen |

Für Kinder – einfach

Für den Rührteig:
100 g Marzipan-Rohmasse
125 g Butter oder Margarine
100 g Zucker
1 Pck. Vanillin-Zucker
1 Prise Salz, 2 Eier (Größe M)
200 g Weizenmehl
50 g Speisestärke
2 gestr. TL Backpulver
50 g Zartbitterschokolade

Außerdem:
24 Papierbackförmchen

Zum Bestreichen:
2 EL Aprikosenkonfitüre
1 EL Apricot-Brandy

Für den Guss:
200 g Vollmilch-Kuvertüre
10 g Kokosfett

Nach Belieben zum Bestreuen:
etwas Raspelschokolade

Zubereitungszeit: 45 Minuten,
ohne Abkühlzeit

Insgesamt: E: 66 g, F: 249 g, Kh: 505 g,
kJ: 19632, kcal: 4691

1 Für den Teig Marzipan-Rohmasse in kleine Würfel schneiden. Marzipanwürfel mit Butter oder Margarine mit Handrührgerät mit Rührbesen auf höchster Stufe geschmeidig rühren. Nach und nach Zucker, Vanillin-Zucker und Salz unterrühren. So lange rühren, bis eine gebundene Masse entstanden ist.

2 Eier nach und nach unterrühren (jedes Ei etwa ½ Minute). Mehl mit Speisestärke und Backpulver mischen, sieben, portionsweise auf mittlerer Stufe unterrühren. Schokolade in kleine Stücke schneiden und unterheben.

3 Den Teig in 12 zweifach ineinander gestellte Papierbackförmchen füllen. Die Förmchen auf ein Backblech stellen. Das Backblech in den Backofen schieben.

Ober-/Unterhitze: etwa 180 °C (vorgeheizt)
Heißluft: etwa 160 °C (vorgeheizt)
Gas: Stufe 2 – 3 (vorgeheizt)
Backzeit: etwa 25 Minuten

4 Die Törtchen vom Backblech nehmen und auf einen Kuchenrost stellen.

5 Zum Bestreichen Konfitüre durch ein Sieb streichen, zusammen mit dem Brandy in einem kleinen Topf unter Rühren zum Kochen bringen. Die Törtchen sofort damit bestreichen. Törtchen erkalten lassen.

6 Für den Guss Kuvertüre in kleine Stücke hacken, mit Kokosfett in einem kleinen Topf im Wasserbad bei schwacher Hitze zu einer geschmeidigen Masse verrühren. Die Törtchen damit überziehen. Guss fest werden lassen. Nach Belieben mit Raspelschokolade bestreuen.

Stracciatella-Törtchen

Strauben |

Raffiniert – preiswert

Für den Brandteig:
125 ml (⅛ l) Wasser
25 g Butter oder Margarine
75 g Weizenmehl
15 g Speisestärke
2 – 3 Eier (Größe M)
1 Msp. Backpulver

Zum Ausbacken:
1 kg Ausbackfett

Zum Bestäuben:
Puderzucker

Zubereitungszeit: 50 Minuten,
ohne Abkühlzeit

Insgesamt: E: 33 g, F: 164 g, Kh: 80 g,
kJ: 8397, kcal: 2007

1 Für den Teig Wasser mit Butter oder Margarine am besten in einem Stieltopf zum Kochen bringen.

2 Mehl mit Speisestärke mischen, sieben, auf einmal in die von der Kochstelle genommene Flüssigkeit schütten, zu einem glatten Kloß rühren und unter Rühren etwa 1 Minute erhitzen.

3 Den heißen Kloß sofort in eine Rührschüssel geben. Nach und nach Eier mit Handrührgerät mit Knethaken auf höchster Stufe unterarbeiten. Die Eiermenge hängt von der Beschaffenheit des Teiges ab, er muss stark glänzen und so von einem Löffel abreißen, dass lange Spitzen hängen bleiben. Backpulver in den erkalteten Teig arbeiten.

4 Zum Ausbacken Fett in einem hohen Topf erhitzen. Den Brandteig in einen Spritzbeutel mit großer Lochtülle füllen. Jeweils einen Ring auf gefettete Backpapierstücke (etwa 10 x 10 cm groß) spritzen.

5 Durch Eintauchen der Backpapierstücke in das siedende Fett die Ringe lösen und schwimmend auf beiden Seiten goldbraun ausbacken.

6 Die Strauben mit der Schaumkelle aus dem Fett nehmen und auf Küchenpapier abtropfen lassen.

7 Die abgekühlten Strauben mit Puderzucker bestäuben.

Tipp: Strauben evtl. mit einer Rum-Puderzucker-Glasur bestreichen.

Streusel-Aprikosen-Kuchen | 🗑

Klassisch

Für den Rührteig:
200 g Butter oder Margarine
200 g Zucker, 1 Pck. Vanillin-Zucker
1 Prise Salz
1 Fläschchen Butter-Vanille-Aroma
4 Eier (Größe M)
375 g Weizenmehl
2 gestr. TL Backpulver

Für den Belag:
1 Dose Aprikosenhälften
(Abtropfgewicht 480 g)

Für die Streusel:
350 g Weizenmehl
175 g Zucker, 1 Pck. Vanillin-Zucker
1/2 TL gemahlener Zimt
200 g Butter oder Margarine

Zubereitungszeit: 45 Minuten, ohne Abkühlzeit

Insgesamt: E: 124 g, F: 363 g, Kh: 1091 g, kJ: 35263, kcal: 8424

1 Für den Teig Butter oder Margarine mit Handrührgerät mit Rührbesen auf höchster Stufe geschmeidig rühren. Nach und nach Zucker, Vanillin-Zucker, Salz und Aroma unterrühren. So lange rühren, bis eine gebundene Masse entstanden ist.

2 Eier nach und nach unterrühren (jedes Ei etwa 1/2 Minute). Mehl mit Backpulver mischen,

sieben, portionsweise auf mittlerer Stufe unterrühren. Den Teig auf ein Backblech (30 x 40 cm, gefettet) streichen. Vor den Teig einen mehrfach geknickten Streifen Alufolie legen.

3 Für den Belag die Aprikosenhälften in einem Sieb abtropfen lassen. Aprikosenhälften auf den Teig legen (Wölbung nach oben).

4 Für die Streusel Mehl in eine Rührschüssel sieben, mit Zucker, Vanillin-Zucker und Zimt mischen. Butter oder Margarine hinzufügen. Die Zutaten mit Handrührgerät mit Knethaken zu Streuseln von gewünschter Größe verarbeiten. Die Streusel auf den Aprikosenhälften verteilen. Das Backblech in den Backofen schieben.

Ober-/Unterhitze: 180 – 200 °C (vorgeheizt)
Heißluft: 160 – 180 °C (vorgeheizt)
Gas: etwa Stufe 3 (vorgeheizt)
Backzeit: etwa 30 Minuten

5 Das Backblech auf einen Kuchenrost stellen. Den Kuchen erkalten lassen und in Schnitten schneiden.

Tipp: Anstelle von Aprikosen kann auch Apfelkompott (mit Stücken, aus dem Glas) verwendet werden. Die Streusel schmecken besonders gut, wenn Sie statt 350 g Weizenmehl 275 g Weizenmehl und 50 g abgezogene, gemahlene Mandeln verwenden.

Streusel-Aprikosen-Kuchen

Streuseltorte mit Äpfeln |

Einfach – schnell

Für den Streuselteig:
100 g Mohnsamen
100 g Zucker
1 Pck. Vanillin-Zucker
150 g Weizenmehl
2 gestr. TL Backpulver
100 g Marzipan-Rohmasse
150 g Butter

Für die Füllung:
750 g säuerliche Äpfel

Zubereitungszeit: 25 Minuten,
ohne Kühlzeit

Insgesamt: E: 59 g, F: 186 g, Kh: 355 g,
kJ: 14462, kcal: 3452

1 Für den Teig Mohnsamen in eine Rührschüssel geben, mit Zucker, Vanillin-Zucker,
gesiebtem Mehl und Backpulver mischen.

2 Marzipan-Rohmasse grob raspeln. Butter
zerlassen, mit dem Marzipan verrühren und
zu der Mohnmasse geben. Die Zutaten mit
Handrührgerät mit Knethaken zu Streuseln
von gewünschter Größe verarbeiten, kalt
stellen.

3 Für die Füllung Äpfel schälen, vierteln,
entkernen und in Spalten schneiden. Gut
die Hälfte der Streusel in eine Springform
(Ø 28 cm, Boden gefettet) geben und leicht
andrücken.

4 Die restlichen Streusel mit den Apfelspalten vermischen und auf den Streuselboden
geben. Die Form auf dem Rost in den Backofen schieben.

Ober-/Unterhitze: etwa 180 °C (vorgeheizt)
Heißluft: etwa 160 °C (nicht vorgeheizt)
Gas: Stufe 2 – 3 (nicht vorgeheizt)
Backzeit: etwa 45 Minuten

5 Den Kuchen aus der Form lösen und auf
einem Kuchenrost erkalten lassen.

Streuseltorte mit Äpfeln

Stricknadeltorte | 🗑 🗑 🍾

Raffiniert – für Gäste

Für den Teig
250 g Butter oder weiche Magarine
250 g Zucker, 1 Pck. Vanillin-Zucker
¹/₂ Fläschchen Butter-Vanille-Aroma
6 Eier (Größe M)
250 g Weizenmehl
2 ¹/₂ gestr. TL Backpulver

Zum Tränken:
250 ml (¹/₄ l) kalter Kaffee
3 EL Zucker
2 EL Kakaopulver
1 EL Rum

Für die Eierlikörsahne:
400 ml Schlagsahne
2 Pck. Sahnesteif
2 TL Zucker
5 EL (75 ml) Eierlikör

Zum Bestäuben und Garnieren:
Kakaopulver
grob geraspelte Schokolade

Zubereitungszeit: 45 Minuten,
ohne Abkühl- und Durchziehzeit

Insgesamt: F: 92 g, F: 383 g, Kh: 559 g,
kJ: 26658, kcal: 6370

1 Für den Teig Butter oder Margarine mit Handrührgerät mit Rührbesen auf höchster Stufe geschmeidig rühren. Nach und nach Zucker, Vanillin-Zucker und Aroma unterrühren. So lange rühren, bis eine gebundene Masse entstanden ist. Eier nach und nach unterrühren (jedes Ei etwa ¹/₂ Minute).

2 Mehl mit Backpulver mischen, sieben und portionsweise auf mittlerer Stufe unterrühren. Den Teig in eine Springform (Ø 28 cm, Boden gefettet) füllen. Die Form auf dem Rost in den Backofen schieben.

Ober-/Unterhitze: etwa 180 °C (vorgeheizt)
Heißluft: etwa 160 °C (nicht vorgeheizt)
Gas: Stufe 2 – 3 (nicht vorgeheizt)
Backzeit: 40 – 45 Minuten

3 Den Kuchen aus der Form lösen und auf einen Kuchenrost legen. Den heißen Kuchen mehrmals mit einer dicken Stricknadel einstechen, erkalten lassen. Den gesäuberten Springformrand wieder darumstellen.

4 Zum Tränken Kaffee, Zucker, Kakao und Rum verrühren. Den Kuchen damit tränken und über Nacht durchziehen lassen.

5 Für die Eierlikörsahne Sahne mit 1 Päckchen Sahnesteif und Zucker steif schlagen.

Restliches Sahnesteif mit Eierlikör verrühren und unter die Sahne rühren.

6 Die Eierlikörsahne kurz vor dem Verzehr auf den Kuchen streichen. Mit Kakao bestäuben und mit Schokolade garnieren. Springformrand lösen und entfernen.

Tipp: Die Tortenoberfläche mit Schokoladenlocken garnieren. Mit einem Sparschäler Locken schaben und auf die Torte geben.

Stricknadeltorte

Strudelhörnchen I 🗑 🗑 🗑 🧴 ❄

Etwas aufwändiger

Für den Strudelteig:
200 g Weizenmehl
1 Prise Salz
75 ml lauwarmes Wasser
3 EL Speiseöl

Zum Bestreichen:
50 g zerlassene Butter

Für die Füllung:
100 g abgezogene, gehackte Mandeln
50 g fein gehackte Walnusskerne
100 g Korinthen
2 EL Weinbrand
4 EL Zucker
4 Eigelb (Größe M)
¹/₂ Pck. Finesse Geriebene Zitronenschale
1 gestr. TL gemahlener Zimt

Zum Bestreichen:
2 Eigelb
etwas Wasser

Zum Bestreuen:
4 EL Hagelzucker

Zubereitungszeit: 65 Minuten,
ohne Ruhezeit

Insgesamt: E: 70 g, F: 196 g, Kh: 306 g,
kJ: 14711, kcal: 3515

1 Für den Teig Mehl in eine Rührschüssel sieben. Salz, Wasser und Öl hinzufügen. Die Zutaten mit Handrührgerät mit Knethaken zunächst kurz auf niedrigster, dann auf höchster Stufe gut durcharbeiten.

2 Anschließend auf einer Arbeitsfläche zu einem glatten Teig verkneten, ihn auf Backpapier in einen heißen trockenen Kochtopf (vorher Wasser darin kochen) legen, mit einem Deckel verschließen und etwa 30 Minuten ruhen lassen.

3 Den Strudelteig auf einem bemehlten großen Tuch (Geschirrtuch) dünn ausrollen, ihn dann mit den Händen zu einem Quadrat von etwa 60 x 60 cm ausziehen (er muss durchsichtig sein). Die Ränder, wenn sie dicker sind, abschneiden. Den Teig dünn mit etwas von der Butter bestreichen. Aus dem Teigquadrat mit Hilfe eines Lineals und eines Messers 9 Quadrate (je 20 x 20 cm) schneiden.

Jedes Quadrat diagonal durchschneiden, so dass 18 Dreiecke entstehen.

4 Für die Füllung Mandeln, Walnusskerne und Korinthen in eine Schüssel geben, mit Weinbrand beträufeln und etwas einweichen lassen. Zucker, Eigelb, Zitronenschale und Zimt unter die Masse rühren.

5 Die Füllung gleichmäßig auf den Teigdreiecken verteilen. Von der breiten Seite her zusammenrollen und zu Hörnchen formen. Die Hörnchen auf ein Backblech (gefettet, mit Backpapier belegt) legen.

6 Zum Bestreichen Eigelb mit Wasser verschlagen, die Hörnchen damit bestreichen und mit Hagelzucker bestreuen. Das Backblech in den Backofen schieben.

Ober-/Unterhitze: etwa 180 °C (vorgeheizt)
Heißluft: etwa 160 °C (vorgeheizt)
Gas: Stufe 2 – 3 (vorgeheizt)
Backzeit: 10 – 15 Minuten

7 Die Hörnchen vom Backpapier lösen und auf einen Kuchenrost legen. Hörnchen warm oder kalt servieren.

Strudelhörnchen

Stutenkerle oder Martinsgänse | 🗑 🗑 ❄

Für Kinder

Für den Hefeteig:
500 g Weizenmehl
1 Pck. Trockenhefe
2 EL Zucker
1 gestr. TL Salz
1 Ei (Größe M)
1 Eiweiß (Größe M)
100 g zerlassene abgekühlte Butter
oder Margarine
125 ml (⅛ l) lauwarme Milch

Für Stutenkerle:
16 – 20 Rosinen

Zum Bestreichen:
1 Eigelb
1 – 2 EL Milch

Zum Garnieren:
8 – 10 Tonpfeifen

Für Martinsgänse:
1 Eigelb
1 – 2 EL Milch

Zum Garnieren:
Rosinen

Zum Bestreuen:
Hagelzucker

Zubereitungszeit: 90 Minuten,
ohne Teiggehzeit

Insgesamt: E: 92 g, F: 111 g, Kh: 463 g,
kJ: 14103, kcal: 3369

Stutenkerle

1 Für den Teig Mehl in eine Rührschüssel sieben, mit Trockenhefe sorgfältig vermischen. Zucker, Salz, Ei, Eiweiß, Butter oder Margarine und Milch hinzufügen.

2 Die Zutaten mit Handrührgerät mit Knethaken zunächst auf niedrigster, dann auf höchster Stufe in etwa 5 Minuten zu einem Teig verarbeiten. Den Teig zugedeckt so lange an einem warmen Ort stehen lassen, bis er sich sichtbar vergrößert hat.

3 Den Teig leicht mit Mehl bestäuben, aus der Schüssel nehmen und auf der bemehlten Arbeitsfläche nochmals kurz durchkneten.

4 Für die Stutenkerle den Teig etwa 1 cm dick ausrollen. Aus Pappe eine Stutenkerl-Schablone (etwa 18 cm hoch und gut 8 cm breit) ausschneiden und auf den Teig legen. Stutenkerle ausschneiden und auf ein Backblech (gefettet, mit Backpapier belegt) legen.

5 Die Armkonturen evtl. mit Hilfe eines Messers formen. Nach Belieben aus den Teigresten kleine Rollen und Kordeln formen und die Stutenkerle damit garnieren. Rosinen als Augen eindrücken.

6 Zum Bestreichen Eigelb mit Milch verschlagen, die Stutenkerle damit bestreichen. Tonpfeifen in die Stutenkerle drücken. Teigstutenkerle zugedeckt nochmals etwa 20 Minuten an einem warmen Ort gehen lassen. Das Backblech in den Backofen schieben.

Ober-/Unterhitze: etwa 200 °C (vorgeheizt)
Heißluft: etwa 180 °C (vorgeheizt)
Gas: Stufe 2 – 3 (vorgeheizt)
Backzeit: 15 – 20 Minuten

7 Die Stutenkerle mit dem Backpapier vom Backblech auf einen Kuchenrost ziehen. Stutenkerle erkalten lassen.

8 Für Martinsgänse den Teig auf der bemehlten Arbeitsfläche knapp 1 cm dick ausrollen. Mit Hilfe einer Pappschablone Gänse (Körperlänge etwa 14 cm, Körperbreite etwa 10 cm und Gesamthöhe etwa 20 cm) ausschneiden und auf ein Backblech (gefettet, mit Backpapier belegt) legen.

9 Zum Bestreichen Eigelb mit Milch verschlagen, die Teiggänse damit bestreichen. Rosinen als Augen eindrücken. Teiggänse mit Hagelzucker bestreuen. Zugedeckt nochmals etwa 20 Minuten an einem warmen Ort gehen lassen. Das Backblech in den Backofen schieben.

Ober-/Unterhitze: etwa 200 °C (vorgeheizt)
Heißluft: etwa 180 °C (vorgeheizt)
Gas: Stufe 3 – 4 (vorgeheizt)
Backzeit: 15 – 20 Minuten

10 Die Gänse mit dem Backpapier vom Backblech auf einen Kuchenrost ziehen. Gänse erkalten lassen.

Tarte à l'orange |

Für Gäste

Für den Knetteig:
200 g Weizenmehl
25 g Zucker
1 EL Speiseöl
1 Pck. Vanillin-Zucker
100 g Butter oder Margarine

Zum Bestreichen:
2 – 3 EL Orangenmarmelade

Für den Belag:
5 Orangen

Für den Guss:
125 ml ('/₈ l) Schlagsahne
50 g Zucker
3 Eier (Größe M)
abgeriebene Schale von 1 Bio-Orange
(unbehandelt, ungewachst)

Zum Bestäuben:
Puderzucker

Zubereitungszeit: 55 Minuten, ohne Abkühlzeit

Insgesamt: E: 56 g, F: 154 g, Kh: 354 g, kJ: 13242, kcal: 3163

1 Für den Teig Mehl in eine Rührschüssel sieben. Zucker, Öl, Vanillin-Zucker und Butter oder Margarine hinzufügen. Die Zutaten mit Handrührgerät mit Knethaken zunächst kurz auf niedrigster, dann auf höchster Stufe gut durcharbeiten.

2 Anschließend auf einer bemehlten Arbeitsfläche zu einem glatten Teig verkneten. Sollte er kleben, ihn in Folie gewickelt eine Zeit lang kalt stellen.

3 Den Teig auf der bemehlten Arbeitsfläche zu einer runden Platte (Ø 30 cm) ausrollen und eine Tarteform (Ø 26 cm, gefettet) damit auslegen. Teigboden mehrmals mit einer Gabel einstechen und mit Marmelade bestreichen.

4 Für den Belag Orangen schälen, so dass die weiße Haut mit entfernt wird. Orangen in Scheiben schneiden.

5 Für den Guss Sahne mit Zucker, Eiern und Orangenschale verrühren und auf den Teigboden geben. Orangenscheiben dachziegelartig in Kreisen auf den Guss legen. Die Form auf dem Rost in den Backofen schieben.

Ober-/Unterhitze: etwa 200 °C (vorgeheizt)
Heißluft: etwa 180 °C (vorgeheizt)
Gas: Stufe 3 – 4 (vorgeheizt)
Backzeit: etwa 30 Minuten

6 Tarte in der Form auf einem Kuchenrost abkühlen lassen. Anschließend in der Form in Stücke schneiden. Vor dem Servieren mit Puderzucker bestäuben. Tarte warm oder kalt servieren.

Tipp: Anstelle der Orangen kann auch der Inhalt von 1 Dose Aprikosenhälften (Abtropfgewicht 480 g) verwendet werden.

Tarte à l'orange

Tarte Tatin

Tarte Tatin (Gestürzte Apfeltorte) | 🗑 🗑

Klassisch – raffiniert

Für den Knetteig:
150 g Weizenmehl
2 TL Puderzucker
1 Pck. Vanillin-Zucker
1 Prise Salz
1 Eigelb (Größe M)
3 – 4 EL Wasser
80 g Butter oder Margarine

Für den Belag:
1,5 kg Äpfel
60 g Butter
125 g Zucker

Zubereitungszeit: 55 Minuten, ohne Abkühlzeit

Insgesamt: E: 25 g, F: 130 g, Kh: 434 g, kJ: 13096, kcal: 3120

1 Für den Teig Mehl mit Puderzucker in eine Rührschüssel sieben. Vanillin-Zucker, Salz, Eigelb, Wasser und Butter oder Margarine hinzufügen. Die Zutaten mit Handrührgerät mit Knethaken zunächst kurz auf niedrigster, dann auf höchster Stufe kurz durcharbeiten.

2 Anschließend auf einer bemehlten Arbeitsfläche zu einem glatten Teig verkneten. Sollte er kleben, ihn in Folie gewickelt eine Zeit lang kalt stellen.

3 Für den Belag Äpfel schälen, vierteln und entkernen.

4 Ein rundes Kuchenblech oder eine Pieform (Ø 26 – 28 cm) mit der Butter fetten, mit dem Zucker ausstreuen. Die Apfelviertel (mit der Spitze nach unten) dicht nebeneinander hineinlegen.

5 Die Form auf eine Kochstelle stellen und den Zucker bei schwacher Hitze karamellisieren lassen. Den Teig zu einer runden Platte in der Größe der Form ausrollen. Die Teigplatte auf die Äpfel legen. Die Form auf dem Rost in den Backofen schieben.

Ober-/Unterhitze: etwa 200 °C (vorgeheizt)
Heißluft: etwa 180 °C (nicht vorgeheizt)
Gas: Stufe 3 – 4 (nicht vorgeheizt)
Backzeit: etwa 45 Minuten

6 Die Form auf einen Kuchenrost stellen. Den Gebäckrand sofort mit Hilfe eines Messers lösen. Das Gebäck etwa 20 Minuten in der Form abkühlen lassen, dann aus der Form lösen und auf eine Platte stürzen.

Teegebäck mit Mandeln

Teegebäck mit Mandeln | 🥛 🥛 🍶

Für Gäste

Für den Knetteig:
250 g Weizenmehl
125 g Zucker
1 Pck. Vanillin-Zucker
1 Ei (Größe M)
125 g Butter oder Margarine

Für die Füllung:
4 EL Orangenmarmelade
2 Eiweiß (Größe M)
200 g Zucker, 1 Pck. Vanillin-Zucker
1 Pck. Finesse Amaretto-Bittermandel-Aroma
250 g abgezogene, gemahlene Mandeln

Zum Bestreuen:
2 EL abgezogene, gehobelte Mandeln

Zubereitungszeit: 45 Minuten, ohne Abkühlzeit

Insgesamt: E: 97 g, F: 256 g, Kh: 594 g, kJ: 22277, kcal: 5320

1 Für den Teig Mehl in eine Rührschüssel sieben. Zucker, Vanillin-Zucker, Ei und Butter oder Margarine hinzufügen. Die Zutaten mit Handrührgerät mit Knethaken zunächst kurz auf niedrigster, dann auf höchster Stufe gut durcharbeiten.

2 Anschließend auf der bemehlten Arbeitsfläche zu einem glatten Teig verkneten. Sollte er kleben, ihn in Folie gewickelt eine Zeit lang kalt stellen.

3 Den Teig auf der bemehlten Arbeitsfläche dünn ausrollen und um eine Teigrolle legen.

4 Etwa 12 Schiffchenformen (gut gefettet) auf der Arbeitsfläche eng nebeneinander stellen. Den Teig darüber abrollen, mit einer Teigrolle darüber rollen, so dass die Schiffe einzeln mit dem Teig gefüllt sind, eventuell mit den Händen nachformen.

5 Für die Füllung Marmelade durch ein Sieb streichen. Die Teigschiffe damit ausstreichen. Eiweiß sehr steif schlagen, der Schnee muss

so fest sein, dass ein Messerschnitt sichtbar bleibt. Nach und nach Zucker, Vanillin-Zucker und Aroma unterschlagen. Zuletzt Mandeln unterheben.

6 Die Masse in einen Spritzbeutel mit Lochtülle füllen und spiralförmig in die ausgestrichenen Schiffe spritzen. Mit Mandeln bestreuen. Die gefüllten Formen auf ein Backblech stellen. Das Backblech in den Backofen schieben.

Ober-/Unterhitze: etwa 180 °C (vorgeheizt)
Heißluft: etwa 160 °C (vorgeheizt)
Gas: Stufe 2–3 (vorgeheizt)
Backzeit: etwa 30 Minuten

7 Die Formen auf einen Kuchenrost stellen und etwas abkühlen lassen. Dann das Gebäck aus den Formen lösen und auf einem Kuchenrost erkalten lassen.

Tipp: Anstelle der Schiffchenformen kann auch eine Mini-Muffinform verwendet werden.

Teekuchen mit Ananas | 🗑 ❄

Einfach

Zum Vorbereiten:
1 Dose Ananas in Scheiben
(Abtropfgewicht 260 g)

Für den Rührteig:
150 g Butter oder Margarine
100 g Zucker
1 Prise Salz
2 Eier (Größe M)
250 g Weizenmehl
2 gestr. TL Backpulver
7 EL Ananassaft aus der Dose

Für den Belag:
30 g Butter oder Margarine
40 g flüssiger Honig
50 g Kokosraspel

Zubereitungszeit: 60 Minuten

Insgesamt: E: 48 g, F: 195 g, Kh: 364 g, kJ: 14680, kcal: 3508

1 Zum Vorbereiten Ananasscheiben in einem Sieb abtropfen lassen, dabei den Saft auffangen und 7 Esslöffel davon abnehmen.

2 Für den Teig Butter oder Margarine mit Handrührgerät mit Rührbesen auf höchster Stufe geschmeidig rühren. Nach und nach Zucker und Salz unterrühren. So lange rühren, bis eine gebundene Masse entstanden ist.

3 Eier nach und nach unterrühren (jedes Ei etwa ½ Minute). Mehl mit Backpulver mischen, sieben, abwechselnd portionsweise mit dem abgemessenen Saft auf mittlerer Stufe unterrühren.

4 Den Teig in eine Springform (Ø 20 cm, Boden gefettet, mit Backpapier belegt) füllen und glatt streichen.

5 Für den Belag Ananasscheiben in kleine Stücke schneiden. Butter oder Margarine und Honig geschmeidig rühren. Ananasstücke und Kokosraspel unterrühren.

6 Die Ananasmasse auf dem Teig verteilen. Die Form auf dem Rost in den Backofen schieben.

Ober-/Unterhitze: etwa 180 °C (vorgeheizt)
Heißluft: etwa 160 °C (nicht vorgeheizt)
Gas: Stufe 2–3 (nicht vorgeheizt)
Backzeit: etwa 40 Minuten

7 Den Kuchen 5 Minuten in der Form stehen lassen, dann aus der Form lösen und auf einem Kuchenrost erkalten lassen.

Tipp: Der Kuchen kann auch in einer größeren Springform (Ø 26 cm) gebacken werden, dafür die Zutatenmengen verdoppeln.

Teekuchen mit Ananas

Tomaten-Quiche | 🗑 🗑

Dauert länger – für Gäste

Für den Knetteig:
250 g Weizenmehl
1 Msp. Backpulver
250 g Butter oder Margarine
250 g Magerquark

Für den Belag:
200 g gekochter Schinken
1 kg Fleischtomaten
Salz
frisch gemahlener Pfeffer
Kräuter der Provence

Für den Guss:
1 Zwiebel
1 Knoblauchzehe
1 Becher (150 g) Crème fraîche
2 Eier (Größe M)

Zubereitungszeit: 50 Minuten, ohne Kühlzeit

Insgesamt: E: 133 g, F: 295 g, Kh: 229 g, kJ: 17949, kcal: 4291

1 Für den Teig Mehl mit Backpulver mischen und in eine Rührschüssel sieben. Butter oder Margarine und Quark hinzufügen. Die Zutaten mit Handrührgerät mit Knethaken zunächst kurz auf niedrigster, dann auf höchster Stufe gut durcharbeiten.

2 Anschließend auf der bemehlten Arbeitsfläche zu einem glatten Teig verkneten, zu einem ¹/₂ cm dicken Rechteck ausrollen und zusammenklappen. Den Teig in Folie gewickelt 1 Stunde kalt stellen.

3 Den Teig auf der bemehlten Arbeitsfläche wieder ausrollen, erneut zusammenklappen und in Folie gewickelt wieder 1 Stunde kalt stellen. Diesen Vorgang noch einmal wiederholen.

4 Den Teig auf dem Boden einer Springform (Ø 28 cm, Boden gefettet) ausrollen, den Springformrand darumstellen und den Teig am Rand etwa 2 cm hochdrücken. Oder den Teig zu einer runden Platte (Ø 32 cm) ausrollen, eine Quicheform (Ø 28 cm, gefettet) damit auslegen und am Rand hochdrücken.

5 Für den Belag Schinken in Würfel schneiden und auf dem Teigboden verteilen. Tomaten waschen, abtrocknen, Stängelansätze herausschneiden. Tomaten in Scheiben schneiden und dachziegelartig auf den Teigboden legen. Mit Salz, Pfeffer und Kräutern der Provence bestreuen.

6 Für den Guss Zwiebel abziehen und fein reiben. Knoblauch abziehen und durch die Knoblauchpresse drücken. Crème fraîche mit Zwiebel, Knoblauch und Eiern verrühren, mit Salz und Pfeffer würzen. Den Guss auf den Tomatenscheiben verteilen. Die Form auf dem Rost in den Backofen schieben.

Ober-/Unterhitze: etwa 200 °C (vorgeheizt)
Heißluft: etwa 180 °C (vorgeheizt)
Gas: Stufe 3 – 4 (vorgeheizt)
Backzeit: etwa 30 Minuten

7 Die Quiche aus der Form lösen und auf einem Kuchenrost etwas abkühlen lassen. Tomatenquiche warm servieren.

Tomatenquiche

Tomatenwaffeln

Tomatenwaffeln | 🗑

Einfach

Für den Teig:
100 g in Öl eingelegte, getrocknete
Tomaten (aus dem Glas)
300 g Weizenmehl (Type 550)
1 gestr. TL Backpulver
1 gestr. TL Salz
1 Knoblauchzehe
250 ml (¼ l) Milch
4 Eier (Größe M)
8 EL Tomatenöl (aus dem Glas)

Außerdem:
Speiseöl für das Waffeleisen

250 g Schafkäse
1 kleine Salatgurke

Zubereitungszeit: 60 Minuten

Insgesamt: E: 125 g, F: 183 g, Kh: 269 g,
kJ: 14009, kcal: 3349

1 Für den Teig Tomaten abtropfen lassen, in Würfel schneiden. Mehl und Backpulver mischen und in eine Rührschüssel sieben. Salz hinzufügen.

2 Knoblauch abziehen, durch die Presse drücken und zum Mehlgemisch geben. Milch,

Eier, Tomatenöl und die gewürfelten Tomaten nach und nach mit Handrührgerät mit Rührbesen auf mittlerer Stufe unterrühren.

3 Den Teig in nicht zu großen Portionen in ein gut erhitztes Waffeleisen (gefettet) füllen. Die Waffeln goldbraun backen und einzeln auf einem Kuchenrost erkalten lassen.

4 Für die Beilage Schafkäse würfeln. Gurke putzen, waschen, trockentupfen und in Scheiben schneiden. Schafkäsewürfel und Gurkenscheiben mit den Waffeln servieren.

Topfenkipferln |

Preiswert – raffiniert

Für den Knetteig:
200 g Weizenmehl
25 g Zucker
1 Prise Salz
100 g Magerquark (Topfen)
100 g Butter oder Margarine

Zum Bestreichen:
etwas Milch

Für die Füllung:
1 kleine Dose Beerencocktail
(Abtropfgewicht 180 g)

Zum Verzieren:
50 g gesiebter Puderzucker
2 TL Fruchtsaft aus der Dose

Nach Belieben zum Bestäuben:
Puderzucker

Zubereitungszeit: 65 Minuten, ohne Abkühlzeit

Insgesamt: E: 37 g, F: 87 g, Kh: 264 g, kJ: 8498, kcal: 2030

1 Für den Teig Mehl in eine Rührschüssel sieben. Zucker, Salz, Quark und Butter oder Margarine hinzufügen. Die Zutaten mit Handrührgerät mit Knethaken zunächst kurz auf niedrigster, dann auf höchster Stufe gut durcharbeiten.

2 Anschließend auf der bemehlten Arbeitsfläche zu einem glatten Teig verkneten. Sollte er kleben, ihn in Folie gewickelt eine Zeit lang kalt stellen.

3 Den Teig auf der bemehlten Arbeitsfläche zu einem Rechteck von etwa 27 x 36 cm ausrollen. Quadrate von etwa 9 x 9 cm daraus schneiden. Die Teigränder mit Milch bestreichen.

4 Für die Füllung Beerencocktail in einem Sieb gut abtropfen lassen, den Saft dabei auffangen und 2 Teelöffel zum Verzieren abmessen.

5 Die Beeren auf die Teigquadrate geben und zu Dreiecken zusammenschlagen. Die Ränder gut andrücken. Die Teigkipferl auf ein Backblech (gefettet, mit Backpapier belegt) legen. Das Backblech in den Backofen schieben.

Ober-/Unterhitze: etwa 180 °C (vorgeheizt)
Heißluft: etwa 160 °C (vorgeheizt)
Gas: Stufe 2 – 3 (vorgeheizt)
Backzeit: 20 – 25 Minuten

6 Die Kipferln mit dem Backpapier vom Backblech auf einen Kuchenrost ziehen. Kipferln erkalten lassen.

7 Zum Verzieren Puderzucker mit Fruchtsaft zu einer dickflüssigen Masse verrühren. Die Masse in ein Pergamentpapiertütchen füllen, eine kleine Spitze abschneiden. Die Kipferln damit verzieren.

Tipp: Nach Belieben die Kipferln vor dem Verzieren zusätzlich mit Puderzucker bestäuben. Für die Füllung kann auch 150 g TK-Obst, z. B. Beerenauslese, verwendet werden. Die Früchte auftauen und anschließend in einem Sieb gut abtropfen lassen.

Topfenkipferl

Traubentörtchen

Traubentörtchen | 🗑 🗑

Einfach

Für den Teig:
1 Pck. (450 g) TK-Blätterteig

Zum Bestreichen:
etwas Milch oder Kondensmilch

Zum Bestreuen:
Zucker

Für die Füllung:
*350 g kleine kernlose
grüne Weintrauben
500 ml (¹/₂ l) Schlagsahne
2 – 3 EL Zitronensaft
25 g gesiebter Puderzucker*

Nach Belieben zum Bestäuben:
Puderzucker

Zubereitungszeit: 65 Minuten, ohne
Auftau- und Ruhezeit

Insgesamt: E: 31 g, F: 166 g, Kh: 258 g,
kJ: 11514, kcal: 2752

1 Für den Teig Blätterteigplatten nebeneinander zugedeckt bei Zimmertemperatur auftauen lassen. Jede Teigplatte auf der bemehlten Arbeitsfläche etwa 3 mm dick ausrollen und insgesamt 9 ovale Platten von etwa 10 x 8 cm und 18 Ringe von etwa 2 cm Breite daraus ausschneiden.

2 Die ovalen Teigplatten auf ein Backblech (gefettet, mit Backpapier belegt) legen. Die Teigränder mit Milch oder Kondensmilch bestreichen. Je 2 Ringe auf jede Teigplatte legen und ebenfalls mit Milch oder Kondensmilch bestreichen.

3 Aus dem restlichen Teig mit Hilfe eines Förmchens oder einer Papierschablone Blätter ausstechen und mit auf das Backblech legen. Die Teigblätter mit Hilfe eines Messerrückens verzieren, mit Milch oder Kondensmilch bestreichen und mit Zucker bestreuen. Die Teig-

stücke etwa 15 Minuten ruhen lassen. Das Backblech in den Backofen schieben.

Ober-/Unterhitze: etwa 200 °C (vorgeheizt)
Heißluft: etwa 180 °C (vorgeheizt)
Gas: Stufe 3 – 4 (vorgeheizt)
Backzeit: etwa 15 Minuten

4 Die Törtchen und Blätter vom Backblech lösen und auf einem Kuchenrost erkalten lassen.

5 Für die Füllung Weintrauben waschen und gut abtropfen lassen. Die Hälfte der Weintrauben in die Törtchen legen.

6 Sahne steif schlagen, Zitronensaft und Puderzucker unterrühren. Die Sahne auf den Weintrauben verteilen. Die Törtchen mit den restlichen Weintrauben belegen und kalt stellen.

7 Die Törtchen kurz vor dem Servieren mit den gebackenen Blättern garnieren. Nach Belieben mit Puderzucker bestäuben.

Trüffelkuchen vom Blech

Trüffelkuchen vom Blech | 🗑 🍶

Raffiniert

Zum Bestreuen:
75 g Haselnusskrokant

Für den Biskuitteig:
4 Eier (Größe M)
150 g Zucker
1 Pck. Vanillin-Zucker
75 g Weizenmehl
2 gestr. TL Backpulver
60 g gemahlene Haselnuss-
kerne

Für die Füllung:
2 Pck. Mousse au Chocolat
500 ml (¹/₂ l) Schlagsahne
100 g gemischte gehackte
Trüffelpralinen

Zum Garnieren:
200 ml Schlagsahne
1 Pck. Sahnesteif
einige Trüffelpralinen

Zubereitungszeit: 45 Minuten, ohne Kühlzeit

Insgesamt: E: 75 g, F: 338 g, Kh: 413 g, kJ: 21545, kcal: 5149

1 Zum Bestreuen ein Backblech mit Backpapier auslegen. Die offene Seite mit einem mehrfach geknickten Streifen Backpapier verschließen. Krokant gleichmäßig auf das Backblech streuen.

2 Für den Teig Eier mit Handrührgerät mit Rührbesen auf höchster Stufe in 1 Minute schaumig schlagen. Zucker und Vanillin-Zucker mischen, in 1 Minute einstreuen, dann noch etwa 2 Minuten schlagen.

3 Mehl mit Backpulver mischen, auf die Eiercreme sieben und kurz auf niedrigster Stufe unterrühren. Haselnusskerne unterheben. Den Teig auf das mit Krokant bestreute Backblech geben und glatt streichen. Das Backblech in den Backofen schieben. Sofort backen.

Ober-/Unterhitze: etwa 200 °C (vorgeheizt)
Heißluft: etwa 180 °C (vorgeheizt)
Gas: Stufe 3–4 (vorgeheizt)
Backzeit: etwa 12 Minuten

4 Die Biskuitplatte sofort nach dem Backen auf mit Zucker bestreutes Backpapier stürzen. Mitgebackenes Backpapier abziehen. Biskuitplatte erkalten lassen.

5 Biskuitplatte senkrecht halbieren. Eine Hälfte mit der Krokantseite nach oben auf eine Platte legen. Aus der zweiten Biskuithälfte mit einem Ausstechförmchen 24 kleine Plättchen (Ø etwa 3 cm) ausstechen.

6 Für die Füllung Mousse au Chocolat mit Sahne mit Handrührgerät mit Rührbesen etwa 2 Minuten verrühren. Gehackte Trüffelpralinen unterheben.

7 Die Mousse-au-Chocolat-Masse auf den unteren heilen Biskuitboden streichen. Die Biskuitplatte mit den Löchern mit der Krokantseite nach oben darauf legen und leicht andrücken. Kuchen kalt stellen.

8 Zum Garnieren Sahne mit Sahnesteif steif schlagen, in einen Spritzbeutel mit Sterntülle füllen und in die ausgestochenen Löcher spritzen. Mit Trüffelpralinen und den Gebäckplättchen garnieren.

Trüffel-Sahne-Torte | 🗑 🗑 🍶

Für Gäste

Zum Vorbereiten für die Trüffelsahne:
250 ml (¹/₄ l) Schlagsahne
100 g Zartbitterschokolade

Zum Vorbereiten für den Biskuitboden:
50 g Zartbitterschokolade

Für den Biskuitteig:
5 Eigelb (Größe M)
100 g Zucker
1 Pck. Vanillin-Zucker
5 Eiweiß (Größe M)
50 g Zucker
170 g Weizenmehl
3 gestr. TL Backpulver

Für die Trüffelsahne:
250 ml (¹/₄ l) Schlagsahne
2 Pck. Sahnesteif
1 Pck. Finesse Jamaika-Rum-Aroma

Zum Verzieren:
geschabte Halbbitter-Kuvertüre

Zum Bestäuben:
Kakaopulver
Puderzucker

Zum Garnieren:
Trüffelpralinen

Zubereitungszeit: 60 Minuten, ohne Kühlzeit

Insgesamt: E: 84 g, F: 279 g, Kh: 475 g, kJ: 20547, kcal. 4911

1 Zum Vorbereiten für die Trüffelsahne Sahne in einem kleinen Topf zum Kochen bringen und von der Kochstelle nehmen. Schokolade in kleine Stücke brechen und in der Sahne unter Rühren auflösen. Schokoladensahne einige Stunden kalt stellen (am besten über Nacht).

2 Zum Vorbereiten für den Biskuitboden Schokolade in kleine Stücke brechen, in ei-

nem kleinen Topf im Wasserbad bei schwacher Hitze zu einer geschmeidigen Masse verrühren und etwas abkühlen lassen.

3 Für den Teig Eigelb mit Handrührgerät mit Rührbesen auf höchster Stufe in 1 Minute schaumig schlagen. Zucker und Vanillin-Zucker mischen, in 1 Minute einstreuen, dann noch etwa 2 Minuten schlagen. Aufgelöste Schokolade hinzufügen. So lange schlagen, bis eine cremige Masse entstanden ist.

4 Eiweiß mit Zucker steif schlagen. Den Eischnee auf die Eigelbmasse geben und vorsichtig unterheben.

5 Mehl mit Backpulver mischen, die Hälfte davon auf die Masse sieben, kurz auf niedrigster Stufe unterrühren. Restliches Mehlgemisch auf die gleiche Weise unterarbeiten.

6 Den Teig in eine Springform (Ø 26 oder 28 cm, Boden gefettet, mit Backpapier belegt) füllen. Die Form auf dem Rost in den Backofen schieben.

Ober-/Unterhitze: etwa 180 °C (vorgeheizt)
Heißluft: etwa 160 °C (nicht vorgeheizt)
Gas: Stufe 2–3 (nicht vorgeheizt)
Backzeit: etwa 40 Minuten

7 Den Biskuitboden aus der Form lösen, auf einen mit Backpapier belegten Kuchenrost stürzen, mitgebackenes Backpapier abziehen. Biskuitboden erkalten lassen, einmal waagerecht durchschneiden.

8 Für die Trüffelsahne die Sahne zu der Schokoladensahne geben und etwa ¹/₂ Minute schlagen. Sahnesteif und Aroma hinzufügen. Die Trüffelsahne steif schlagen.

9 Den unteren Biskuitboden mit zwei Drittel der Trüffelsahne bestreichen. Den oberen Biskuitboden darauf legen. Tortenrand und -oberfläche gleichmäßig mit der restlichen Trüffelsahne bestreichen. Den Tortenrand mit geschabter Kuvertüre bestreuen. Die Torte auf eine Tortenplatte geben und kalt stellen.

10 Vor dem Servieren die Tortenoberfläche mit Kakao bestäuben, eine Schablone auflegen und dick mit Puderzucker bestäuben. Die Schablone vorsichtig abheben. Die Torte mit Trüffelpralinen garnieren.

Tipp: Nach Belieben zusätzlich etwa 3 Esslöffel Orangenmarmelade oder Preiselbeerkonfitüre auf den unteren Boden streichen. Die Torte kann bis auf die Garnierung am Vortag zubereitet werden.

Trüffel-Sahne-Torte

Trüffeltorte | 🥛 🥛 🍶

Für Gäste

Für den Biskuitteig:
4 Eier (Größe M)
4 EL heißes Wasser
175 g Zucker, 1 Pck. Vanillin-Zucker
100 g Weizenmehl
100 g Speisestärke
30 g Kakaopulver
3 gestr. TL Backpulver

Für die Füllung:
125 g weiche Butter
150 g Puderzucker
100 g Kakaopulver
1 frisches Ei (Größe M)
1 Pck. Finesse Jamaica-Rum-Aroma
2 EL Wasser
1 Pck. Vanillin-Zucker

Für den Guss:
150 g Zartbitterschokolade
gut 1 TL Speiseöl

Zum Bestreuen:
75 g Schokoladenstreusel

Zubereitungszeit: 60 Minuten, ohne Kühlzeit

Insgesamt: E: 89 g, F: 233 g, Kh: 654 g, kJ: 21829, kcal: 5214

1 Für den Teig Eier und Wasser mit Handrührgerät mit Rührbesen auf höchster Stufe in 1 Minute schaumig schlagen. Zucker und Vanillin-Zucker mischen, in 1 Minute einstreuen, dann noch etwa 2 Minuten schlagen.

2 Mehl mit Speisestärke, Kakao und Backpulver mischen, die Hälfte davon auf die Eiercreme sieben, kurz auf niedrigster Stufe unterrühren. Restliches Mehlgemisch auf die gleiche Weise unterarbeiten.

3 Den Teig in eine Springform (Ø 26 cm, Boden gefettet, mit Backpapier belegt) füllen.

Die Form auf dem Rost in den Backofen schieben.

Ober-/Unterhitze: 180–200 °C (vorgeheizt)
Heißluft: 160–180 °C (vorgeheizt)
Gas: etwa Stufe 3 (vorgeheizt)
Backzeit: 20–30 Minuten

4 Den Biskuitboden aus der Form lösen und auf einen mit Backpapier belegten Kuchenrost stürzen. Mitgebackenes Backpapier abziehen. Den Biskuitboden erkalten lassen, zweimal waagerecht durchschneiden.

5 Für die Füllung Butter mit Handrührgerät mit Rührbesen auf höchster Stufe geschmeidig rühren. Puderzucker mit Kakao mischen, sieben und abwechselnd portionsweise mit dem Ei und Aroma auf niedrigster Stufe unterrühren. 16 Teelöffel von der Trüffelmasse abnehmen und kalt stellen.

6 Die restliche Trüffelmasse mit Wasser und Vanillin-Zucker verrühren. Die Biskuitböden mit der Trüffelmasse bestreichen und zu einer Torte zusammensetzen. Den oberen Biskuitboden nicht bestreichen.

7 Für den Guss Schokolade in kleine Stücke brechen, mit Öl in einem kleinen Topf im Wasserbad bei schwacher Hitze zu einer geschmeidigen Masse verrühren. Die Torte gleichmäßig mit dem Guss überziehen.

8 Den Tortenrand und einen 2 cm breiten Rand auf der Tortenoberfläche mit Schokoladenstreuseln bestreuen. Guss fest werden lassen.

9 Aus der kalt gestellten Masse 16 kirschgroße Kugeln formen und in den restlichen Schokoladenstreuseln wälzen (in einem Kaffeesieb). Trüffel kranzförmig auf die Torte legen.

Tipp: Nur ganz frische Eier verwenden, die nicht älter als 5 Tage sind (Legedatum beachten!). Fertige Torte im Kühlschrank aufbewahren und innerhalb von 24 Stunden verzehren.

Trüffeltorte

Türkischer Strudel mit Walnusskernen und Mandeln

Türkischer Strudel mit Walnusskernen und Mandeln | 🍸 🍸

Raffiniert

Für den Teig:
¹/₂ Pck. (250 g) Baklava-Blätter
(Strudelteigblätter, türkischer Laden)
100 g Butter oder Margarine

Für die Füllung:
100 g gehackte Walnusskerne
120 g abgezogene, gemahlene Mandeln
50 g Zucker

Für den Sirup:
175 ml Wasser
200 g Zucker
2 EL Zitronensaft
3 grüne Kardamomkapseln

Zubereitungszeit: 45 Minuten, ohne Kühlzeit

Insgesamt: E: 52 g, F: 279 g, Kh: 356 g, kJ: 17870, kcal: 4270

1 Für den Teig Teigblätter der Länge nach in der Mitte durchschneiden. Butter oder Margarine langsam schmelzen lassen, so dass sich die Molke absetzt. Butterfett vorsichtig in eine kleine Schüssel gießen. Die Molke etwas abschöpfen.

2 Einen Backrahmen (25 x 40 cm) auf ein Backblech (gefettet, mit Backpapier belegt) stellen.

3 Für die Füllung Walnusskerne, Mandeln und Zucker mischen.

4 Die Hälfte der Teigblätter in den Backrahmen legen, dabei jedes Blatt dünn mit Butterfett bestreichen. Die Füllung darauf verteilen und die restlichen Blätter auf die gleiche Weise auf die Füllung schichten. Oberes Teigblatt ebenfalls dünn mit Butterfett bestreichen. Mit einem scharfen Messer Rauten in den Teig schneiden. Das Backblech in den Backofen schieben.

Ober-/Unterhitze: etwa 200 °C (vorgeheizt)
Heißluft: etwa 180 °C (vorgeheizt)
Gas: Stufe 3 – 4 (vorgeheizt)
Backzeit: etwa 25 Minuten

5 Fünf Minuten vor Ende der Backzeit den Sirup kochen.

6 Für den Sirup Wasser, Zucker, Zitronensaft und Kardamomkapseln in einem Topf erhitzen, bis der Zucker geschmolzen ist. Die Masse etwa 5 Minuten ohne Deckel köcheln lassen. Kardamomkapseln entfernen.

7 Das Backblech auf einen Kuchenrost stellen. Das Gebäck sofort mit dem heißen Sirup besprenkeln. Gebäck mindestens 1 Stunde erkalten lassen.

Vanillecremetorte mit Obst

Vanillecremetorte mit Obst | 🍴 🍴

Für Gäste

Für den Knetteig:
200 g Weizenmehl
1 Msp. Backpulver
75 g Zucker, 1 Pck. Vanillin-Zucker
1/2 Pck. Finesse Orangenfrucht
1 Ei (Größe M)
100 g Butter oder Margarine

Für den Rand:
1 EL Weizenmehl

Für die Vanillecreme:
4 Blatt weiße Gelatine
1 Pck. Pudding-Pulver
Vanille-Geschmack
80 g Zucker
375 ml (³/₈ l) Milch
1 Becher (150 g) Crème fraîche
1/2 Pck. Finesse Orangenfrucht

Für den Belag:
750 g beliebiges vorbereitetes, evtl.
gedünstetes Obst, z. B. Kirschen,
Erdbeeren oder Stachelbeeren

Für den Guss:
1 Pck. Tortenguss, klar
25 g Zucker
250 ml (¹/₄ l) Wasser oder Saft

Zubereitungszeit: 60 Minuten, ohne Kühlzeit

Insgesamt: E: 60 g, F: 152 g, Kh: 451 g, kJ: 14731, kcal: 3514

1 Für den Teig Mehl und Backpulver mischen und in eine Rührschüssel sieben. Zucker, Vanillin-Zucker, Orangenfrucht, Ei und Butter oder Margarine hinzufügen. Die Zutaten mit Handrührgerät mit Knethaken zunächst kurz auf niedrigster, dann auf höchster Stufe gut durcharbeiten.

2 Anschließend auf der bemehlten Arbeitsfläche zu einem glatten Teig verkneten. Sollte er kleben, ihn in Folie gewickelt 20 – 30 Minuten kalt stellen.

3 Zwei Drittel des Teiges auf dem Boden einer Springform (Ø 26 cm, Boden gefettet) ausrollen. Restlichen Teig mit Mehl verkneten und zu einer Rolle formen. Sie als Rand auf den Teigboden legen und so an die Form drücken, dass ein etwa 3 cm hoher Rand entsteht. Teigboden mehrmals mit einer Gabel einstechen. Die Form auf dem Rost in den Backofen schieben.

Ober-/Unterhitze: etwa 220 °C (vorgeheizt)
Heißluft: etwa 200 °C (vorgeheizt)
Gas: Stufe 4 – 5 (vorgeheizt)
Backzeit: etwa 15 Minuten

4 Den Tortenboden aus der Form lösen und auf einem mit Backpapier belegten Kuchenrost erkalten lassen.

5 Für die Creme Gelatine in kaltem Wasser nach Packungsanleitung einweichen.

6 Einen Pudding aus Pudding-Pulver, Zucker und Milch nach Packungsanleitung – aber nur mit 375 ml (³/₈ l) Milch – zubereiten. Gelatine leicht ausdrücken und unter Rühren in dem heißen Pudding vollständig auflösen. Puddingmasse etwas abkühlen lassen. Crème fraîche und Orangenfrucht unterrühren. Die Masse abkühlen lassen, dabei ab und zu umrühren.

7 Die Puddingmasse auf den Tortenboden geben und glatt streichen. Kirschen, Erdbeeren oder Stachelbeeren darauf verteilen.

8 Für den Guss aus Tortengusspulver, Zucker und Wasser oder Saft nach Packungsanleitung einen Guss zubereiten und auf den Früchten verteilen. Torte etwa 2 Stunden kalt stellen.

Vanille-Käsekuchen |

Für Gäste

Für den Knetteig:
180 g Weizenmehl
1 gestr. TL Backpulver
65 g Zucker, 1 Prise Salz
1 Ei (Größe M)
65 g Butter oder Margarine

Für den Belag:
500 g Magerquark
250 ml ('/₄ l) neutrales Speiseöl
125 g Zucker
1 Pck. Bourbon-Vanille-Zucker
abgeriebene Schale und Saft
von 1 Bio-Zitrone (unbehandelt,
ungewachst)
1 Pck. Pudding-Pulver Vanille-
Geschmack
500 ml ('/₂ l) Milch
1 Ei (Größe M)
2 Eigelb (Größe M)

Für das Baiser:
2 Eiweiß (Größe M)
80 g Zucker

Zum Bestäuben:
Puderzucker

Zubereitungszeit: 40 Minuten, ohne Abkühlzeit

Insgesamt: E: 132 g, F: 296 g, Kh: 491 g, kJ: 22362, kcal: 5339

1 Für den Teig Mehl mit Backpulver mischen und in eine Rührschüssel sieben. Zucker, Salz, Ei und Butter oder Margarine hinzufügen. Die Zutaten mit Handrührgerät mit Knethaken zunächst kurz auf niedrigster, dann auf höchster Stufe gut durcharbeiten.

2 Anschließend auf der bemehlten Arbeitsfläche zu einem glatten Teig verkneten. Sollte

er kleben, ihn in Folie gewickelt eine Zeit lang kalt stellen.

3 Für den Belag Quark, Öl, Zucker, Vanille-Zucker, Zitronenschale und -saft zu einer geschmeidigen Masse verrühren. Pudding-Pulver, Milch, Ei und Eigelb hinzufügen und unterrühren.

4 Zwei Drittel des Teiges auf dem Boden einer Springform (Ø 26 cm, Boden gefettet) ausrollen. Springformrand darumstellen. Restlichen Teig zu einer Rolle formen. Sie als Rand auf den Teigboden legen und so an die Form drücken, dass ein etwa 3 cm hoher Rand entsteht.

5 Die Quarkmasse auf den Teigboden geben und glatt streichen. Die Form auf dem Rost in den Backofen schieben.

Ober-/Unterhitze: etwa 180 °C (vorgeheizt)
Heißluft: etwa 160 °C (nicht vorgeheizt)
Gas: Stufe 2–3 (nicht vorgeheizt)
Backzeit: etwa 75 Minuten

6 Für das Baiser Eiweiß sehr steif schlagen, der Schnee muss so fest sein, dass ein Messerschnitt sichtbar bleibt. Nach und nach Zucker unterschlagen.

7 Die Baisermasse 10 Minuten vor Ende der Backzeit auf die Kuchenoberfläche streichen. Kuchen fertig backen.

8 Den Kuchen in der Form erkalten lassen. Dann aus der Form lösen und auf eine Tortenplatte legen. Kuchen mit Puderzucker bestäuben.

Tipp: Den Boden ohne Springformrand im vorgeheizten Backofen (Ober-/Unterhitze: etwa 200 °C, Heißluft: etwa 180 °C, Gas: Stufe 3–4) etwa 10 Minuten vorbacken, etwas abkühlen lassen. Den Kuchen, wie ab Punkt 4 (Teigrolle formen) beschrieben, weiter zubereiten.

Vanille-Käsekuchen

Vanillekipferln |

Klassisch

Für den Knetteig:
250 g Weizenmehl, 1 Msp. Backpulver
125 g Zucker, 1 Pck. Vanillin-Zucker
3 Eigelb (Größe M)
200 g Butter oder Margarine
125 g abgezogene, gemahlene Mandeln

Zum Wälzen:
50 g gesiebter Puderzucker
1 Pck. Vanillin-Zucker

Zubereitungszeit: 90 Minuten

Insgesamt: E: 63 g, F: 252 g, Kh: 385 g,
kJ: 17739, kcal: 4238

1 Für den Teig Mehl mit Backpulver mischen und in eine Rührschüssel sieben. Zucker, Va-nillin-Zucker, Eigelb, Butter oder Margarine und Mandeln hinzufügen. Die Zutaten mit Handrührgerät mit Knethaken zunächst kurz auf niedrigster, dann auf höchster Stufe gut durcharbeiten.

2 Anschließend auf der bemehlten Arbeits-fläche zu einem glatten Teig verkneten. Sollte er kleben, ihn in Folie gewickelt eine Zeit lang kalt stellen.

3 Aus dem Teig auf der bemehlten Arbeitsflä-che etwa daumendicke Rollen formen, gut 2 cm lange Stücke davon abschneiden und diese zu etwa 5 cm langen Rollen formen. Da-bei die Enden etwas dünner rollen. Die Teig-röllchen leicht gebogen (hörnchenförmig) auf Backbleche (gefettet, mit Backpapier belegt) legen. Die Backbleche nacheinander (bei Heiß-luft zusammen) in den Backofen schieben.

Ober-/Unterhitze: 180 – 200 °C (vorgeheizt)
Heißluft: 160 – 180 °C (vorgeheizt)
Gas: etwa Stufe 3 (vorgeheizt)
Backzeit: etwa 10 Minuten pro Backblech

4 Die Kipferln mit dem Backpapier von den Backblechen auf je einen Kuchenrost ziehen.

5 Zum Wälzen Puderzucker mit Vanillin-Zucker mischen, die heißen Kipferln darin wäl-zen und auf den Kuchenrosten erkalten lassen.

Tipp: Die Vanillekipferln halten sich gut ver-packt 3 – 4 Wochen. Verwenden Sie keine selbst abgezogenen und gemahlenen Man-deln, da das Gebäck sonst beim Backen breit läuft, da der Fettgehalt höher ist als bei ge-kauften Mandeln.

Vollkornbrötchen, dunkle |

Vollkornbrötchen, dunkle

Vollwertig

Zum Vorbereiten:
150 g Grünkern (Reformhaus)
400 ml Wasser
1 gestr. TL Salz

Für den Hefeteig:
250 g grobes Grahammehl
(Reformhaus)
1 Pck. (42 g) frische Hefe
1 TL Zucker
225 ml lauwarmes Wasser
200 g Roggenmehl (Type 1150)
1 gestr. TL Salz
1 TL gemahlener Koriander
1 EL Zuckerrohrmelasse
(Reformhaus)

etwas Roggenmehl zum Bestäuben

Zubereitungszeit: etwa 60 Minuten, ohne Teiggeh- und Abkühlzeit

Insgesamt: E: 67 g, F: 10 g, Kh: 462 g,
kJ: 9735, kcal: 2326

1 Zum Vorbereiten Grünkern in 400 ml kal-tes Salzwasser geben, zum Kochen bringen und im geschlossenen Topf etwa 30 Minuten bei schwacher Hitze kochen. Anschließend ohne Deckel kochen, bis die Flüssigkeit ver-dampft ist. Etwas abkühlen lassen.

2 Für den Teig 1 Esslöffel des Grahammehls, Hefe, Zucker und etwas Wasser verrühren, zudecken und 15 Minuten stehen lassen.

3 Restliches Grahammehl, Roggenmehl, Grünkern, Salz und Koriander mischen. Hefe-wasser, Melasse und restliches Wasser dazu-geben. Mit Handrührgerät mit Knethaken auf höchster Stufe in etwa 5 Minuten zu einem Teig verarbeiten. Mit Mehl bestäuben. Den Teig zugedeckt so lange an einem warmen Ort gehen lassen, bis er sich sichtbar vergrö-ßert hat.

4 Teig aus der Schüssel nehmen, auf der bemehlten Arbeitsfläche nochmals kurz durchkneten und zu einer Rolle formen, daraus 16 längliche Brötchen formen und auf ein Backblech (mit Backpapier belegt) legen.

5 Brötchen nochmals zugedeckt so lange an einem warmen Ort gehen lassen, bis sie sich sichtbar vergrößert haben.Die Oberfläche der Brötchen zweimal schräg einschneiden, mit Wasser bestreichen und mit Mehl bestäuben. Das Backlech in den Backofen schieben.

Ober-/Unterhitze: etwa 200 °C (vorgeheizt)
Heißluft: etwa 180 °C (vorgeheizt)
Gas: Stufe 3 – 4 (vorgeheizt)
Backzeit: etwa 30 Minuten

6 Brötchen vom Backpapier nehmen und auf einem Kuchenrost erkalten lassen.

Vollkornkuchen mit Apfelfüllung | 🗑 🗑 ❄

Vollwertig – saftig

Für den Knetteig:
150 g Vollkorn-Weizenmehl
1 Msp. Backpulver
75 g Zucker, 1 Prise Salz
1 Ei (Größe M)
75 g Butter oder Margarine

Für den Rand:
1 EL Vollkorn-Weizenmehl

Für die Füllung:
750 g säuerliche Äpfel
70 g Rosinen
150 g saure Sahne
50 g Zucker, 1 TL Vanillin-Zucker
2 – 3 gestr. EL Hartweizengrieß
2 Eier (Größe M)

Zubereitungszeit: 60 Minuten, ohne Abkühlzeit

Insgesamt: E: 53 g, F: 1049 g, Kh: 370 g, kJ: 11457, kcal: 2733

1 Für den Teig Mehl mit Backpulver mischen und in eine Rührschüssel geben. Zucker, Salz, Ei und Butter oder Margarine hinzufügen. Die Zutaten mit Handrührgerät mit Knethaken zunächst kurz auf niedrigster, dann auf höchster Stufe gut durcharbeiten.

2 Anschließend auf der bemehlten Arbeitsfläche zu einem glatten Teig verkneten. Sollte er kleben, ihn in Folie gewickelt eine Zeit lang kalt stellen.

3 Zwei Drittel des Teiges auf dem Boden einer Springform (Ø 26 cm, Boden gefettet, mit Backpapier belegt) ausrollen. Den Springformrand darumlegen.

4 Die Form auf dem Rost in den Backofen schieben und den Boden vorbacken.

Ober-/Unterhitze: etwa 200 °C (vorgeheizt)
Heißluft: etwa 180 °C (vorgeheizt)
Gas: Stufe 3 – 4 (vorgeheizt)
Backzeit: etwa 10 Minuten

5 Die Form auf einen Kuchenrost stellen. Den Boden etwas abkühlen lassen.

6 Restlichen Teig mit Mehl verkneten, zu einer Rolle formen und auf den Teigboden legen. So an die Form drücken, dass ein 2 – 3 cm hoher Rand entsteht. Den Teigboden mehrmals mit einer Gabel einstechen.

7 Für die Füllung Äpfel waschen, abtrocknen, halbieren, entkernen und raspeln. Rosinen

untermischen. Saure Sahne, Zucker, Vanillin-Zucker, Grieß und Eier verquirlen und unter die Apfelmasse rühren. Die Apfel-Sahne-Masse auf den vorgebackenen Boden streichen.

8 Die Form wieder auf dem Rost in den Backofen schieben und den Kuchen fertig backen.

Ober-/Unterhitze: etwa 180 °C (vorgeheizt)
Heißluft: etwa 160 °C (nicht vorgeheizt)
Gas: Stufe 2 – 3 (nicht vorgeheizt)
Backzeit: etwa 60 Minuten

9 Den Kuchen aus der Form lösen und auf einem Kuchenrost erkalten lassen.

Tipp: Soll der Teig mit Honig zubereitet werden, Zucker durch 75 g neutralen flüssigen Honig ersetzen. Anstelle des Eies nur das Eigelb in den Teig geben. Bei der Füllung kann Zucker durch Honig und Hartweizengrieß durch Vollkorngrieß ersetzt werden.

Vollkornkuchen mit Apfelfüllung

Waldbeeren-Kuppeltorte |

Raffiniert

Für den Biskuitteig:
4 Eier (Größe M)
100 g Zucker
1 Pck. Vanillin-Zucker
100 g Weizenmehl
25 g Speisestärke
1 gestr. TL Backpulver
10 g Kakaopulver

Zum Tränken:
6 EL Cassis-Likör

Für die Füllung:
600 g gemischte frische Beeren oder
2 Pck. (je 300 g) TK-Waldbeeren
50 g Zucker
600 ml Schlagsahne
2 Pck. Sahnesteif

Zum Bestreuen:
200 g geschabte Halbbitter-Kuvertüre

Zubereitungszeit: 60 Minuten, ohne Kühlzeit

Insgesamt: E: 75 g, F: 293 g, Kh: 468 g, kJ: 21248, kcal: 5079

1 Für den Teig Eier mit Handrührgerät mit Rührbesen auf höchster Stufe in 1 Minute schaumig schlagen. Zucker mit Vanillin-Zucker mischen, in 1 Minute einstreuen, dann noch etwa 2 Minuten schlagen.

2 Mehl, Speisestärke, Backpulver und Kakao mischen, die Hälfte davon auf die Eiercreme sieben und kurz auf niedrigster Stufe unterrühren. Restliches Mehlgemisch auf die gleiche Weise unterarbeiten.

3 Den Teig in eine Springform (Ø 26 cm, Boden gefettet, mit Backpapier belegt) füllen. Die Form auf dem Rost in den Backofen schieben.

Ober-/Unterhitze: etwa 180 °C (vorgeheizt)
Heißluft: etwa 160 °C (vorgeheizt)
Gas: Stufe 2 – 3 (vorgeheizt)
Backzeit: etwa 30 Minuten

4 Den Biskuitboden aus der Form lösen, auf einen mit Backpapier belegten Kuchenrost

stürzen, mitgebackenes Backpapier entfernen. Den Biskuitboden erkalten lassen und einmal waagerecht durchschneiden.

5 Den unteren Biskuitboden auf eine Platte legen und mit 2 Esslöffeln Cassis-Likör tränken.

6 Für die Füllung frische Beeren putzen, waschen, abtropfen lassen und evtl. entstielen. TK-Beeren nach Packungsanleitung auftauen lassen. Beerenfrüchte mit Zucker bestreuen.

7 Sahne mit Sahnesteif steif schlagen. Unter zwei Drittel der Sahne die gezuckerten Beerenfrüchte heben. Die Beerensahne kuppelartig auf dem unteren Boden verteilen.

8 Den oberen Biskuitboden vierteln. Biskuitstücke vorsichtig auf die Beerensahne legen, leicht andrücken. Biskuitstücke mit dem restlichen Cassis-Likör tränken. Tortenoberfläche und -rand mit der restlichen Sahne bestreichen.

9 Die Torte mit der geschabten Kuvertüre bestreuen. Torte bis zum Verzehr kalt stellen.

Waldbeeren-Kuppeltorte

Walnussbrot

Walnussbrot | 🗑 🗑 ❄

Gut vorzubereiten – für Gäste

Für den Hefeteig:
300 g Vollkorn-Weizenmehl
200 g Weizenmehl
1 Pck. (42 g) frische Hefe
2 TL Zucker
125 ml (⅛ l) lauwarme Milch
1 TL Salz
125 ml (⅛ l) Schlagsahne
100 g zerlassene abgekühlte Butter
oder Margarine
150 g grob gehackte Walnusskerne

Zubereitungszeit: 25 Minuten, ohne
Teiggehzeit

Insgesamt: E: 92 g, F: 228 g, Kh: 371 g,
kJ: 17084, kcal: 4081

1 Für den Teig beide Mehlsorten in eine
Schüssel geben. In die Mitte eine Vertiefung
drücken. Hefe hineinbröckeln, Zucker und etwas von der Milch hinzufügen. Mit einer Gabel vorsichtig verrühren und etwa 10 Minuten
gehen lassen.

2 Salz, Sahne, Butter oder Margarine und
restliche Milch hinzufügen. Die Zutaten mit
Handrührgerät mit Knethaken zunächst auf
niedrigster, dann auf höchster Stufe in etwa
5 Minuten zu einem Teig verarbeiten. Den
Teig zugedeckt so lange an einem warmen
Ort stehen lassen, bis er sich sichtbar vergrößert hat.

3 Den Teig aus der Schüssel nehmen, auf
der bemehlten Arbeitsfläche nochmals kurz
durchkneten. Walnusskerne unterkneten.

4 Den Teig in eine Kastenform (35 x 11 cm,
gefettet) füllen. Die Teigoberfläche mit Wasser
bestreichen. Den Teig nochmals so lange an
einem warmen Ort gehen lassen, bis er sich
sichtbar vergrößert hat. Die Form auf dem
Rost in den Backofen schieben.

Ober-/Unterhitze: 180 – 200 °C (vorgeheizt)
Heißluft: 160 – 180 °C (nicht vorgeheizt)
Gas: etwa Stufe 3 (nicht vorgeheizt)
Backzeit: etwa 60 Minuten

5 Das Brot aus der Form lösen und auf
einem Kuchenrost erkalten lassen.

Tipp: Das Brot in Scheiben geschnitten portionsweise einfrieren.

Walnuss-Orangen-Torte | 🗑 🗑

Für Gäste – dauert etwas länger

Für den Knetteig:
150 g Weizenmehl
¹/₂ gestr. TL Backpulver, 30 g Zucker
1 Pck. Bourbon-Vanille-Zucker
1 Prise Salz
50 ml Eiswasser (geschmolzene Eiswürfel)
100 g Butter oder Margarine
50 g gehackte Walnusskerne

1 EL Weizenmehl für den Rand

Zum Bestreichen:
2 EL Aprikosenkonfitüre

Für die Füllung und zum Garnieren:
50 g Zucker
150 g gehackte Walnusskerne
3 Blatt weiße Gelatine
200 g Doppelrahm-Frischkäse
6 – 7 EL Orangensaft
3 EL Zitronensaft, 30 g Zucker
500 ml (¹/₂ l) Schlagsahne
2 Pck. Sahnesteif
Orangenfilets von 6 Orangen

Zubereitungszeit: 75 Minuten, ohne Abkühlzeit

Insgesamt: E: 94 g, F: 430 g, Kh: 393 g, kJ: 25268, kcal: 6038

1 Für den Teig Mehl mit Backpulver mischen und in eine Rührschüssel sieben. Zucker, Vanille-Zucker, Salz, Eiswasser, Butter oder Margarine und Walnusskerne hinzufügen. Die Zutaten mit Handrührgerät mit Knethaken zunächst kurz auf niedrigster, dann auf höchster Stufe gut durcharbeiten.

2 Anschließend auf der bemehlten Arbeitsfläche zu einem glatten Teig verkneten. Sollte er kleben, ihn in Folie gewickelt eine Zeit lang kalt stellen.

3 Zwei Drittel des Teiges auf dem Boden einer Springform (Ø 26 cm, Boden gefettet) ausrollen. Den Springformrand darumlegen.

4 Für den Rand restlichen Teig mit Mehl verkneten und zu einer Rolle formen. Sie als Rand auf den Teigboden legen und so an die Form drücken, dass ein etwa 2 cm hoher Rand entsteht. Den Teigboden mehrmals mit einer Gabel einstechen. Die Form auf dem Rost in den Backofen schieben.

Ober-/Unterhitze: 180 – 200 °C (vorgeheizt)
Heißluft: 160 – 180 °C (vorgeheizt)
Gas: etwa Stufe 3 (vorgeheizt)
Backzeit: etwa 30 Minuten

5 Den Gebäckboden aus der Form lösen und auf einem Kuchenrost erkalten lassen.

6 Zum Bestreichen Konfitüre durch ein Sieb streichen und in einem kleinen Topf unter Rühren erhitzen. Den Gebäckrand von außen damit bestreichen.

7 Für die Füllung Zucker in einer Pfanne bei schwacher Hitze karamellisieren lassen. Walnusskerne hinzufügen und unterrühren. Die Masse auf Backpapier geben, erkalten lassen und den Krokant mit einer Teigrolle zerstoßen.

8 Gelatine in kaltem Wasser nach Packungsanleitung einweichen, leicht ausdrücken. Die ausgedrückte Gelatine in einem kleinen Topf unter Rühren erwärmen (nicht kochen), bis sie völlig gelöst ist, leicht abkühlen lassen.

9 Frischkäse mit Orangen- und Zitronensaft und Zucker gut verrühren. Die aufgelöste Gelatine unterrühren. Sahne mit Sahnesteif steif schlagen und unterheben.

10 Unter die Hälfte der Creme gut zwei Drittel des Krokants heben, auf den Knetteigboden streichen und mit zwei Drittel der Orangenfilets belegen. Restliche Creme darauf geben und glatt streichen. Die Tortenoberfläche mit den restlichen Orangenfilets und dem restlichen Krokant garnieren.

Walnussplätzchen | 🗑 🗑 🍶

Etwas aufwändiger

Für den Knetteig:
300 g Weizenmehl
200 g Zucker, 1 Pck. Vanillin-Zucker
1 Fläschchen Rum-Aroma
3 Tropfen Bittermandel-Aroma
1 Msp. gemahlener Kardamom
1 Prise Salz
200 g Butter oder Margarine
150 g gemahlene Walnusskerne

Zum Bestreichen:
rotes Johannisbeergelee

Zum Garnieren:
50 g Halbbitter-Kuvertüre
200 g halbierte Walnusskerne

Für den Guss:
200 g gesiebter Puderzucker
2 – 3 EL Wasser

Zubereitungszeit: 110 Minuten, ohne Abkühl- und Trockenzeit

Insgesamt: E: 86 g, F: 403 g, Kh: 708 g, kJ: 29279, kcal: 6995

1 Für den Teig Mehl in eine Rührschüssel sieben. Zucker, Vanillin-Zucker, Aromen, Kardamom, Salz, Butter oder Margarine und Walnusskerne hinzufügen. Die Zutaten mit Handrührgerät mit Knethaken zunächst kurz auf niedrigster, dann auf höchster Stufe gut durcharbeiten.

2 Anschließend auf der bemehlten Arbeitsfläche zu einem glatten Teig verkneten. Sollte er kleben, ihn in Folie gewickelt eine Zeit lang kalt stellen.

3 Den Teig auf der bemehlten Arbeitsfläche dünn ausrollen und mit einer runden Ausstechform (Ø etwa 4 cm) Plätzchen ausstechen. Die Plätzchen auf Backbleche (gefettet, mit Backpapier belegt) legen.

4 Die Backbleche nacheinander (bei Heißluft zusammen) in den Backofen schieben.

Ober-/Unterhitze: etwa 180 °C (vorgeheizt)
Heißluft: etwa 160 °C (vorgeheizt)
Gas: Stufe 2–3 (vorgeheizt)
Backzeit: 8–10 Minuten pro Backblech

5 Die Plätzchen mit dem Backpapier von den Backblechen auf je einen Kuchenrost ziehen. Plätzchen erkalten lassen.

6 Die Hälfte der Plätzchen auf der Unterseite mit Gelee bestreichen, die restlichen Plätzchen darauf legen und gut andrücken.

7 Zum Garnieren Kuvertüre in einem kleinen Topf im Wasserbad bei schwacher Hitze zu einer geschmeidigen Masse verrühren. Die

Walnusskerne jeweils zur Hälfte hineintauchen und zum Trocknen auf Backpapier legen.

8 Für den Guss Puderzucker mit Wasser zu einer geschmeidigen Masse verrühren. Die Plätzchen damit bestreichen und mit den Walnusskernhälften garnieren.

Tipp: Die Plätzchen erst kurz vor dem Verzehr mit Johannisbeergeelee bestreichen. Die Plätzchen werden durch das Gelee schnell weich. Die Plätzchen schmecken noch nussiger, wenn Sie die Walnusskerne für den Teig in einer Pfanne ohne Fett etwas anrösten.

Wattplätzchen I 🍮 🍮

Raffiniert – einfach

Für den Rühr-Knetteig:
60 g getrocknete geschwefelte Apfelringe
170 g Butter oder Margarine
70 g Zucker
1/2 TL Salz
100 g heller Speisesirup
2 Pck. Bourbon-Vanille-Zucker
1 Ei (Größe M)
400 g Weizenmehl
1 gestr. TL Backpulver

Für den Guss:
50 g gesiebter Puderzucker
1 TL gesiebtes Kakaopulver
1–2 TL Zitronensaft

Zum Garnieren:
Meeresfrüchte aus Schokolade

Zubereitungszeit: 45 Minuten, ohne Abkühlzeit

Insgesamt: E: 53 g, F: 152 g, Kh: 545 g, kJ: 16262, kcal: 3885

Wattplätzchen

1 Für den Teig Apfelringe würfeln, in eine hohe Rührschüssel geben und mit Handrührgerät mit Schneidstab pürieren. Butter oder Margarine, Zucker, Salz, Sirup und Vanille-Zucker hinzufügen. Die Zutaten mit Handrührgerät mit Rührbesen auf höchster Stufe geschmeidig rühren. So lange rühren, bis eine gebundene Masse entstanden ist.

2 Ei in etwa 1/2 Minute unterrühren. Mehl mit Backpulver mischen und sieben. Die Hälfte des Mehlgemisches portionsweise auf mittlerer Stufe unterrühren. Restliches Mehlgemisch

mit gemehlten Händen auf der bemehlten Arbeitsfläche vorsichtig unterkneten.

3 Den Teig auf ein Backblech (30 x 40 cm, gefettet) geben und mit bemehlten Händen wellenförmig darauf verteilen. Das Backblech in den Backofen schieben.

Ober-/Unterhitze: etwa 180 °C (vorgeheizt)
Heißluft: etwa 160 °C (vorgeheizt)
Gas: Stufe 2–3 (vorgeheizt)
Backzeit: etwa 20 Minuten

4 Das Backblech auf einen Kuchenrost stellen. Gebäck etwas abkühlen lassen und lauwarm in Quadrate (etwa 5 x 5 cm) schneiden.

5 Für den Guss Puderzucker, Kakao und Zitronensaft zu einer dickflüssigen Masse verrühren. Die Masse in einen kleinen Gefrierbeutel füllen, eine kleine Ecke abschneiden. Kleine Wattwürmer auf die Gebäckquadrate spritzen.

6 Zum Garnieren Meeresfrüchte evtl. mit restlichem Guss auf der Unterseite bestreichen und auf das Gebäck kleben. Guss fest werden lassen.

Wattwurmkuchen | 🗑 🗑 🍶

Fruchtig – für Gäste

Für den Rührteig:
250 g Butter oder Margarine
200 g Zucker
1 Pck. Vanillin-Zucker
1 Prise Salz
4 Eier (Größe M)
250 g Weizenmehl
50 g Speisestärke
3 gestr. TL Backpulver, 2 EL Rum

Semmelbrösel für die Form

Für den dunklen Teig:
2 EL gesiebtes Kakaopulver, 1 EL Rum

Für die Füllung:
2 Gläser Sauerkirschen
(Abtropfgewicht je 370 g)
850 ml Kirschsaft aus den Gläsern
2 Pck. Pudding-Pulver
Vanille-Geschmack

Für den Belag:
50 g Zartbitterschokolade
50 ml Schlagsahne, 1 EL Rum

Zum Bestreichen:
600 ml Schlagsahne, 2 Pck. Sahnesteif

Zubereitungszeit: 35 Minuten

Insgesamt: E: 87 g, F: 457 g, Kh: 744 g, kJ: 32615, kcal: 7791

1 Für den Teig Butter oder Margarine mit Handrührgerät mit Rührbesen auf höchster Stufe geschmeidig rühren. Nach und nach Zucker, Vanillin-Zucker und Salz unterrühren. So lange rühren, bis eine gebundene Masse entstanden ist.

2 Eier nach und nach unterrühren (jedes Ei etwa ½ Minute). Mehl mit Speisestärke und Backpulver mischen, sieben und abwechselnd portionsweise mit Rum auf mittlerer Stufe unterrühren.

3 Gut zwei Drittel des Teiges auf ein Backblech (30 x 40 cm, gefettet, mit Semmelbröseln bestreut) streichen. Vor den Teig einen mehrfach geknickten Streifen Alufolie legen.

4 Restlichen Teig mit Kakao und Rum verrühren. Den dunklen Teig in einen Spritzbeutel mit Lochtülle füllen und etwa 5 cm lange „Wattwürmer" auf den hellen Teig spritzen. Das Backblech in den Backofen schieben.

Ober-/Unterhitze: 180 – 200 °C (vorgeheizt)
Heißluft: 160 – 180 °C (vorgeheizt)
Gas: etwa Stufe 3 (vorgeheizt)
Backzeit: 25 – 30 Minuten

5 Das Backblech auf einen Kuchenrost stellen. Den Gebäckboden erkalten lassen.

6 Für die Füllung Sauerkirschen in einem Sieb gut abtropfen lassen. Den Saft dabei auffangen und 850 ml davon abmessen (evtl. mit Wasser auffüllen).

7 Den Kirschsaft mit Pudding-Pulver in einem Topf verrühren und gut aufkochen lassen. Sauerkirschen unterheben. Die Kirschmasse auf dem Gebäckboden verteilen und erkalten lassen.

8 Für den Belag Schokolade in kleine Stücke brechen. Sahne in einem Topf erwärmen und von der Kochstelle nehmen. Die Schokolade hinzufügen und darin auflösen, Rum unterrühren. Die Schokoladenmasse erkalten lassen, dabei ab und zu umrühren.

9 Zum Bestreichen Sahne mit Sahnesteif steif schlagen. Die Sahne auf den Kirschen verteilen. Mit Hilfe eines Teelöffels leichte Vertiefungen in die Sahne eindrücken. Die Schokoladenmasse in den Sahnevertiefungen verteilen.

Tipp: Anstelle der Sauerkirschen können auch 2 Gläser Heidelbeeren (Abtropfgewicht je 280 g) verwendet werden.

Weihnachtliche Porridge-Kekse | 🗑 🗑

Weihnachtliche Porridge-Kekse

Für Weihnachten

Zum Vorbereiten:
175 ml Milch
1 EL brauner Zucker
1 Prise Salz
40 g Haferflocken

Für den Teig:
100 g Butter
75 g brauner Zucker
1 Ei (Größe M)

100 g Weizenmehl (Type 550)
75 g Rosinen

Für die Füllung:
2 EL Pflaumenmus

Zubereitungszeit: 65 Minuten, ohne Abkühlzeit

Insgesamt: E: 32 g, F: 99 g, Kh: 269 g, kJ: 8969, kcal: 2142

1 Zum Vorbereiten Milch mit Zucker und Salz in einem Topf zum Kochen bringen. Haferflocken hinzufügen, nochmals gut aufkochen und erkalten lassen.

2 Für den Teig Butter mit Handrührgerät mit Rührbesen auf höchster Stufe geschmeidig rühren. Nach und nach Zucker unterrühren. So lange rühren, bis eine gebundene Masse entstanden ist. Ei in etwa ¹/₂ Minute unterrühren. Haferflockenmasse hinzufügen. Mehl und Rosinen auf niedrigster Stufe unterrühren.

3 Von dem Teig mit 2 Teelöffeln walnussgroße Häufchen abstechen und auf Backbleche (gefettet, mit Backpapier belegt) setzen. Jeweils mit 1 Teelöffel eine kleine Vertiefung eindrücken.

4 Für die Füllung Pflaumenmus in einen kleinen Gefrierbeutel füllen, eine kleine Spitze abschneiden und jeweils in die Vertiefung der Teighäufchen einen Klecks spritzen. Die Backbleche nacheinander (bei Heißluft zusammen) in den Backofen schieben.

Ober-/Unterhitze: etwa 180 °C (vorgeheizt)
Heißluft: etwa 160 °C (vorgeheizt)
Gas: Stufe 2 – 3 (vorgeheizt)
Backzeit: etwa 15 Minuten pro Backblech

5 Die Kekse mit dem Backpapier von den Backblechen auf je einen Kuchenrost ziehen. Kekse erkalten lassen.

Weihnachtsplätzchen, braune |

Klassisch

Für den Rühr-Knetteig:
250 g flüssiger Honig
125 g Zucker, 1 Prise Salz
65 g Butter oder Margarine
65 g Schweineschmalz
1 EL Milch
5 Tropfen Zitronen-Aroma
1 gestr. TL gemahlener Kardamom
1 gestr. TL gemahlener Zimt
500 g Weizenmehl
3 gestr. TL Backpulver
30 g gemahlene Haselnusskerne

Zum Bestreichen:
Kondensmilch

Zubereitungszeit: 90 Minuten, ohne Kühlzeit

Insgesamt: E: 57 g, F: 132 g, Kh: 698 g, kJ: 18095, kcal: 4324

1 Für den Teig Honig mit Zucker, Salz, Butter oder Margarine, Schweineschmalz und Milch in einem Topf unter Rühren langsam erwärmen, zerlassen, in eine Rührschüssel geben und kalt stellen.

2 Unter die fast erkaltete Masse mit Handrührgerät mit Rührbesen auf höchster Stufe Aroma, Kardamom und Zimt rühren.

3 Mehl mit Backpulver mischen und sieben. Zwei Drittel davon portionsweise auf mittlerer Stufe unterrühren. Restliches Mehlgemisch mit den Haselnusskernen auf der bemehlten Arbeitsfläche unterarbeiten. Sollte der Teig kleben, noch etwas Mehl hinzugeben. Evtl. Teig in Folie gewickelt eine Zeit lang kalt stellen.

4 Den Teig portionsweise auf der bemehlten Arbeitsfläche dünn ausrollen, mit verschiedenen Ausstechformen Sterne, Tannenbäume oder Pilze ausstechen. Die Teigplätzchen auf Backbleche (gefettet, mit Backpapier belegt) legen und dünn mit Kondensmilch bestreichen. Die Backbleche nacheinander (bei Heißluft zusammen) in den Backofen schieben.

Ober-/Unterhitze: 180 – 200 °C (vorgeheizt)
Heißluft: 160 – 180 °C (vorgeheizt)
Gas: etwa Stufe 3 (vorgeheizt)
Backzeit: etwa 10 Minuten pro Backblech

5 Die Plätzchen mit dem Backpapier von den Backblechen auf je einen Kuchenrost ziehen. Plätzchen erkalten lassen.

Tipp: Teigplätzchen nach Belieben vor dem Backen mit abgezogenen, gehackten Mandeln oder gehackten Haselnüssen bestreuen.

Weihnachtsplätzchen, braune

Weihnachtssterne, gefüllt | 🗑 🗑 🍶

Zum Verschenken

Für den Knetteig:
250 g Weizenmehl
1 gestr. TL Backpulver
100 g Zucker
1 Pck. Vanillin-Zucker
2 Eigelb (Größe M)
¹/₂ Fläschchen Rum-Aroma
125 g Butter oder Margarine
75 g abgezogene, gemahlene Mandeln

Zum Bestreichen:
1 Eigelb
2 EL Milch

Zum Belegen:
25 g abgezogene, gestiftelte Mandeln

Für die Füllung:
2 gestr. EL Himbeergelee

Zubereitungszeit: 40 Minuten, ohne Abkühlzeit

Insgesamt: E: 58 g, F: 178 g, Kh: 312 g, kJ: 13568, kcal: 3241

1 Für den Teig Mehl mit Backpulver mischen, in eine Rührschüssel sieben. Zucker, Vanillin-Zucker, Eigelb, Aroma, Butter oder Margarine und Mandeln hinzufügen. Die Zutaten mit Handrührgerät mit Knethaken zunächst kurz auf niedrigster, dann auf höchster Stufe gut durcharbeiten.

2 Anschließend auf der bemehlten Arbeitsfläche zu einem glatten Teig verkneten. Sollte er kleben, ihn in Folie gewickelt eine Zeit lang kalt stellen.

3 Den Teig auf der bemehlten Arbeitsfläche dünn ausrollen und mit einer Ausstechform mittelgroße Sterne (40–60 Stück) ausstechen. Teigsterne auf Backbleche (gefettet, mit Backpapier belegt) legen.

4 Zum Bestreichen Eigelb und Milch verschlagen. Die Hälfte der Teigsterne damit bestreichen und mit Mandeln belegen. Die Backbleche nacheinander (bei Heißluft zusammen) in den Backofen schieben.

Ober-/Unterhitze: etwa 200 °C (vorgeheizt)
Heißluft: etwa 180 °C (vorgeheizt)
Gas: Stufe 3–4 (vorgeheizt)
Backzeit: 10–15 Minuten pro Backblech

5 Die Sterne mit dem Backpapier von den Backblechen auf je einen Kuchenrost ziehen und erkalten lassen.

6 Für die Füllung Gelee glatt rühren. Die nicht mit Mandeln belegten Sterne damit bestreichen, mit den Mandelsternen belegen und etwas andrücken.

Tipp: Vor dem Backen die Plätzchen mit einem kleinen Loch versehen, nach dem Backen ein kleines Bändchen zum Aufhängen durchziehen und als Geschenkanhänger oder Christbaumschmuck verwenden.

Weihnachtssterne, gefüllt

Weinbrandtörtchen

Weinbrandtörtchen | 🥛 🥛 🍶

Zum Tee – raffiniert

Für den Biskuitteig:
2 Eier (Größe M)
3 EL heißes Wasser
100 g Zucker
1 Pck. Vanillin-Zucker
75 g Weizenmehl
50 g Speisestärke
1 gestr. TL Backpulver
50 g abgezogene, gemahlene Mandeln

Für die Füllung:
400 ml Schlagsahne
20 g gesiebter Puderzucker
1 Pck. Sahnesteif
2 EL Weinbrand

Zum Bestreuen:
etwa 75 g abgezogene, gemahlene,
gebräunte Mandeln
Raspelschokolade

Zubereitungszeit: 50 Minuten, ohne Abkühlzeit

Ingesamt: E: 58 g, F: 206 g, Kh: 264 g, kJ: 14096, kcal: 3368

1 Für den Teig Eier und Wasser mit Handrührgerät mit Rührbesen auf höchster Stufe in 1 Minute schaumig schlagen. Zucker mit Vanillin-Zucker mischen, in 1 Minute einstreuen, dann noch etwa 2 Minuten schlagen.

2 Mehl mit Speisestärke und Backpulver mischen, die Hälfte davon auf die Eiercreme sieben, kurz auf niedrigster Stufe unterrühren. Restliches Mehlgemisch auf die gleiche Weise unterarbeiten. Mandeln vorsichtig unterheben.

3 Den Teig in eine Muffinform (für 12 Muffins, gefettet, gemehlt) füllen. Die Form auf dem Rost in den Backofen schieben. Sofort backen.

Ober-/Unterhitze: etwa 180 °C (vorgeheizt)
Heißluft: etwa 160 °C (vorgeheizt)
Gas: Stufe 2 – 3 (vorgeheizt)
Backzeit: 15 – 20 Minuten

4 Die Törtchen 5 Minuten in der Form stehen lassen, dann aus der Form lösen (evtl. vorsichtig mit Hilfe eines Messers herausheben) und auf einem Kuchenrost erkalten lassen. Törtchen einmal waagerecht durchschneiden.

5 Für die Füllung Sahne mit Puderzucker und Sahnesteif steif schlagen. Weinbrand vorsichtig unterrühren. Die Törtchen mit zwei Drittel der Weinbrandsahne füllen. Törtchenrand und -oberfläche mit der restlichen Weinbrandsahne bestreichen. Törtchen mit Mandeln und Raspelschokolade bestreuen.

Weincremeschnitten | 🥛 🥛 🍾 ❄

Einfach

Für den Teig:
1 Pck. (375 g) Backmischung
Zitronenkuchen
150 g Butter oder Margarine
2 Eier (Größe M), 100 ml Milch

Für die Füllung:
2 Pck. Paradiescreme Zitronen-
Geschmack
250 ml (¹/₄ l) Weißwein
400 ml Schlagsahne

Zum Bestäuben:
Puderzucker

Zubereitungszeit: 30 Minuten, ohne Kühlzeit

Insgesamt: E: 46 g, F: 286 g, Kh: 476 g,
kJ: 20411, kcal: 4847

1 Für den Teig die Backmischung mit Butter oder Margarine, Eiern und Milch nach Packungsanleitung zubereiten. Den Teig auf ein Backblech (30 x 40 cm, gefettet, mit Backpapier belegt) streichen. Vor den Teig einen mehrfach geknickten Streifen Alufolie legen. Das Backblech in den Backofen schieben.

Ober-/Unterhitze: etwa 180 °C (vorgeheizt)
Heißluft: etwa 160 °C (vorgeheizt)
Gas: Stufe 2 – 3 (vorgeheizt)
Backzeit: 20 – 25 Minuten

2 Die Gebäckplatte auf einen mit Backpapier belegten Kuchenrost stürzen. Gebäckplatte erkalten lassen. Mitgebackenes Backpapier entfernen.

3 Für die Füllung Paradiescreme nach Packungsanleitung, aber nur mit Wein zubereiten. Sahne steif schlagen und unterheben.

4 Die Gebäckplatte einmal senkrecht halbieren (30 x 20 cm). Die eine Hälfte mit der Weißwein-Creme bestreichen und mit der anderen Hälfte bedecken. Das Gebäck kalt stellen, bis die Weißwein-Creme schnittfest ist. Anschließend in Schnitten beliebiger Größe schneiden. Schnitten mit Puderzucker bestäuben.

Abwandlung: Anstelle der Backmischung kann der Kuchen auch mit einem All-in-Teig zubereitet werden. Dafür 200 g Weizenmehl, 3 gestr. Teelöffel Backpulver, 200 g Zucker, 1 Päckchen Vanillin-Zucker, 4 Eier (Größe M) und 200 g Butter oder Margarine in eine Rührschüssel geben. Die Zutaten mit Handrührgerät mit Rührbesen auf höchster Stufe in 2 Minuten zu einem glatten Teig verarbeiten. Den Teig auf ein Backblech streichen und wie unter Punkt 1 beschrieben weiter zubereiten.

Weinplätzchen | 🥛 🥛 🍾

Raffiniert

Für den Knetteig:
375 g Weizenmehl
125 g Zucker
1 Pck. Vanillin-Zucker
3 EL Weißwein
200 g Butter oder Margarine

Für den Belag:
2 Eiweiß (Größe M)
60 g Zucker, gemahlener Zimt
50 g abgezogene, gehackte Mandeln

Zubereitungszeit: 100 Minuten, ohne Abkühlzeit

Insgesamt: E: 59 g, F: 195 g, Kh: 469 g,
kJ: 16875, kcal: 4031

1 Für den Teig Mehl in eine Rührschüssel sieben. Zucker, Vanillin-Zucker, Wein und Butter oder Margarine hinzufügen. Die Zutaten

mit Handrührgerät mit Knethaken zunächst kurz auf niedrigster, dann auf höchster Stufe gut durcharbeiten.

2 Anschließend auf der bemehlten Arbeitsfläche zu einem glatten Teig verkneten. Evtl. in Folie gewickelt eine Zeit lang kalt stellen.

3 Den Teig auf der bemehlten Arbeitsfläche etwa 3 mm dick ausrollen, mit einer runden Form (Ø etwa 4 cm) Plätzchen ausstechen. Teigplätzchen auf Backbleche (gefettet, mit Backpapier belegt) legen.

4 Für den Belag Eiweiß sehr steif schlagen,

Weinplätzchen

der Schnee muss so fest sein, dass ein Messerschnitt sichtbar bleibt. Die Teigplätzchen damit bestreichen.

5 Zucker und Zimt mischen. Die Teigplätzchen mit der Zimt-Zucker-Mischung und den Mandeln bestreuen. Die Backbleche nacheinander (bei Heißluft zusammen) in den Backofen schieben.

Ober-/Unterhitze: 180 – 200 °C (vorgeheizt)
Heißluft: 160 – 180 °C (vorgeheizt)
Gas: etwa Stufe 3 (vorgeheizt)
Backzeit: 10 – 15 Minuten pro Backblech

6 Die Plätzchen mit dem Backpapier von den Backblechen auf je einen Kuchenrost ziehen und erkalten lassen.

Tipp: Die Plätzchen in einer gut schließenden Dose aufbewahren. Damit sie nicht aneinander kleben, schichtweise Backpapier dazwischen legen.

Weintrauben-Muffins | 🗑 ❄

Für Kinder – schnell

Für den Rührteig:
125 g Butter oder Margarine
50 g brauner Zucker
1 Pck. Bourbon-Vanille-Zucker
2 Eier (Größe M)
175 g Weizenmehl (Type 550)
1 gestr. TL Backpulver
75 g blaue kernlose Weintrauben
75 g grüne kernlose Weintrauben

100 g Weinbeeren (kalifornische Rosinen)

Außerdem:
20 Papierbackförmchen

Zubereitungszeit: 35 Minuten

Insgesamt: E: 38 g, F: 119 g, Kh: 274 g, kJ: 10098, kcal: 2413

1 Für den Teig Butter oder Margarine mit Handrührgerät mit Rührbesen auf höchster Stufe geschmeidig rühren. Nach und nach Zucker und Vanille-Zucker unterrühren. So lange rühren, bis eine gebundene Masse entstanden ist.

2 Eier nach und nach unterrühren (jedes Ei etwa 1/2 Minute). Mehl mit Backpulver mischen, sieben, portionsweise auf mittlerer Stufe unterrühren.

3 Weintrauben waschen, gut abtropfen lassen und vierteln. Zusammen mit den Weinbeeren unter den Teig heben.

4 Den Teig mit Hilfe von 2 Teelöffeln in 10 zweifach ineinander gestellte Papierbackförmchen füllen. Die Förmchen auf ein Backblech stellen. Backblech in den Backofen schieben.

Ober-/Unterhitze: etwa 180 °C (vorgeheizt)
Heißluft: etwa 160 °C (vorgeheizt)
Gas: Stufe 2 – 3 (vorgeheizt)
Backzeit: etwa 20 Minuten

5 Die Förmchen vom Backblech nehmen und auf einem Kuchenrost erkalten lassen.

Tipp: Den Teig in eine Muffinform (für 12 Muffins, gefettet, bemehlt) füllen und auf dem Rost im Backofen backen. Nach dem Backen die Muffins 10 Minuten in der Form stehen lassen, dann aus der Form lösen und auf einem Kuchenrost erkalten lassen.

Weintrauben-Muffins

Weißbrot | 🗑 🗑 ❄

Beliebt

Für den Hefeteig:
500 g Weizenmehl
1 Pck. Trockenhefe, 1 gestr. TL Zucker
1 schwach geh. TL Salz
2 Eier (Größe M), 1 Eigelb (Größe M)
etwa 100 ml lauwarme Milch
1 Becher (150 g) Crème fraîche

Für die Form:
Semmelbrösel

Zum Bestreichen:
etwas Wasser

Zubereitungszeit: 30 Minuten, ohne
Teiggehzeit

Insgesamt: E: 82 g, F: 74 g, Kh: 387 g,
kJ: 11196, kcal: 2675

1 Für den Teig Mehl in eine Rührschüssel
sieben, mit Trockenhefe sorgfältig vermischen. Zucker, Salz, Eier, Eigelb, Milch und
Crème fraîche hinzufügen.

2 Die Zutaten mit Handrührgerät mit Knethaken zunächst auf niedrigster, dann auf
höchster Stufe in etwa 5 Minuten zu einem
Teig verarbeiten. Den Teig zugedeckt an einem warmen Ort so lange stehen lassen, bis
er sich sichtbar vergrößert hat.

3 Den Teig leicht mit Mehl bestäuben, aus
der Schüssel nehmen und auf der bemehlten
Arbeitsfläche nochmals kurz durchkneten. Den
Teig in eine Kastenform (30 x 11 cm, gefettet,
mit Semmelbröseln ausgestreut) geben und
nochmals so lange an einem warmen Ort gehen lassen, bis er sich sichtbar vergrößert hat.

4 Die Teigoberfläche mit einem scharfen
Messer der Länge nach etwa 1 cm tief einschneiden (nicht drücken) und mit Wasser
bestreichen. Die Form auf dem Rost in den
Backofen schieben.

Ober-/Unterhitze: 180 – 200 °C (vorgeheizt)
Heißluft: 160 – 180 °C (nicht vorgeheizt)
Gas: etwa Stufe 3 (nicht vorgeheizt)
Backzeit: 40 – 50 Minuten

5 Das Brot aus der Form lösen, auf
Kuchenrost stürzen, wieder umdrehen und
auf dem Kuchenrost erkalten lassen.

Tipp: Zusätzlich 150 g Rosinen unter den
Teig kneten.

Weißbrot

Weißwein-Ananas-Torte | 🗑 🗑 🍶

Fruchtig – für Gäste

Für den Boden:
150 g Löffelbiskuits
150 g Marzipan-Rohmasse
100 g zerlassene abgekühlte Butter

Für den Belag:
1 große Dose Ananas- oder
Mini-Ananasscheiben
(Abtropfgewicht 490 g)

8 Blatt weiße Gelatine
125 ml (¹/₈ l) Ananassaft aus der Dose
125 ml (¹/₈ l) Weißwein
750 g Magerquark
150 g Zucker, Saft von 1 Zitrone
375 ml (³/₈ l) Schlagsahne

Zum Garnieren:
50 g Marzipan-Rohmasse
1 EL gesiebter Puderzucker
einige Tropfen grüne Speisefarbe

Zubereitungszeit: 55 Minuten, ohne
Kühlzeit

Insgesamt: E: 160 g, F: 279 g, Kh: 421 g,
kJ: 21359, kcal: 5101

1 Für den Boden Löffelbiskuits in einen Gefrierbeutel geben, Beutel fest verschließen.
Löffelbiskuits mit einer Teigrolle fein zerbröseln. Marzipan-Rohmasse auf einer groben
Reibe reiben oder fein würfeln.

2 Biskuitbrösel, Marzipan-Rohmasse und Butter in eine Schüssel geben und gut verkneten. Die Masse auf den Boden einer Springform (Ø 26 cm, gefettet, Boden und Rand mit Backpapier ausgelegt) geben, gut andrücken und kalt stellen.

3 Für den Belag Ananasscheiben in einem Sieb abtropfen lassen, den Saft dabei auffangen und 125 ml (⅛ l) davon abmessen. 3 – 4 Ananasscheiben zum Garnieren beiseite legen. Die restlichen Ananasscheiben in Stücke schneiden.

4 Gelatine in kaltem Wasser nach Packungsanleitung einweichen.

5 Abgemessenen Ananassaft und Weißwein in einem Topf erhitzen (nicht kochen). Die leicht ausgedrückte Gelatine unter Rühren vollständig darin auflösen, etwas abkühlen lassen.

6 Quark mit Zucker und Zitronensaft gut verrühren. Die Gelatinelösung unterrühren. Ananasstücke unterheben. Quark-Ananas-Masse kalt stellen.

7 Sahne steif schlagen. Wenn die Quark-Ananas-Masse anfängt dicklich zu werden, Sahne unterheben. Die Masse auf den Bröselboden geben und glatt streichen. Die Torte etwa 2 Stunden kalt stellen. Den Springform-

rand mit Hilfe eines Messers lösen und entfernen.

8 Zum Garnieren Marzipan-Rohmasse mit Puderzucker und Speisefarbe verkneten und zwischen 2 Lagen Klarsichtfolie ausrollen. Aus der Marzipanplatte Blätter ausschneiden. Die Torte mit den Marzipan-Blättern und den beiseite gelegten halbierten Ananashälften garnieren.

Tipp: Für den Belag statt Weißwein und Ananassaft nur Ananassaft verwenden.

Weißwein-Röllchen | 🗑 🗑 🍶

Für Gäste – gut vorzubereiten

Für den Biskuitteig:
3 Eier (Größe M), 1 Eigelb (Größe M)
50 g Zucker
1 Pck. Vanillin-Zucker
60 g Weizenmehl
1 Msp. Backpulver

Für die Füllung:
1 Pck. Paradiescreme Zitronen-Geschmack
100 ml Weißwein
125 ml (⅛ l) Schlagsahne

Für den Guss:
100 g Vollmilchschokolade
etwas Kokosfett

Zubereitungszeit: 45 Minuten, ohne Abkühl- und Gefrierzeit

Insgesamt: E: 45 g, F: 114 g, Kh: 219 g, kJ: 9015, kcal: 2149

1 Für den Teig Eier und Eigelb mit Handrührgerät mit Rührbesen auf höchster Stufe in 1 Minute schaumig schlagen. Zucker mit

Vanillin-Zucker mischen, in 1 Minute einstreuen, dann noch etwa 2 Minuten schlagen.

2 Mehl mit Backpulver mischen, auf die Eiercreme sieben und kurz auf niedrigster Stufe unterrühren.

3 Den Teig auf ein Backblech (30 x 40 cm, gefettet, mit Backpapier belegt) streichen. An der offenen Seite des Backbleches das Papier unmittelbar vor dem Teig zur Falte knicken, so dass ein Rand entsteht. Das Backblech in den Backofen schieben. Sofort backen.

Ober-/Unterhitze: etwa 200 °C (vorgeheizt)
Heißluft: etwa 180 °C (vorgeheizt)
Gas: Stufe 3 – 4 (vorgeheizt)
Backzeit: 8 – 10 Minuten

4 Die Biskuitplatte sofort auf die Arbeitsfläche stürzen. Mitgebackenes Backpapier mit Wasser bestreichen und vorsichtig, aber schnell abziehen. Biskuitplatte erkalten lassen.

5 Für die Füllung Paradiescreme nach Packungsanleitung, aber mit Wein und Sahne zubereiten. Die Biskuitplatte der Länge nach halbieren und jede Hälfte mit der Weißwein-

Weißwein-Röllchen

Creme bestreichen (an den Längsseiten jeweils 2 cm frei lassen). Jeden Biskuitstreifen von der langen Seite aus zu einer Rolle formen und gut verpackt etwa 2 Stunden in das Gefrierfach legen.

6 Für den Guss Schokolade in Stücke brechen, mit Kokosfett in einem kleinen Topf im Wasserbad bei schwacher Hitze zu einer geschmeidigen Masse verrühren. Die Biskuitrollen in Scheiben schneiden.

7 Röllchen bis zur Hälfte in den Guss tauchen oder damit bestreichen. Die Röllchen mit der restlichen Kuvertüre besprenkeln. Guss fest werden lassen.

Westfälische Kaffeeschnitten | 🗑 ❄

Einfach

Für den Rührteig:
250 g Butter oder Margarine
200 g Zucker, 1 Pck. Vanillin-Zucker
¹/₂ Fläschchen Zitronen-Aroma
oder 1 Fläschchen Rum-Aroma
1 Prise Salz
4 Eier (Größe M)
375 g Weizenmehl
3 gestr. TL Backpulver
4 EL Milch

Für den Belag:
125 g Korinthen, 250 g Rosinen
100 g fein gewürfeltes Zitronat
(Sukkade)
50 g Hagelzucker
50 g abgezogene gehobelte Mandeln

Zubereitungszeit: 45 Minuten

Insgesamt: E: 93 g, F: 266 g, Kh: 856 g, kJ: 26898, kcal: 6426

1 Für den Teig Fett mit Handrührgerät mit Rührbesen auf höchster Stufe geschmeidig rühren. Nach und nach Zucker, Vanillin-Zucker, Aromen und Salz unterrühren. So lange rühren, bis eine gebundene Masse entstanden ist.

2 Eier nach und nach unterrühren (jedes Ei etwa ½ Minute). Mehl und Backpulver mischen, sieben, abwechselnd portionsweise mit der Milch auf mittlerer Stufe unterrühren. Nur so viel Milch verwenden, dass der Teig schwer reißend vom Löffel fällt.

3 Den Teig in eine Fettfangschale (30 x 40 cm, gefettet) geben und glatt streichen.

4 Für den Belag Korinthen, Rosinen, Zitronat, Hagelzucker und Mandeln vermischen und gleichmäßig auf dem Teig verteilen. Die Fettfangschale in den Backofen schieben.

Ober-/Unterhitze: 180 – 200 °C (vorgeheizt)
Heißluft: 160 – 180 °C (nicht vorgeheizt)
Gas: etwa Stufe 3 (nicht vorgeheizt)
Backzeit: etwa 35 Minuten

5 Die Fettfangschale auf einen Kuchenrost stellen. Den Kuchen erkalten lassen und in Stücke schneiden.

Whisky-Früchtekuchen | 🗑 🗑 🍾 ❄

Gut vorzubereiten

Zum Vorbereiten:
500 g gemischte getrocknete Früchte,
z. B. Birnen, Feigen, Rosinen, Datteln,
Aprikosen
250 g gemischte kandierte Früchte,
z. B. Kirschen rot und grün, Orangen,
Ingwer, Ananas, Zitronat
225 ml Whisky

Für den Rührteig:
225 g Butter oder Margarine
250 g brauner Zucker
2 Pck. Bourbon-Vanille-Zucker
6 Eier (Größe M)
350 g Weizenmehl
3 gestr. TL Backpulver
100 g fein gehackte Pekannusskerne
100 g ganze Pekannusskerne
100 g abgezogene, gemahlene Mandeln

Für den Guss nach Belieben:
100 g gesiebter Puderzucker
2 – 3 EL Whisky

Zum Garnieren:
kandierte Früchte

Zubereitungszeit: 60 Minuten, ohne Durchzieh- und Abkühlzeit

Insgesamt: E: 128 g, F: 422 g, Kh: 947 g, kJ: 37949, kcal: 9052

1 Zum Vorbereiten die Früchte klein schneiden, mit Whisky übergießen und über Nacht durchziehen lassen.

Whisky-Früchtekuchen

2 Für den Teig Butter oder Margarine mit Handrührgerät mit Rührbesen auf höchster Stufe geschmeidig rühren. Nach und nach Zucker und Vanille-Zucker unterrühren. So lange rühren, bis eine gebundene Masse entstanden ist.

3 Eier nach und nach unterrühren (jedes Ei etwa ½ Minute). Mehl mit Backpulver mischen, sieben und portionsweise auf mittlerer Stufe unterrühren. Die vorbereiteten Früchte, gehackte und ganze Pekannusskerne und Mandeln unterrühren.

4 Den Teig in eine Napfkuchenform (Ø 22 cm, gefettet, gemehlt) füllen. Die Form auf dem Rost in den Backofen schieben.

Ober-/Unterhitze: etwa 160 °C (vorgeheizt)
Heißluft: etwa 140 °C (nicht vorgeheizt)
Gas: Stufe 1 – 2 (nicht vorgeheizt)
Backzeit: etwa 120 Minuten

5 Den Kuchen nach etwa 60 Minuten mit Backpapier zudecken, damit die Oberfläche nicht zu dunkel wird.

6 Den Kuchen auf einen mit Backpapier belegten Kuchenrost stürzen. Kuchen wieder umdrehen und erkalten lassen.

7 Für den Guss Puderzucker mit Whisky zu einer geschmeidigen Masse verrühren. Den Kuchen damit bestreichen und mit kandierten Früchten garnieren. Den Guss fest werden lassen.

Tipp: Der Früchtekuchen hält sich in Folie verpackt und gut gekühlt bis zu 4 Wochen frisch.

Whisky-Taschen |

Zum Tee – für Gäste

Für den Teig:
120 g heller Sirup
100 g Zucker
1 Pck. Vanillin-Zucker
120 g Butter oder Margarine
1 Pck. Finesse Geriebene Zitronenschale
1 Pck. Finesse Butter-Vanille-Aroma
½ gestr. TL gemahlener Ingwer
gut 1 TL Whisky
160 g Weizenmehl

Für die Füllung:
500 ml (½ l) Schlagsahne
2 Pck. Sahnesteif
20 g gesiebter Puderzucker
etwa 4 EL Whisky

Zubereitungszeit. 45 Minuten, ohne Abkühlzeit

Insgesamt: E: 30 g, F: 255 g, Kh: 365 g, kJ: 17319, kcal: 4139

1 Für den Teig Sirup, Zucker, Vanillin-Zucker und Butter oder Margarine langsam erwärmen, zerlassen, in eine Rührschüssel geben und kalt stellen.

2 Unter die fast erkaltete Masse mit Handrührgerät mit Rührbesen Zitronenschale, Aroma, Ingwer und Whisky rühren. Mehl sieben, portionsweise auf mittlerer Stufe unterrühren.

Whisky-Taschen

3 Jeweils nur 4 Häufchen Teig mit Hilfe eines Teelöffels auf je ein Backblech (gefettet, mit Backpapier belegt) setzen (Teig läuft auseinander). Die Backbleche nacheinander (bei Heißluft zusammen) in den Backofen schieben.

Ober-/Unterhitze: 180 – 200 °C (vorgeheizt)
Heißluft: 160 – 180 °C (vorgeheizt)
Gas: etwa Stufe 3 (vorgeheizt)
Backzeit: etwa 8 Minuten pro Backblech

4 Die Backbleche auf je einen Kuchenrost stellen. Die Gebäckplatten kurz abkühlen lassen, dann mit einem Messer vom Backpapier lösen, sofort um eine Teigrolle legen, kurz abkühlen lassen, abnehmen und etwas nachformen. Gebäcktaschen erkalten lassen.

5 Für die Füllung Sahne mit Sahnesteif und Puderzucker steif schlagen. Mit Whisky abschmecken. Die Sahne-Whisky-Masse in einen Spritzbeutel mit Sterntülle füllen.

6 Die Sahne-Whisky-Masse etwa 30 Minuten vor dem Verzehr in die Taschen spritzen.

Tipp: Ungefülltes Gebäck in gut schließenden Dosen aufbewahren.
Die Füllung ist ausreichend für 14 Taschen.

Wiener Kolatschen | 🗑

Gut vorzubereiten

Für den Rührteig:
125 g Butter oder Margarine
100 g Zucker
1 Pck. Vanillin-Zucker
1 Ei (Größe M)
1 Eigelb (Größe M)
2 Tropfen Zitronen-Aroma
250 g Weizenmehl
3 gestr. TL Backpulver

Zum Bestreichen:
1 Eiweiß
1 TL Zucker

Zum Bestreuen:
50 g Zitronat (Sukkade)
50 g abgezogene, gehackte Mandeln
70 g Korinthen

Zubereitungszeit: 70 Minuten

Insgesamt: E: 55 g, F: 146 g, Kh: 383 g, kJ: 13367, kcal: 3194

1 Für den Teig Butter oder Margarine mit Handrührgerät mit Rührbesen auf höchster Stufe geschmeidig rühren. Nach und nach Zucker, Vanillin-Zucker, Ei, Eigelb und Aroma unterrühren. Mehl mit Backpulver mischen, sieben und portionsweise auf mittlerer Stufe unterrühren.

2 Von dem Teig mit einem Teelöffel walnussgroße Häufchen abstechen und diese auf Backbleche (gefettet, mit Backpapier belegt) setzen.

3 Zum Bestreichen Eiweiß mit Zucker verschlagen. Die Teighäufchen damit bestreichen.

4 Zum Bestreuen Zitronat fein zerschneiden, mit Mandeln und Korinthen mischen, auf die Teighäufchen streuen und leicht andrücken. Die Backbleche nacheinander (bei Heißluft zusammen) in den Backofen schieben.

Ober-/Unterhitze: 180 – 200 °C (vorgeheizt)
Heißluft: 160 – 180 °C (vorgeheizt)
Gas: etwa Stufe 3 (vorgeheizt)
Backzeit: etwa 15 Minuten pro Backblech

5 Die Kolatschen mit dem Backpapier von den Backblechen auf je einen Kuchenrost ziehen. Kolatschen erkalten lassen.

Tipp: Nach Belieben anstelle von Zitronen-Aroma Finesse Orangenfrucht verwenden und Zitronat durch Orangeat ersetzen.
Die Wiener Kolatschen sind in einer gut schließenden Dose etwa 4 Wochen haltbar.

Wiener Kolatschen

Wiener Ringe

Wiener Ringe | 🍫 🍫 🍫

Etwas schwieriger

Für den Rührteig:
250 g Butter oder Margarine
125 g gesiebter Puderzucker
1 Pck. Vanillin-Zucker, 1 Prise Salz
¹/₂ TL gemahlener Zimt
300 g Weizenmehl, 20 g Kakaopulver
4 EL Milch

Für die Füllung:
150 g Zartbitterschokolade
150 g weiche Butter
35 g gesiebter Puderzucker

Zum Bestäuben:
Puderzucker

Zubereitungszeit: 80 Minuten, ohne Abkühlzeit

Insgesamt: E: 51 g, F: 387 g, KH: 477 g, kJ: 24093, kcal: 5757

1 Für den Teig Butter oder Margarine mit Handrührgerät mit Rührbesen auf höchster Stufe geschmeidig rühren. Nach und nach Puderzucker, Vanillin-Zucker, Salz und Zimt unterrühren. So lange rühren, bis eine gebundene Masse entstanden ist.

2 Mehl mit Kakao mischen, sieben, abwechselnd portionsweise mit der Milch auf mittlerer Stufe unterrühren.

3 Den Teig in einen Spritzbeutel mit Sterntülle füllen und Ringe (Ø etwa 3 cm) auf Backbleche (gefettet, mit Backpapier belegt) spritzen. Backbleche nacheinander (bei Heißluft zusammen) in den Backofen schieben.

Ober-/Unterhitze: 180 – 200 °C (vorgeheizt)
Heißluft: 160 – 180 °C (vorgeheizt)
Gas: etwa Stufe 3 (vorgeheizt)
Backzeit: etwa 12 Minuten pro Backblech

4 Die Gebäckringe mit dem Backpapier von den Backblechen auf je einen Kuchenrost ziehen. Ringe erkalten lassen.

5 Für die Füllung Schokolade in kleine Stücke brechen, in einem kleinen Topf im Wasserbad bei schwacher Hitze zu einer geschmeidigen Masse verrühren, abkühlen lassen.

6 Butter mit Handrührgerät mit Rührbesen auf höchster Stufe geschmeidig rühren. Nach und nach Puderzucker und die aufgelöste Schokolade unterrühren. Die Masse in einen Spritzbeutel mit Sterntülle geben. Die Hälfte der Gebäckringe auf der Unterseite damit bespritzen. Jeweils mit einem der restlichen Gebäckringe belegen und leicht andrücken.

7 Die Wiener Ringe vor dem Servieren mit Puderzucker bestäuben.

Tipp: Die Wiener Ringe in einer gut schließenden Dose im Kühlschrank aufbewahren.

Wiener Sandtorte mit Hagebutten

Wiener Sandtorte mit Hagebutten |

Raffiniert – gut vorzubereiten

Für den Biskuitteig:
5 Eier (Größe M)
250 g Zucker, 2 Pck. Vanillin-Zucker
175 g Weizenmehl
125 g Speisestärke
1 gestr. TL Backpulver
250 g zerlassene abgekühlte Butter
oder Margarine

Für die Füllung:
1 Glas (350 g) Hagebuttenkonfitüre
Extra (Reformhaus)

Für den Guss:
125 g gesiebter Puderzucker
2 – 3 EL Zitronensaft

Zum Bestreuen:
1 EL gehackte Pistazienkerne

Zubereitungszeit: 60 Minuten

Insgesamt: E: 74 g, F: 245 g, Kh: 860 g,
kJ: 25451, kcal: 6079

1 Für den Teig Eier mit Handrührgerät mit Rührbesen auf höchster Stufe in 1 Minute schaumig schlagen. Zucker und Vanillin-Zucker mischen, in 1 Minute einstreuen, dann noch etwa 2 Minuten schlagen.

2 Mehl mit Speisestärke und Backpulver mischen, die Hälfte davon auf die Eiercreme sieben, kurz auf niedrigster Stufe unterrühren. Restliches Mehlgemisch auf die gleiche Weise unterarbeiten. Zuletzt Butter oder Margarine unterrühren.

3 Den Teig auf ein Backblech (30 x 40 cm, gefettet, mit Backpapier belegt) geben und glatt streichen. Das Backblech in den Backofen schieben. Sofort hacken.

Ober-/Unterhitze: etwa 180 °C (vorgeheizt)
Heißluft: etwa 160 °C (vorgeheizt)
Gas: Stufe 2 – 3 (vorgeheizt)
Backzeit: etwa 20 Minuten

4 Die Biskuitplatte vom Backblechrand lösen, auf mit Zucker bestreutes Backpapier stürzen, mitgebackenes Backpapier vorsichtig abziehen. Die Biskuitplatte in 4 Rechtecke (20 x 15 cm) teilen.

5 Ein Biskuitquadrat auf eine Tortenplatte legen, mit etwa 2 Esslöffeln Konfitüre bestreichen, das zweite Biskuitquadrat darauf legen und ebenfalls mit 2 Esslöffeln Konfitüre bestreichen. Mit den restlichen Biskuitquadraten ebenso verfahren.

6 Gut 1 Esslöffel Konfitüre in ein Pergamentpapiertütchen füllen und beiseite legen. Mit der restlichen Konfitüre die Kuchenränder bestreichen.

7 Für den Guss Puderzucker mit Zitronensaft zu einer dickflüssigen Masse verrühren. Die Tortenoberfläche damit bestreichen.

8 Vom Pergamentpapiertütchen eine kleine Spitze abschneiden. Die Torte mit der Konfitüre verzieren und mit Pistazienkernen bestreuen.

Tipp: Die Sandtorte lässt sich gut vorbereiten und schmeckt durchgezogen am besten.

Williamstorte |

Einfach

Für den Biskuitteig:
2 Eier (Größe M)
2–3 EL heißes Wasser
100 g Zucker
1 Pck. Vanillin-Zucker
75 g Weizenmehl
50 g Speisestärke
1 gestr. TL Backpulver

Zum Beträufeln:
6–8 EL Birnenbrand

Zum Bestreichen:
225 g Johannisbeergelee

Für den Belag:
1 Dose Birnenhälften
(Abtropfgewicht 460 g)

Zum Verzieren:
200 ml Schlagsahne
1 Pck. Sahnesteif
1 Pck. Vanillin-Zucker
50 g Zartbitterschokolade

Zubereitungszeit: 45 Minuten, ohne Abkühlzeit

Insgesamt: E: 34 g, F: 71 g, Kh: 416 g, kJ: 11686, kcal: 2794

1 Für den Teig Eier und Wasser mit Handrührgerät mit Rührbesen auf höchster Stufe in 1 Minute schaumig schlagen. Zucker und Vanillin-Zucker mischen, in 1 Minute einstreuen, dann noch etwa 2 Minuten schlagen. Mehl, Speisestärke und Backpulver mischen, die Hälfte davon auf die Eiercreme sieben, kurz auf niedrigster Stufe unterrühren. Restliches Mehlgemisch auf die gleiche Weise unterarbeiten.

2 Den Teig in eine Springform (Ø 26 cm, Boden gefettet, mit Backpapier belegt) geben und glatt streichen. Die Form auf dem Rost in den Backofen schieben. Sofort backen.

Ober-/Unterhitze: 180–200 °C (vorgeheizt)
Heißluft: 160–180 °C (vorgeheizt)
Gas: etwa Stufe 3 (vorgeheizt)
Backzeit: 20–30 Minuten

3 Den Biskuitboden aus der Form lösen und auf einen Kuchenrost stürzen, mitgebackenes Backpapier abziehen. Biskuitboden erkalten lassen, einmal waagerecht durchschneiden.

4 Den unteren Boden auf eine Tortenplatte legen und mit Birnenbrand beträufeln.

5 Gelee in einem kleinen Topf unter Rühren erwärmen. Den beträufelten Boden mit einem Teil des Gelees bestreichen. Den oberen Boden darauf legen. Tortenrand und -oberfläche mit dem restlichen Gelee bestreichen.

6 Für den Belag Birnenhälften in einem Sieb gut abtropfen lassen, in Spalten schneiden.

Birnenspalten auf die Torte legen, dabei die Mitte und einen 2–3 cm breiten Rand frei lassen.

7 Zum Verzieren Sahne mit Sahnesteif und Vanillin-Zucker steif schlagen, in einen Spritzbeutel mit Lochtülle geben. Den frei gelassenen Rand der Tortenoberfläche damit verzieren.

8 Schokolade in Stücke brechen, in einem kleinen Topf im Wasserbad bei schwacher Hitze zu einer geschmeidigen Masse verrühren. Schokoladenmasse in ein Pergamentpapiertütchen oder einen kleinen Gefrierbeutel füllen und eine kleine Spitze abschneiden. Die Torte mit der Schokolade verzieren.

Tipp: Anstelle des hellen Biskuitbodens kann nach Belieben auch ein dunkler Biskuitboden verwendet werden.

Williamstorte

Windbeutel mit Kirschfüllung | 🗑 🗑

Klassisch

Für den Brandteig:
125 ml (⅛ l) Wasser
25 g Butter oder Margarine
75 g Weizenmehl
15 g Speisestärke
2 – 3 Eier (Größe M)
1 Msp. Backpulver

Für die Füllung:
500 g Sauerkirschen
50 g Zucker, 15 g Speisestärke
175 ml Kirschsaft von den Kirschen
250 ml (¼ l) Schlagsahne
25 g gesiebter Puderzucker
1 Pck. Vanillin-Zucker
1 Pck. Sahnesteif

Zum Bestäuben und Bestreuen:
Puderzucker
25 g gehackte Pistazienkerne

Zubereitungszeit: 55 Minuten, ohne Saftzieh- und Abkühlzeit

Insgesamt: E: 70 g, F: 169 g, Kh: 312 g, kJ: 13382, kcal: 3196

1 Für den Teig Wasser und Butter oder Margarine am besten in einem Stieltopf zum Kochen bringen.

2 Mehl mit Speisestärke mischen, sieben, auf einmal in die von der Kochstelle genommene Flüssigkeit schütten und zu einem glatten Kloß rühren. Unter Rühren etwa 1 Minute erhitzen und den heißen Kloß sofort in eine Rührschüssel geben.

3 Nach und nach Eier mit Handrührgerät mit Knethaken auf höchster Stufe unterarbeiten. Weitere Eizugabe erübrigt sich, wenn der Teig stark glänzt und so von einem Löffel abreißt, dass lange Spitzen hängen bleiben. Backpulver in den erkalteten Teig arbeiten.

4 Mit 2 Teelöffeln oder mit einem Spritzbeutel 8 Teighäufchen auf ein Backblech (gefettet, mit Mehl bestäubt) setzen. Das Backblech in den Backofen schieben.

Ober-/Unterhitze: etwa 200 °C (vorgeheizt)
Heißluft: etwa 180 °C (vorgeheizt)
Gas: Stufe 3 – 4 (vorgeheizt)
Backzeit: 25 – 30 Minuten

5 Während der ersten 15 Minuten Backzeit die Backofentür nicht öffnen, da das Gebäck sonst zusammenfällt.

6 Die Windbeutel vom Backblech lösen und auf einen Kuchenrost legen. Sofort von jedem Windbeutel einen Deckel abschneiden, damit der Dampf entweichen kann. Windbeutel erkalten lassen.

7 Für die Füllung Sauerkirschen waschen, abtropfen lassen, entstielen, entsteinen und mit Zucker mischen. Sauerkirschen einige Zeit zum Saft ziehen stehen lassen. Kirschen in einem Topf kurz aufkochen und abkühlen lassen.

8 Sauerkirschen in einem Sieb abtropfen lassen, Saft dabei auffangen und 125 ml (⅛ l) davon abmessen (evtl. mit Wasser ergänzen). Speisestärke mit etwas von dem Saft anrühren. Restlichen Saft in einem Topf zum Kochen bringen. Angerührte Speisestärke unter Rühren in den von der Kochstelle genommenen Saft geben, kurz aufkochen lassen. Die Sauerkirschen unterheben. Kirschmasse abkühlen lassen.

9 Sahne mit Puderzucker, Vanillin-Zucker und Sahnesteif steif schlagen.

10 In jeden Windbeutel etwas von der Kirschmasse geben und die Sahne darauf spritzen. Auf jeden Windbeutel einen Deckel legen, mit Puderzucker bestäuben und mit Pistazienkernen bestreuen.

Tipp: Schneller geht es, wenn Sie anstelle der frischen Kirschen 1 Glas abgetropfte Sauerkirschen (Abtropfgewicht 360 g) verwenden. Die Zuckerzugabe erübrigt sich dann.

Windbeutel mit Kirschfüllung

Wirsingstrudel | 🗑 🗑 🗑 🍾 ❄

Dauert länger – für Geübte

Für den Strudelteig:
250 g Weizenmehl
1 Prise Salz
125 ml (¹/₈ l) lauwarmes Wasser
50 ml Speiseöl

Für die Füllung:
¹/₂ Kopf Wirsing (etwa 700 g)
300 g rote Paprikaschoten
100 g Zwiebeln
2 Knoblauchzehen
3 Wacholderbeeren
3 EL Speiseöl
abgeriebene Schale von ¹/₄ Bio-Zitrone
(unbehandelt, ungewachst)
125 ml (¹/₈ l) Gemüsebrühe
4 EL Weißwein
100 g Schmand
Salz
frisch gemahlener Pfeffer
Paprikapulver rosenscharf
50 g Butter

Zum Bestreichen:
20 g zerlassene Butter

Zum Bestreuen:
Semmelbrösel

Zubereitungszeit: etwa 90 Minuten, ohne Ruhe- und Abkühlzeit

Insgesamt: E: 51 g, F: 163 g, Kh: 237 g, kJ: 11538, kcal: 2754

Wirsingstrudel

1 Für den Teig Mehl in eine Rührschüssel sieben. Salz, Wasser und Öl hinzufügen. Die Zutaten mit Handrührgerät mit Knethaken zunächst kurz auf niedrigster, dann auf höchster Stufe gut durcharbeiten.

2 Anschließend auf der bemehlten Arbeitsfläche zu einem glatten Teig verkneten, ihn auf Backpapier in einen heißen trockenen Kochtopf (vorher Wasser darin kochen) legen, den Topf mit einem Deckel verschließen und etwa 30 Minuten ruhen lassen.

3 Für die Füllung vom Wirsing die groben äußeren Blätter entfernen, Wirsing in 4 Teile schneiden, dabei den Strunk heraustrennen. Wirsing abspülen und abtropfen lassen. Wirsingblätter quer in dünne Streifen schneiden.

4 Paprikaschoten halbieren, entstielen, entkernen und die weißen Scheidewände entfernen. Schoten waschen, trockentupfen und quer in Streifen schneiden. Zwiebeln abziehen und würfeln. Knoblauch abziehen und durch die Knoblauchpresse drücken. Wacholderbeeren im Mörser zerdrücken.

5 Zwiebelwürfel und Knoblauch in einem großen Topf in erhitztem Öl andünsten. Kohl- und Paprikastreifen, Wacholderbeeren und Zitronenschale hinzufügen. Mit Brühe und Weißwein auffüllen und zugedeckt bei schwacher Hitze etwa 10 Minuten dünsten.

6 Den Deckel abnehmen, die Flüssigkeit im offenen Topf verdampfen lassen. Die Wirsing-Paprika-Masse abkühlen lassen. Dann Schmand unterheben und das Gemüse mit Salz, Pfeffer und Paprika kräftig würzen.

7 Den Strudelteig auf einem bemehlten großen Tuch (Geschirrtuch) dünn ausrollen, ihn dann mit den Händen zu einem Rechteck von etwa 90 x 50 cm ausziehen (er muss durchsichtig sein). Die Ränder, wenn sie dicker sind, abschneiden. Den Teig mit etwas von der Butter bestreichen. Semmelbrösel darauf streuen. Die Wirsing-Paprika-Masse auf einem Drittel des Teiges verteilen, dabei am Rand etwa 2 cm frei lassen.

8 Den Teig mit Hilfe des Tuches, mit der Füllung beginnend, aufrollen. Den Strudel auf ein Backblech (gefettet, mit Backpapier belegt) legen. Teigenden unter den Strudel legen. Den Strudel mit der restlichen Butter bestreichen. Das Backblech in den Backofen schieben.

Ober-/Unterhitze: etwa 200 °C (vorgeheizt)
Heißluft: etwa 180 °C (nicht vorgeheizt)
Gas: Stufe 3 – 4 (nicht vorgeheizt)
Backzeit: etwa 45 Minuten

9 Den Strudel mit dem Backpapier vom Backblech ziehen und auf einem Kuchenrost etwas abkühlen lassen. Strudel warm servieren.

Tipp: Dazu passt Kräuter-Crème-fraîche.

Zebrakuchen |

Raffiniert

Für den Teig:
5 Eigelb (Größe M)
250 g Zucker, 1 Pck. Vanillin-Zucker
¹/₂ Fläschchen Butter-Vanille-Aroma
125 ml (¹/₈ l) lauwarmes Wasser
250 ml (¹/₄ l) Speiseöl
375 g Weizenmehl
1 Pck. Backpulver
5 Eiweiß (Größe M)
2 EL gesiebtes Kakaopulver

Semmelbrösel für die Form

Für den Guss:
150 g gesiebter Puderzucker
2 EL Zitronensaft, 3–4 EL Wasser

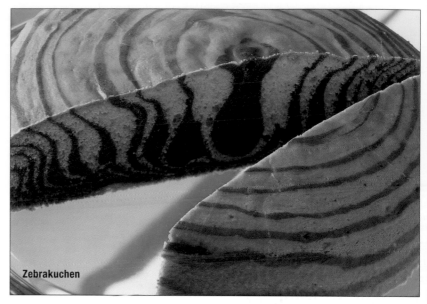

Zebrakuchen

Zubereitungszeit: 35 Minuten, ohne Abkühlzeit

Insgesamt: E: 82 g, F: 288 g, Kh: 688 g, kJ: 24460, kcal: 5842

1 Für den Teig Eigelb, Zucker und Vanillin-Zucker mit Handrührgerät mit Rührbesen auf höchster Stufe schaumig schlagen. Aroma, Wasser und Öl unterrühren.

2 Mehl und Backpulver mischen, sieben und portionsweise auf mittlerer Stufe unterrühren. Eiweiß steif schlagen und unterheben. Den

Teig halbieren. Unter eine Hälfte des Teiges den Kakao rühren.

3 Zunächst 2 Esslöffel des hellen Teiges in die Mitte einer Springform (Ø 26 cm, Boden gefettet, mit Semmelbröseln ausgestreut) geben (nicht verteilen!). Auf den hellen Teig 2 Esslöffel von dem dunklen Teig geben (nicht daneben).

4 Den Vorgang wiederholen, bis der Teig aufgebraucht ist. Den Teig nicht glatt streichen. Die Form auf dem Rost in den Backofen schieben.

Ober-/Unterhitze: etwa 180 °C (vorgeheizt)
Heißluft: etwa 160 °C (nicht vorgeheizt)
Gas: Stufe 2–3 (nicht vorgeheizt)
Backzeit: 50–60 Minuten

5 Den Kuchen aus der Form lösen und auf einem Kuchenrost erkalten lassen.

6 Für den Guss Puderzucker, Zitronensaft und Wasser zu einer dickflüssigen Masse verrühren. Den Kuchen mit dem Guss überziehen. Guss fest werden lassen.

Zimt-Pflaumen-Pralinen |

Klassisch – gut vorzubereiten

Für die Pralinenmasse:
*250 g getrocknete Pflaumen
ohne Stein*
3 EL Zwetschenwasser
1–2 EL Pflaumenmus
*100 g abgezogene, gehackte
Mandeln*
1 TL gemahlener Zimt

Zum Wälzen:
50 g abgezogene, gehackte Mandeln

Zubereitungszeit: 65 Minuten, ohne Trockenzeit

Insgesamt: E: 38 g, F: 82 g, Kh: 179 g, kJ: 7946, kcal: 1898

1 Für die Pralinenmasse Pflaumen in kleine Stücke schneiden und in eine hohe Rühr-

schüssel geben. Zwetschenwasser hinzufügen und mit einem Pürierstab fein pürieren. Restliche Zutaten hinzufügen. Die Zutaten mit Handrührgerät mit Knethaken gut durcharbeiten. Aus der Masse kleine Kugeln formen.

2 Die Mandeln auf einen Teller geben. Die Kugeln darin wälzen, auf Backpapier legen und an der Luft trocknen lassen. Pralinen gekühlt aufbewahren.

Zimtsterne | 🍮 🍮

Klassisch

Für die Baisermasse:
3 Eiweiß (Größe M)
250 g gesiebter Puderzucker
1 Pck. Vanillin-Zucker
3 Tropfen Bittermandel-Aroma
1 gestr. TL gemahlener Zimt
275 – 325 g nicht abgezogene,
gemahlene Mandeln

Zimtsterne

Außerdem:
gesiebter Puderzucker
evtl. etwas Wasser

Zubereitungszeit: 100 Minuten

Insgesamt: E: 76 g, F: 174 g, Kh: 291 g,
kJ: 12523, kcal: 3229

1 Für die Baisermasse Eiweiß sehr steif schlagen. Der Schnee muss so fest sein, dass ein Messerschnitt sichtbar bleibt. Nach und nach Puderzucker unterschlagen. 2 gut gehäufte Esslöffel von dem Eischnee zum Bestreichen der Sterne beiseite stellen.

2 Vanillin-Zucker, Aroma, Zimt und die Hälfte der Mandeln vorsichtig auf niedrigster Stufe unter den übrigen Eischnee rühren, von den restlichen Mandeln so viel unterkneten, dass die Masse kaum noch klebt.

3 Die Masse auf der mit Puderzucker bestäubten Arbeitsfläche etwa ½ cm dick aus-

rollen. Mit einer Ausstechform Sterne ausstechen, diese auf Backbleche (mit Backpapier belegt) legen. Sterne mit der beiseite gestellten Eischneemasse (die Masse muss so sein, dass sie sich glatt auf die Sterne streichen lässt, evtl. einige Tropfen Wasser unterrühren) bestreichen. Die Backbleche nacheinander (bei Heißluft zusammen) in den Backofen schieben.

Ober-/Unterhitze: 140 – 160 °C (vorgeheizt)
Heißluft: 120 – 140 °C (vorgeheizt)
Gas: etwa Stufe 1 (vorgeheizt)
Backzeit: 20 – 30 Minuten pro Backblech

4 Das Backblech auf einen Kuchenrost stellen. Das Gebäck muss sich beim Herausnehmen auf der Unterseite noch etwas weich anfühlen. Die Zimtsterne vom Backpapier lösen und auf einem Kuchenrost erkalten lassen.

Tipp: Die Zimtsterne am besten in gut schließenden Dosen aufbewahren.

Zimtwaffeln, kleine | 🍮

Für Gäste

Für den Teig:
125 g Weizenmehl
60 g weiche Butter
60 g Zucker
1 Ei (Größe M)
1 gestr. TL gemahlener Zimt

Zum Bestäuben:
Puderzucker
gemahlener Zimt

Zum Einfetten:
etwas Margarine

Zubereitungszeit: 45 Minuten

Insgesamt: E: 22 g, F: 57 g, Kh: 163 g,
kJ: 5421, kcal: 1295

1 Für den Teig Mehl in eine Rührschüssel sieben. Butter, Zucker, Ei und Zimt hinzufügen. Die Zutaten mit Handrührgerät mit Rührbesen in etwa 4 Minuten zu einem glatten Teig verarbeiten.

2 Eiserkucheneisen erhitzen, fetten und jeweils 1 Teelöffel Teig in das Eisen geben und backen.

3 Die Waffeln sofort nach dem Backen zu einer Tüte aufrollen oder als Taler lassen.

4 Zum Bestäuben Puderzucker mit Zimt mischen, die Waffeln sofort nach dem Backen damit bestäuben.

Tipp: Die Waffeln in einer gut verschlossenen Dose aufbewahren. Waffeln schmecken sehr gut zu Eis oder Dessert.

Zimtwaffeln, kleine

Zitronen-Sahne-Rolle | 🗑 🗑 ❄

Klassisch

Für den Biskuitteig:
4 Eier (Größe M), 4 EL heißes Wasser
125 g Zucker, 1 Pck. Vanillin-Zucker
75 g Weizenmehl, 50 g Speisestärke
1 Msp. Backpulver

Für die Füllung:
2 gestr. TL gemahlene Gelatine, weiß
¹/₂ Bio-Zitrone (unbehandelt,
ungewachst)
3 Stück Würfelzucker
5 EL Zitronensaft
500 ml (¹/₂ l) Schlagsahne
100 g gesiebter Puderzucker

Zubereitungszeit: 60 Minuten, ohne
Abkühl- und Quellzeit

Insgesamt: E: 56 g, F: 183 g, Kh: 361 g,
kJ: 14249, kcal: 3406

1 Für den Teig Eier und Wasser mit Handrührgerät mit Rührbesen auf höchster Stufe in
1 Minute schaumig schlagen. Zucker mit Vanillin-Zucker mischen, in 1 Minute einstreuen
und dann noch etwa 2 Minuten schlagen.

2 Mehl, Speisestärke und Backpulver mischen, die Hälfte davon auf die Eiercreme

sieben und kurz auf niedrigster Stufe unterrühren. Restliches Mehlgemisch auf die gleiche Weise unterarbeiten.

3 Den Teig auf ein Backblech (30 x 40 cm,
gefettet, mit Backpapier belegt) streichen. An
der offenen Seite des Backblechs das Papier
unmittelbar vor dem Teig zur Falte knicken, so
dass ein Rand entsteht. Das Backblech in den
Backofen schieben. Sofort backen.

Ober-/Unterhitze: etwa 200 °C (vorgeheizt)
Heißluft: etwa 180 °C (vorgeheizt)
Gas: Stufe 3 – 4 (vorgeheizt)
Backzeit: 10 – 15 Minuten

4 Die Biskuitplatte sofort auf mit Zucker be-
streutes Backpapier stürzen, mitgebackenes
Backpapier mit kaltem Wasser bestreichen
und vorsichtig, aber schnell abziehen. Die
Biskuitplatte mit dem Backpapier aufrollen.
Rolle erkalten lassen.

5 Für die Füllung Gelatine mit kaltem Wasser in einem kleinen Topf anrühren. 10 Minuten quellen lassen. Die gelbe Schale von
der Zitrone mit den Ecken des Würfelzuckers
abreiben. Würfelzucker zur gequollenen Gelatine geben. Alles unter Rühren erwärmen
(nicht kochen), bis die Gelatine völlig gelöst
ist. Zitronensaft hinzufügen.

6 Sahne fast steif schlagen. Die Gelatineflüssigkeit unter Schlagen nach und nach
hinzufügen. Die Sahne vollkommen steif
schlagen. Puderzucker vorsichtig unterrühren.

7 Die Biskuitrolle vorsichtig auseinander
rollen, zwei Drittel der Zitronensahne darauf-
streichen und wieder aufrollen, dabei die
äußere braune Haut entfernen.

8 Die Biskuitrolle zunächst dünn mit etwas
von der restlichen Zitronensahne, dann mit
der restlichen Zitronensahne bestreichen. Die
Biskuitrolle mit Hilfe einer Gabel durch wellenförmige Längsstriche verzieren.

Zitronen-Sahne-Rolle

Zitrus-Pie | 🗑 🗑

Fruchtig – raffiniert

Für den Knetteig:
200 g Weizenmehl
1 Msp. Backpulver
75 g Zucker
1 Pck. Vanillin-Zucker
1 Prise Salz
120 g Butter oder Margarine

Zum Bestreuen:
30 g Cornflakes
1 EL abgezogene, gemahlene Mandeln

Für die Füllung:
2 rosa Grapefruits oder 4 Blutorangen
(etwa 700 g)
30 g Speisestärke
50 ml Zitronensaft
120 g Zucker, 100 g Butter

Für die Baiserhaube:
4 Eiweiß (Größe M)
150 g Zucker, 2 TL Zitronensaft

Zubereitungszeit: 50 Minuten, ohne
Kühlzeit

Insgesamt: E: 44 g, F: 187 g, Kh: 591 g,
kJ: 18169, kcal: 4338

1 Für den Teig Mehl mit Backpulver mischen
und in eine Rührschüssel sieben. Zucker,
Vanillin-Zucker, Salz und Butter oder Margarine hinzufügen. Die Zutaten mit Handrührgerät mit Knethaken zunächst kurz auf
niedrigster, dann auf höchster Stufe gut
durcharbeiten.

2 Anschließend auf der bemehlten Arbeitsfläche zu einem glatten Teig verkneten. Sollte

er kleben, ihn in Folie gewickelt eine Zeit lang kalt stellen.

3 Zwei Drittel des Teiges auf der bemehlten Arbeitsfläche zu einer runden Platte (Ø 28 cm) ausrollen und auf den Boden einer Tarte- oder Pieform (Ø 28 cm, gefettet) legen. Restlichen Teig zu einer Rolle formen, sie als Rand auf den Boden legen, so an die Form drücken, dass ein 2 cm hoher Rand entsteht. Den Teigboden mehrmals mit einer Gabel einstechen.

4 Zum Bestreuen Cornflakes in einen Gefrierbeutel füllen. Beutel fest verschließen. Cornflakes mit der Teigrolle zerbröseln. Cornflakesbrösel mit den Mandeln mischen und auf den Teigboden streuen. Kalt stellen.

5 Für die Füllung Grapefruits oder Orangen mit einem scharfen Messer so schälen, dass auch die weiße Haut ganz entfernt wird. Orangen filetieren. Dabei den Saft auffangen und 200 ml davon abmessen. Speisestärke mit etwas von dem aufgefangenen Saft anrühren.

Restlichen Saft in einem kleinen Topf mit Zitronensaft und Zucker zum Kochen bringen. Angerührte Speisestärke unter Rühren in den von der Kochstelle genommenen Saft geben, kurz aufkochen lassen. Butter unter Rühren darin zerlassen.

6 Die Fruchtfilets auf dem Teigboden verteilen, mit dem angedickten Saft bedecken. Form auf dem Rost in den Backofen schieben.

Ober-/Unterhitze: etwa 200 °C (vorgeheizt)
Heißluft: etwa 180 °C (vorgeheizt)
Gas: Stufe 3–4 (vorgeheizt)
Backzeit: etwa 30 Minuten

7 Die Form auf einen Kuchenrost stellen. Die Pie etwas abkühlen lassen.

8 Für die Baiserhaube Eiweiß sehr steif schlagen. Der Schnee muss so fest sein, dass ein Messerschnitt sichtbar bleibt. Nach und nach Zucker und Zitronensaft unterschlagen. Baisermasse mit einem Esslöffel wellen-

förmig auf die Fruchtfüllung geben. Die Form wieder auf dem Rost in den Backofen schieben und die Baiserhaube überbacken.

Ober-/Unterhitze: 200–220 °C (vorgeheizt)
Heißluft: 180–200 °C (vorgeheizt)
Gas: etwa Stufe 4 (vorgeheizt)
Backzeit: 8–10 Minuten

9 Die Form auf einen Kuchenrost stellen. Pie etwas abkühlen lassen. Warm oder kalt servieren.

Zitrus-Pie

Zuckerkuchen | 🍮 🍮 ❄

Klassisch

Für den Hefeteig:
375 g Weizenmehl
1 Pck. Trockenhefe
50 g Zucker
1 Pck. Vanillin-Zucker
1 Prise Salz
75 g zerlassene lauwarme Butter oder Margarine
200 ml lauwarme Milch

Für den Belag:
75 g Butter, 150 g Zucker

Zum Bestreichen:
150 g saure Sahne oder Crème fraîche

Zubereitungszeit: 35 Minuten, ohne Teiggehzeit

Insgesamt: E: 54 g, F: 179 g, Kh: 500 g, kJ: 16465, kcal: 3933

1 Für den Teig Mehl in eine Rührschüssel sieben, mit Trockenhefe sorgfältig vermischen. Zucker, Vanillin-Zucker, Salz, Butter oder Margarine und Milch hinzufügen. Die Zutaten mit Handrührgerät mit Knethaken kurz auf niedrigster, dann auf höchster Stufe in etwa 5 Minuten zu einem Teig verarbeiten.

2 Den Teig zugedeckt so lange an einem warmen Ort stehen lassen, bis er sich sichtbar vergrößert hat.

3 Den Teig aus der Schüssel nehmen, auf der bemehlten Arbeitsfläche nochmals kurz durchkneten und auf einem Backblech (30 x 40 cm, gefettet) ausrollen. Vor den Teig einen mehrfach geknickten Streifen Alufolie legen.

4 Für den Belag Butter in Flöckchen gleichmäßig auf den Teig setzen. Zucker darüber streuen. Den Teig zugedeckt nochmals so lange an einem warmen Ort gehen lassen, bis er sich sichtbar vergrößert hat. Das Backblech in den Backofen schieben.

Ober-/Unterhitze: etwa 200 °C (vorgeheizt)
Heißluft: etwa 180 °C (vorgeheizt)
Gas: Stufe 3–4 (vorgeheizt)
Backzeit: etwa 15 Minuten

5 Den Kuchen nach etwa 10 Minuten Backzeit mit saurer Sahne oder Crème fraîche bestreichen.

6 Das Backblech auf einen Kuchenrost stellen. Kuchen erkalten lassen.

Zwetschenkuchen | ❄

Gut vorzubereiten – klassisch

Für den Hefeteig:
375 g Weizenmehl
1 Pck. Trockenhefe
50 g Zucker
1 Pck. Vanillin-Zucker
1 Prise Salz
200 ml lauwarme Milch
75 g zerlassene abgekühlte Butter oder Margarine

Für den Belag:
2 ½ kg Zwetschen

Zum Bestreuen:
2 EL Zucker

Zubereitungszeit: 75 Minuten, ohne Teiggehzeit

Insgesamt: E: 63 g, F: 76 g, Kh: 644 g, kJ: 15678, kcal: 3751

1 Für den Teig Mehl in eine Rührschüssel sieben, mit Trockenhefe sorgfältig vermischen. Zucker, Vanillin-Zucker, Salz, Milch und Butter oder Margarine hinzufügen. Die Zutaten mit Handrührgerät mit Knethaken zunächst kurz auf niedrigster, dann auf höchster Stufe in etwa 5 Minuten zu einem Teig verarbeiten.

2 Den Teig zugedeckt so lange an einem warmen Ort stehen lassen, bis er sich sichtbar vergrößert hat.

3 Für den Belag Zwetschen waschen, trockentupfen, halbieren und entsteinen. Spitzen etwas einschneiden.

4 Den Teig aus der Schüssel nehmen, auf der bemehlten Arbeitsfläche nochmals kurz durchkneten und auf einem Backblech (30 x 40 cm, gefettet) ausrollen. Vor den Teig einen mehrfach geknickten Streifen Alufolie legen. Zwetschen dachziegelartig – mit der Innenseite nach oben – auf den Teig legen.

5 Den Teig nochmals so lange an einem warmen Ort gehen lassen, bis er sich sichtbar vergrößert hat. Das Backblech in den Backofen schieben.

Ober-/Unterhitze: etwa 200 °C (vorgeheizt)
Heißluft: etwa 180 °C (vorgeheizt)
Gas: Stufe 3 – 4 (vorgeheizt)
Backzeit: 20 – 30 Minuten

6 Den Kuchen auf einen Kuchenrost stellen und etwas abkühlen lassen, dann mit Zucker bestreuen. Kuchen erkalten lassen.

Tipp: Den Kuchen mit Zimt-Zucker (2 Esslöffel Zucker und 1 Teelöffel Zimt) bestreuen. Den Kuchen mit Schlagsahne servieren. Anstelle der Alufolie einen Backrahmen um den Teig stellen.

Zwetschenkuchen mit Vanillecreme | ❄

Klassisch

Für den Knetteig:
150 g Weizenmehl
½ gestr. TL Backpulver
65 g Zucker
1 Ei (Größe M)
65 g Butter oder Margarine

Für den Rand:
1 gestr. EL Weizenmehl

Für die Füllung:
1 Pck. Pudding-Pulver Vanille-Geschmack
40 g Zucker
500 ml (½ l) Milch
2 Eier (Größe M)

Für den Belag:
750 g Zwetschen oder Pflaumen

Zum Bestreichen:
25 g zerlassene Butter

Zum Bestreuen:
1 gut geh. EL Zucker
1 EL Vanillin-Zucker

Zubereitungszeit: 65 Minuten, ohne Abkühlzeit

Insgesamt: E: 61 g, F: 114 g, Kh: 383 g, kJ: 12259, kcal: 2926

1 Für den Teig Mehl mit Backpulver mischen, in eine Rührschüssel sieben. Zucker, Ei und Butter oder Margarine hinzufügen. Die Zutaten mit Handrührgerät mit Knethaken zunächst kurz auf niedrigster, dann auf höchster Stufe gut durcharbeiten.

2 Anschließend auf der bemehlten Arbeitsfläche zu einem glatten Teig verkneten. Sollte er kleben, ihn in Folie gewickelt eine Zeit lang kalt stellen.

Zwetschenkuchen mit Vanillecreme

3 Zwei Drittel des Teiges auf dem Boden einer Springform (Ø 26 cm, Boden gefettet) ausrollen. Springformrand darumstellen. Den Teigboden mehrmals mit einer Gabel einstechen. Die Form auf dem Rost in den Backofen schieben und den Boden vorbacken.

Ober-/Unterhitze: etwa 200 °C (vorgeheizt)
Heißluft: etwa 180 °C (vorgeheizt)
Gas: Stufe 3 – 4 (vorgeheizt)
Backzeit: etwa 15 Minuten

4 Die Form auf einen Kuchenrost stellen. Boden etwas abkühlen lassen.

5 Restlichen Teig mit 1 Esslöffel Mehl verkneten und zu einer Rolle formen. Diese auf den vorgebackenen Boden legen, so an die Form drücken, dass ein etwa 3 cm hoher Rand entsteht.

6 Für die Füllung aus Pudding-Pulver, Zucker und Milch nach Packungsanleitung einen Pudding zubereiten. Zuletzt Eier unterrühren. Die Puddingmasse gleichmäßig auf dem vorgebackenen Boden verteilen.

7 Für den Belag Zwetschen oder Pflaumen waschen, trockenreiben, halbieren, entsteinen und an den Spitzen etwas einschneiden. Zwetschen- oder Pflaumenhälften mit der Innenseite nach oben kranzförmig auf die Puddingmasse legen. Die Form wieder auf dem Rost in den Backofen schieben und den Kuchen fertig backen.

Ober-/Unterhitze: etwa 200 °C (vorgeheizt)
Heißluft: etwa 180 °C (vorgeheizt)
Gas: Stufe 3 – 4 (vorgeheizt)
Backzeit: etwa 30 Minuten

8 Die Form auf einen Kuchenrost stellen. Den Kuchen sofort mit zerlassener Butter bestreichen. Kuchen erkalten lassen.

9 Zum Bestreuen Zucker mit Vanillin-Zucker mischen und auf den Kuchen streuen.

Zwiebelkuchen | 🍴 🍴 ❄

Preiswert – klassisch

Für den Hefeteig:
250 g Weizenmehl, 1 Pck. Trockenhefe
1 Prise Zucker
1 Prise Salz
50 g zerlassene abgekühlte Butter oder Margarine
125 ml (¹/₈ l) lauwarme Milch

Für den Belag:
500 g Zwiebeln, Salz
1 – 2 EL Butter oder Margarine
1 EL Weizenmehl, 3 Eier (Größe M)
300 g saure Sahne, Kümmelsamen
50 g durchwachsener Speck

Zubereitungszeit: 45 Minuten, ohne Teiggehzeit

Insgesamt: E: 77 g, F: 148 g, Kh: 236 g, kJ: 11342, kcal: 2709

1 Für den Teig Mehl in eine Rührschüssel sieben und mit Trockenhefe sorgfältig vermischen. Zucker, Salz, Butter oder Margarine und Milch hinzufügen. Die Zutaten mit Handrührgerät mit Knethaken zunächst auf nied-rigster, dann auf höchster Stufe in etwa 5 Minuten zu einem Teig verarbeiten.

2 Den Teig zugedeckt so lange an einem warmen Ort stehen lassen, bis er sich sichtbar vergrößert hat.

3 Für den Belag Zwiebeln abziehen, halbieren und in Streifen schneiden. Butter oder Margarine zerlassen. Die Zwiebeln darin glasig dünsten lassen.

4 Mehl, Eier, Sahne, Kümmel und Salz verrühren und mit den Zwiebelstreifen vermischen.

5 Den Teig nochmals kurz durchkneten und zwei Drittel davon auf dem Boden einer Springform (Ø 26 cm, Boden gefettet) ausrollen. Restlichen Teig zu einer Rolle formen, auf den Teigboden legen und am Formrand 2 – 3 cm hochdrücken. Die Zwiebelmasse gleichmäßig auf dem Teigboden verteilen.

6 Speck in Würfel schneiden und auf der Zwiebelmasse verteilen. Den Teig nochmals so lange an einem warmen Ort gehen lassen, bis er sich sichtbar vergrößert hat.

7 Die Form auf dem Rost in den Backofen schieben.

Ober-/Unterhitze: etwa 200 °C (vorgeheizt)
Heißluft: etwa 180 °C (nicht vorgeheizt)
Gas: Stufe 3 – 4 (nicht vorgeheizt)
Backzeit: etwa 40 Minuten

8 Den Kuchen aus der Form lösen und auf einem Kuchenrost etwas abkühlen lassen. Kuchen lauwarm servieren.

Zwiebelkuchen

Zwiebelkuchen auf dem Blech | 🗑 🗑 ❄

Klassisch

Für den Hefeteig:
400 g Weizenmehl (Type 550)
1 Pck. Trockenhefe, 1 gestr. TL Zucker
1 gestr. TL Salz, 4 EL Speiseöl
250 ml (¼ l) lauwarme Milch

Für den Belag:
1 ½ kg Gemüsezwiebeln
300 g durchwachsener Speck
2 EL Speiseöl, Salz
frisch gemahlener Pfeffer
1 gestr. TL Kümmelsamen
200 g mittelalter Gouda-Käse
3 Eier (Größe M)
1 Becher (150 g) Crème fraîche

Zubereitungszeit: 50 Minuten, ohne
Teiggeh- und Abkühlzeit

Insgesamt: E: 179 g, F: 368 g, Kh: 399 g,
kJ: 24628, kcal: 5878

1 Für den Teig Mehl in eine Rührschüssel geben, mit Trockenhefe sorgfältig vermischen. Zucker, Salz, Öl und Milch hinzufügen. Die Zutaten mit Handrührgerät mit Knethaken zunächst auf niedrigster, dann auf höchster Stufe in etwa 5 Minuten zu einem Teig verarbeiten.

2 Den Teig zugedeckt so lange an einem warmen Ort stehen lassen, bis er sich sichtbar vergrößert hat.

3 Für den Belag Gemüsezwiebeln abziehen, vierteln und in Scheiben schneiden. Speck würfeln. Öl in einem großen Topf erhitzen, Speckwürfel darin andünsten. Die Zwiebelscheiben hinzufügen und etwa 5 Minuten bei starker Hitze darin braten. Mit Salz, Pfeffer und Kümmel würzen. Die Zwiebel-Speck-Masse etwas abkühlen lassen.

4 Käse raspeln. Käseraspel, Eier und Crème fraîche unter die Zwiebel-Speck-Masse rühren.

5 Den Teig leicht mit Mehl bestäuben, aus der Schüssel nehmen und auf der bemehlten Arbeitsfläche nochmals kurz durchkneten. Den Teig in einer Fettfangschale (30 x 40 cm, gefettet) ausrollen und an den Seiten etwas hochdrücken. Die Zwiebel-Speck-Masse darauf verteilen.

6 Den Teig nochmals zugedeckt so lange an einem warmen Ort gehen lassen, bis er sich sichtbar vergrößert hat. Die Fettfangschale in den Backofen schieben.

Ober-/Unterhitze: etwa 200 °C (vorgeheizt)
Heißluft: etwa 180 °C (nicht vorgeheizt)
Gas: Stufe 3 – 4 (nicht vorgeheizt)
Backzeit: etwa 40 Minuten

7 Die Fettfangschale auf einen Kuchenrost stellen. Zwiebelkuchen etwas abkühlen lassen und in Stücke schneiden. Warm servieren.

Zwiebelkuchen auf dem Blech

Zwiebelwaffeln

Zwiebelwaffeln I 🗑

Für Gäste

Für den Teig:
100 g Weizenmehl
100 g Vollkorn-Weizenmehl
1 gestr. TL Backpulver
1 gestr. TL Salz
250 ml ('/₄ l) lauwarme Milch
4 Eier (Größe M)
8 EL Speiseöl
50 g Röstzwiebeln

Für das Waffeleisen:
Speiseöl
50 g Röstzwiebeln

Für den Belag:
1 Glas (250 ml) Salatmayonnaise
'/₂ Glas Gurkensalat „Dänische Art"
(Abtropfgewicht 180 g)
1 Glas (60 Stück) Cocktail-Würstchen

Zubereitungszeit: 60 Minuten

Insgesamt: E: 120 g, F: 326 g, Kh: 233 g,
kJ: 18949, kcal: 4524

1 Für den Teig Weizenmehl, Vollkorn-Weizenmehl, Backpulver und Salz mischen und in eine
Rührschüssel geben. Milch, Eier, Öl und Röstzwiebeln hinzufügen. Die Zutaten mit Handrühr-

gerät mit Rührbesen auf höchster Stufe zu
einer geschmeidigen Masse verrühren.

2 Den Teig in kleinen Portionen in ein gut
erhitztes Waffeleisen (gefettet, mit je einem
Teelöffel Röstzwiebeln ausgestreut) füllen.
Die Waffeln goldbraun backen und einzeln
auf einen Kuchenrost legen.

3 Für den Belag jede Waffel mit Mayon-
naise, Gurkensalat und Würstchen belegen
und mit den restlichen Röstzwiebeln bestreut
servieren.

Tipp: Röstzwiebeln gibt es fertig zu kaufen.

Register

Brot und Brötchen

Baguette 25

Bananen-Nuss-Brot. 28

Brandteigbrötchen 49

Brioches. 50

Butter-Toastbrot 55

Ciabatta. 66

Croissants 68

Croissants mit Schokofüllung 69

Dänisches Brot 70

Fladenbrot 92

Fladenbrot mit Kräutern 93

Fränkisches Gewürzbrot 101

Frühstücksbrioche

   mit Buttermilch 105

Gerstenbrot, rundes 112

Griechisches Fladenbrot 116

Haferbrot 119

Haferstangen mit Joghurt 120

Haselnussbrot. 121

Hefe-Knäckebrot 122

Hefezopf. 125

Irisches Buttermilchbrot 138

Kartoffel-Mohn-Hörnchen 152

Korinthenbrötchen 175

Kräuterbrötchen 176

Kürbisbrot 180

Landbrot. 186

Laugengebäck 188

Leinsamen-Sesam-Brot 191

Maisbrot mit

   Pfefferschoten und Erdnüssen . . 199

Mandelbrot. 205

Mehrkornbrot 220

Mundbrötchen 228

Müslistangen 229

Olivenbrötchen 263

Osterkränzchen. 276

Partybrötchen mit Frischkäse 279

Pizzabrot (Foccacia) 290

Quarkbrot. 297

Quarkbrötchen 298

Roggenbrot

   mit ganzen Weizenkörnern 318

Roggenbrot mit Salami 319

Roggen-Sonnenblumenkern-Brot . . 320

Roggen- und Weizenbrötchen 320

Roggen-Vollkornbrot 321

Rollenbrötchen 322

Rosinenbrot 326

Rosinenbrötchen, saftige 326

Rosinen-Quark-Brötchen 328

Sesambrot 356

Siebenkornbrot 359

Sonnenblumenbrot 360

Sonnenblumenkern-Brötchen. 361

Speckbrot. 362

Stockbrot 371

Vollkornbrötchen, dunkle 392

Walnussbrot 395

Weißbrot 404

Für Kinder

Adventszahlen 6

Apfel-Müsli-Kuchen 14

Apfeltaschen 17

Bananengebäck 27

Bergische Waffeln. 34

Bienenstich 36

Birnen-Schokokuchen 39

Biskuitrolle. 41

Blätterteigschnecken 47

Bröseltorte mit Obst 52

Brownies 52

Butterkuchen aus Quark-Öl-Teig . . . 56

Butterringe. 57

Croissants mit Schokofüllung 69

Donuts und Timbits 73

Durstige Liese 75

Eischwertorte

   mit buntem Streuzucker. 81

Erdbeerkonfekt. 85

Erfrischungstorte 88

Frischkäse-Torte. 103

Gedeckter Apfelkuchen

   auf dem Blech 107

Glückspilze. 114

Honigkuchen auf dem Blech 134

Joghurt-Becher-Kuchen. 141

Kaffeegebäck 148

Karamelltörtchen 151

Kartoffel-Mohn-Hörnchen 152

Käsegebäck 154

Käsekuchen mit Erdbeerbelag 154

Käsekuchen mit gemischtem Obst. . . 155

Käsekuchen mit Streuseln 156

Käse-Schinken-Hörnchen 158

Katzenzungen. 160

Kirsch-Streusel-Kuchen. 163

Kirschstrudel mit Pudding 165

Knöpfchen 167

Kokos-Bananen-Muffins 168

Konfettirolle 172

Kopenhagener 174

Korinthenbrötchen 175

Kosakentaler 175

Kürbis-Muffins und -Waffeln 182

Lebkuchen 189

Lebkuchenwaffeln............ 190

Lemon-Tarte................ 192

Löffelbiskuits 196

Macadamia-Ananas-Kuchen 198

Madeleines................. 199

Makronenplätzchen........... 200

Mandarinenomeletts 204

Mandelgusstorte............. 206

Mandelkuchen mit Schokolade.... 207

Mandelringe 208

Mandelzungen 211

Marzipan-Rosenkuchen........ 219

Möhren-Nuss-Torte 224

Mohrenwaffeln (Harte Waffeln).... 224

Muffins 228

Mundbrötchen 228

Müslistangen 229

Napfkuchen, fein............. 232

Nektarinenkuchen mit Toffee 235

Nikolausstiefel 236

Nougatkaros................ 237

Nougatstangen 238

Nougat-Tuffs................ 239

Nussflorentiner.............. 242

Nuss- oder Kokosecken........ 243

Nusskuchen, einmal anders...... 245

Nuss-Nougat-Kranz........... 248

Nuss-Stäbchen 253

Nusswaffeln 257

Obsttarte 259

Obsttörtchen................ 260

Obsttörtchen mit Creme 261

Orangen-Kokos-Torte 266

Orangenkuchen, getränkt 267

Orangen-Möhren-Torte 268

Orangenplätzchen............ 269

Orangentaler................ 273

Osterhase.................. 275

Osterkränzchen.............. 276

Päckchen 278

Papaya-Bananen-Kuchen........ 279

Passionsfrucht- Zitronen-Schnitten .. 281

Pfirsichschnitten.............. 286

Pflaumen-Streuselkuchen 286

Pizzataschen, gefüllte 291

Quark-Apfel-Kuchen mit Streuseln .. 296

Quarkbrot.................. 297

Quarkbrötchen 298

Quark-Pie mit Aprikosen 302

Quark-Streusel-Kuchen 305

Quarkstrudel................ 306

Quarkstrudel mit Obst 307

Quarktorte mit Grieß 308

Quarkwaffeln mit Rosinen 308

Rheinische Apfeltorte 315

Rheinischer Schichtkuchen 316

Riesen-Schokokaramell-Schnitten... 317

Rocky Road Triangles 318

Roggenbrot

   mit ganzen Weizenkörnern 318

Roggen-Sonnenblumenkern-Brot .. 320

Rondellchen 323

Rundjes .. ... ,,,,,,,,, ... 324

Rosinenbrötchen, saftige........ 326

Rosinenschnecken 330

Rosinenwaffeln.............. 331

Russischer Zupfkuchen 339

Sandkuchen 342

Sandteig-Muffins 342

Schokoladencremetorte........ 347

Schokoladenkranz............ 348

Schokoladenküchlein 348

Schweineöhrchen 354

Sesam-Käse-Stangen 357

Sonnenblumenkern-Brötchen..... 361

Spiegeleierkuchen 364

Spitzbuben................. 365

Spritzgebäck 367

Stockbrot 371

Streusel-Aprikosen-Kuchen 373

Streuseltorte mit Äpfeln 374

Stutenkerle oder Martinsgänse ... 377

Tomatenwaffeln 383

Topfenkipferl 384

Vanillecremetorte mit Obst 390

Vanille-Käsekuchen........... 391

Vanillekipferl 392

Vollkornbrötchen, dunkle....... 392

Vollkornkuchen

   mit Apfelfüllung............ 393

Wattplätzchen............... 397

Weihnachtsplätzchen, braune ,,,, 399

Weintrauben-Muffins.......... 403

Wiener Ringe 409

Windbeutel mit Kirschfüllung.... 412

Zebrakuchen................ 414

Zitrus-Pie 416

Zuckerkuchen............... 417

Register

Zwetschenkuchen 418

Zwetschenkuchen mit Vanillecreme. . 418

Grundrezepte

Biskuit 40

Blätterteig 46

Brandteig 48

Hefeteig 124

Knetteig 167

Krokant 177

Quark-Öl-Teig 301

Rührteig 336

Kleingebäck

Amerikaner 8

Apfel im Schlafrock. 12

Apfeltaschen 17

Baiser 25

Bananengebäck 27

Bananen-Rosinen-Muffins 28

Bärentatzen 31

Baumkuchen-Petits-Fours 32

Beerenschiffchen 33

Bergische Waffeln 34

Berliner 34

Biskuittörtchen 44

Blätterteigecken 46

Blätterteigschnecken 47

Coca-Cola Muffins 67

Cremeschnitten mit Blätterteig 68

Donuts und Timbits 73

Eberswalder Spritzkuchen 76

Eclairs (Liebesknochen) 77

Eiserkuchen 81

Erdnussrauten 87

Feigentörtchen 92

Florentiner mit Mandeln 97

Hefewaffeln 124

Heidelbeermuffins. 127

Holländisches Kaffeegebäck 133

Kaffeegebäck 148

Kaffeemuffins 149

Karamelltörtchen 151

Kokos-Bananen-Muffins 168

Kopenhagener 174

Kürbis-Muffins und -Waffeln 182

Leipziger Lerchen, einfach. 191

Liegnitzer Bomben 193

Löffelbiskuits 196

Madeleines. 199

Mandarinenomeletts 204

Mohrenwaffeln (Harte Waffeln). . . . 224

Muffins 228

Muzenmandeln 231

Muzen, Rheinische 231

Napoleon-Krapferl. 234

Nuss-Blätterteig-Brezeln 241

Nussflorentiner 242

Nuss- oder Kokosecken. 243

Nuss-Marzipan-Törtchen 246

Obsttörtchen. 260

Obsttörtchen mit Creme 261

Orangentörtchen 273

Päckchen 278

Pekannuss-Kleingebäck 282

Petits Fours 283

Profiteroles. 294

Quarkkringel. 299

Quarkwaffeln mit Rosinen 308

Rhabarbertörtchen 314

Rosinenschnecken 330

Rosinenwaffeln. 331

Rumtopf-Törtchen. 339

Sandteig-Muffins 342

Sandwaffeln 344

Schillerlocken. 346

Schweineöhrchen 354

Stachelbeeren in Baisertörtchen . . 368

Stracciatella-Törtchen. 372

Strauben 372

Strudelhörnchen 376

Stutenkerle oder Martinsgänse . . . 377

Teegebäck mit Mandeln. 380

Topfenkipferln. 384

Traubentörtchen 385

Weinbrandtörtchen 401

Weintrauben-Muffins. 403

Weißwein-Röllchen 405

Whisky-Taschen 407

Wiener Kolatschen 408

Wiener Ringe 409

Windbeutel mit Kirschfüllung 412

Zimtwaffeln, kleine 415

Konfekt

Butterpralinen 57

Cassispralinen 63

Dattelkonfekt 70

Erdbeerkonfekt 85

Krokantbissen 177

Mandelsplittertrüffel 209

Marzipan-Aprikosen-Konfekt 216

Mokkabohnen 225

Mokkatrüffel 227

Mozartkugeln 227

Nougatpralinen 237

Nougatrauten 238

Nussmarzipan 245

Orangen-Marzipan-Kartoffeln 267

Orangentrüffel 275

Pfefferminz-Taler 284

Pistazien-Marzipan-Herzen 290

Rocky Road Triangles 318

Rosinen-Rum-Kugeln 329

Rumkirschen 336

Rumkugeln 337

Sesam-Mandel-Splitter 357

Zimt-Pflaumen-Pralinen 414

Kuchen aus der Form

Apfelkuchen, sehr fein 14

Apfel-Müsli-Kuchen 14

Apfelschichtkuchen 15

Aprikosenkuchen 20

Aprikosen-Rosetten-Kuchen 20

Aprikosenwähe mit Marzipanguss . . 22

Baba au Rhum 24

Baumkuchen 31

Birnentarte 40

Blitzkuchen mit braunem Kandis . . . 48

Burgunder Rodon 54

Durstige Liese 75

Eierlikörkuchen 79

Englischer Kuchen 82

Frankfurter Kranz 100

Gelb-Weiß-Kuchen 108

Gugelhupf 117

Hefe-Napfkuchen 123

Heidelbeerkuchen mit Guss 126

Ingwer-Aprikosen-Kuchen 136

Johannisbeer-Wähe 147

Kirsch-Streusel-Kuchen 163

Kranzkuchen mit Mohn 176

Lemon-Tarte 192

Macadamia-Ananas-Kuchen 198

Mandelkuchen mit Schokolade 207

Margaretenkuchen 214

Marmorkuchen 214

Marsala-Orangen-Kuchen 216

Marzipan-Rosenkuchen 219

Mohnkuchen 222

Napfkuchen, fein 232

Napfkuchen, gefüllt 232

Napfkuchen mit Kirschen

und Schokolade (Titelrezept) . . . 233

Nektarinenkuchen mit Toffee 235

Nusskuchen 244

Nusskuchen, einmal anders 245

Nuss-Nougat-Kranz 248

Obsttarte 259

Orangenkuchen, getränkt 267

Orangen-Mohn-Sirup-Kuchen 268

Orangen-Schoko-Kuchen 271

Osterhase 275

Papaya-Bananen-Kuchen 279

Pfirsich-Mandel-Kuchen 285

Quark-Pie mit Aprikosen 302

Quark-Streusel-Kuchen 305

Rehrücken 311

Rheinischer Schichtkuchen 316

Rosenkuchen 324

Rosinenkuchen 327

Rotweinkuchen

in der Kastenform 333

Russischer Zupfkuchen 339

Sandkuchen 342

Savarin mit Beeren 346

Schokoladenkranz 348

Sizilianischer Königskuchen 360

Stachelbeerkuchen 369

Tarte à l'orange 378

Tarte Tatin (Gestürzte Apfeltorte) . . 379

Teekuchen mit Ananas 381

Whisky-Früchtekuchen 406

Zebrakuchen 414

Zitrus-Pie 416

Zwetschenkuchen

mit Vanillecreme 418

Kuchen vom Blech

Apfel-Butterkuchen 12

Apfelkuchen mit Rahmguss 13

Apfelstrudel 16

Bienenstich 36

Birnen-Schokokuchen 38

Register

Biskuitrolle 41

Bismarckeiche 45

Brombeerschnitten 51

Brownies 52

Butterkuchen 56

Butterkuchen aus Quark-Öl-Teig . . . 56

Florentiner Schnitten 98

Gedeckter Apfelkuchen

auf dem Blech 107

Gitter-Mohn-Kuchen 113

Himbeer-Kokosnuss-Schnitten 129

Honigkuchen auf dem Blech 134

Ingwergebäck mit Schokolade 137

Joghurt-Becher-Kuchen 141

Johannisbeer-

Himbeer-Schnitten, leichte 142

Johannisbeer-

Quarkkuchen mit Baiser 143

Johannisbeerschnitten 144

Johannisbeer-

Stachelbeer-Kuchen 145

Käsekuchen

mit gemischtem Obst 155

Käsekuchen vom Blech 157

Kirschstrudel 164

Kirschstrudel mit Pudding 165

Kiwi-Stachelbeer-Kuchen 166

Kokoskuchen aus Thüringen 170

Kokos-Marzipan-Ecken 171

Konfettirolle 172

Mohnkuchen mit Streuseln 223

Nuss- oder Mandelkranz 249

Nuss-Schnitten 252

Obstvariationen, bunt 262

Orangenschnitten, leichte 272

Passionsfrucht-

Zitronen-Schnitten 281

Pfirsichschnitten 286

Pflaumen-Streuselkuchen 286

Quark-Apfel-Kuchen

mit Streuseln 296

Quarkstrudel 306

Quarkstrudel mit Obst 307

Raspelkuchen 310

Rhabarberkuchen mit Baiser 312

Rhabarberstrudel 313

Riesen-Schokokaramell-

Schnitten 317

Rosenkuchen

mit Äpfeln und Mohn 325

Rosinen-Mandel-Zopf 328

Rotweinkuchen

auf dem Blech 334

Saarländischer Apfelkuchen 340

Schokoladen-Nuss-Streifen 349

Schwarzwälder Kirschrolle 351

Spiegeleierkuchen 364

Streusel-Aprikosen-Kuchen 373

Trüffelkuchen vom Blech 386

Türkischer Strudel mit

Walnusskernen und Mandeln . . . 389

Wattwurmkuchen 398

Weincremeschnitten 402

Westfälische Kaffeeschnitten 406

Zitronen-Sahne-Rolle 416

Zuckerkuchen 417

Zwetschenkuchen 418

Mit Alkohol

Apfel im Schlafrock 12

Apfelkuchen mit Rahmguss 13

Apfelkuchen, sehr fein 14

Apfelstrudel 16

Apfeltorte, gedeckt 18

Aprikosen-Ricotten-Kuchen 20

Baba au Rhum 24

Baumkuchen 31

Baumkuchen-Petits-Fours 32

Beerenschiffchen 33

Biskuitrollen-Bombe 42

Biskuittörtchen 44

Burgunder Rodon 54

Butterpralinen 57

Cantuccini 59

Cappuccino-Flockentorte

mit Rumkirschen 60

Cassata-Torte 62

Cassispralinen 63

Champagnerplätzchen 63

Champagnertorte mit Physalis 64

Chaostorte 65

Christstollen 66

Cremeschnitten mit Blätterteig 68

Dobostorte 71

Dreispitze 74

Eierlikör-Cremekuchen 78

Eierlikörkuchen 79

Eierlikör-Mohn-Torte 80

Erdbeertorte Gracia 85

Errötendes-Mädchen-Torte 89

Förstertorte 99

Friesenkeks, hell oder dunkel 101

Haferflocken-Nuss-Plätzchen.....119

Hefewaffeln 124

Heidelbeerkuchen mit Guss 126

Heidelbeermuffins............127

Heidesand 127

Himbeertorte mit Frischkäse 130

Italienische Torte
    nach Großmutter Art.........139

Jägertorte 140

Johannisbeer-
    Himbeer-Schnitten, leichte 142

Kaffeemuffins...............149

Kirsch-Pralinen-Torte 162

Kirschstrudel 164

Kiwi-Stachelbeer-Kuchen 166

Kokos-Marzipan-Ecken 171

Konfettitaler 173

Krokanttorte aus Nussmischung...179

Litschi-Pflaumen-Torte 196

Makronentorte 201

Makronentorte
    auf Knetteigboden 202

Malakoff-Torte 203

Mandelsplittertrüffel 209

Maracujatorte...............213

Margaretenkuchen 214

Marmorkuchen..............214

Maronentorte 215

Marsala-Orangen-Kuchen 216

Marzipan-Krokant-Torte........218

Mokkabohnen...............225

Mokka-Eierlikör-Eistorte 226

Mozartkugeln 227

Muttertags-Erdbeertorte 230

Muzenmandeln............231

Muzen, Rheinische 231

Napfkuchen, gefüllt...........232

Napoleon-Krapferl............234

Nougatrauten 238

Nürnberger Elisenlebkuchen 240

Nuss-Blätterteig-Brezeln........241

Nusskuchen 244

Nussmarzipan..............245

Nuss-Marzipan-Törtchen 246

Nussmöppchen..............247

Nuss-Pudding-Torte 250

Nussrosetten 251

Nuss-Stangen...............254

Nusstorte 255

Obstvariationen, bunt 262

Orangen-Buttercreme-Torte 264

Orangen-Schoko-Kuchen.......271

Orangentörtchen.............273

Ostfriesentorte 277

Pekannuss-Kleingebäck 282

Petits Fours 283

Pfirsich-Mandel-Kuchen 285

Pflaumentorte mit Schmandguss ..288

Pistazien-Marzipan-Herzen 290

Preiselbeer-Eierlikör-Torte......292

Profiteroles................294

Punschherzen..............295

Quarkkringel...............299

Quark-Marzipan-Stollen........300

Quarkstollen...............304

Rosenkuchen 324

Rosinenkuchen.............327

Rosinen-Rum-Kugeln..........329

Rotweinkuchen
    in der Kastenform 333

Rotweinkuchen auf dem Blech....334

Rübli-Torte (Möhrentorte) 335

Rumkirschen 336

Rumkugeln.................337

Rum-Schokoladentorte 337

Rumtopf-Törtchen.............338

Saarländischer Apfelkuchen......340

Sandwaffeln................344

Saure-Sahne-Torte 345

Savarin mit Beeren 346

Schokoladen-Nuss-Streifen......349

Schwarzwälder Kirschtorte 352

Schwarz-Weiß-Gebäck 353

Sekttorte 354

Sherryplätzchen 358

Sizilianischer Königskuchen 360

Spekulatius-Reis-Torte 364

Stollen 371

Stracciatella-Törtchen..........372

Stricknadeltorte 375

Strudelhörnchen.............376

Teegebäck mit Mandeln........380

Trüffelkuchen vom Blech........386

Trüffel-Sahne-Torte 387

Trüffeltorte 388

Waldbeeren-Kuppeltorte 394

Walnussplätzchen............396

Wattwurmkuchen............398

Weihnachtssterne, gefüllt 400

Weinbrandtörtchen 401

Weincremeschnitten 402

Weinplätzchen 402

Weißwein-Ananas-Torte.......404

Weißwein-Röllchen 405

Whisky-Früchtekuchen 406

Whisky-Taschen 407

Williamstorte 411

Wirsingstrudel 413

Zimt-Pflaumen-Pralinen 414

Pikantes Gebäck

Artischockentarte 23

Blätterteigstangen 47

Brandteigkrapfen, pikant gefüllt 49

Calzone 58

Erdnuss-Gugelhupf 86

Erdnussmuffins, pikant 86

Fladenkuchen mit Porree 94

Flammkuchen 95

Frühlingspizza 104

Gemüse-Lachs-Strudel 109

Gemüsequiche 110

Gemüsetorte 111

Hackfleischpizza 118

Kartoffel-Tomaten-Pizza 153

Kartoffelwaffeln 153

Käsegebäck 154

Käse-Schinken-Hörnchen 158

Käsestangen 159

Kürbistarte 183

Lachs-Brotpizza 184

Lachstarte 185

Lauchkuchen 187

Linsen-Curry-Dreiecke 194

Malzkräcker 203

Mangoldpäckchen 212

Pilzquiches, kleine 288

Pizzataschen, gefüllte 291

Quarkkuchen, pikant, ohne Boden . 300

Quiche Lorraine 309

Rosmarinecken 331

Rosmarinwaffeln 332

Rote Muffins 332

Sauerkraut-Tarte 344

Sesam-Käse-Stangen 357

Speck-Quiche 362

Tomaten-Quiche 382

Tomatenwaffeln 383

Wirsingstrudel 413

Zwiebelkuchen 419

Zwiebelkuchen auf dem Blech 420

Zwiebelwaffeln 421

Plätzchen

Albertkekse 7

Amaretti 7

Ananasbissen 10

Anisplätzchen 11

Biberle 35

Braune Kuchen, schwedische 50

Butterringe 57

Cantuccini 59

Champagnerplätzchen 63

Dreispitze 74

Englisches Teegebäck 82

Friesenkeks, hell oder dunkel 101

Glückspilze 114

Grießplätzchen 116

Haferflocken-Nuss-Plätzchen 119

Haselnussmakronen 122

Heidesand 127

Holländische Moppen 133

Honigplätzchen 135

Ischeler Törtchen 138

Katzenzungen 160

Knöpfchen 167

Kokoskränzchen 169

Kokos-Quark-Makronen 171

Konfettitaler 173

Kosakentaler 175

Krokantplätzchen 178

Macadamiaplätzchen, gefüllt 198

Makronen mit Pinienkernen 200

Makronenplätzchen 200

Mandelbögen 205

Mandelringe 208

Mandelzungen 211

Nougatkaros 237

Nougatstangen 238

Nougat-Tuffs 239

Nusskipferln 242

Nussmöppchen 247

Nussringe 251

Nussrosetten 251

Nuss-Stäbchen 253

Nuss-Stangen 254

Orangenplätzchen 269

Orangentaler 273

Punschherzen 295

Raspeli 310

Rondellchen 323

Rondjes 324

Schokoladenküchlein 348

Schottische Butterplätzchen 351

Schwarz-Weiß-Gebäck 353
Sherryplätzchen 358
Shortbread 358
Spitzbuben 365
Spritzgebäck 367
Spritzgebäck mit Haselnüssen 368
Vanillekipferln 392
Walnussplätzchen 396
Wattplätzchen 397
Weinplätzchen 402

Schnell

Adventszahlen 6
Albertkekse 7
Amaretti 7
Ananasbissen 10
Anisplätzchen 11
Apfel im Schlafrock 12
Baguette 25
Baiser 25
Bananen-Nuss-Brot 28
Bananen-Rosinen-Muffins 28
Bergische Waffeln 34
Birnentarte 40
Biskuitrolle 41
Blätterteigschnecken 47
Blätterteigstangen 47
Blitzkuchen
    mit braunem Kandis 48
Brandteigbrötchen 49
Braune Kuchen, schwedische 50
Brioches 50

Bröseltorte mit Obst 52
Brownies 52
Burgunder Rodon 54
Butter-Toastbrot 55
Butterkuchen 56
Butterkuchen aus Quark-Öl-Teig . . . 56
Butterpralinen 57
Cassispralinen 63
Coca-Cola Muffins 67
Cremeschnitten mit Blätterteig 68
Dänisches Brot 70
Durstige Liese 75
Eclairs (Liebesknochen) 77
Eierlikörkuchen 79
Englischer Kuchen 82
Erdbeerkonfekt 85
Erdbeertorte Gracia 85
Erdnussmuffins, pikant 86
Fladenbrot mit Kräutern 93
Flammkuchen 95
Fränkisches Gewürzbrot 101
Frühstücksbrioche
    mit Buttermilch 105
Griechisches Fladenbrot 116
Haferbrot 119
Haselnussbrot 121
Haselnussmakronen 122
Hete-Napfkuchen 123
Honigkuchen auf dem Blech 134
Ingwer-Aprikosen-Kuchen 136
Ingwergebäck mit Schokolade 137
Irisches Buttermilchbrot 138
Joghurt-Becher-Kuchen 141
Kaffeemuffins 149
Käsekuchen ohne Boden 157

Kokos-Bananen-Muffins 168
Kokos-Marzipan-Ecken 171
Korinthenbrötchen 175
Krokantbissen 177
Kürbis-Muffins und -Waffeln 182
Landbrot 186
Laugengebäck 188
Lebkuchenwaffeln 190
Leipziger Lerchen, einfach 191
Löffelbiskuits 196
Macadamia-Ananas-Kuchen 198
Maisbrot mit Pfefferschoten
    und Erdnüssen 199
Mandelbrot 205
Margaretenkuchen 214
Marmorkuchen 214
Marzipan-Aprikosen-Konfekt 216
Napfkuchen mit Kirschen
    und Schokolade **(Titelrezept)** . . . 233
Nougatkaros 237
Nougatrauten 238
Nusskuchen 244
Nusskuchen, einmal anders 245
Orangen-Marzipan-Kartoffeln 267
Osterhase 275
Quarkbrötchen 298
Quarkkuchen, pikant, ohne Boden . 300
Quark-Streusel-Kuchen 305
Quarkstollen 304
Raspeli 310
Raspelkuchen 310
Rheinische Apfeltorte 315
Roggenbrot mit Salami 319
Roggen- und Weizenbrötchen 320
Rosinenkuchen 327

Rosinen-Mandel-Zopf 328
Rotweinkuchen in der Kastenform. . 333
Rotweinkuchen auf dem Blech. . . . 334
Rumkirschen 336
Saarländischer Apfelkuchen. 340
Sandkuchen 342
Schillerlocken. 346
Schokoladenkranz. 348
Schokoladenküchlein 348
Sesambrot 356
Sesam-Mandel-Splitter 357
Shortbread 358
Speckbrot. 362
Streuseltorte mit Äpfeln 374
Walnussbrot 395
Weincremeschnitten 402
Weißbrot 404

Torten

Amerikanischer Käsekuchen 9
Ananas-Mascarpone-Torte. 10
Apfeltorte, gedeckt 18
Apfeltorte, umgedreht 19
Baisertorte mit Schokocreme. 26
Bananentorte
    mit Mandel-Kokos-Baiser. 29
Barbaratorte. 30
Bienenstich mit Erdnüssen 37
Birnenkuchen mit Quark 38
Biskuitrollen-Bombe 42
Biskuitrollentorte „Exotic". 43
Bröseltorte mit Obst 52

Buchweizentorte. 53
Buttercremetorte 54
Cappuccino-Flockentorte
    mit Rumkirschen 60
Cappuccino-Torte 61
Cassata-Torte 62
Champagnertorte mit Physalis 64
Chaostorte 65
Dobostorte 71
Eierlikör-Cremekuchen 78
Eierlikör-Mohn-Torte 80
Eischwertorte
    mit buntem Streuzucker. 81
Erdbeerbiskuit
    mit Pistaziensahne 83
Erdbeer-Käse-Kuchen 84
Erdbeertorte Gracia. 85
Erfrischungstorte 88
Errötendes-Mädchen-Torte 89
Fächertorte mit Fruchtcocktail. . . . 90
Feigen-Pinien-Torte
    mit Honigquarkcreme. 91
Flockentorte. 96
Förstertorte 99
Friesische Streuseltorte 102
Frischkäse-Torte. 103
Geburtstagstorte 106
Grapefruit-Kuchen mit Baiser. . . . 115
Hannchen-Jensen-Torte. 120
Himbeer-Kirsch-Torte 128
Himbeertorte mit Frischkäse 130
Himmelstorte 131
Holländische Kirschtorte 132
Italienische Torte
    nach Großmutter Art. 139

Jägertorte 140
Johannisbeertorte. 146
Kaffeetorte. 150
Käsekuchen mit Erdbeerbelag . . . 154
Käsekuchen mit Streuseln 156
Käsekuchen ohne Boden 157
Käsetorte 160
Kirsch-Gewürz-Torte 161
Kirsch-Pralinen-Torte 162
Krokanttorte
    aus Nussmischung. 179
Kürbis-Frischkäse-Torte 181
Linzer Torte 195
Litschi-Pflaumen-Torte 196
Lüneburger Buchweizentorte 197
Makronentorte 201
Makronentorte
    auf Knetteigboden 202
Malakoff-Torte 203
Mandelgusstorte. 206
Mandel-Mokkacreme-Torte 207
Mandeltorte mit Feigen 210
Maracujatorte. 213
Maronentorte 215
Marzipan-Espresso-Torte. 217
Marzipan-Krokant-Torte. 218
Mirabellentorte 221
Möhren-Nuss-Torte 224
Mokka-Eierlikör-Eistorte 226
Muttertags-Erdbeertorte 230
Nuss-Pudding-Torte 250
Nuss-Strudel-Torte 254
Nusstorte 255
Nusstorte, gefüllt 256
Obst-Nuss-Torte 258

Orangen-Buttercreme-Torte 264

Orangencharlotte 265

Orangen-Kokos-Torte 266

Orangen-Möhren-Torte 268

Orangen-Schichttorte 270

Orangentorte 274

Ostfriesentorte 277

Passionsfrucht-Minze-Torte 280

Pflaumentorte............... 287

Pflaumentorte

   mit Schmandguss 288

Pischinger Torte 289

Preiselbeer-Eierlikör-Torte 292

Prinzregententorte 293

Quark-Kirsch-Torte 298

Quark-Sahne-Torte 303

Quarktorte mit Grieß 308

Rheinische Apfeltorte 315

Rübli-Torte (Möhrentorte) 335

Rum-Schokoladentorte 337

Sachertorte 341

Sandtorte, gefüllt 343

Saure-Sahne-Torte 345

Schokoladencremetorte........ 347

Schokoladentorte, feine........ 350

Schwarzwälder Kirschtorte 352

Sekttorte 354

Spekulatius-Reis-Torte 364

Stachelbeertorte............. 370

Streuseltorte mit Äpfeln 374

Stricknadeltorte 375

Trüffel-Sahne-Torte........... 387

Trüffeltorte 388

Vanillecremetorte mit Obst 390

Vanille-Käsekuchen........... 391

Waldbeeren-Kuppeltorte 394

Walnuss-Orangen-Torte........ 396

Weißwein-Ananas-Torte........ 404

Wiener Sandtorte

   mit Hagebutten 410

Williamstorte 411

Vollwert-Gebäck

Bananen-Rosinen-Muffins 28

Brandteigbrötchen 49

Buchweizentorte............. 53

Fränkisches Gewürzbrot 101

Frühlingspizza 104

Gerstenbrot, rundes 112

Haferbrot 119

Haselnussbrot............... 121

Hefewaffeln 124

Irisches Buttermilchbrot 138

Käsestangen............... 159

Leinsamen-Sesam-Brot 191

Mehrkornbrot 220

Müslistangen 229

Nussringe................. 251

Nusswaffeln 257

Roggenbrot

   mit ganzen Weizenkörnern 318

Roggen-Sonnenblumenkern-Brot .. 320

Roggen- und Weizenbrötchen ... 320

Roggen-Vollkornbrot 321

Rosinen-Quark-Brötchen 328

Rosinenschnecken 330

Rosinenwaffeln.............. 331

Rosinenwaffeln.............. 331

Siebenkornbrot.............. 359

Sonnenblumenbrot 360

Sonnenblumenkern-Brötchen..... 361

Spritzgebäck mit Haselnüssen 368

Vollkornbrötchen, dunkle........ 392

Vollkornkuchen

   mit Apfelfüllung 393

Weihnachtsgebäck

Aachener Printen 6

Adventszahlen 6

Christstollen................. 66

Dominosteine 72

Lebkuchen 189

Lebkuchenwaffeln 190

Mandelstollen............... 209

Nikolausstiefel 236

Nürnberger Elisenlebkuchen 240

Nürnberger Lebkuchen 240

Pfeffernüsse mit Guss 284

Quark-Marzipan-Stollen........ 300

Quarkstollen................ 304

Spekulatius 363

Spitzkuchen 366

Springerle 366

Stollen.................... 371

Weihnachtliche Porridge-Kekse ... 398

Weihnachtsplätzchen, braune 399

Weihnachtssterne, gefüllt 400

Zimtsterne 415

Umwelthinweis Dieses Buch und der Einband wurden auf chlorfrei gebleichtem Papier gedruckt. Die Einschrumpffolie – zum Schutz vor Verschmutzung – ist aus umweltfreundlichem und recyclingfähigem PE-Material.

Wenn Sie Anregungen, Vorschläge oder Fragen zu unseren Büchern haben, rufen Sie uns unter folgender Nummer an (0521) 155-2580 oder 52 06 50 oder schreiben Sie uns: Dr. Oetker Verlag KG, Am Bach 11, 33602 Bielefeld oder besuchen Sie uns im Internet unter www. oetker.de

Wir danken für die freundliche Unterstützung Coca-Cola, Berlin
August Storck, Berlin

Copyright © 2005 by Dr. Oetker Verlag KG, Bielefeld

Redaktion Carola Reich, Annette Riesenberg, Andrea Gloß

Innenfotos Thomas Diercks, Kai Boxhammer, Hamburg (S. 9, 11, 14, 15, 19, 22, 25, 36, 40, 41, 47, 54, 56, 58, 60, 62–65, 76, 77, 83, 84, 85, 91, 93, 94, 96, 97, 109–112, 124, 129, 137–139, 144, 145, 157, 159, 160, 164, 165, 168, 176, 182, 185, 194, 209, 212, 213, 216, 218–221, 230, 232–235, 237, 242, 250, 251, 253, 257, 258, 260, 263, 268, 273, 279–281, 285, 288, 291, 295, 299, 300, 307–309, 311, 316–318, 322–324, 329, 331, 332, 337, 338, 340, 344, 348, 349, 355, 361, 365, 368, 372, 379, 383, 387, 393, 396, 398, 399, 401, 409, 413, 416, 417, 421)
Uli Hartmann, Bielefeld (S. 118)
Ulrich Kopp, Sindelfingen (S. 13, 23, 28, 29, 31, 35, 37, 57, 63, 74, 89, 106, 152, 155, 157, 169, 175, 177, 181, 217, 224, 244, 247, 249, 264, 271, 275, 278, 284, 286, 289, 290, 306, 314, 330, 331, 336, 345, 357, 382, 400, 402, 408, 415, 419)
Kramp & Gölling, Hamburg (S. 7, 11, 16, 37, 51, 51, 61, 72, 80, 85, 95, 102, 114, 115, 128, 134, 140, 142, 147, 183, 186, 192, 197, 215, 254, 262, 269, 272, 277, 320, 334, 339, 373, 375, 414)
Bernd Lippert (S. 26, 30, 46, 48, 52, 67, 70, 75, 86, 90, 99, 104, 116, 119, 121, 141, 149, 151, 172, 180, 190, 202, 206, 207, 210, 225, 256, 265, 274, 290, 337, 343, 347, 384, 385, 391, 392, 403, 410, 415)
Christiane Pries, Borgholzhausen (S. 27, 45, 78, 133, 211, 223, 229, 231, 252, 297, 321, 360, 362)
Axel Struwe, Bielefeld (S. 154)
Norbert Toelle, Bielefeld (S. 6, 7, 18, 24, 49, 55, 71, 82, 116, 123, 130, 163, 189, 204, 222, 259, 267, 302, 298, 315, 367, 377, 395, 404)
Brigitte Wegner, Bielefeld (S. 8, 12, 17, 20, 21, 32–34, 38, 43, 44, 50, 53, 59, 68, 73, 79, 81, 82, 87, 88, 92, 98, 103, 105, 107, 108, 117, 120, 122, 125–127, 131, 132, 136, 143, 146, 148, 150, 156, 160–162, 166, 167, 170, 173, 178, 179, 191, 193, 195, 198–201, 203, 205, 209, 226, 227, 231, 236, 240, 241, 245, 248, 261, 266, 270, 276, 282–284, 292, 294, 296, 304, 310, 313, 329, 333, 342, 346, 350, 352, 358, 359, 363, 364, 369–371, 374, 376, 378, 380, 381, 386, 389, 394, 405, 406, 407, 411, 418, 420)
Bernd Wohlgemuth, Hamburg (S. 69, 188, 228, 301, 348)

Rezeptentwicklung und -beratung Dr. Oetker Versuchsküche
Mechthild Plogmaker, Versuchsküche Dr. Oetker, Bielefeld
Maren Jahnke, Hamburg
Claudia Glünz, Nordhorn
Anke Rabeler, Berlin
Eike Upmeier-Lorenz, Hamburg
Sabine Lange, Oetzen

Titelgestaltung kontur:design, Bielefeld
Grafisches Konzept kontur:design, Bielefeld

Reproduktionen und Satz MOHN media Mohndruck GmbH, Gütersloh
Druck und Bindung Firmengruppe APPL, aprinta Druck, Wemding

ISBN 978-3-7670-0566-2